# COMO USAR ESTE DICCIONARIO

**1.** Este libro es un *Diccionario*, y como en todo *Diccionario*, las palabras están ordenadas según el abecedario, es decir, primero aparecen las que comienzan con la letra **A**, después las que empiezan con la letra **B** y así, en orden, hasta llegar a las que empiezan con la última letra del abecedario, que es la letra **Z**. Estas son todas las letras puestas en orden alfabético:

A B C CH D E F G H I
J K L LL M N Ñ O P Q
R S T U V W X Y Z

Como hemos explicado, los grupos de palabras están ordenados según la letra con que comienzan. Para encontrarlos más fácilmente se ha colocado una página especial al comienzo de cada letra; por ejemplo, si buscas la página 1, allí comienzan las palabras con la letra **A** y si buscas la página 273, ahí comienzan las palabras con la letra **P**. Esas páginas son así:

**2.** En este *Diccionario* no están todas las palabras de nuestro idioma, pero están muchas de las que necesitas para aprender a **hablar, leer, escribir** y **pensar** correctamente. Porque un buen *Diccionario*, como éste, te sirve también para averiguar qué quieren decir las palabras.

Al lado de cada palabra encontrarás algunas **explicaciones** o dibujos que te ayudarán a entenderla mejor, y frases (ejemplos) donde se emplea esa palabra para que así aprendas a **usarla** mejor. Porque las palabras se usan juntas y se relacionan unas con otras.

Por ejemplo:

Al lado derecho de la palabra **abrochar** vas a encontrar esta "explicación": Cerrar con broches o botones.

Junto a la explicación encontrarás un dibujo.

Y a la derecha del dibujo, este ejemplo: Te **abrocharon** mal la camisa.

| Pasado | Presente | Futuro |
|---|---|---|
| abroché | abrocho | abrocharé |

Este *Diccionario* te sirve, entonces, para averiguar qué quieren decir las palabras, para entenderlas y, con los ejemplos, para usarlas y ver cómo se juntan y se relacionan.

**3.** Cada página está ordenada en tres columnas.
En la primera columna aparecen las palabras en rojo.

Debajo de las palabras aparece una *pantalla*.

Al lado de la *palabra* encontrarás uno o más *recuadros*, con una figura adentro, que te explicaremos más adelante.

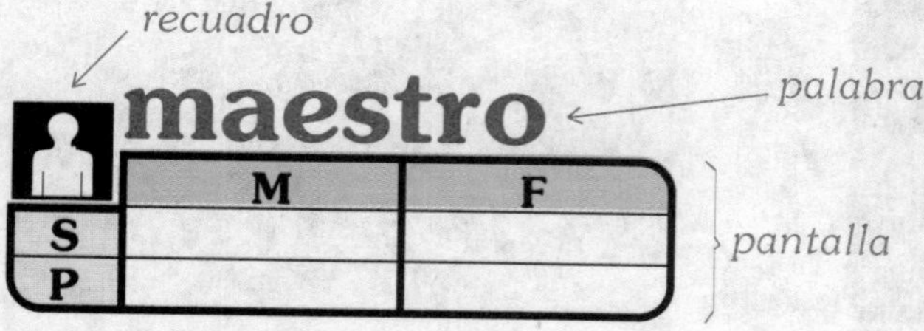

Nº 74.703-3

# primer DICCIONARIO

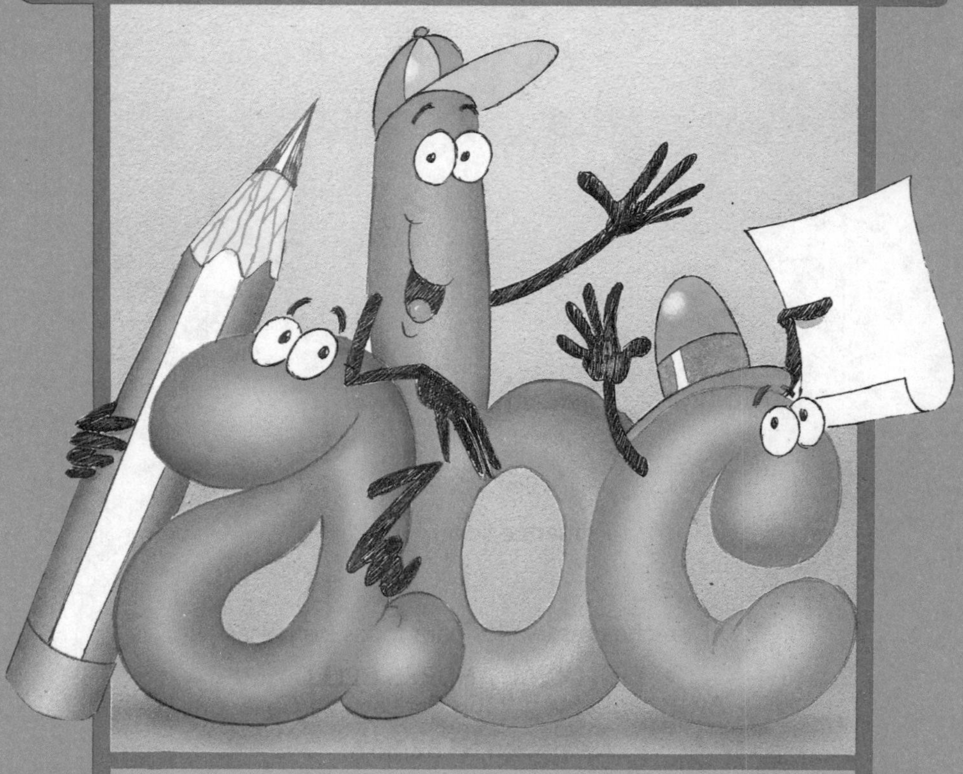

ANDRÉS BELLO

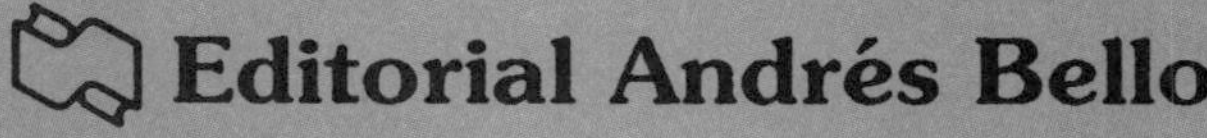
Editorial Andrés Bello

Primera edición, 1992



© EDITORIAL ANDRÉS BELLO
Av. Ricardo Lyon 946 - Santiago de Chile

Inscripción N° 82.367

Se terminó de imprimir esta segunda edición en marzo de 1994

DISEÑO E ILUSTRACIONES: Christian Lungenstras A.

FOTOMECANICA & POSTSCRIPT: Photo Lettering Ltda.

IMPRESORES: Impre Andes

IMPRESO EN COLOMBIA / PRINTED IN COLOMBIA

ISBN 956-13-1036-8

# PRESENTACION

La intención fundamental de este *Diccionario* es poner a disposición de padres y profesores un instrumento que conduzca a los niños, con agrado, hacia la lectura y el conocimiento.

Este *Diccionario* puede ser utilizado por un preescolar para jugar y divertirse con las imágenes, las letras y las palabras (aunque no sepa leer); por los padres para improvisar relatos a partir de sus ilustraciones, y por los escolares en los primeros grados de la enseñanza básica.

Los niños podrán aprender el manejo de los elementos básicos de nuestro idioma y un vocabulario de más de dos mil palabras. Su organización gráfica les permitirá, por otra parte, adquirir el uso de las categorías gramaticales básicas y la capacidad de relacionar sin obstruir su imaginación.

Este *Diccionario* ha sido realizado por los Profesores Félix Morales Pettorino, Catedrático de Gramática y Semántica del Español, Miembro Correspondiente de la Academia Chilena de la Lengua, Premio Conde de Cartagena de la Real Academia Española, y Oscar Quiroz Mejías, Catedrático de Gramática Española, Semiótica y Teoría de la Comunicación.

Su revisión estuvo a cargo de Felipe Alliende González, Profesor de Literatura, Doctor en Educación y Miembro de la Academia Chilena de la Lengua, y del equipo técnico de la Editorial Andrés Bello.

La realización gráfica, en cuanto a diseño e ilustraciones, se debe a Christian Lungenstras Alvarez, diseñador gráfico de la Pontificia Universidad Católica de Chile.

En la columna del centro aparece la explicación de la palabra u otra palabra que significa casi lo mismo, destacada con un *punto negro*.

**maestro**

| | M | F |
|---|---|---|
| S | | |
| P | | |

• Profesor. ← *otra palabra que significa lo mismo*

Persona que domina su oficio. ← *explicación*

En la tercera columna aparecen *ejemplos* que te enseñan el uso de la palabra.

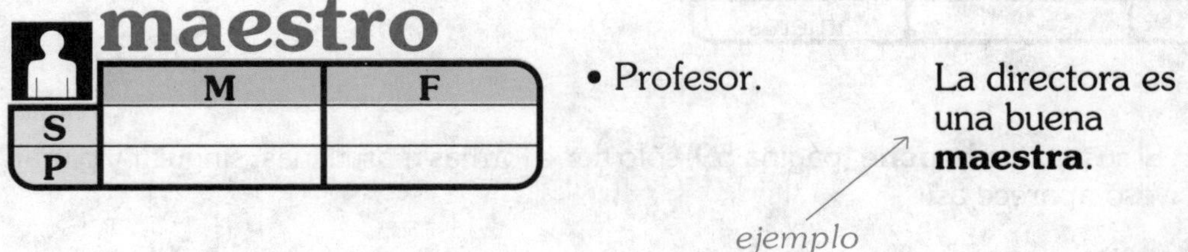


## 4. PANTALLAS Y PALABRAS VARIABLES

Solamente llevan pantalla las palabras que se llaman **variables.**
Estas palabras son las que cambian de forma según como las uses. Esos cambios se muestran en las pantallas.
Las palabras variables son los **sustantivos, adjetivos, artículos, pronombres** y **verbos.** Puedes encontrar la explicación de sustantivo en la **S,** de adjetivo y artículo en la **A**, y de verbo en la **V.**

Los **pronombres** son palabras que reemplazan a los sustantivos: pro-nombre quiere decir en-vez-del-nombre, y "nombre" es otra forma de llamar al sustantivo. Cuando en vez de "**árbol**" solamente dices **ése**, estás usando el pronombre "ése" para reemplazar al sustantivo "árbol".

Veamos cómo funciona todo esto.

### a) Con los sustantivos, adjetivos, artículos y pronombres aparece una pantalla así:

**gato**

| | M | F |
|---|---|---|
| S | gato | gata |
| P | gatos | gatas |

El sustantivo "gato" del ejemplo cambia (es variable) si lo usas para nombrar **un** gat**o** (**S**ingular) o **más** de uno, es decir, varios gat**os** (**P**lural). Esta variación se llama variación de número. También cambia si nombras **un** gat**o** (**M**asculino) o si nombras **una** gat**a** (**F**emenino). Esto se llama variación de género. Lo mismo sucede con los adjetivos, artículos y pronombres.

Pero no todos los sustantivos y adjetivos varían de la misma manera.

Por ejemplo:

El sustantivo **afueras** (página 16) sólo tiene forma femenina plural y por eso aparece así:

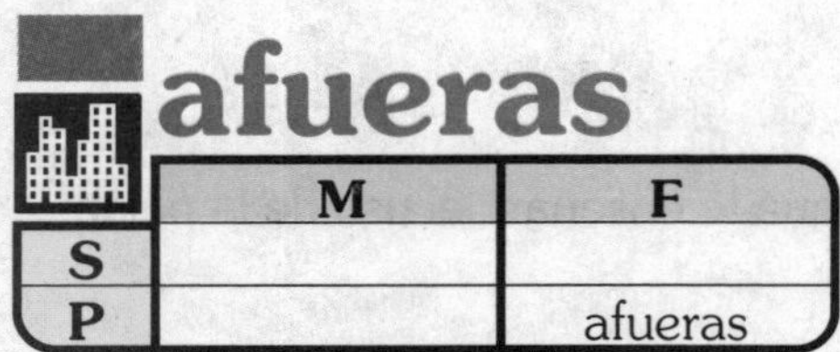

**afueras**

| | M | F |
|---|---|---|
| S | | |
| P | | afueras |

El sustantivo **broche** (página 59) sólo tiene formas masculinas: singular y plural. Por eso aparece así:

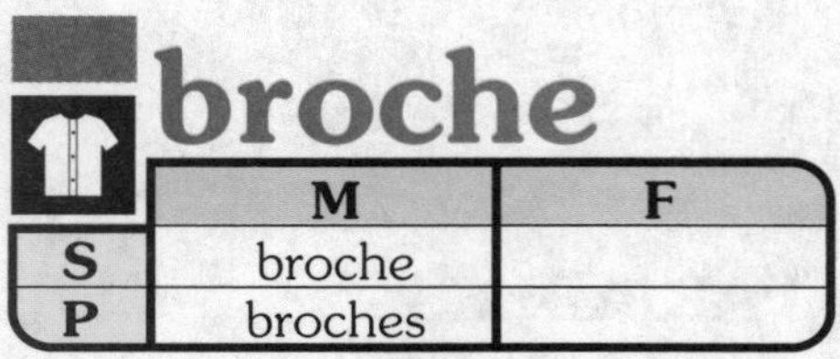

**broche**

| | M | F |
|---|---|---|
| S | broche | |
| P | broches | |

El sustantivo **casa** (página 73) sólo tiene formas femeninas: singular y plural. Por eso aparece así:

**casa**

| | M | F |
|---|---|---|
| S | | casa |
| P | | casas |

El adjetivo **aceptable** (página 10) tiene una forma singular para masculino y femenino y otra forma plural para femenino y masculino. Por eso aparece así, al centro:

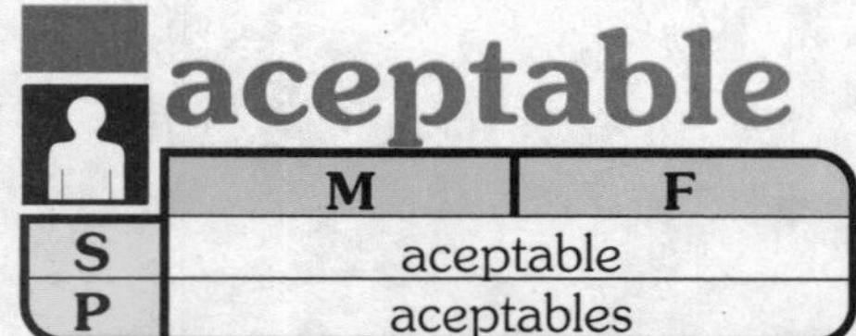

**aceptable**

| | M | F |
|---|---|---|
| S | aceptable | |
| P | aceptables | |

El sustantivo **caries** (página 71) tiene una misma forma, femenina, para el singular y el plural. Por eso aparece así:

**caries**

| | M | F |
|---|---|---|
| S | | caries |
| P | | |

## b) Con los verbos, que también son palabras variables, aparece una pantalla así:

| Pasado | Presente | Futuro |
|---|---|---|
| canté | canto | cantaré |

Un mismo verbo, "cantar", se usa de distintas maneras si hablas de algo que ya pasó (canté); de algo que pasa en este momento (canto); o de algo que pasará después (cantaré). Los verbos tienen además otras variaciones. Pero éstas son más importantes y sirven para indicar el momento en que sucede algo.

## c) Las "pantallas" llevan también otros elementos:

A la izquierda hay un **recuadro** (con una figura). Este, por ejemplo:

Y ese cuadrado lleva encima un pequeño **rectángulo de color:**

La figura completa queda así:

El rectángulo de color te indica si la palabra es sustantivo , adjetivo verbo , artículo o pronombre

En algunos casos hay dos rectángulos juntos, así: ▮▮. Son palabras que sirven a veces de sustantivo y otras de adjetivo, según como las uses. Por ejemplo ("cinco", pág. 82):

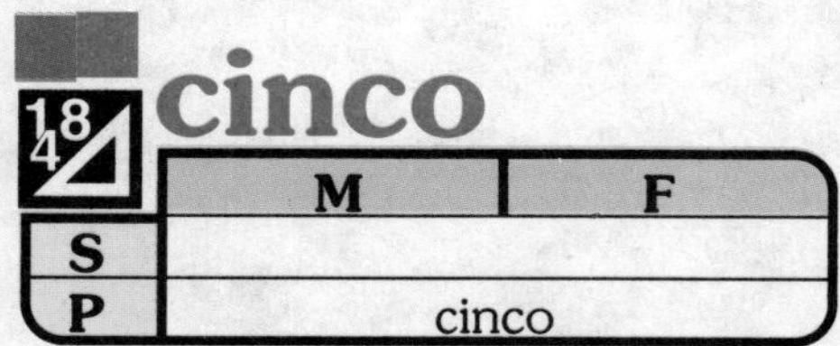


Cada mano tiene **cinco** dedos. Los **cinco** están provistos de uñas.

También una misma palabra puede servir de adjetivo o de pronombre. Por ejemplo ("ese", página 153):

**ese**

| | M | F |
|---|---|---|
| S | ese | esa |
| P | esos | esas |

Pásame **ese** libro por favor.

Ya vienen **ésos**.

También se dice **eso** para referirse a algo que ya ha sido mencionado.

Quiero un poco de **eso**.

## d) Los recuadros, con una figura adentro, señalan lo siguiente:

En el mundo que te rodea, en tu ciudad, en tu familia, en tu casa, hay de todo. Hay personas, por ejemplo. Tú eres una persona. Hay animales: los más comunes son los perros y los gatos. Hay vegetales: sabes que conviene comer verduras y frutas, sabes que es bueno cuidar los árboles. En tu casa hay distintas habitaciones. En cada habitación hay cosas distintas. En tu ciudad hay casas y edificios, calles y quizás un puente. Tú vives en la Tierra, y en la Tierra hay ríos, mares, cerros. Habrás visto el cielo de día, azul o con nubes, y de noche con estrellas. La Tierra se está moviendo dentro del Universo.

Habrás notado, además, que tus padres se ocupan de que estés sano, de que comas, de que hagas deporte, de que estudies y aprendas. Y muchas de estas cosas las haces con tus amigos. Te juntas con ellos para hacer deportes, para estudiar, para ir a un club, a un cine o a una fiesta. Vas a un colegio y allí te enseñan a aprender lo que otras personas aprendieron antes que tú, te enseñan a saber observar cosas hermosas (un cuadro, por ejemplo) y a escuchar cosas hermosas (una buena música, por ejemplo). Habrás notado, por último, que las personas viven en pueblos y ciudades, en grupos, que se juntan para hacer cosas, para ocuparse de los demás. Tú no vives solo. Vives en una sociedad.

Esos recuadros con figuras adentro te sirven entonces para ordenar el mundo que te rodea.

Hay, por ejemplo, un recuadro especial para los animales. Es éste:

Este *Diccionario* tiene diecinueve recuadros distintos. Cada uno corresponde a un grupo, a un conjunto. Si te fijas en ellos, te servirán para ordenar tu mundo y para usar mejor las palabras. Estos son los diecinueve recuadros y esto es lo que te explica cada uno:

| Recuadro | | | |
|---|---|---|---|
| | El Universo | Todo lo que hay en el espacio | Sol, luna, estrella, cielo... |
| | La Tierra | Nuestro planeta y lo que en él sucede | Mar, río, isla, lluvia... |
| | Vegetales | Plantas, sus partes, sus frutos | Naranja, semilla, árbol... |
| | Animales | Animales, sus partes, acciones | Gato, perro, huevo, ala, ladrar... |
| | El hombre | Cuerpo humano, órganos, funciones, edades | Cabeza, pulmon, toser, comer, anciano... |
| | Salud | Lo necesario para conservar y desarrollar la vida; higiene, enfermedades, medicina | Temperatura, resfrío, dentista, jabón... |
| | Alimentos y bebidas | | Café, guiso, pescado, sopa, té... |
| | Vestuario | | Camisa, chaleco, pantalón, sandalia, sombrero... |
| | Instrumentos muebles | Cosas de uso común, hechas por el hombre | Martillo, tijera, silla, vaso... |
| | Cosas de la ciudad | Construcciones, obras públicas | Casa, edificio, calle, vereda; puerta, ventana... |
| | Arte y artesanía | Cosas hermosas que hace el hombre | Escultura, música, teatro, cuadro, poesía... |

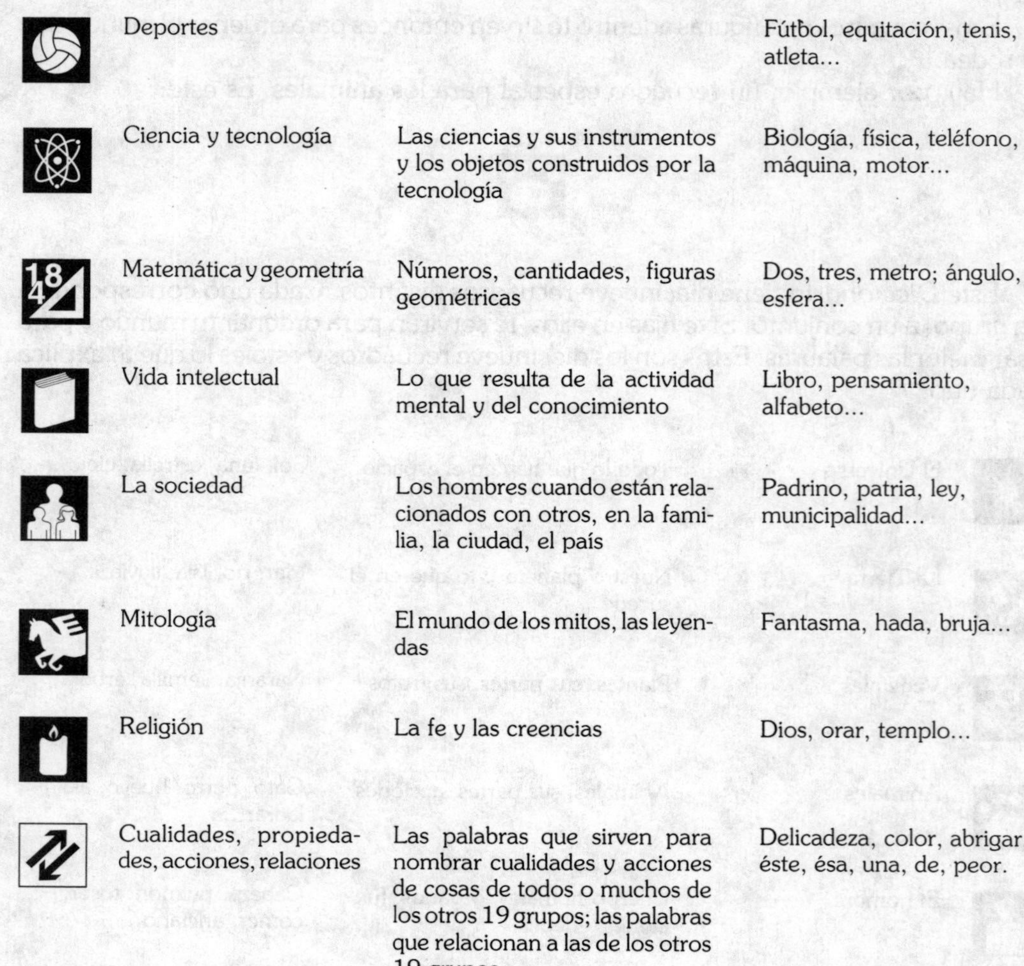

| Grupo | Contenido | Ejemplos |
|---|---|---|
| Deportes | | Fútbol, equitación, tenis, atleta... |
| Ciencia y tecnología | Las ciencias y sus instrumentos y los objetos construidos por la tecnología | Biología, física, teléfono, máquina, motor... |
| Matemática y geometría | Números, cantidades, figuras geométricas | Dos, tres, metro; ángulo, esfera... |
| Vida intelectual | Lo que resulta de la actividad mental y del conocimiento | Libro, pensamiento, alfabeto... |
| La sociedad | Los hombres cuando están relacionados con otros, en la familia, la ciudad, el país | Padrino, patria, ley, municipalidad... |
| Mitología | El mundo de los mitos, las leyendas | Fantasma, hada, bruja... |
| Religión | La fe y las creencias | Dios, orar, templo... |
| Cualidades, propiedades, acciones, relaciones | Las palabras que sirven para nombrar cualidades y acciones de cosas de todos o muchos de los otros 19 grupos; las palabras que relacionan a las de los otros 19 grupos | Delicadeza, color, abrigar, éste, ésa, una, de, peor. |

# 5. PALABRAS INVARIABLES

Junto a las palabras que NO llevan pantalla, aparece un RECTANGULO a la izquierda. Dentro de este rectángulo hay unas letras que te indican de qué tipo de palabra se trata. Son éstas:

- prep. Preposición
- conj. Conjunción
- adv. Adverbio
- interj. Interjección

Estas palabras se llaman invariables, porque siempre mantienen la misma forma, no cambian, no varían. La palabra **de** (preposición) siempre será **de**. La palabra **y** (conjunción) siempre será **y**. La palabra **así** (adverbio) siempre será **así**.

Las conjunciones y preposiciones son palabras que sirven para relacionar unas palabras con otras. Por ejemplo:

Casa **de** piedra: **de** relaciona a casa con piedra, e indica que esa casa está construida de piedra.

Perros **y** gatos: **y** relaciona a perros con gatos, e indica que perros y gatos están juntos, están cerca, o que se está hablando de los perros y de los gatos al mismo tiempo.

Otra palabra invariable que se usa mucho es el adverbio. **Así** es un adverbio. Cuando dices que tu amigo ríe "así", dices que tu amigo ríe de una manera y no de cualquier otra.

Las palabras invariables son las que "arman", organizan, lo que dices. Si no las usaras, sólo dirías palabras "sueltas". Podrías decir, por ejemplo, "casa" y podrías decir "piedra". Pero no podrías decir "casa **de** piedra".

Es muy importante, entonces, saber usarlas bien. Por eso, en este *Diccionario* se indican las formas de usarlas. Mira, por ejemplo, la página 115 y verás las distintas maneras de emplear la palabra **de**.

Queda una sola clase de palabras invariables, que se llaman interjecciones; por ejemplo ¡**ay**!

Estas palabras sirven para expresar emociones. Si te pisan de repente un pie, puede que digas ¡ay! También puede que digas otra cosa; pero todo lo que digas, con una sola palabra, un poco gritando o variando notoriamente el tono o fuerza de tu voz, será una interjección. También hay interjecciones para llamar a alguien, para llamar la atención de alguien, por ejemplo ¡**eh**! Y no te explicamos más, porque debes saber muchas interjecciones.

Y tampoco te explicamos más, porque con esto, y con lo que ya sabes, puedes empezar a usar este *Diccionario* y estamos seguros de que te servirá mucho.

A B C CH D E F G H I
J K L LL M N Ñ O P Q
R S T U V W X Y Z

prep. **a**

Se usa antes de lo que quiere decir:

| | |
|---|---|
| • el lugar adonde se va | Voy **a** tu casa. |
| • la hora en que sucede algo | Llegó **a** las 5. |
| • el modo de hacer algo | Pasó **a** duras penas. |
| • el precio de algo | Pan **a** $ 100 el kilo. |
| • el ser que recibe algo | Le pasé el libro **a** Pedro. |
| • una orden | ¡**A** la cama! |

**a**

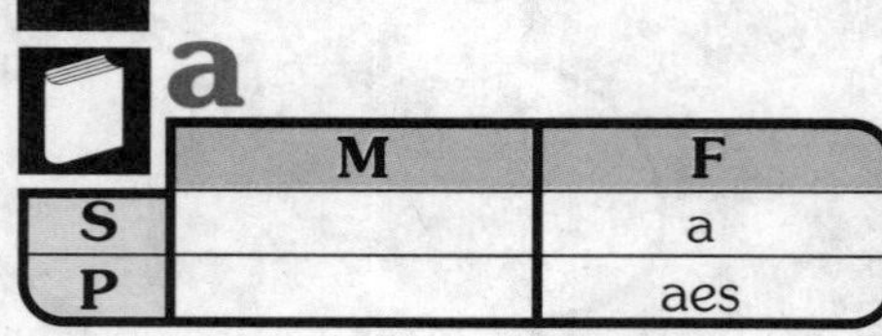

| | M | F |
|---|---|---|
| S | | a |
| P | | aes |

Nombre de la letra **a** y del sonido que representa

**A** es la primera letra del abecedario.

adv. **abajo**

Esa familia vive más **abajo**.

Las cosas caen desde arriba hacia **abajo**.

interj. **¡abajo!**

¡**Abajo** la contaminación!

## abandonar

| Pasado | Presente | Futuro |
|---|---|---|
| abandoné | abandono | abandonaré |

Irse de un lugar. El desorden empezó cuando el profesor **abandonó** la sala.

Dejar de cuidar o de atender. No **abandones** tus juguetes.

## abdomen

| | M | F |
|---|---|---|
| S | abdomen | |
| P | abdómenes | |

En el **abdomen** están los órganos de la digestión.

## abecedario

| | M | F |
|---|---|---|
| S | abecedario | |
| P | abecedarios | |

• Alfabeto. ¿Sabes tú por qué el **abecedario** se llama así?

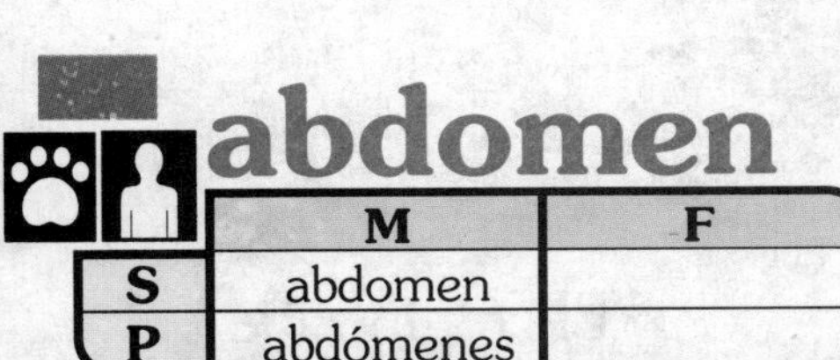


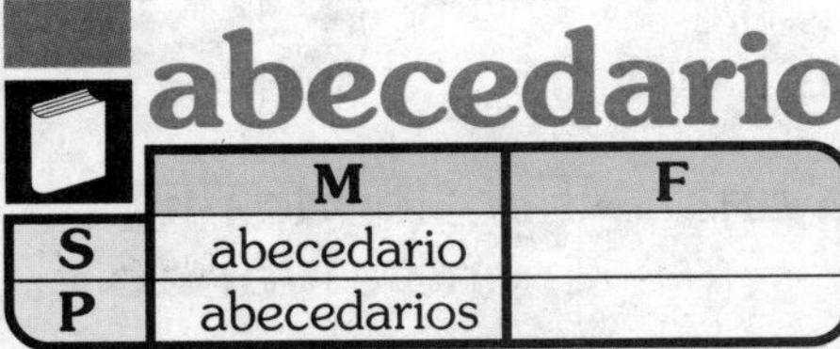

## abeja

| | M | F |
|---|---|---|
| S | | abeja |
| P | | abejas |

Las **abejas** son insectos que producen miel y cera.

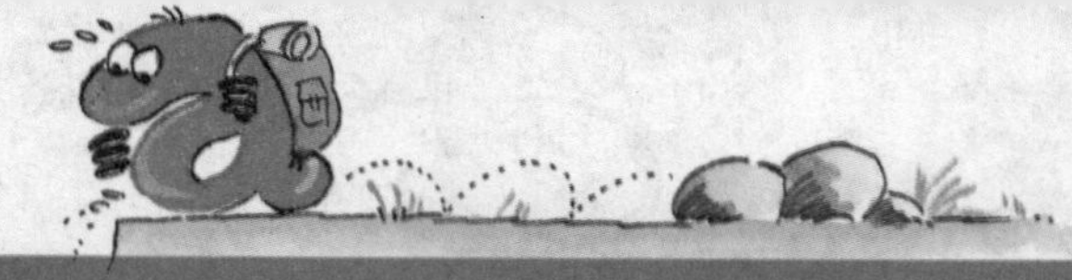

## abertura

| | M | F |
|---|---|---|
| S | | abertura |
| P | | aberturas |

Al sacar el clavo, quedó una **abertura** en la pared.

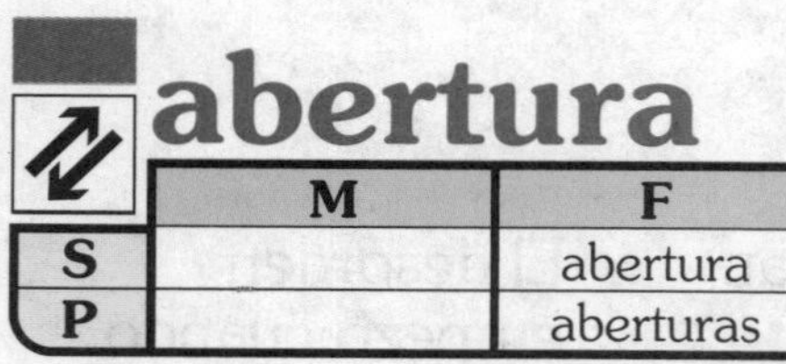

## abierto

| | M | F |
|---|---|---|
| S | abierto | abierta |
| P | abiertos | abiertas |

No dejes la puerta **abierta**, por favor.

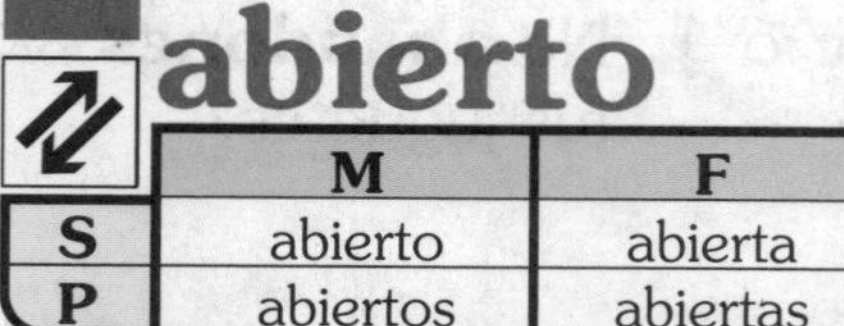

## abismo

| | M | F |
|---|---|---|
| S | abismo | |
| P | abismos | |

El camino iba junto a un **abismo**.

## ablandar

| Pasado | Presente | Futuro |
|---|---|---|
| ablandé | ablando | ablandaré |

Poner blanda una cosa.

El calor de mi mano **ablandó** el chocolate.

## abnegación

| | M | F |
|---|---|---|
| S | | abnegación |
| P | | |

Sacrificio que se hace para ayudar o socorrer a alguien.

Mis padres me cuidan con **abnegación** cuando estoy enfermo.

## aborrecer

| Pasado | Presente | Futuro |
|---|---|---|
| aborrecí | aborrezco | aborreceré |

Sentir mucha aversión o repugnancia.

Mi perro **aborrece** el pan.

## abrazar

| Pasado | Presente | Futuro |
|---|---|---|
| abracé | abrazo | abrazaré |

Rodear con los brazos en señal de afecto.

Todos **abrazamos** al papá en el día de su cumpleaños.

## abreviatura

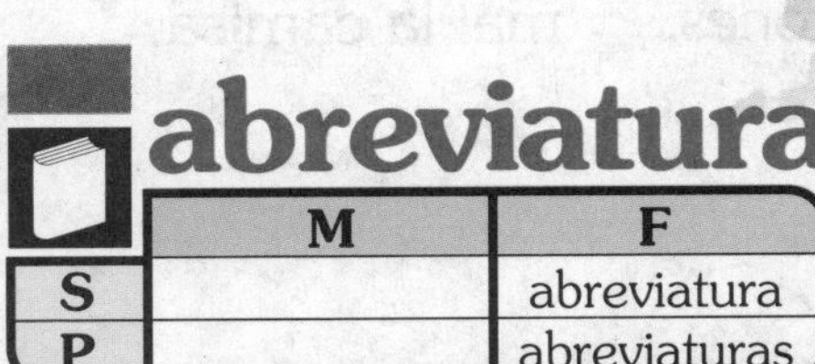

| | M | F |
|---|---|---|
| S | | abreviatura |
| P | | abreviaturas |

Con las **abreviaturas** se acortan las palabras.

## abrigar

| Pasado | Presente | Futuro |
|---|---|---|
| (me) abrigué | (me) abrigo | (me) abrigaré |

Defender del frío.

**Me abrigué** el cuello con una bufanda porque hacía mucho frío.

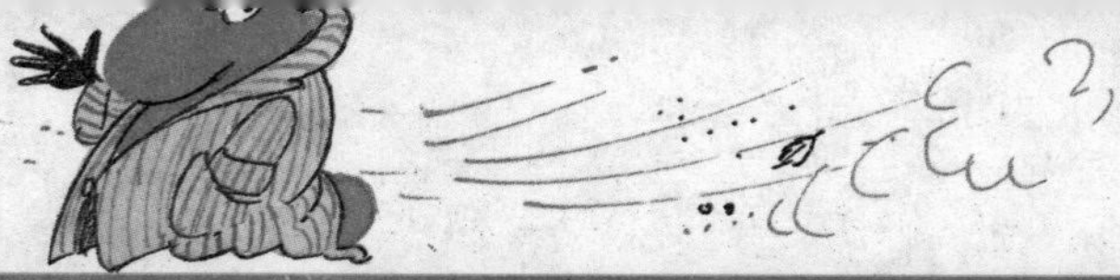

## abrigo

| | M | F |
|---|---|---|
| S | abrigo | |
| P | abrigos | |

Lo que defiende contra el viento y el frío.

El muelle sirve de **abrigo** a las embarcaciones.

Mi **abrigo** es grueso.

## abrir

| Pasado | Presente | Futuro |
|---|---|---|
| abrí | abro | abriré |

Hacer que lo que estaba cerrado deje de estarlo.

Será castigado por **abrir** la caja.

**Abre** la puerta por favor.

## abrochar

| Pasado | Presente | Futuro |
|---|---|---|
| abroché | abrocho | abrocharé |

Cerrar con broches o botones.

Te **abrocharon** mal la camisa.

## abuelo

| | M | F |
|---|---|---|
| S | abuelo | abuela |
| P | abuelos | abuelas |

Adivina por qué cada niño tiene cuatro **abuelos**.

## abundancia

| | M | F |
|---|---|---|
| S | | abundancia |
| P | | |

Gran cantidad o producción de algo.

El mar tiene sal en **abundancia**.

## aburrir

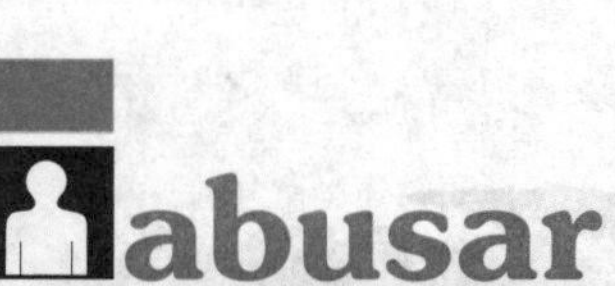

| Pasado | Presente | Futuro |
|---|---|---|
| (me) aburrí | (me) aburro | (me) aburriré |

Perder el interés por algo o alguien.

Las películas demasiado largas me **aburren**.

## abusar

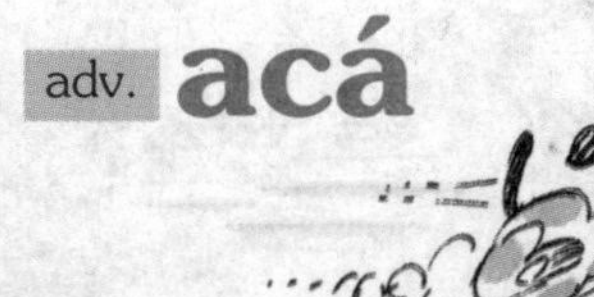

| Pasado | Presente | Futuro |
|---|---|---|
| abusé | abuso | abusaré |

Usar algo en exceso o en mala forma.

No **abuses** de mi paciencia.

Usar la fuerza o el poder en perjuicio del más débil.

Es muy malo **abusar** de los niños más débiles.

## adv. acá

Ven **acá**, donde estoy yo.

## acabar

| Pasado | Presente | Futuro |
|---|---|---|
| acabé | acabo | acabaré |

• Terminar.

Iré a jugar contigo cuando **acabe** las tareas.

## acantilado

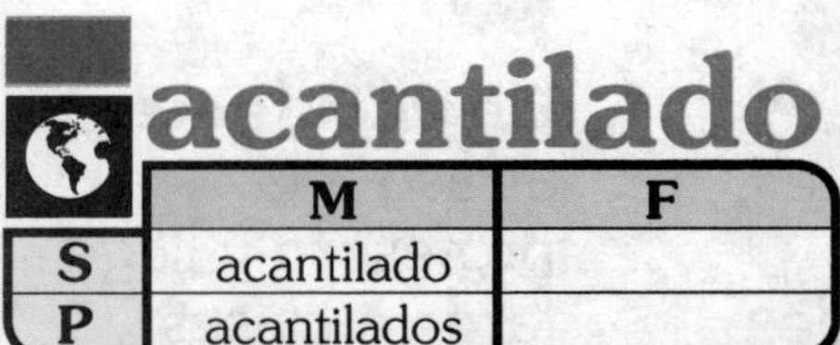

| | M | F |
|---|---|---|
| S | acantilado | |
| P | acantilados | |

Desde el barco se veían los **acantilados** de la costa.

## acariciar

| Pasado | Presente | Futuro |
|---|---|---|
| acaricié | acaricio | acariciaré |

PRRRRRRR...

El gato se pone contento cuando lo **acarician**.

## acarrear

| Pasado | Presente | Futuro |
|---|---|---|
| acarreé | acarreo | acarrearé |

Llevar a personas, animales o cosas de una parte a otra.

**Acarreamos** toda la fruta desde el huerto hasta la casa.

## adv. acaso

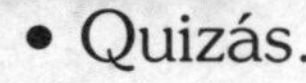

• Quizás.

¿**Acaso** no me crees?

Se usa para preguntar algo que no se sabe bien.

**Acaso** sea un regalo.

## accidente

| | M | F |
|---|---|---|
| S | accidente | |
| P | accidentes | |

Hecho, generalmente malo, que sobreviene de repente.

Un **accidente** atrasó a la profesora y llegó tarde a clases.

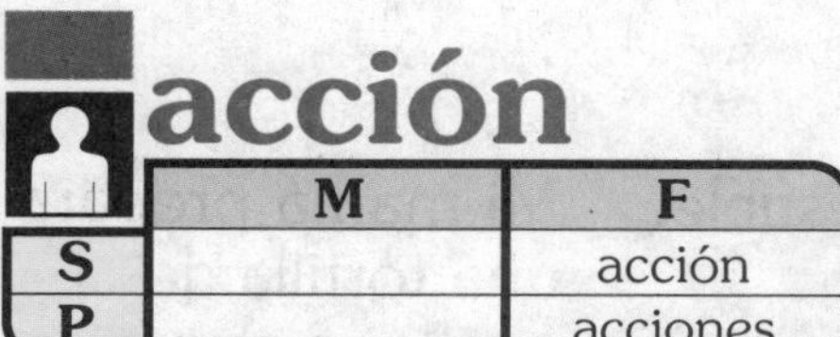

# acción

| | M | F |
|---|---|---|
| S | | acción |
| P | | acciones |

Lo que produce ciertos efectos.

Observamos la **acción** del imán sobre el hierro.

Lo que alguien hace.

Ayudar al que lo necesita es una buena **acción**.

# aceite

| | M | F |
|---|---|---|
| S | aceite | |
| P | aceites | |

Líquido grasoso de origen mineral, vegetal o animal.

Me gustan las ensaladas con mucho **aceite** vegetal.

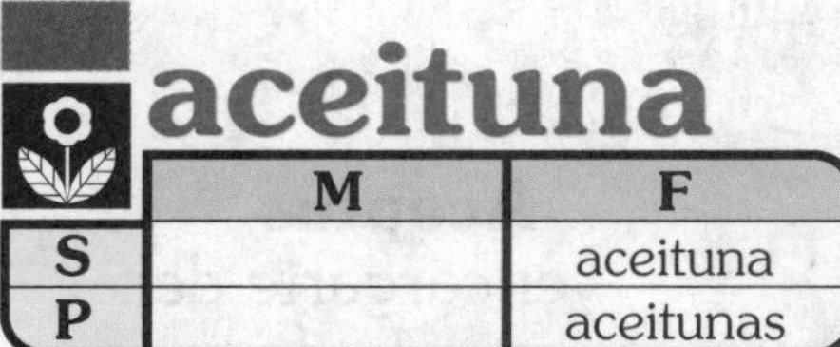

# aceituna

| | M | F |
|---|---|---|
| S | | aceituna |
| P | | aceitunas |

Esos olivos producen unas **aceitunas** grandes muy sabrosas.

# acelerar

| Pasado | Presente | Futuro |
|---|---|---|
| aceleré | acelero | aceleraré |

Dar más velocidad.

No **aceleres** tanto el auto: podemos chocar.

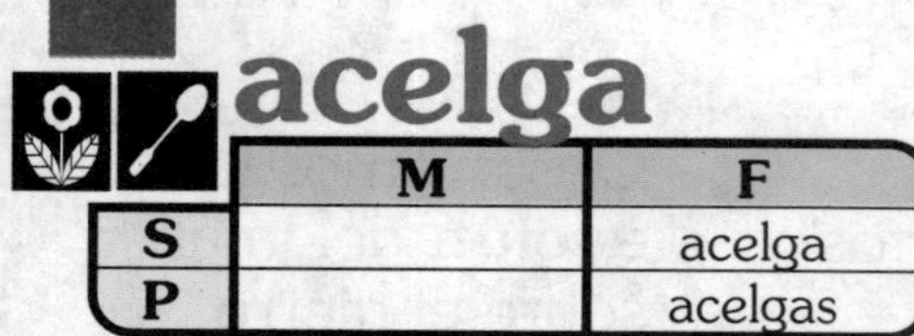

## acelga

| | M | F |
|---|---|---|
| S | | acelga |
| P | | acelgas |

Planta comestible.

Mi mamá prepara una tortilla de **acelgas** muy rica.

## aceptable

| | M | F |
|---|---|---|
| S | aceptable | |
| P | aceptables | |

Que se puede aceptar o aprobar.

El curso tiene un comportamiento **aceptable**. Podría ser mejor.

## aceptar

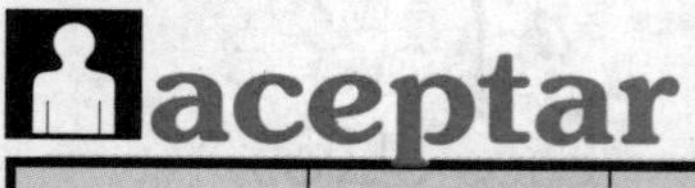

| Pasado | Presente | Futuro |
|---|---|---|
| acepté | acepto | aceptaré |

Decir que sí.

¿**Aceptas** encargarte del barrido de tu habitación?

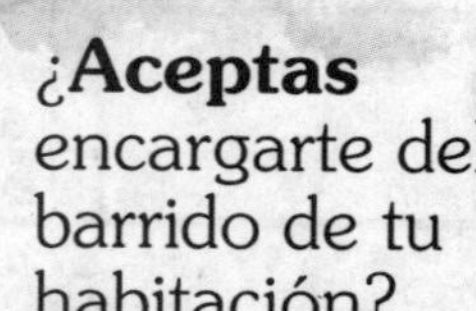

## acera

| | M | F |
|---|---|---|
| S | | acera |
| P | | aceras |

• Vereda.

Camina siempre por la **acera** y no por la calle.

# acercar

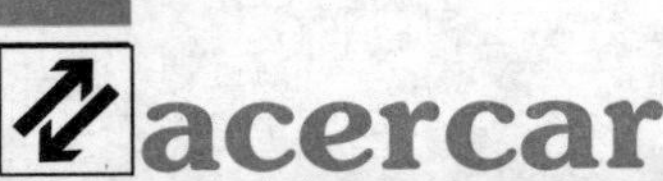

| Pasado | Presente | Futuro |
|---|---|---|
| (me) acerqué | (me) acerco | (me) acercaré |

Poner(se) más cerca.

**Acerca**, por favor, la luz para leer.

# acero

| | M | F |
|---|---|---|
| S | acero | |
| P | aceros | |

Hierro endurecido con una mezcla de carbono.

Casi todas las maquinarias son de **acero**.

# ácido

| | M | F |
|---|---|---|
| S | ácido | ácida |
| P | ácidos | ácidas |

De sabor semejante al del limón o el vinagre.

No comas fruta verde. Además de estar **ácida**, te puede provocar indigestión.

# ácido

| | M | F |
|---|---|---|
| S | ácido | |
| P | ácidos | |

Compuesto químico.

Algunos **ácidos**, como el ascórbico, se emplean en medicina.
El limón contiene **ácido**.

## aclarar

| Pasado | Presente | Futuro |
|---|---|---|
| aclaré | aclaro | aclararé |

Ponerse claro el día.

Cuando amanece, sale el sol. Por eso se dice que **aclara**.

Poner algo en claro.

Quisiera que me **aclararan** esto.

## acobardar

| Pasado | Presente | Futuro |
|---|---|---|
| (me) acobardé | (me) acobardo | (me) acobardaré |

No atreverse a hacer algo por sentir miedo.

Al llegar al trampolín, se **acobardó** y no saltó.

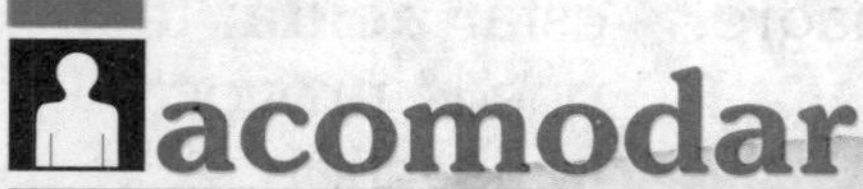

## acomodar

| Pasado | Presente | Futuro |
|---|---|---|
| acomodé | acomodo | acomodaré |

Poner algo o a alguien en lugar cómodo.

Voy a **acomodar** mis cosas de la mejor manera posible.

## acortar

| Pasado | Presente | Futuro |
|---|---|---|
| acorté | acorto | acortaré |

Vas a tener que **acortar** la conversación.

## acostar

| Pasado | Presente | Futuro |
|---|---|---|
| (me) acosté | (me) acuesto | (me) acostaré |

Hacer tenderse a alguien; poner(se) en posición horizontal.

La mamá **acostó** al niño en su cuna.

## actor

| | M | F |
|---|---|---|
| S | actor | actriz |
| P | actores | actrices |

Persona que actúa representando a personajes en el cine, radio, teatro o televisión.

En la teleserie que está viendo mi mamá trabajan **actores** y **actrices** jóvenes.

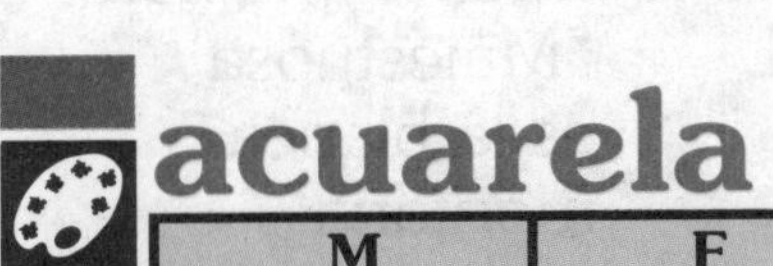

## acuarela

| | M | F |
|---|---|---|
| S | | acuarela |
| P | | acuarelas |

Pintura con colores diluidos en agua.

Nos están enseñando a pintar con **acuarela**.

Cuadro pintado con esa pintura.

En el comedor hay una **acuarela**.

adv. **adelante**

Yo sigo **adelante**. No quiero quedarme atrás.

## adelgazar

| Pasado | Presente | Futuro |
|---|---|---|
| adelgacé | adelgazo | adelgazaré |

Poner delgado.

Comía poco y **adelgazó**.

adv. **además**

Muchas mamás cuidan a sus niños y **además** juegan con ellos.

**Además** de estudiar, en las tardes juego fútbol.

adv. **adentro**

• En el interior; dentro.

Abrió la caja para saber lo que había **adentro**.

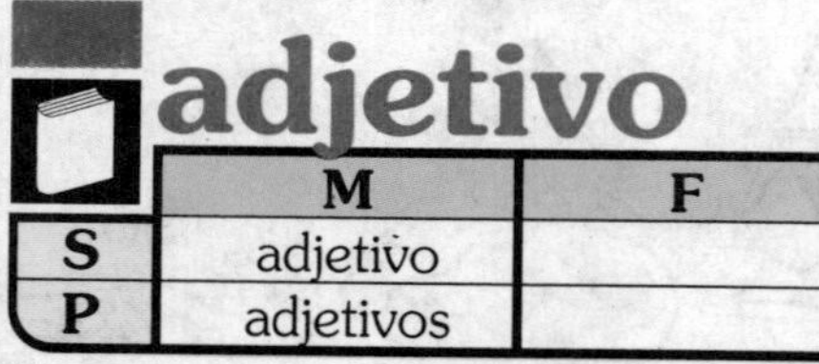

## adjetivo

| | M | F |
|---|---|---|
| S | adjetivo | |
| P | adjetivos | |

Palabra que complementa el significado del sustantivo.

En la expresión "Majestuosa es la blanca montaña", majestuosa y blanca son **adjetivos**.

## admirar

| Pasado | Presente | Futuro |
|---|---|---|
| admiré | admiro | admiraré |

Sentir mucha estimación por las virtudes o cualidades de alguien o algo.

Los jóvenes **admiran** a algunos cantantes.

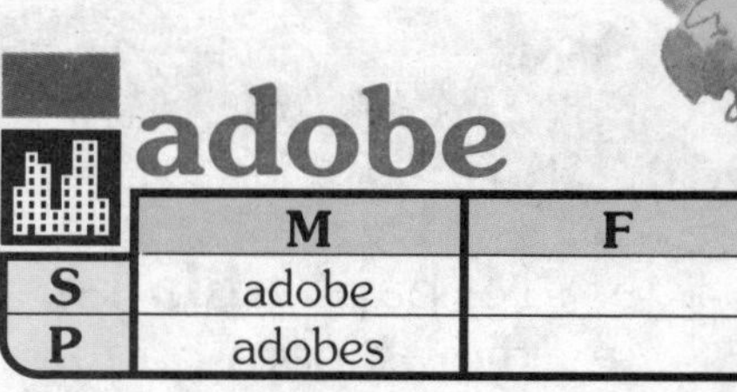

## adobe

| | M | F |
|---|---|---|
| S | adobe | |
| P | adobes | |

Las casas antiguas se construían con **adobes**, que son ladrillos de barro secados al sol.

## adv. adrede

• Con intención.

Lo empujaron **adrede**. Eso es muy peligroso.

## adulto

| | M | F |
|---|---|---|
| S | adulto | adulta |
| P | adultos | adultas |

Ser viviente completamente desarrollado.

Mi hermano mayor es muy joven, pero actúa como un **adulto**.

Está prohibido cortar robles **adultos**.

## adverbio

| | M | F |
|---|---|---|
| S | adverbio | |
| P | adverbios | |

El adverbio complementa el significado de:
-un verbo: Se fue **lejos**;
-un adjetivo: El era **bien** alto;
-un adverbio: Se fue **muy** lejos.

## afilar

| Pasado | Presente | Futuro |
|---|---|---|
| afilé | afilo | afilaré |

Sacar filo.

Mi papá **afila** las tijeras para que corten bien.

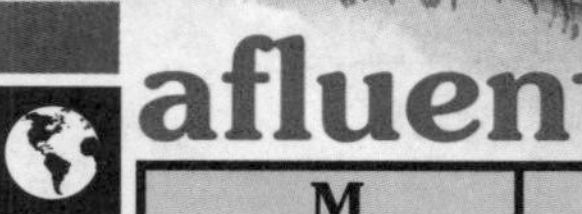

## afluente

| | M | F |
|---|---|---|
| S | afluente | |
| P | afluentes | |

Arroyo o río que desemboca en otro mayor.

El Amazonas tiene muchos **afluentes**.

adv. **afuera**

En el exterior.

Salió al patio para ver si el perro estaba **afuera**. (También se dice **fuera**.)

## afueras

| | M | F |
|---|---|---|
| S | | |
| P | | afueras |

Conjunto de sectores que rodean una población.

La fábrica está en las **afueras** del pueblo.

## agachar

| Pasado | Presente | Futuro |
|---|---|---|
| (me) agaché | (me) agacho | (me) agacharé |

Inclinar el cuerpo hacia el suelo.

A la anciana se le cayó la cartera; en el acto mi hermano se **agachó** para recogérsela.

## agarrar

| Pasado | Presente | Futuro |
|---|---|---|
| agarré | agarro | agarraré |

Aferrar fuertemente una cosa con las garras o con las manos.

El mono se **agarró** de una rama y se columpió.

## agradar

| Pasado | Presente | Futuro |
|---|---|---|
| agradé | agrado | agradaré |

• Gustar.

Me **agrada** practicar deportes.

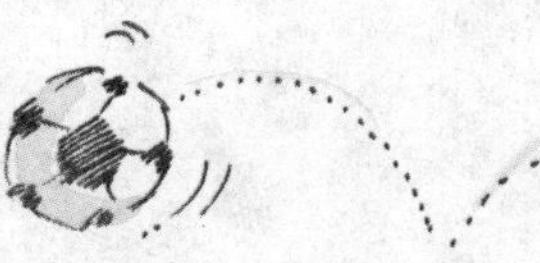

## agradecer

| Pasado | Presente | Futuro |
|---|---|---|
| agradecí | agradezco | agradeceré |

• Dar las gracias.

Mi mamá me **agradeció** el regalo con un beso.

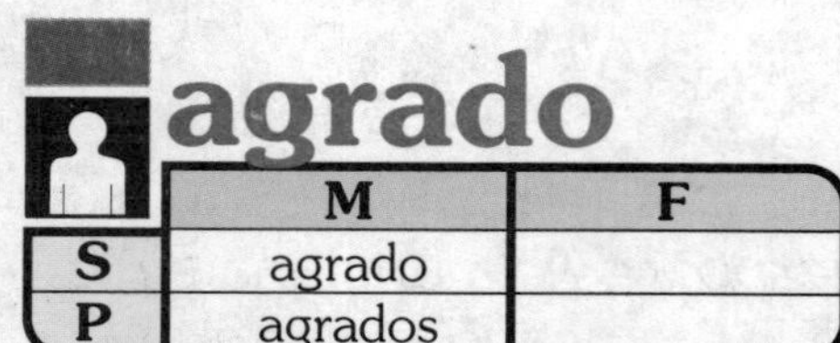

## agrado

| | M | F |
|---|---|---|
| S | agrado | |
| P | agrados | |

Sensación de bienestar o de gran satisfacción.

Tuve el **agrado** de conocerlo.

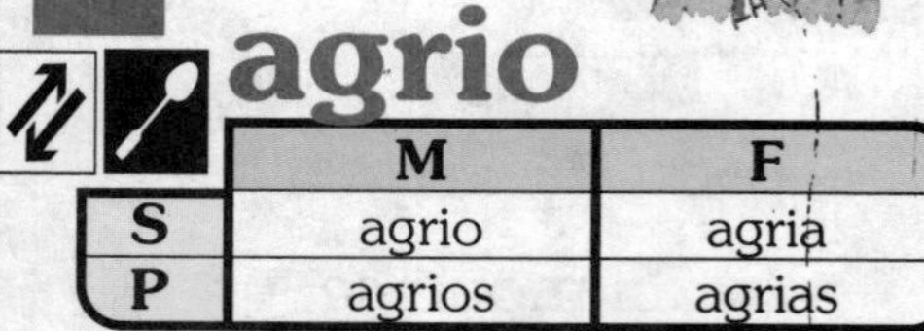

## agrio

| | M | F |
|---|---|---|
| S | agrio | agria |
| P | agrios | agrias |

• Acido, ácida, ácidos, ácidas.

No saquen naranjas del árbol. Están muy **agrias** todavía.

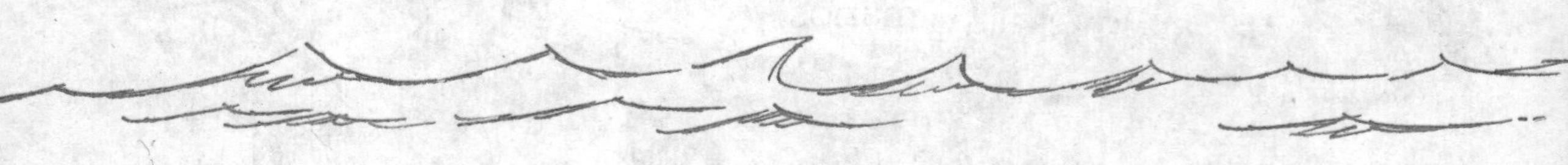

## agua

| | M | F |
|---|---|---|
| S | | agua |
| P | | aguas |

Líquido transparente, sin olor y sin sabor.

Las **aguas** de ese río están contaminadas.

adv. **ahí**

Quédate **ahí**, en ese lugar.

## adv. ahora

**Ahora**, en este mismo momento, estoy trabajando.

Estamos **ahora** en la era de los vuelos espaciales.

## ahorrar

| Pasado | Presente | Futuro |
|---|---|---|
| ahorré | ahorro | ahorraré |

Guardar parte de lo que se gana.

Conviene **ahorrar** en lugar de gastar el dinero en cosas no necesarias.

Ganar tiempo.

Al viajar en avión **ahorramos** un día de viaje.

Evitar lo inútil.

**Ahorre** palabras y diga si sabe.

## aire

| | M | F |
|---|---|---|
| S | aire | |
| P | aires | |

El **aire** forma la atmósfera que rodea la Tierra.
Creo que te harán bien los **aires** del campo.

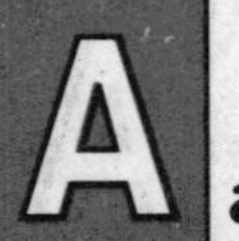

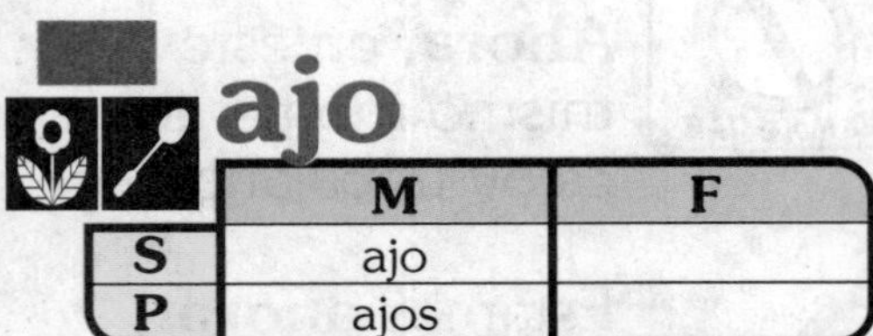

## ajo

| | M | F |
|---|---|---|
| S | ajo | |
| P | ajos | |

El **ajo** es como una cebolla chica. Crece bajo la tierra y su olor es muy fuerte.

## al

Contracción que reemplaza las palabras "a" y "el".

No se dice "voy **a el** circo", sino "voy **al** circo".

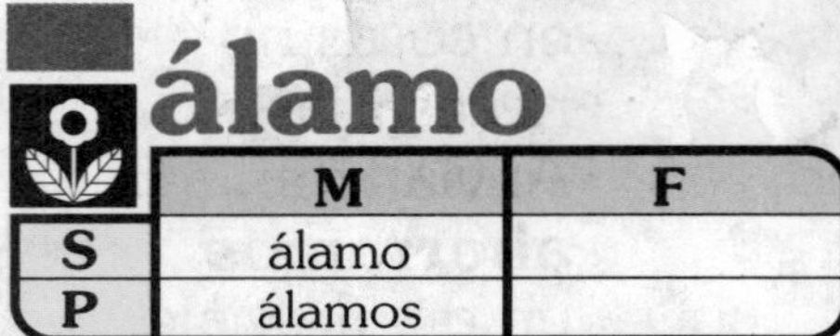

## álamo

| | M | F |
|---|---|---|
| S | álamo | |
| P | álamos | |

El **álamo** es un árbol recto, delgado, que a veces tiene hojas plateadas.

## alcalde

| | M | F |
|---|---|---|
| S | alcalde | alcaldes |
| P | alcaldesa | alcaldesas |

Jefe de la Municipalidad.

El **alcalde** tomará medidas contra la contaminación de la ciudad.

## alegrar

| Pasado | Presente | Futuro |
|---|---|---|
| alegré | alegro | alegraré |

- Contentar.

Me **alegré** mucho cuando ganamos el campeonato.

# alegría

| | M | F |
|---|---|---|
| S | | alegría |
| P | | alegrías |

Sensación de felicidad que se manifiesta con demostraciones de contento.

Tuve una gran **alegría** al saber que mi perrito se había mejorado.

# alejar

| Pasado | Presente | Futuro |
|---|---|---|
| (me)alejé | (me)alejo | (me)alejaré |

Poner(se) más lejos.

Preferí **alejarme** del lugar.

**Aleja**, por favor, esa silla.

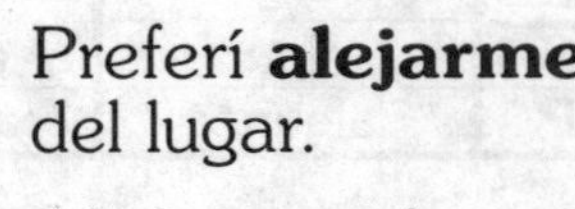

# alfabeto

| | M | F |
|---|---|---|
| S | alfabeto | |
| P | alfabetos | |

• Abecedario.

El **alfabeto** es la lista ordenada de todas las letras con los sonidos que representan.

# alfombra

| | M | F |
|---|---|---|
| S | | alfombra |
| P | | alfombras |

Tapiz para cubrir el suelo.

Mi mamá sacude las **alfombras** en el patio.

## algo

Alguna cosa. — Quiero **algo**.

adv. Un poco. — Estoy **algo** cansado.

## alguien

Una persona (desconocida). — Hay **alguien** afuera. **Alguien** lo haría.

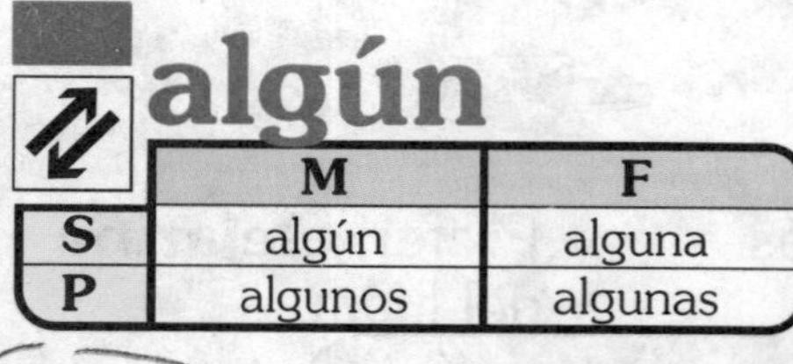

## algún

| | M | F |
|---|---|---|
| S | algún | alguna |
| P | algunos | algunas |

Se usa para indicar:

Uno o varios seres indeterminados. — Tengo **algunas** amiguitas.

Una o varias cosas indeterminadas. — Me gustaría leer **algún** libro.

Uno o varios lugares indeterminados. — **Algunos** pueblos sureños son muy pintorescos.

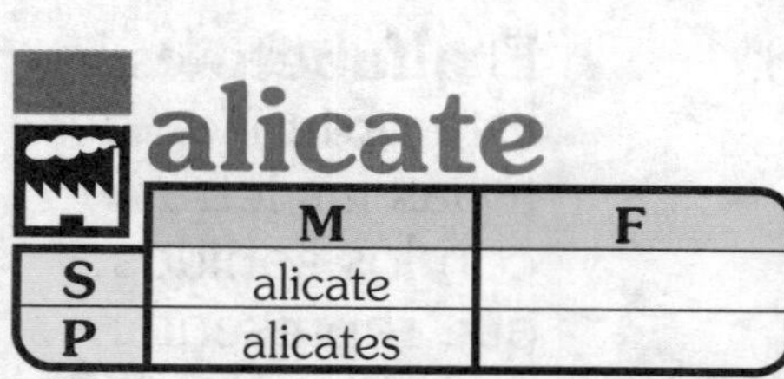

## alicate

| | M | F |
|---|---|---|
| S | alicate | |
| P | alicates | |

Necesito el **alicate** para cortar un alambre.

## alimentar

| Pasado | Presente | Futuro |
|---|---|---|
| alimenté | alimento | alimentaré |

Hay cosas que comemos y que no **alimentan**.

## alisar

| Pasado | Presente | Futuro |
|---|---|---|
| alisé | aliso | alisaré |

Hacer a algo liso, o más liso de lo que era.

Estoy **alisando** las tablas con una escofina.

## alma

| | M | F |
|---|---|---|
| S | | alma |
| P | | almas |

Parte espiritual del ser humano.

Según las religiones, el **alma** sobrevive al cuerpo.

Persona.

No hay un **alma** en ese pueblo.

Persona más importante.

Mi hermano fue el **alma** de la fiesta.

## almacén

| | M | F |
|---|---|---|
| S | almacén | |
| P | almacenes | |

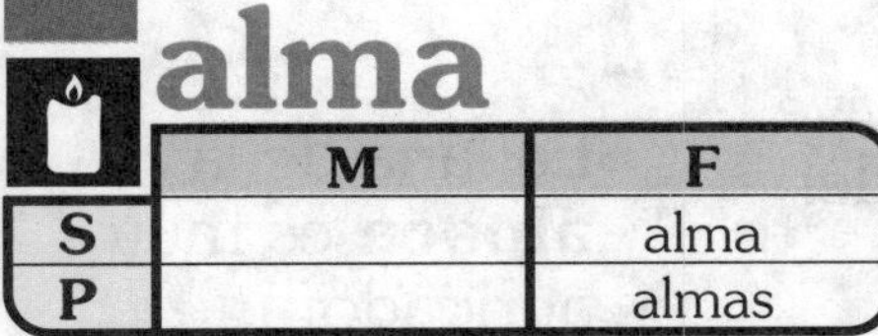

Lugar donde se guardan mercaderías.

En los **almacenes** del puerto se depositan muchas mercancías.

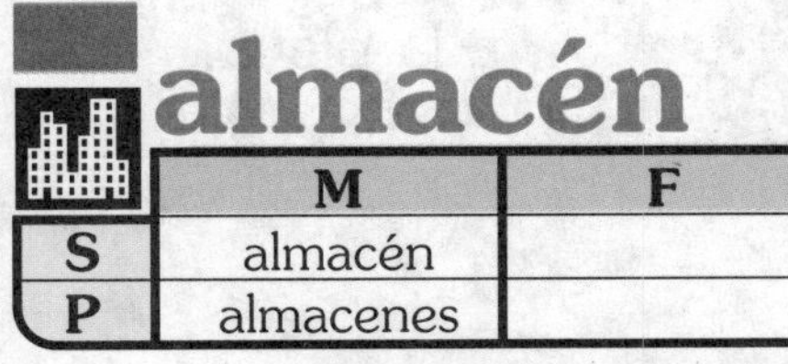


Establecimiento donde se venden mercaderías al público.

Anda al **almacén** de la esquina a comprar huevos.

## almeja

| | M | F |
|---|---|---|
| S | | almeja |
| P | | almejas |

Compramos **almejas**, pero nos costó mucho abrirlas.

## almohada

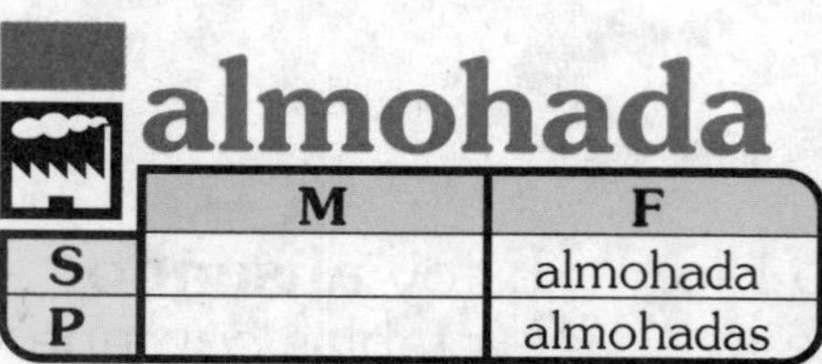

| | M | F |
|---|---|---|
| S | | almohada |
| P | | almohadas |

Es agradable apoyar la cabeza en una **almohada** blanda.

## alpaca

| | M | F |
|---|---|---|
| S | | alpaca |
| P | | alpacas |

Animal que vive en América del Sur.

La lana de la **alpaca** es muy abrigadora.

## alpargata

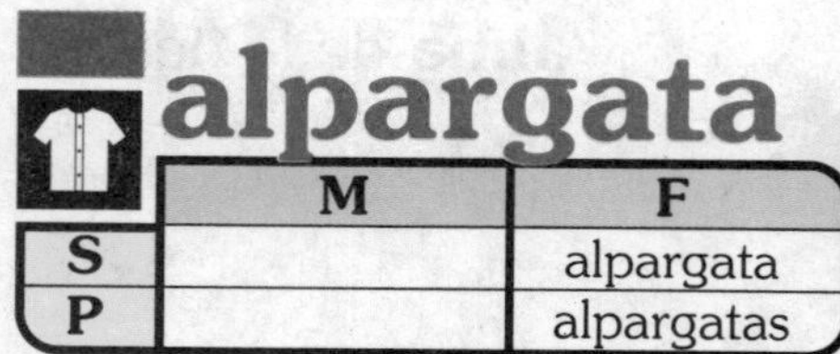

| | M | F |
|---|---|---|
| S | | alpargata |
| P | | alpargatas |

Nos poníamos **alpargatas** para ir a la playa.

## adv. alrededor

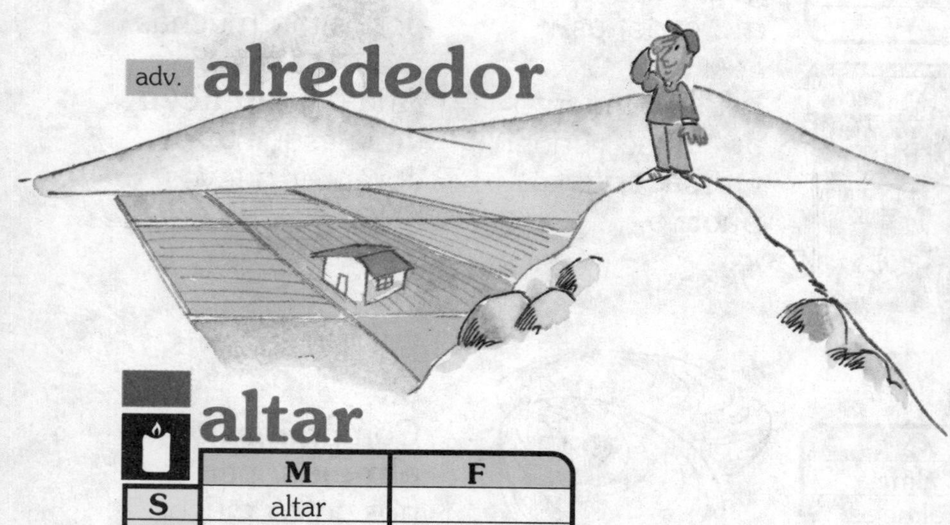

Esos campesinos llevan una faja **alrededor** de la cintura.

Subí a la cumbre del cerro para mirar **alrededor**.

## altar

| | M | F |
|---|---|---|
| S | altar | |
| P | altares | |

Los novios avanzaron hasta el **altar**.

adv. **alto**

A mucha altura. — Los aviones de ahora vuelan muy **alto**.

Con mucha fuerza en la voz. — No hables tan **alto**.

**alto**

| | M | F |
|---|---|---|
| S | alto | alta |
| P | altos | altas |

El Everest es la montaña más **alta** del mundo.

interj. **¡alto!**

**¡Alto!** ¡No se puede pasar!

**alumbrado**

| | M | F |
|---|---|---|
| S | alumbrado | |
| P | alumbrados | |

El **alumbrado** ilumina la ciudad durante la noche.

**alumno**

| | M | F |
|---|---|---|
| S | alumno | alumna |
| P | alumnos | alumnas |

En la sala está la profesora con sus **alumnos**.

adv. **allá**

Lugar alejado. — La cordillera se ve **allá**, a lo lejos.

adv. **allí**

**Allí**, muy cerca de tu casa, vive mi abuelita.

## amar

| Pasado | Presente | Futuro |
|---|---|---|
| amé | amo | amaré |

Sentir mucho cariño por alguien o por algo.

**Amo** a Dios, a mis padres, a mi patria, a todos; **amo** a mi perro, **amo** mis juguetes y mis libros.

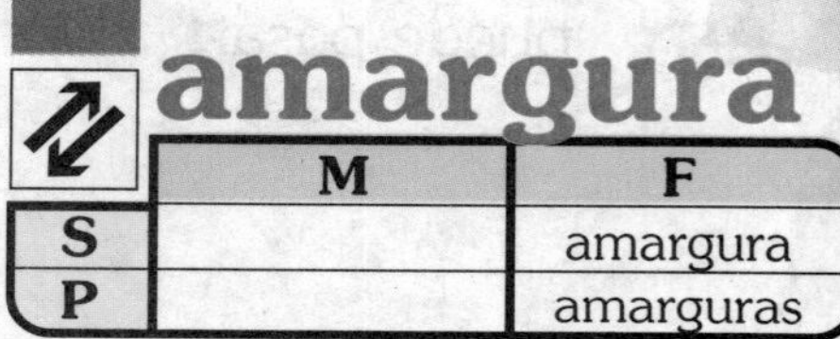

## amargura

| | M | F |
|---|---|---|
| S | | amargura |
| P | | amarguras |

Calidad de amargo.

Esa discusión me provocó mucha **amargura**.

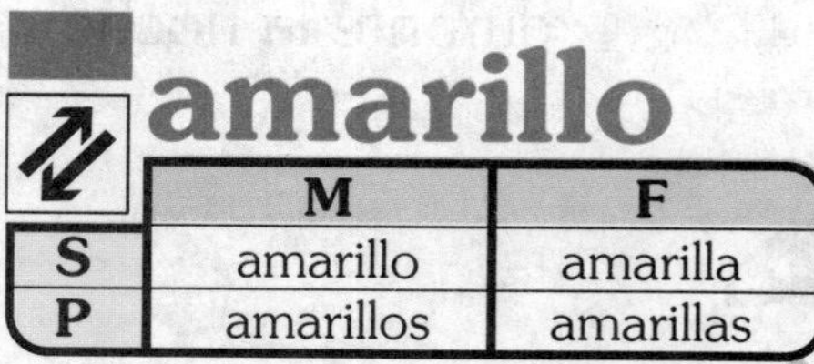

## amarillo

| | M | F |
|---|---|---|
| S | amarillo | amarilla |
| P | amarillos | amarillas |

Las hojas verdes de algunos árboles se ponen **amarillas** antes de secarse.

## amarrar

| Pasado | Presente | Futuro |
|---|---|---|
| amarré | amarro | amarraré |

Atar usando cuerdas, cadenas o algo semejante.

No te olvides de **amarrar** bien a ese perro bravo.

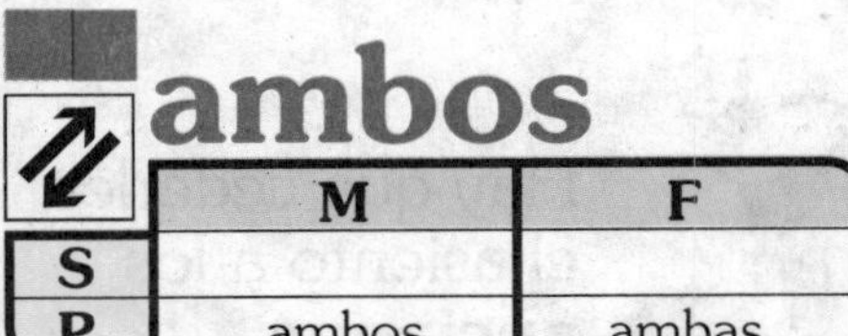

## ambos

| | M | F |
|---|---|---|
| S | | |
| P | ambos | ambas |

Los dos.

**Ambos** somos compañeros de curso.
**Ambos** niños son buenos alumnos.

## ambulancia

| | M | F |
|---|---|---|
| S | | ambulancia |
| P | | ambulancias |

Vehículo especial para transportar enfermos.

La **ambulancia** llegó para llevarse al accidentado.

## amigo

| | M | F |
|---|---|---|
| S | amigo | amiga |
| P | amigos | amigas |

Los **amigos** deben ayudarse siempre.
Soy muy **amiga** de tu hermana.

## amor

| | M | F |
|---|---|---|
| S | amor | |
| P | amores | |

Afición muy grande por algo.

El **amor** de los padres se manifiesta siempre.
Lleva en la sangre el **amor** al deporte.

## anciano

| | M | F |
|---|---|---|
| S | anciano | anciana |
| P | ancianos | ancianas |

Hay que cederles el asiento a los **ancianos**.

## andar

| Pasado | Presente | Futuro |
|---|---|---|
| anduve | ando | andaré |

Ir de un lado a otro dando pasos.

Mi hermano chico ya está aprendiendo a **andar**.

Funcionar una máquina o mecanismo.

El motor del auto **anda** bien.

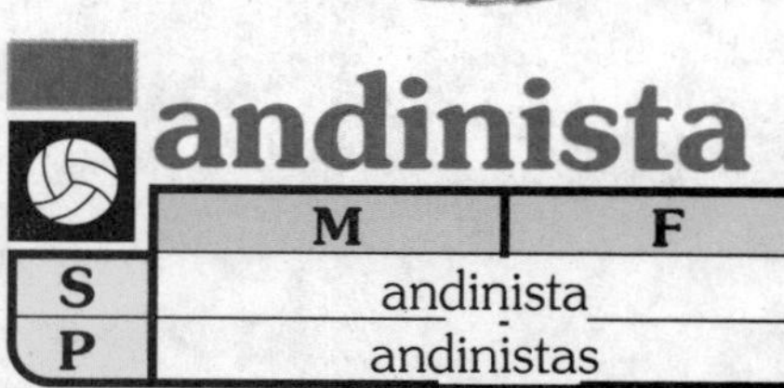

## andinista

| | M | F |
|---|---|---|
| S | andinista | |
| P | andinistas | |

Los **andinistas** escalan la cordillera de los Andes.

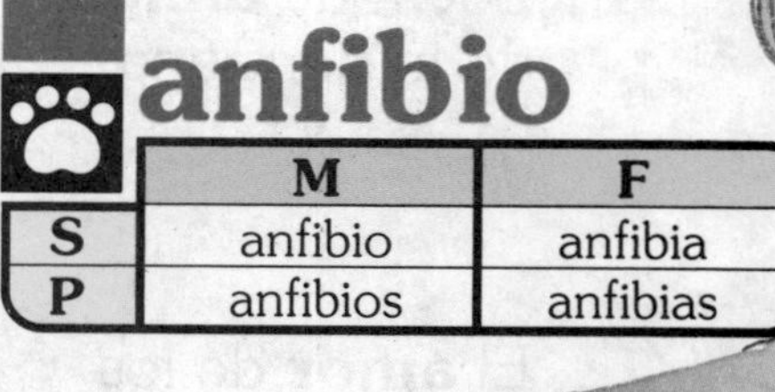

## anfibio

| | M | F |
|---|---|---|
| S | anfibio | anfibia |
| P | anfibios | anfibias |

El cocodrilo es un animal **anfibio**: vive en la tierra y en el agua.

Una aeronave **anfibia** puede descender sobre el agua.

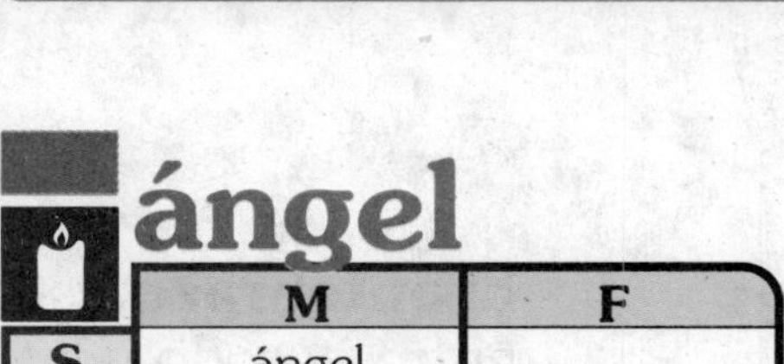

## ángel

| | M | F |
|---|---|---|
| S | ángel | |
| P | ángeles | |

Creatura espiritual.

Un **ángel** se le apareció a María.

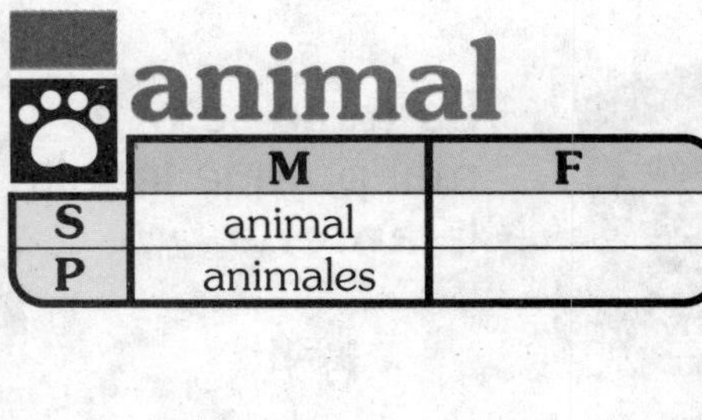

## animal

| | M | F |
|---|---|---|
| S | animal | |
| P | animales | |

Los **animales** son seres que sienten y pueden moverse por sí mismos.

## animal

| | M | F |
|---|---|---|
| S | animal | |
| P | animales | |

Propio de los seres vivos llamados así.

Cuidemos la vida **animal** y vegetal en el planeta.

adv. **anoche**

• El día de ayer por la noche.

**Anoche** me acosté temprano.

prep. **ante**

• Delante de.

El desfile será **ante** el monumento.

• En presencia de.

Esta explicación la dará **ante** el Director.

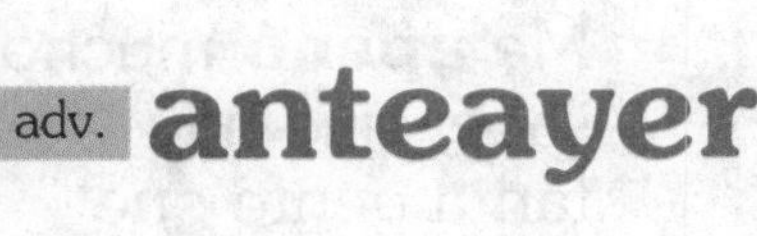

adv. **anteayer**

Si **anteayer** fue lunes 18, hoy es miércoles 20.

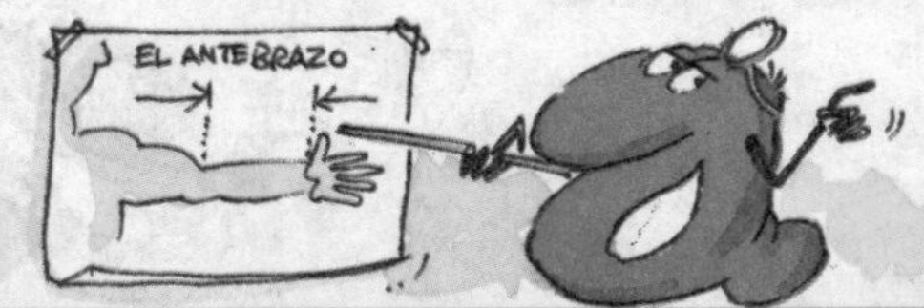


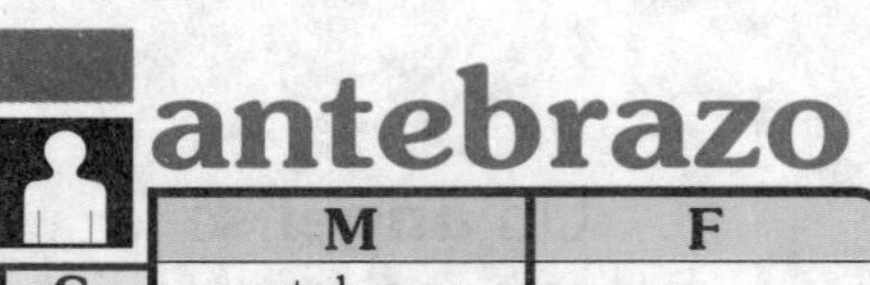

## antebrazo

| | M | F |
|---|---|---|
| S | antebrazo | |
| P | antebrazos | |

El **antebrazo** está entre el codo y la muñeca.

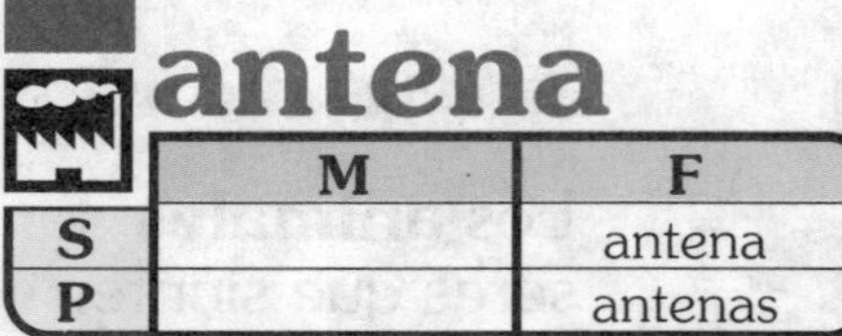

## antena

| | M | F |
|---|---|---|
| S | | antena |
| P | | antenas |

La radio se oye mal porque le falta la **antena**.

## adv. antenoche

• La noche anterior a la de anoche.

**Antenoche** me acosté tarde porque tenía muchas tareas.

## adv. antes

**Antes** yo no sabía leer ni escribir.

En el abecedario, la f está **antes** de la g.

## año

| | M | F |
|---|---|---|
| S | año | |
| P | años | |

Tiempo que demora la Tierra en dar una vuelta alrededor del Sol.

El **año** tiene 365 días y 6 horas. Cada cuatro **años** hay un **año** bisiesto. ¿Sabes tú por qué?

## apenar

| Pasado | Presente | Futuro |
|---|---|---|
| apené | apeno | apenaré |

Causar pena.

Me **apenó** mucho saber que hay tanta gente que sufre.

adv. **apenas**

- Escasamente.

Hace **apenas** unos días que aprendió a leer.

- Con mucha dificultad.

**Apenas** podía con su carga de leña.

- Luego que.

**Apenas** llegues saldremos a pasear.

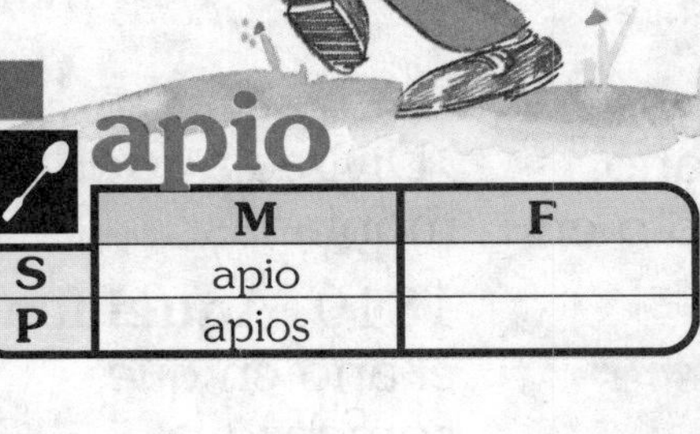

**apio**

| | M | F |
|---|---|---|
| S | apio | |
| P | apios | |

La mamá está picando **apio** para la ensalada.

**aprender**

| Pasado | Presente | Futuro |
|---|---|---|
| aprendí | aprendo | aprenderé |

Llegar a saber o a dominar algo por medio del estudio o la práctica.

Nunca **aprenderás** nada útil si no te esfuerzas.

**apresar**

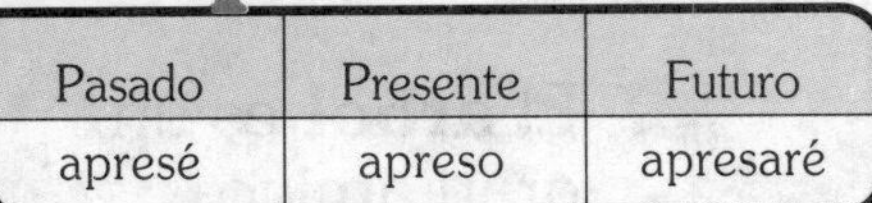

| Pasado | Presente | Futuro |
|---|---|---|
| apresé | apreso | apresaré |

Tomar algo por la fuerza.

El gato **apresó** un ratoncito.

Tomar preso o hacer prisionero a alguien.

Los policías **apresaron** una banda de ladrones.

## apretar

| Pasado | Presente | Futuro |
|---|---|---|
| apreté | aprieto | apretaré |

Oprimir, hacer fuerza sobre alguien o algo.

No **aprietes** tanto los paquetes.

Hacer algo con mucha rapidez.

Tuvimos que **apretar** el paso para no llegar tarde.

## aquel

| | M | F |
|---|---|---|
| S | aquel | aquella |
| P | aquellos | aquellas |

Que está lejano, en el espacio o en el tiempo.

¿Divisas **aquellas** montañas?

1810. **Aquél** fue el año en que comenzó la independencia de muchos países latinoamericanos.

## adv. aquí

Yo vivo **aquí**, donde estoy ahora.

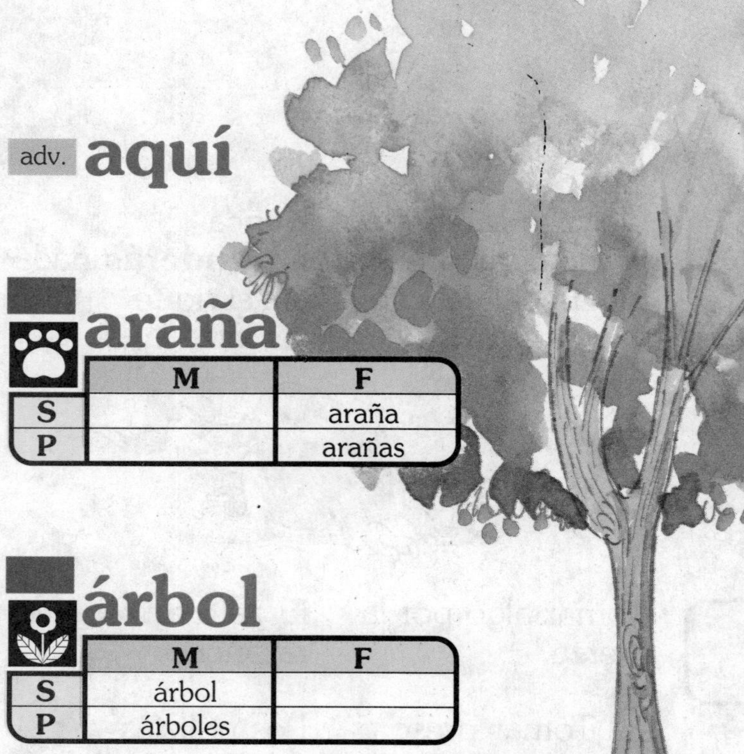

## araña

| | M | F |
|---|---|---|
| S | | araña |
| P | | arañas |

Las **arañas** no son insectos, porque tienen ocho patas en vez de seis.

## árbol

| | M | F |
|---|---|---|
| S | árbol | |
| P | árboles | |

El **árbol** es un gran amigo nuestro. Nos da oxígeno, sombra y frutos.

## arbusto

| | M | F |
|---|---|---|
| S | arbusto | |
| P | arbustos | |

Los **arbustos** tienen tallos leñosos, pero más delgados y cortos que el tronco de los árboles.

## arco iris

| | M | F |
|---|---|---|
| S | arco iris | |
| P | arco iris | |

Da gusto ver cómo, después de una gran lluvia, surge el **arco iris** en el cielo.

## archipiélago

| | M | F |
|---|---|---|
| S | archipiélago | |
| P | archipiélagos | |

Conjunto de islas.

Las islas Galápagos forman un **archipiélago**.

## ardilla

| | M | F |
|---|---|---|
| S | | ardilla |
| P | | ardillas |

La **ardilla** es un animalito muy ágil que vive en los bosques.

## argumento

| | M | F |
|---|---|---|
| S | argumento | |
| P | argumentos | |

Conjunto de sucesos que se narran.

Me gustan los **argumentos** de las películas de acción.

Razón que se da como defensa.

Llegué tarde y no aceptaron mis **argumentos**.

## árido

| | M | F |
|---|---|---|
| S | árido | árida |
| P | áridos | áridas |

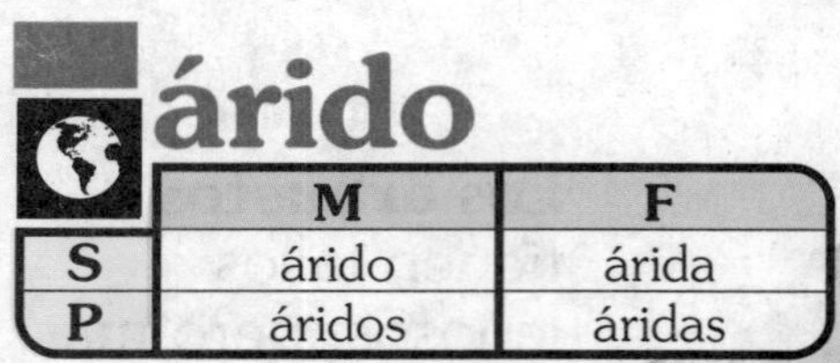

El desierto de Sahara es uno de los más **áridos** del mundo.

## aritmética

| | M | F |
|---|---|---|
| S | | aritmética |
| P | | |

Ciencia de los números.

Estoy bien en **aritmética**: sé sumar, restar, multiplicar y dividir.

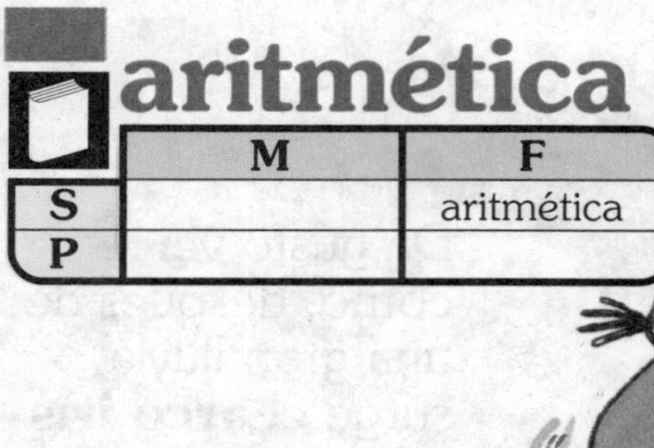

## arma

| | M | F |
|---|---|---|
| S | | arma |
| P | | armas |

A mi papá no le gusta regalar **armas** de juguete.

## armonía

| | M | F |
|---|---|---|
| S | | armonía |
| P | | armonías |

Combinación de sonidos que resulta agradable al oído.

El canario canta con mucha **armonía**.

Perfecta correspondencia entre las partes de un todo.

Es admirable la **armonía** del universo.

Buen entendimiento entre las personas.

Nuestra familia vive en gran **armonía**.

## arrancar

| Pasado | Presente | Futuro |
|---|---|---|
| arranqué | arranco | arrancaré |

Separar o sacar una cosa con fuerza. — Hay que **arrancar** las malezas del jardín.

Empezar con fuerza un movimiento. — El motor **arrancó** al primer intento.

• Huir (en Chile). — Los ratones **arrancan** de los gatos.

## arreglar

| Pasado | Presente | Futuro |
|---|---|---|
| arreglé | arreglo | arreglaré |

Poner en orden, según ciertas reglas. — Tengo que **arreglar** mi escritorio, que está muy desordenado.

## adv. arriba

Mi papá estaba **arriba** de la escalera.

## interj. ¡arriba!

¡**Arriba** nuestros campeones!

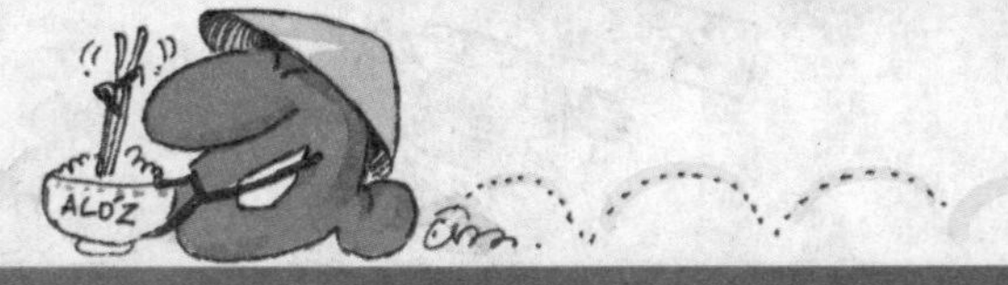

## arroz

| | M | F |
|---|---|---|
| S | arroz | |
| P | arroces | |

La alimentación principal de los chinos es el **arroz**.

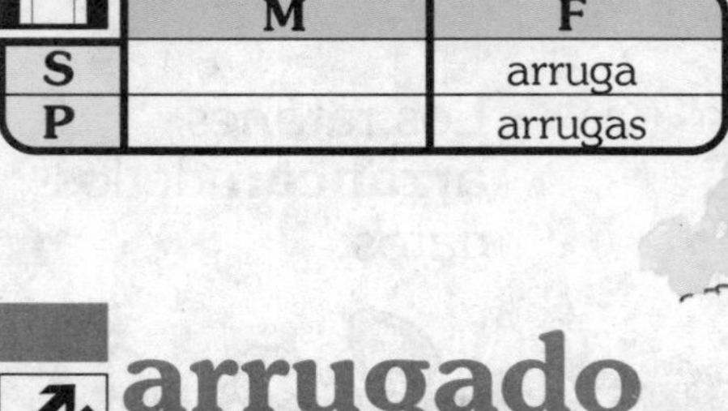

## arruga

| | M | F |
|---|---|---|
| S | | arruga |
| P | | arrugas |

Los ancianos tienen **arrugas** en la piel.

## arrugado

| | M | F |
|---|---|---|
| S | arrugado | arrugada |
| P | arrugados | arrugadas |

No andes con la ropa **arrugada**.

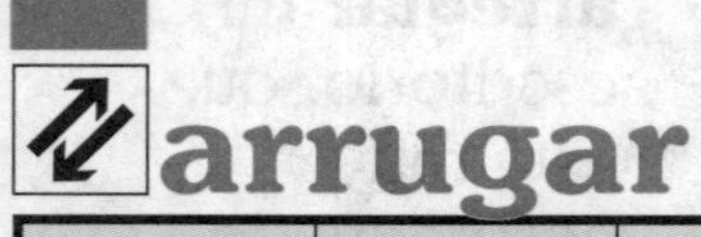

## arrugar

| Pasado | Presente | Futuro |
|---|---|---|
| arrugué | arrugo | arrugaré |

Siéntate bien para que no **arrugues** tu vestido.

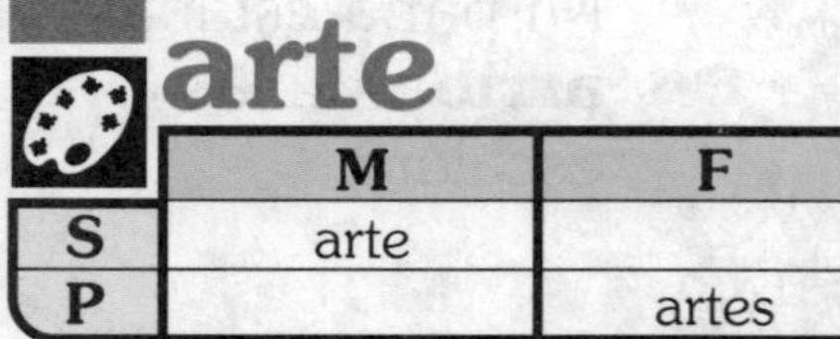

## arte

| | M | F |
|---|---|---|
| S | arte | |
| P | | artes |

Conjunto de reglas para hacer algo bien.

Es difícil aprender el **arte** de pintar. Iré al Museo de Bellas **Artes**.

Habilidad para hacer algo según esas reglas.

Mi tía tiene mucho **arte** para bordar.

## arteria

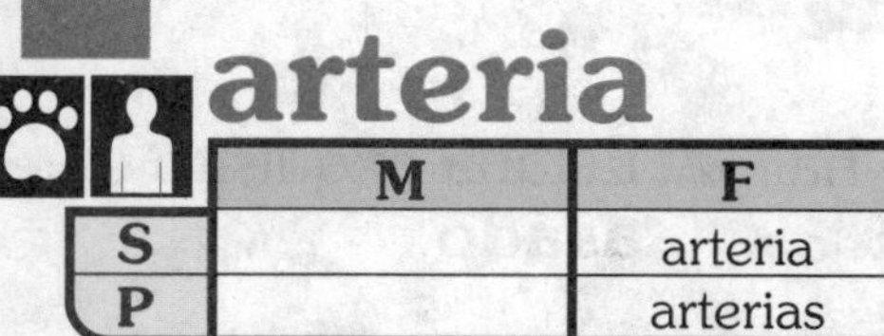

| | M | F |
|---|---|---|
| S | | arteria |
| P | | arterias |

Vaso sanguíneo

Las **arterias** llevan la sangre del corazón a las diversas partes del cuerpo.

• Calle.

Las avenidas son las **arterias** principales de una ciudad.

## artículo

| | M | F |
|---|---|---|
| S | artículo | |
| P | artículos | |

Mercadería.

Esta tienda sólo vende **artículos** deportivos.

Escrito breve.

En una revista leí un **artículo** sobre ecología.

Palabra que precede al sustantivo para denotar algo conocido o desconocido.

Los **artículos** pueden ser determinados (el, los, la, las) o indeterminados (un, unos, una, unas).

## artista

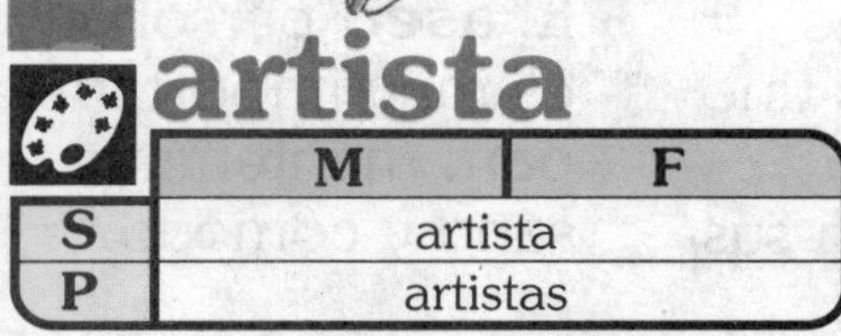

| | M | F |
|---|---|---|
| S | artista | |
| P | artistas | |

Persona que ejerce un arte.

Al festival acudió una gran cantidad de **artistas**.

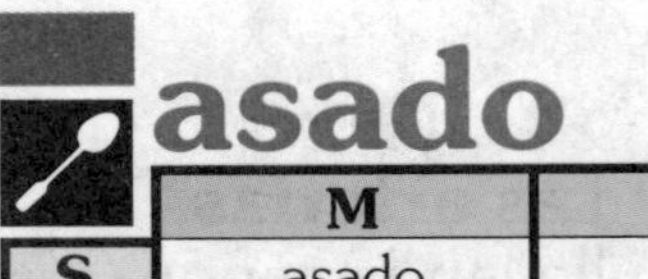

## asado

| | M | F |
|---|---|---|
| S | asado | |
| P | asados | |

Carne que se ha puesto a asar.

Estaba exquisito el **asado**.

Reunión de camaradería en que se come esa carne.

Nos invitaron a un **asado** en el campo.

## asar

| Pasado | Presente | Futuro |
|---|---|---|
| asé | aso | asaré |

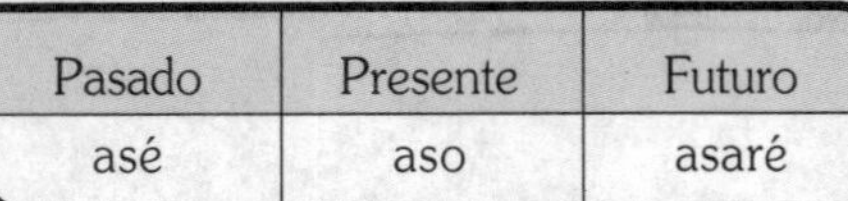

Poner al fuego un alimento crudo.

Estamos **asando** un pollo para el almuerzo.

## ascender

| Pasado | Presente | Futuro |
|---|---|---|
| ascendí | asciendo | ascenderé |

• Subir.

Hoy vamos a **ascender** a la cumbre del cerro.

## aseo

| | M | F |
|---|---|---|
| S | aseo | |
| P | aseos | |

Operación de limpieza que uno hace en su persona o en sus pertenencias.

El **aseo** personal es muy importante para mantenerse sano y cómodo.

adv. **así**

• De este modo. ¡**Así** me gusta que se porte!

• De esta forma. Quiero un juguete **así**: que sea grande y redondo.

**áspero**

| | M | F |
|---|---|---|
| S | áspero | áspera |
| P | ásperos | ásperas |

Que no es liso al tacto. Las hojas de la higuera son **ásperas**.

**aspiradora**

| | M | F |
|---|---|---|
| S | | aspiradora |
| P | | aspiradoras |

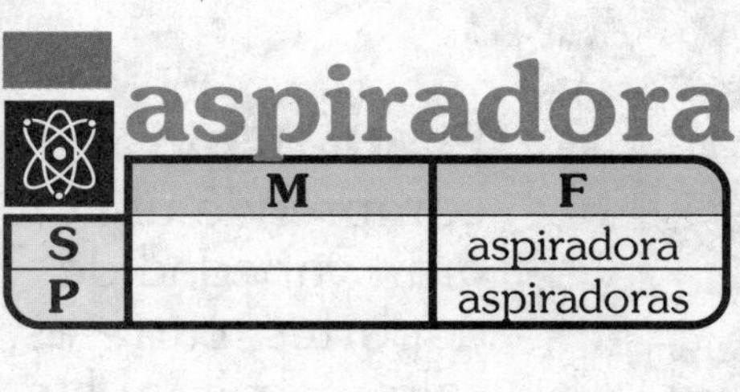

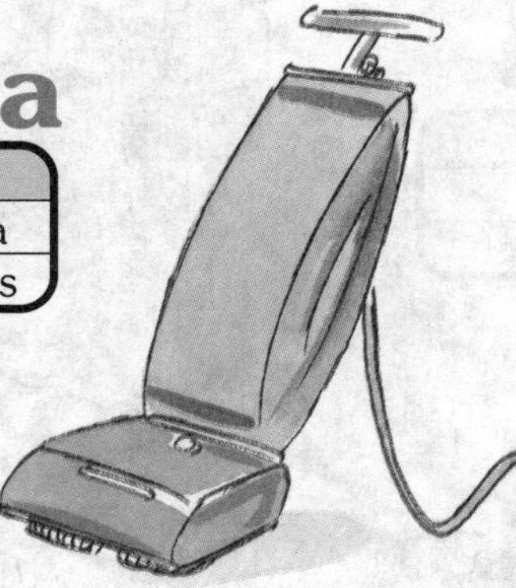

Ayudo a mi mamá a pasar la **aspiradora**.

**astro**

| | M | F |
|---|---|---|
| S | astro | |
| P | astros | |

Cuerpo celeste de gran tamaño. El sol es llamado el **astro** rey.

Actor o jugador muy famoso. Pelé es considerado un **astro** del fútbol.

**astronauta**

| | M | F |
|---|---|---|
| S | astronauta | |
| P | astronautas | |

Los **astronautas** quedaron suspendidos en el espacio.

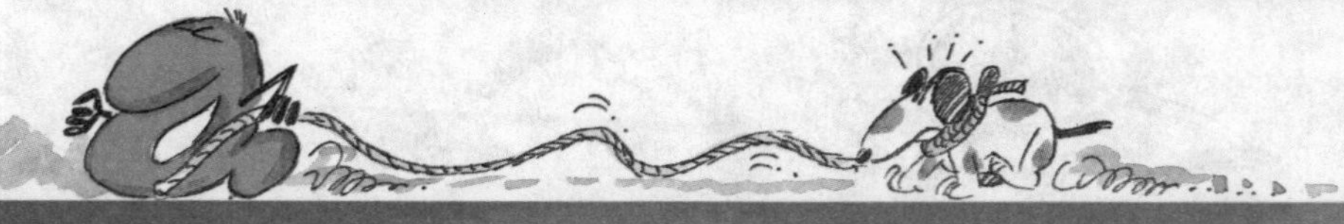

## atar

| Pasado | Presente | Futuro |
|---|---|---|
| até | ato | ataré |

Sujetar algo o a alguien con ligaduras o nudos.

Debes aprender a **atarte** los cordones de los zapatos.

## atleta

| | M | F |
|---|---|---|
| S | atleta | |
| P | atletas | |

Las **atletas** del colegio ganaron varias carreras.

## atletismo

| | M | F |
|---|---|---|
| S | atletismo | |
| P | | |

El **atletismo** comprende una gran variedad de deportes: carreras, salto, jabalina, etc.

## atornillador

| | M | F |
|---|---|---|
| S | atornillador | |
| P | atornilladores | |

• Destornillador.

Pásame el **atornillador** para afirmar un tornillo.

adv. **atrás**

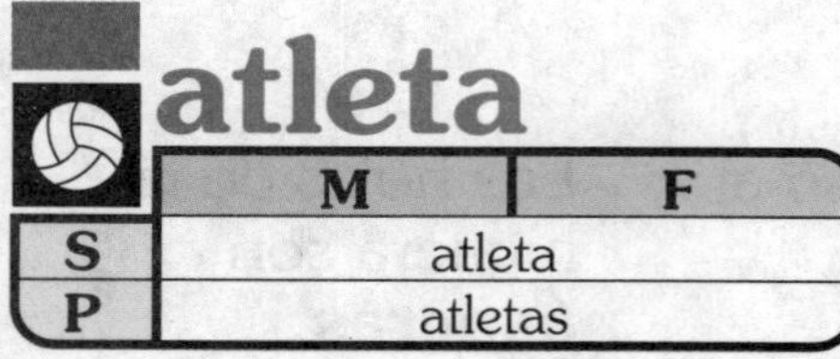

No te quedes **atrás**.
Le gusta ir **atrás** de todos.
El profesor fue **atrás**, a ver qué pasaba.
Parece que el cangrejo caminara para **atrás**.

**adv.** **a través de**

Veo el mar **a través de** la ventana.

**aullar**

| Pasado | Presente | Futuro |
|---|---|---|
| aullé | aúllo | aullaré |

Emitir aullidos ciertos animales.

Mi perro **aúlla** en las noches cuando tiene frío.

**prep.** **aun**

• Hasta.

**Aun** el niño más chico de mi casa sabe leer y escribir.

**adv.** **aún**

• Todavía.

Ya son las 10 de la noche y **aún** no se duerme el niño.

**conj.** **aunque**

Me bañaré **aunque** el agua esté fría.

**Aunque** solté al perro, siguió ladrando.

## ave

|   | M | F |
|---|---|---|
| S |  | ave |
| P |  | aves |

Animal vertebrado que pone huevos.

Las **aves** tienen el cuerpo cubierto de plumas.

## adv. a veces

**A veces** estudio, **a veces** juego.

No siempre salimos a pasear. Sólo **a veces**.

## avestruz

|   | M | F |
|---|---|---|
| S | avestruz |  |
| P | avestruces |  |

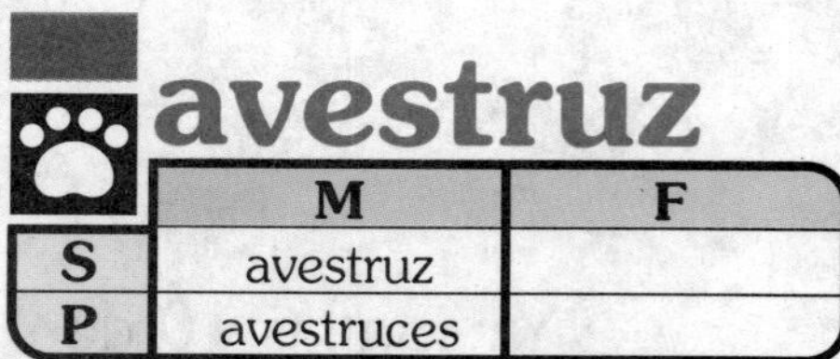

Las aves más grandes son las **avestruces**. Corren pero no vuelan.

## aviación

|   | M | F |
|---|---|---|
| S |  | aviación |
| P |  |  |

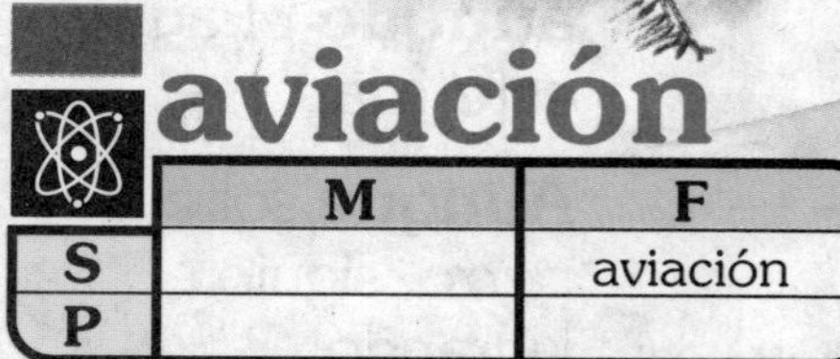

La **aviación** nos permite viajar a gran velocidad.

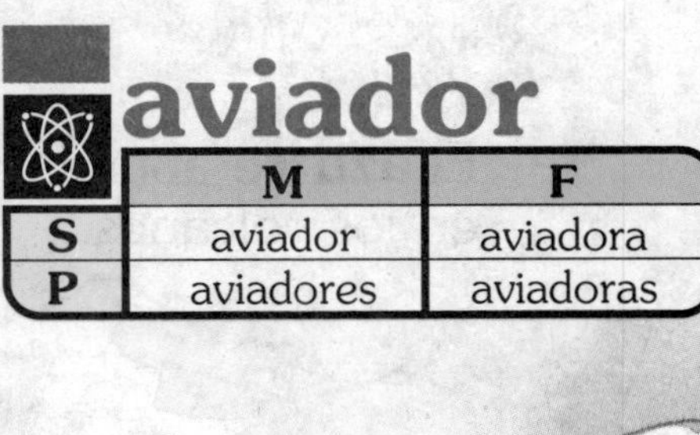

# aviador

| | M | F |
|---|---|---|
| S | aviador | aviadora |
| P | aviadores | aviadoras |

La profesión de **aviador** es arriesgada.

# avión

| | M | F |
|---|---|---|
| S | avión | |
| P | aviones | |

El presidente llegó en **avión** desde Francia.

adv. **ayer**

Si **ayer** fue lunes, hoy es martes.

# azucarero

| | M | F |
|---|---|---|
| S | azucarero | azucarera |
| P | azucareros | azucareras |

Mi papá pidió el **azucarero**.

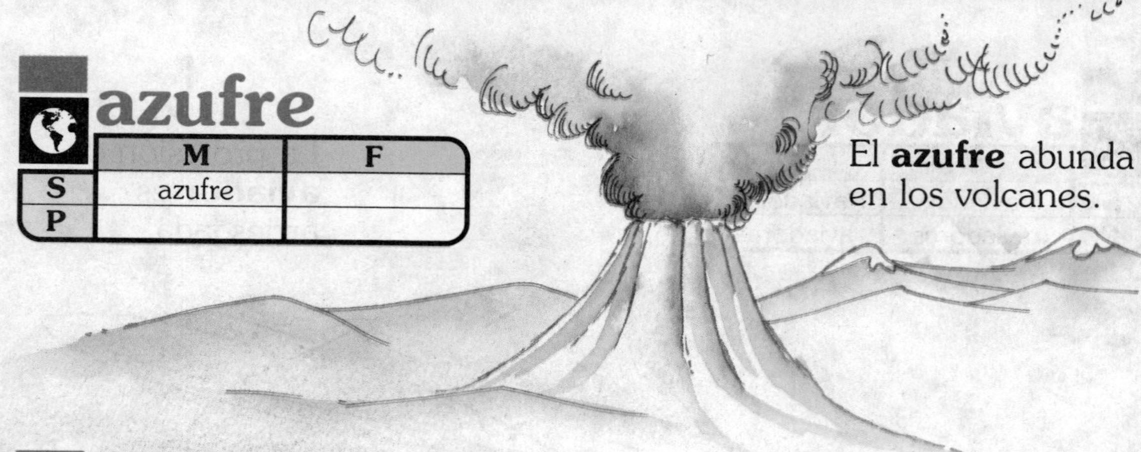

## azufre

| | M | F |
|---|---|---|
| S | azufre | |
| P | | |

El **azufre** abunda en los volcanes.

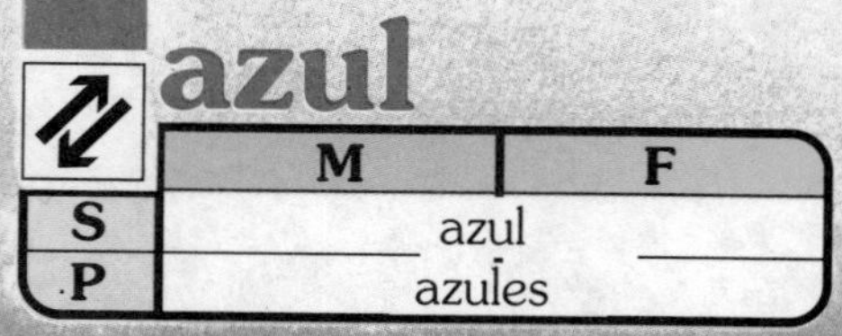

## azul

| | M | F |
|---|---|---|
| S | azul | |
| P | azules | |

Color.

Prefiero escribir con tinta **azul**.

| A | B | C | CH | D | E | F | G | H | I |
|---|---|---|---|---|---|---|---|---|---|
| J | K | L | LL | M | N | Ñ | O | P | Q |
| R | S | T | U | V | W | X | Y | Z | |

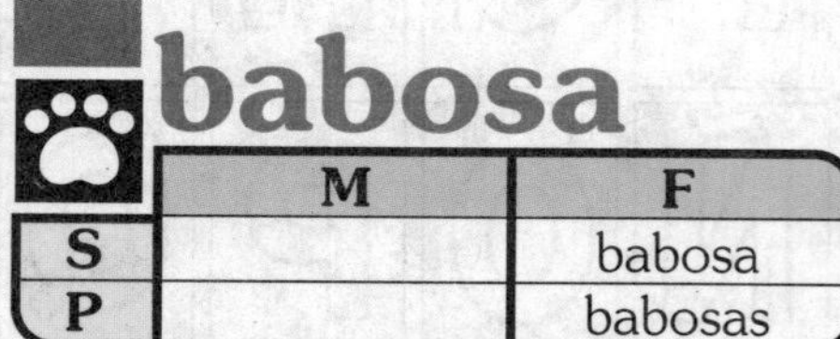

## babosa

| | M | F |
|---|---|---|
| S | | babosa |
| P | | babosas |

Molusco terrestre sin concha.

Las **babosas** se ocultan bajo las hojas de las plantas.

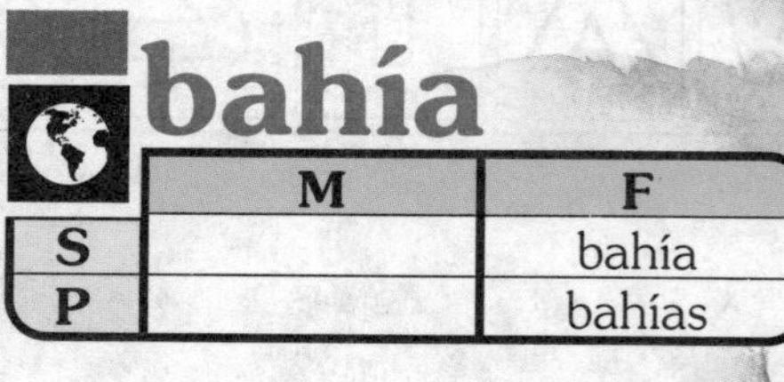

## bahía

| | M | F |
|---|---|---|
| S | | bahía |
| P | | bahías |

Un barco mercante está entrando en la **bahía**.

## bailar

| Pasado | Presente | Futuro |
|---|---|---|
| bailé | bailo | bailaré |

Moverse al compás de una música.

Me gusta **bailar** en las fiestas.

Agitarse repentinamente.

Los ojos le **bailaban** cuando ganó el premio.

## bajar

| Pasado | Presente | Futuro |
|---|---|---|
| bajé | bajo | bajaré |

Pasar de un lugar alto a otro bajo.

Los andinistas **bajan** de la montaña con cuidado.

Poner algo en un lugar más bajo.

¿Por qué no le **bajas** la maleta a la abuelita?

Disminuir el valor o el precio de una cosa.

Dicen que van a **bajar** las hortalizas.

adv. **bajo**

- A poca altura. — Las gallinas vuelan **bajo**.
- Con poca fuerza en la voz. — Habló tan **bajo**, que nadie la escuchó.

prep. **bajo**

- Debajo de. — El gato se escondió **bajo** el sofá.

**balanza**

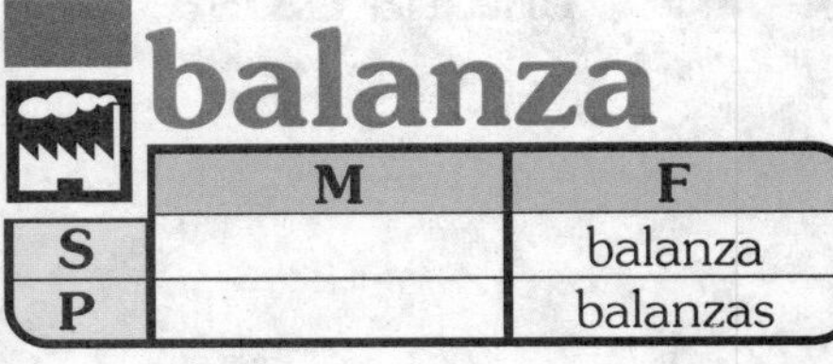

| | M | F |
|---|---|---|
| S | | balanza |
| P | | balanzas |

La **balanza** sirve para pesar.

**balcón**

| | M | F |
|---|---|---|
| S | balcón | |
| P | balcones | |

La gente se agolpaba en los **balcones** para ver el desfile.

**balde**

| | M | F |
|---|---|---|
| S | balde | |
| P | baldes | |

Trataron de apagar el incendio con **baldes** de agua.

**baldosa**

| | M | F |
|---|---|---|
| S | | baldosa |
| P | | baldosas |

Le gusta deslizarse por las **baldosas**.

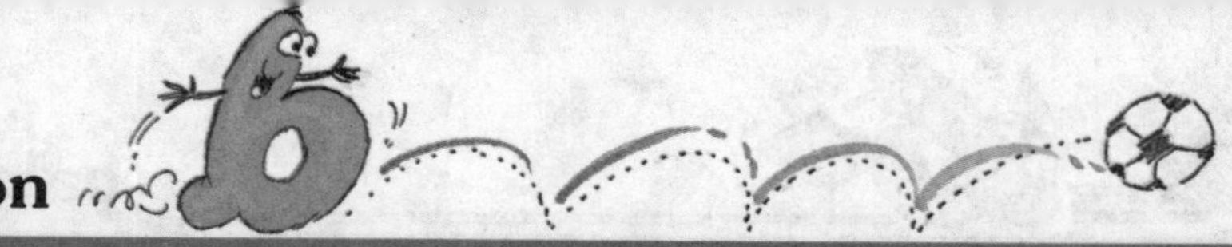

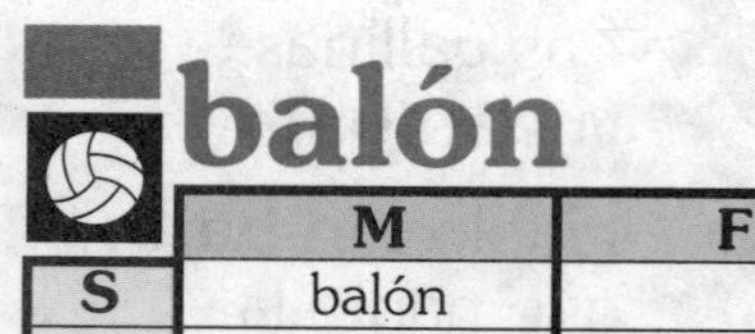

## balón

| | M | F |
|---|---|---|
| S | balón | |
| P | balones | |

Pelota.

Tuvimos que jugar con el **balón** desinflado.

## balsa

| | M | F |
|---|---|---|
| S | | balsa |
| P | | balsas |

Atravesamos el río en una **balsa**.

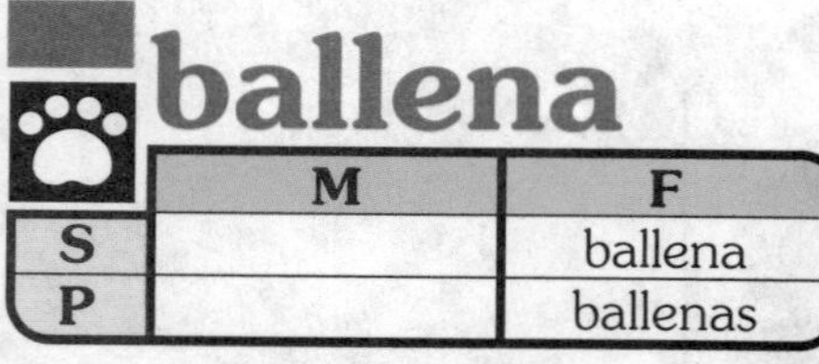

## ballena

| | M | F |
|---|---|---|
| S | | ballena |
| P | | ballenas |

Animal marino.

¿Por qué está prohibida la caza de **ballenas**?

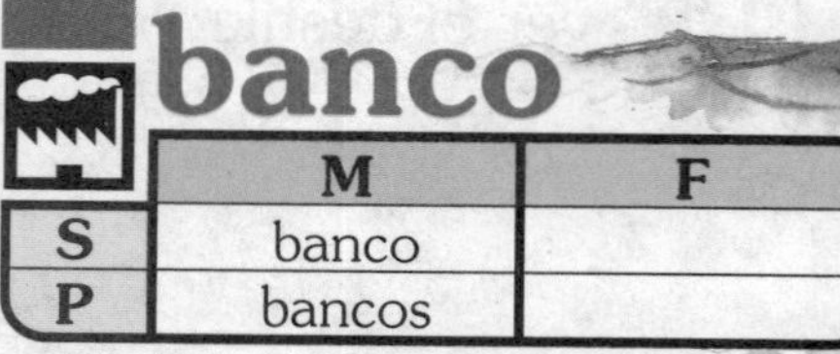

## banco

| | M | F |
|---|---|---|
| S | banco | |
| P | bancos | |

Asiento para varias personas.

Estuvimos descansando en un **banco** del parque.

Apreciable cantidad de arena en los ríos o a la orilla del mar.

El buque chocó contra un **banco** de arena.

Aglomeración de peces.

Había un **banco** de sardinas cerca de la playa.

Establecimiento para depositar y recibir dinero.

Cobra su sueldo en el **banco**.

# bandeja

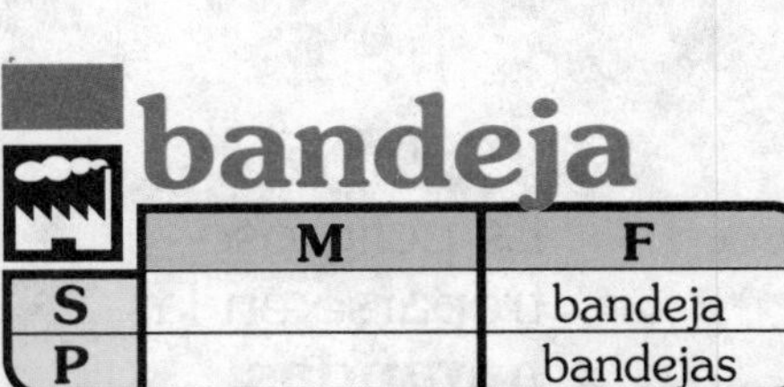

| | M | F |
|---|---|---|
| S | | bandeja |
| P | | bandejas |

Cuando estoy enfermo, mi mamá me lleva el desayuno en una **bandeja**.

# bandera

| | M | F |
|---|---|---|
| S | | bandera |
| P | | banderas |

Me gustan mucho las **banderas**.

# bañera

| | M | F |
|---|---|---|
| S | | bañera |
| P | | bañeras |

Artefacto para bañarse.

No te vayas a resbalar en la **bañera**.

# baño

| | M | F |
|---|---|---|
| S | baño | |
| P | baños | |

Me doy un **baño** antes de acostarme.

• Bañera.

Al bebé le encanta que lo metan al **baño**.

Cuarto donde uno se baña y asea.

No te demores tanto peinándote en el **baño**.

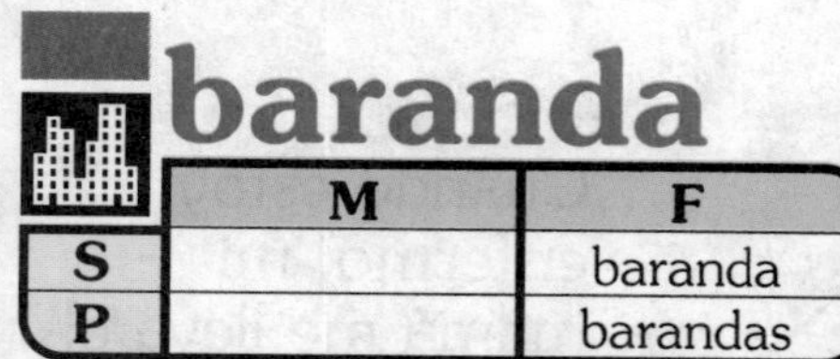

## baranda

| | M | F |
|---|---|---|
| S | | baranda |
| P | | barandas |

Borde o cerco. Barandilla.

Es peligroso treparse en las **barandas**.

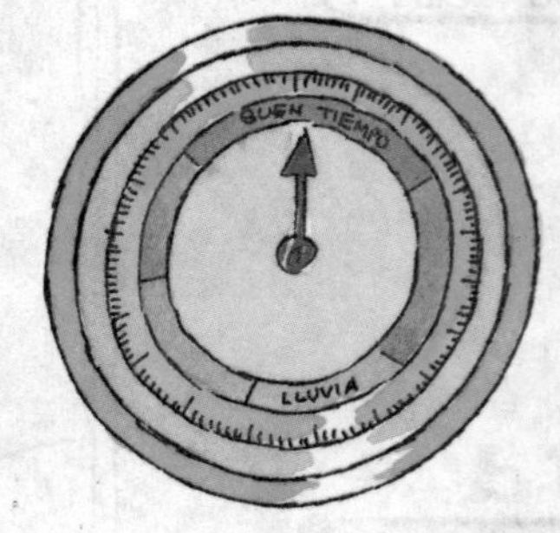


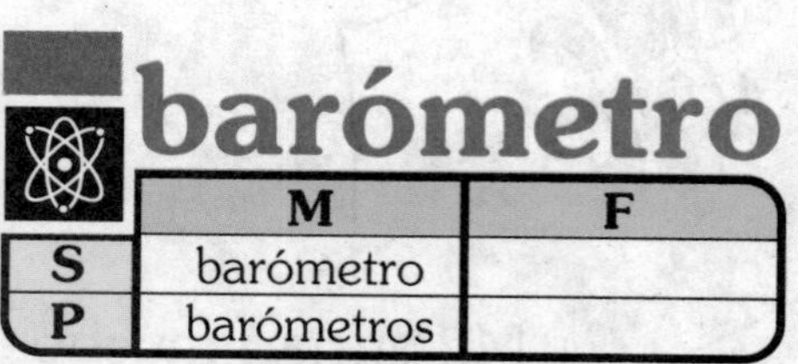

## barómetro

| | M | F |
|---|---|---|
| S | barómetro | |
| P | barómetros | |

El **barómetro** es un instrumento que permite saber cuál es la presión atmosférica que hay en un lugar.

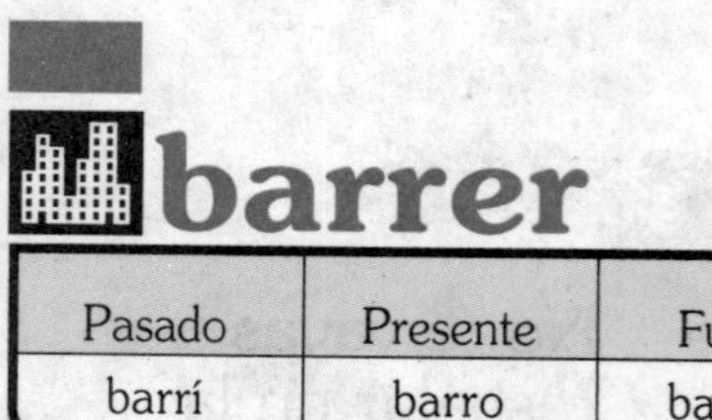

## barrer

| Pasado | Presente | Futuro |
|---|---|---|
| barrí | barro | barreré |

Estoy **barriendo** el patio de mi casa.

## básquetbol

| | M | F |
|---|---|---|
| S | básquetbol | |
| P | | |

El **básquetbol** es un deporte que exige mucha resistencia.

## basquetbolista

| | M | F |
|---|---|---|
| S | basquetbolista | basquetbolista |
| P | basquetbolistas | basquetbolistas |

En mi escuela hay buenos **basquetbolistas**.

## adv. bastante

- Lo necesario
- Suficiente.

No me des más comida. Tengo **bastante**.

- Mucho, no poco.

En verano hace **bastante** calor.

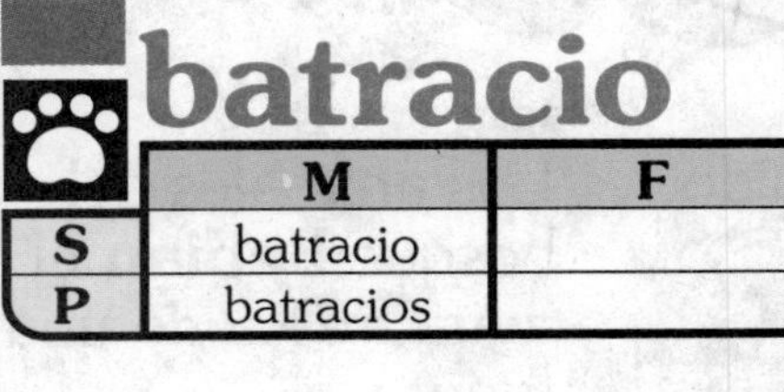

## batracio

| | M | F |
|---|---|---|
| S | batracio | |
| P | batracios | |

El sapo, la rana y la salamandra son **batracios**.

## baúl

| | M | F |
|---|---|---|
| S | baúl | |
| P | baúles | |

La abuelita tiene guardados sus recuerdos en un **baúl**.

## bautizar

| Pasado | Presente | Futuro |
|---|---|---|
| bauticé | bautizo | bautizaré |

Administrar el bautismo.

Fuimos al templo a **bautizar** a mi hermanito.

## be

| | M | F |
|---|---|---|
| S | | be |
| P | | bes |

Nombre de la letra **b**.

La **be** es la segunda letra del alfabeto.

## beber

| Pasado | Presente | Futuro |
|---|---|---|
| bebí | bebo | beberé |

Ingerir un líquido.

Los animales del bosque **bebían** el agua fresca de una fuente.

## bebida

| | M | F |
|---|---|---|
| S | | bebida |
| P | | bebidas |

Líquido que se bebe.

La naranjada natural es una **bebida** muy saludable.

## bestia

| | M | F |
|---|---|---|
| S | | bestia |
| P | | bestias |

El camello es la **bestia** de carga del desierto.

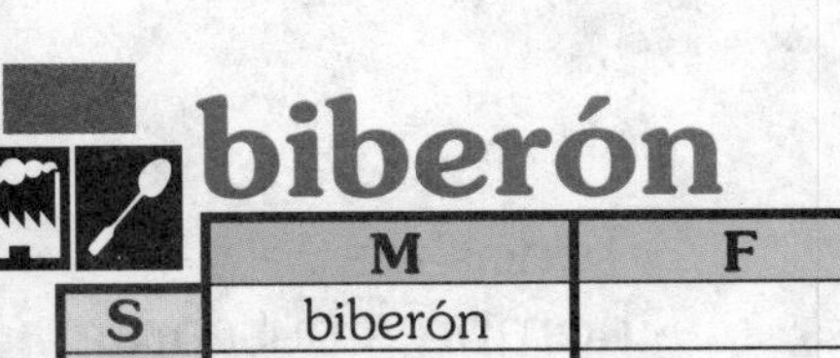

## biberón

| | M | F |
|---|---|---|
| S | biberón | |
| P | biberones | |

Mi hermanito todavía toma su leche en **biberón**.

## biblia

| | M | F |
|---|---|---|
| S | | Biblia |
| P | | biblias |

El testigo juró con una mano sobre la **Biblia**.

## biblioteca

| | M | F |
|---|---|---|
| S | | biblioteca |
| P | | bibliotecas |

Lugar donde se guardan libros ordenadamente.

Voy a la **biblioteca** de mi ciudad a consultar libros.

## bicicleta

| | M | F |
|---|---|---|
| S | | bicicleta |
| P | | bicicletas |

Fuimos a pasear en **bicicleta**.

## adv. bien

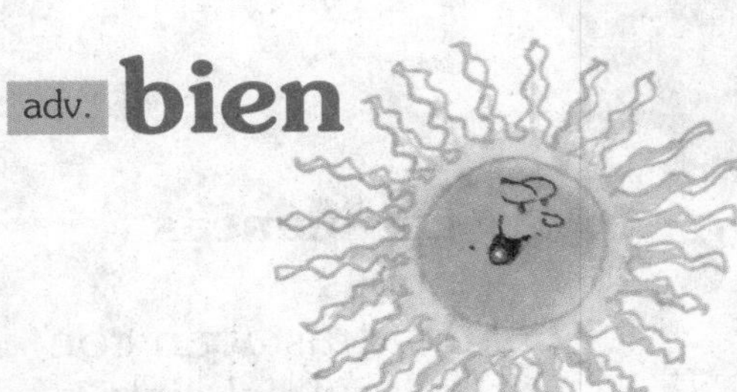

• Perfectamente.

El mejor regalo para los padres es que sus hijos se porten **bien**.

• Muy, bastante.

La luz del sol es **bien** brillante.

## bien

| | M | F |
|---|---|---|
| S | bien | |
| P | bienes | |

Lo bueno. — Todos los hombres buscan el **bien**.

Cosa de valor que se posee. — Debemos cuidar los **bienes** de la familia.

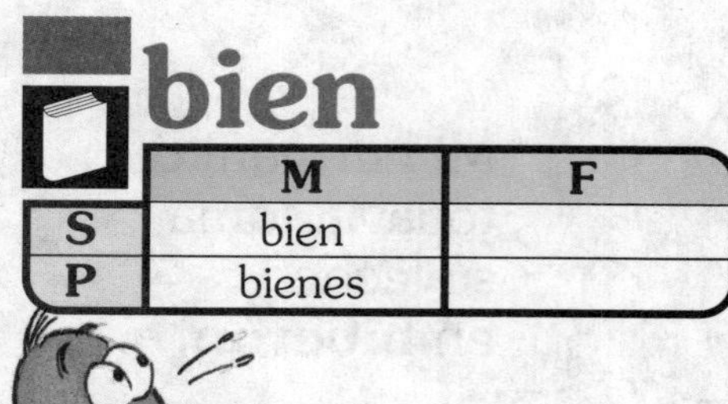

## billete

| | M | F |
|---|---|---|
| S | billete | |
| P | billetes | |

Tuve que cambiar un **billete** de $ 1.000.

## biología

| | M | F |
|---|---|---|
| S | | biología |
| P | | |

Ciencia que estudia la vida animal y vegetal. — Me gusta la **biología**. Quiero ser médico cuando grande.

## blanco

| | M | F |
|---|---|---|
| S | blanco | blanca |
| P | blancos | blancas |

Las **blancas** nubes contrastaban con el azul del cielo.

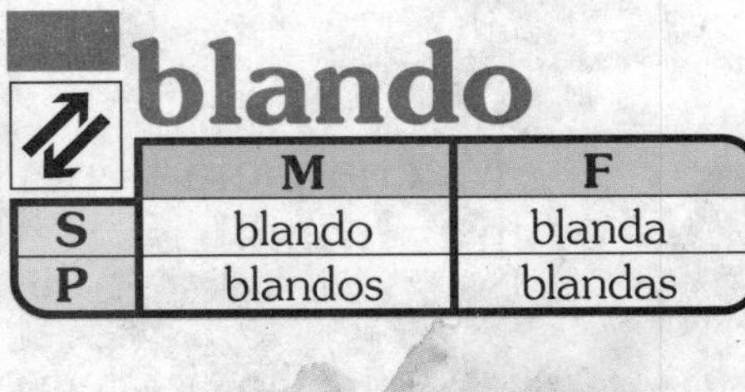

## blando

| | M | F |
|---|---|---|
| S | blando | blanda |
| P | blandos | blandas |

Que cede o se hunde fácilmente al peso o a la presión de algo.

No es conveniente dormir en cama muy **blanda**.

Suave y de poca energía.

Una disciplina muy **blanda** en el trato en el hogar suele ser perjudicial para los hijos.

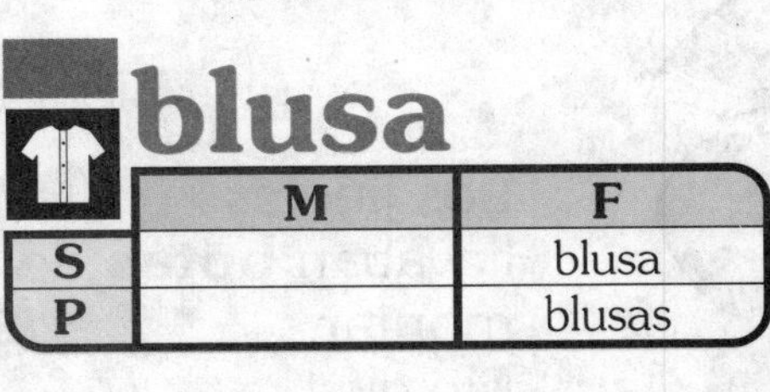

## blusa

| | M | F |
|---|---|---|
| S | | blusa |
| P | | blusas |

Mi hermana usa hoy una **blusa** con lunares.

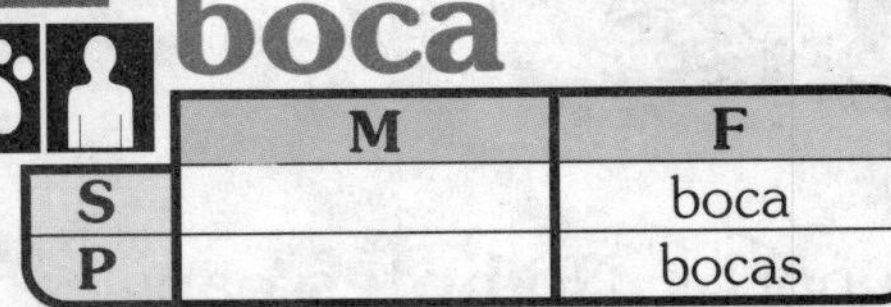

## boca

| | M | F |
|---|---|---|
| S | | boca |
| P | | bocas |

Es de buena educación comer con la **boca** cerrada.

La **boca** del túnel tenía la forma de la mitad de una rueda.

## boina

| | M | F |
|---|---|---|
| S | | boina |
| P | | boinas |

En otoño e invierno mucha gente usa **boina**.

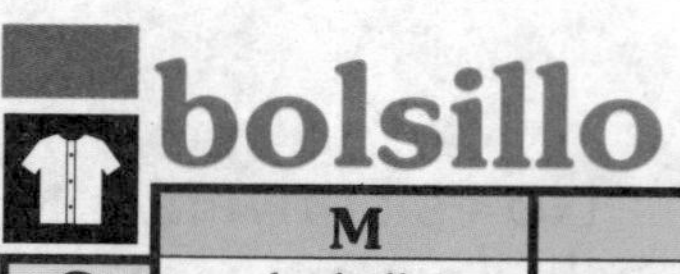

## bolsillo

| | M | F |
|---|---|---|
| S | bolsillo | |
| P | bolsillos | |

Mi chaqueta tiene tres **bolsillos**.

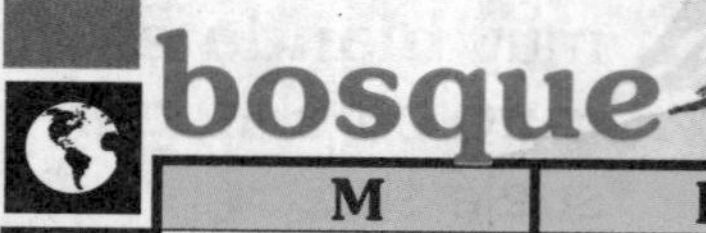

## bosque

| | M | F |
|---|---|---|
| S | bosque | |
| P | bosques | |

Cuida tu **bosque** nativo.

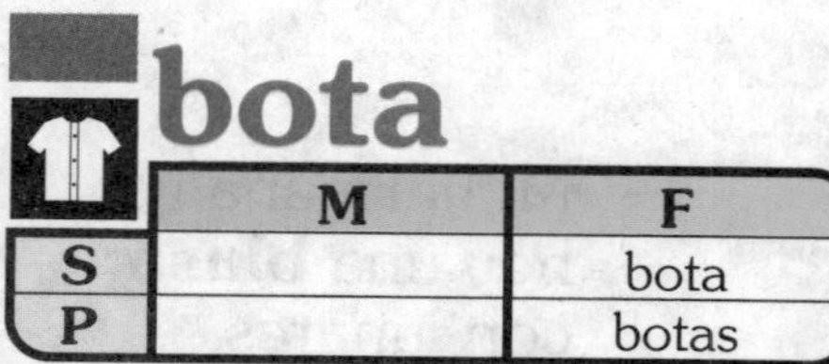

## bota

| | M | F |
|---|---|---|
| S | | bota |
| P | | botas |

Los jinetes llevaban **botas** de montar.
Me gusta ponerme **botas** cuando llueve.

## botar

| Pasado | Presente | Futuro |
|---|---|---|
| boté | boto | botaré |

Tirar algo por inservible.

No **botes** papeles al suelo.

Echar al agua una embarcación.

Hoy **botan** un barco pesquero.

## botella

| | M | F |
|---|---|---|
| S | | botella |
| P | | botellas |

Hay **botellas** de plástico y de vidrio.

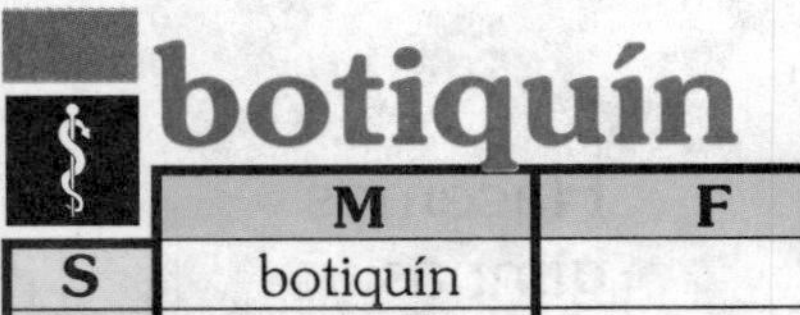

## botiquín

| | M | F |
|---|---|---|
| S | botiquín | |
| P | botiquines | |

En el **botiquín** del baño hay gasa, tela adhesiva y alcohol para curar las heridas.

## botón

| | M | F |
|---|---|---|
| S | botón | |
| P | botones | |

Mi chaqueta del colegio tiene tres **botones**.

## boxear

| Pasado | Presente | Futuro |
|---|---|---|
| boxeé | boxeo | boxearé |

Luchar por deporte a puñetazos.

No es muy recomendable **boxear**.

## bramar

| Pasado | Presente | Futuro |
|---|---|---|
| bramé | bramo | bramaré |

Emitir bramidos ciertos animales.

El toro **bramaba** porque lo habían encerrado en el corral.

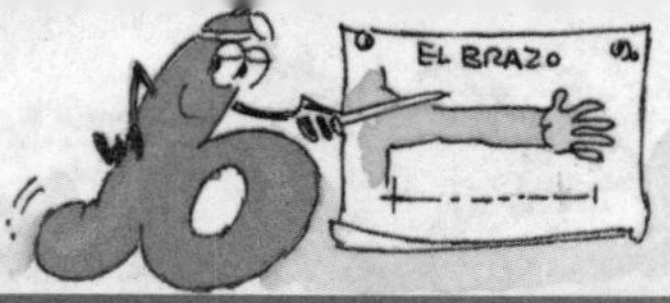


## brazo

| | M | F |
|---|---|---|
| S | brazo | |
| P | brazos | |

Hacemos gimnasia moviendo los **brazos**.

Puse el libro en un **brazo** del sofá.

Los **brazos** del río formaban una isla.

## breva

| | M | F |
|---|---|---|
| S | | breva |
| P | | brevas |

En ese verano, las higueras llegaban a negrear de **brevas**.

## breve

| | M | F |
|---|---|---|
| S | breve | |
| P | breves | |

De corta extensión o duración.

Escríbeme una carta, aunque sea **breve**.

## brisa

| | M | F |
|---|---|---|
| S | | brisa |
| P | | brisas |

Viento suave.

La **brisa** hacía ondular las banderas.

## broche

| | M | F |
|---|---|---|
| S | broche | |
| P | broches | |

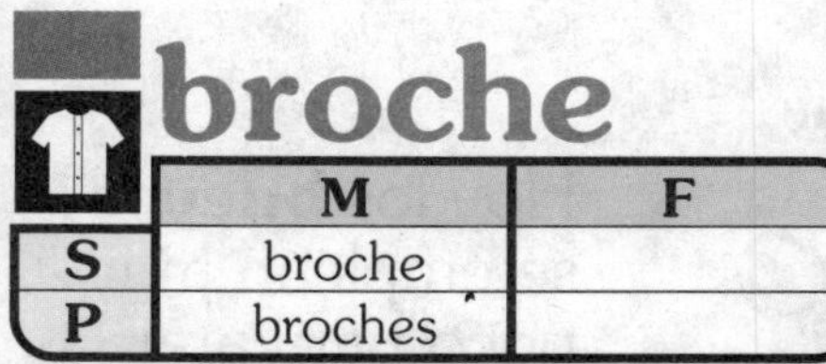

Se te abrió el **broche** del vestido.

## broma

| | M | F |
|---|---|---|
| S | | broma |
| P | | bromas |

Cosa que se hace o dice como burla o para hacer reír.

No me gusta nada la **broma** del papelito pegado a la espalda.

## bromear

| Pasado | Presente | Futuro |
|---|---|---|
| bromeé | bromeo | bromearé |

Estaba **bromeando** cuando te dije que me habían dado un premio.

## brujo

| | M | F |
|---|---|---|
| S | brujo | bruja |
| P | brujos | brujas |

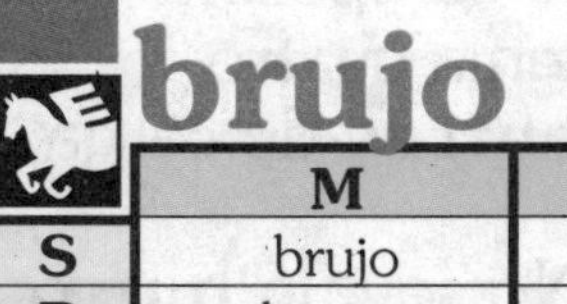

Las **brujas** de los cuentos vuelan montadas en escobas.

## budín

| | M | F |
|---|---|---|
| S | budín | |
| P | budines | |

Guiso o postre.

Para el almuerzo tendremos un rico **budín** de postre.

## buey

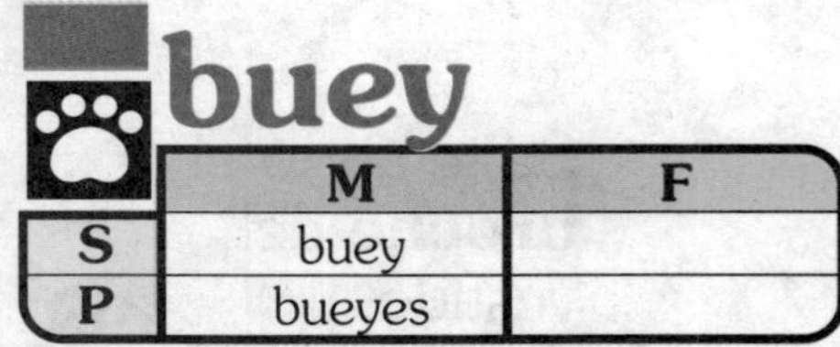

| | M | F |
|---|---|---|
| S | buey | |
| P | bueyes | |

Hoy los **bueyes** se emplean muy poco para arar la tierra... ¿Por qué será?

## bufanda

| | M | F |
|---|---|---|
| S | | bufanda |
| P | | bufandas |

Las **bufandas** de lana son abrigadoras.

## bullicioso

| | M | F |
|---|---|---|
| S | bullicioso | bulliciosa |
| P | bulliciosos | bulliciosas |

Que hace mucho ruido.

Las motocicletas son muy **bulliciosas**.

## burro

| | M | F |
|---|---|---|
| S | burro | burra |
| P | burros | burras |

El campesino tenía cuatro **burros** de carga.

De poco entendimiento.

No soy un **burro** –me dijo–. Lo que pasa es que a veces no estudio.

## buzón

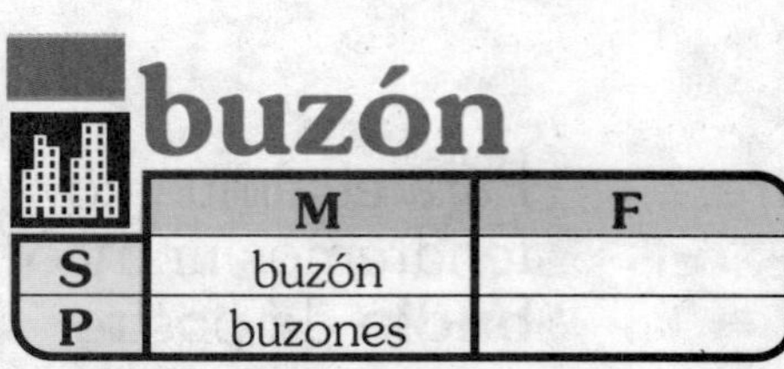

| | M | F |
|---|---|---|
| S | buzón | |
| P | buzones | |

Échame esta carta en el **buzón** del correo.

| A | B | C | CH | D | E | F | G | H | I |
|---|---|---|---|---|---|---|---|---|---|
| J | K | L | LL | M | N | Ñ | O | P | Q |
| R | S | T | U | V | W | X | Y | Z | |

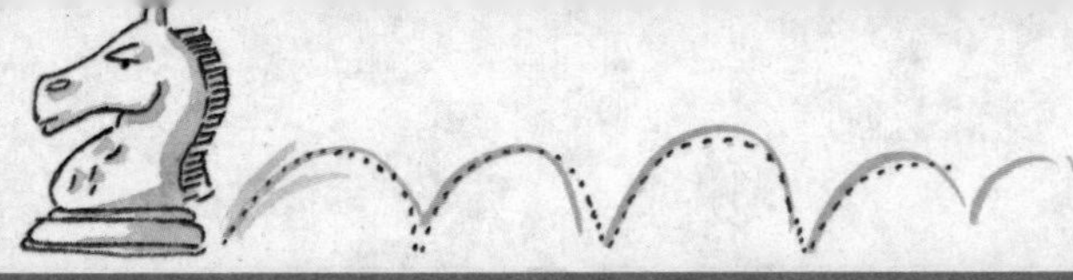

# caballo

| | M | F |
|---|---|---|
| S | caballo | yegua |
| P | caballos | yeguas |

Me encanta montar a **caballo**.

La **yegua** blanca está criando su potrillo.

# cabeza

| | M | F |
|---|---|---|
| S | | cabeza |
| P | | cabezas |

El presidente de la República es la **cabeza** del país.

Me gusta hacer ejercicios **cabeza** abajo.

# cacarear

| Pasado | Presente | Futuro |
|---|---|---|
| cacareé | cacareo | cacachearé |

Mi gallina **cacarea** cuando pone un huevo.

Proclamar las cosas propias o protestar por las ajenas.

Tanto que **cacarea** ese señor por las cosas que ha hecho.

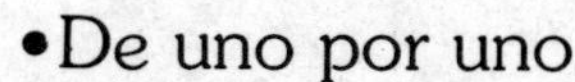

## cada

• De uno por uno.

**Cada** niño de la escuela debe saber andar en la calle.

• Para el mismo número que se repite.

**Cada** dos meses se ponen las notas.

## cadera

| | M | F |
|---|---|---|
| S | | cadera |
| P | | caderas |

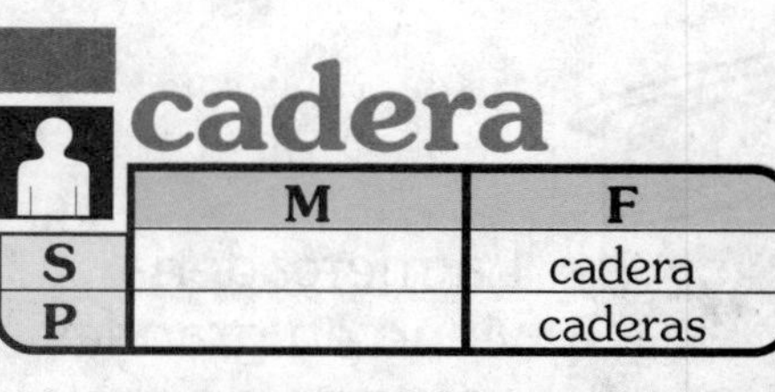

Los bailes polinésicos son con mucho movimiento de **caderas**.

## caer

| Pasado | Presente | Futuro |
|---|---|---|
| caí | caigo | caeré |

Ir a dar al suelo alguien o algo por su propio peso.

Incurrir en un error, falta o desgracia.

 Ser derrotado.

Está **cayendo** granizo.
El auto **cayó** en una zanja.
Cuando **caigo** en un error, lo reconozco y trato de corregirlo.
Nuestro equipo luchó hasta el final y **cayó** ante el rival.

## café

| | M | F |
|---|---|---|
| S | café | |
| P | cafés | |

A mi papá le gusta el **café** con leche.

Pasamos a un **café** a tomar algo.

## cajón

| | M | F |
|---|---|---|
| S | cajón | |
| P | cajones | |

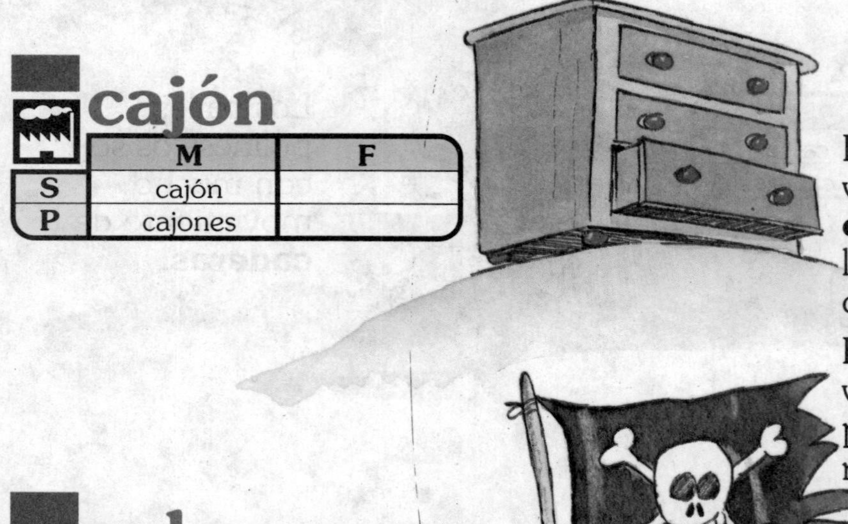

La mercadería viene en grandes **cajones** de metal llamados contenedores.

La cómoda tiene varios **cajones** para guardar la ropa.

## calavera

| | M | F |
|---|---|---|
| S | | calavera |
| P | | calaveras |

La bandera de los piratas lleva una **calavera** con dos huesos cruzados.

## calcetín

| | M | F |
|---|---|---|
| S | calcetín | |
| P | calcetines | |

Este niño se puso un **calcetín** distinto del otro.

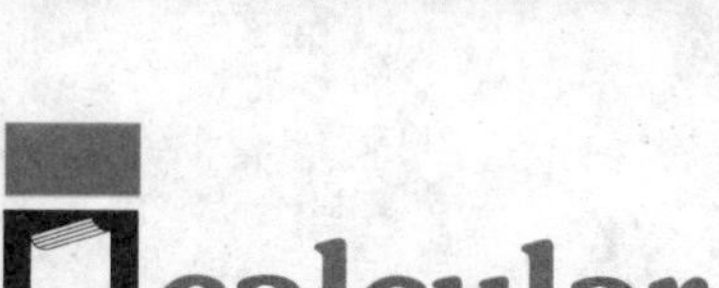

## calcular

| Pasado | Presente | Futuro |
|---|---|---|
| calculé | calculo | calcularé |

Averiguar algo mediante una operación mental.

A ver si puedes **calcular** cuánto es 11 x 22.

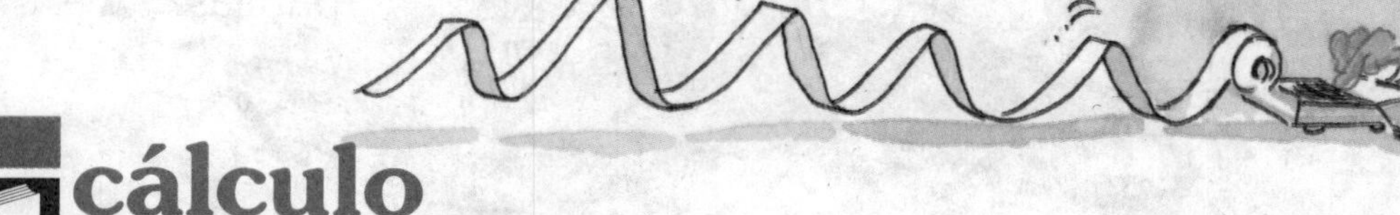

## cálculo

| | M | F |
|---|---|---|
| S | cálculo | |
| P | cálculos | |

Según mi **cálculo**, el bus debe llegar a las 11 de la mañana.

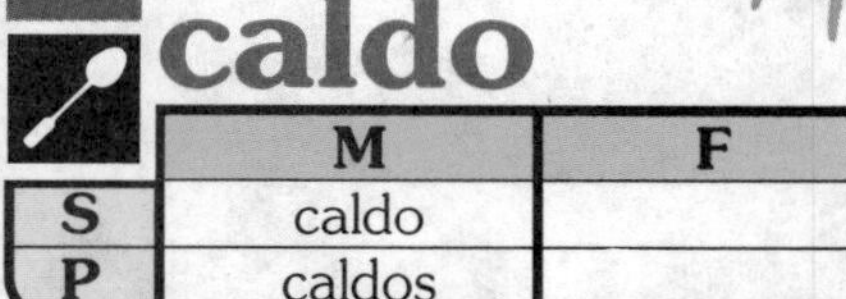

## caldo

| | M | F |
|---|---|---|
| S | caldo | |
| P | caldos | |

Líquido que resulta de cocer en agua algunos alimentos.

El **caldo** de ave es muy sabroso.

## calle

| | M | F |
|---|---|---|
| S | | calle |
| P | | calles |

Es peligroso jugar en la **calle**.

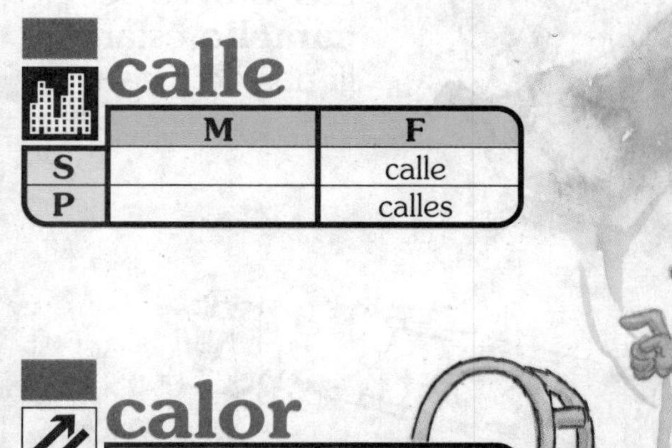

## calor

| | M | F |
|---|---|---|
| S | calor | |
| P | calores | |

Tengo mucho **calor**. Voy a darme un baño.

## calzado

| | M | F |
|---|---|---|
| S | calzado | |
| P | calzados | |

Un **calzado** es todo lo que sirve para calzar el pie, como los zapatos, las botas y las zapatillas.

## cama

| | M | F |
|---|---|---|
| S | | cama |
| P | | camas |

Apenas suena el despertador, salto de la **cama** para ir a la escuela.

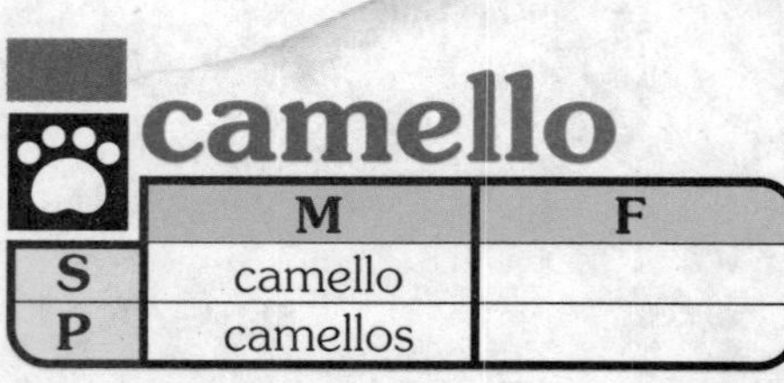

## camello

| | M | F |
|---|---|---|
| S | camello | |
| P | camellos | |

Las jorobas del **camello** están llenas de grasa.

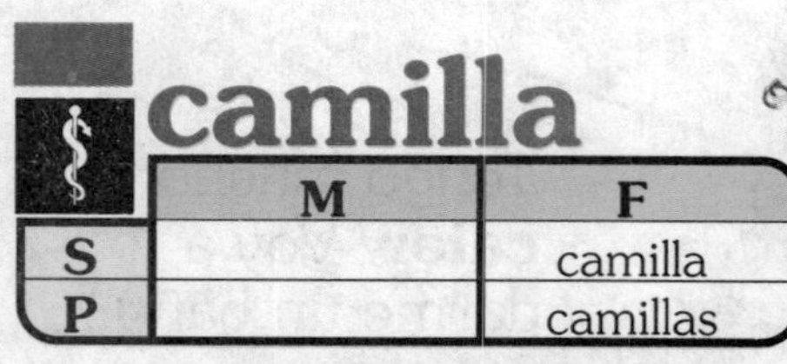

## camilla

| | M | F |
|---|---|---|
| S | | camilla |
| P | | camillas |

Lo sacaron de la cancha en una **camilla**.

## caminar

| Pasado | Presente | Futuro |
|---|---|---|
| caminé | camino | caminaré |

Recorrer cierta distancia a pie.

Los peregrinos **caminaron** toda la noche.

## camino

| | M | F |
|---|---|---|
| S | camino | |
| P | caminos | |

Este **camino** conduce a la montaña.

## camión

| | M | F |
|---|---|---|
| S | camión | |
| P | camiones | |

El **camión** transporta muchas mercaderías.

## camisa

| | M | F |
|---|---|---|
| S | | camisa |
| P | | camisas |

A mi papá le gusta usar **camisas** con rayas.

## campanario

| | M | F |
|---|---|---|
| S | campanario | |
| P | campanarios | |

Allá lejos se divisa la torre de la catedral con su **campanario**.

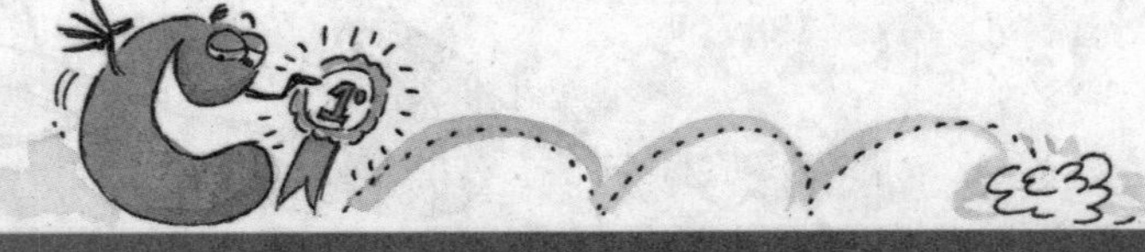

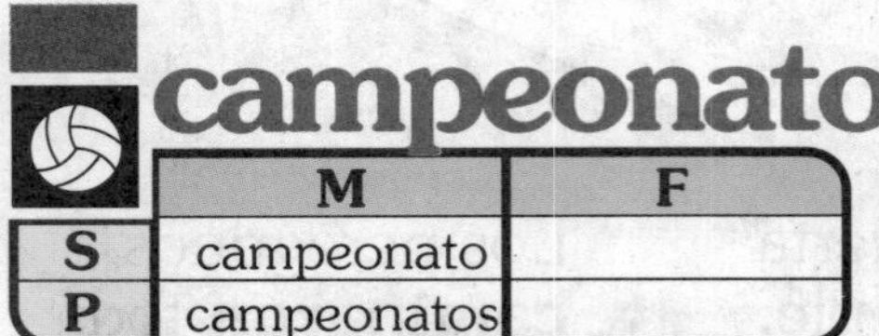

## campeonato

| | M | F |
|---|---|---|
| S | campeonato | |
| P | campeonatos | |

Competencia donde el que gana es el campeón.

Mi escuela ha ganado varios **campeonatos**.

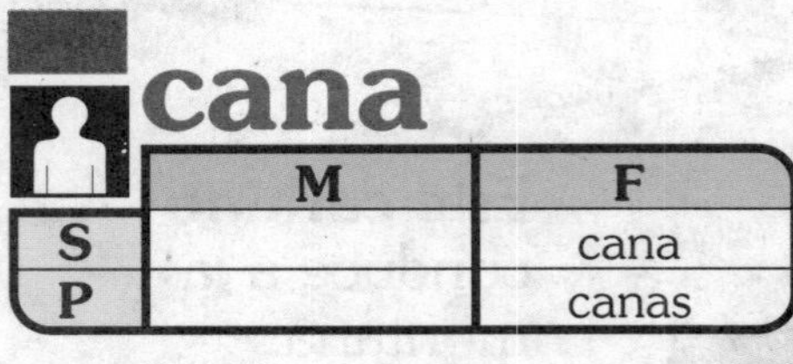

## cana

| | M | F |
|---|---|---|
| S | | cana |
| P | | canas |

La viejecita tenía la cabeza cubierta de **canas**.

## canal

| | M | F |
|---|---|---|
| S | canal | |
| P | canales | |

La región de los **canales** del sur de Chile es una de las más bellas del planeta.

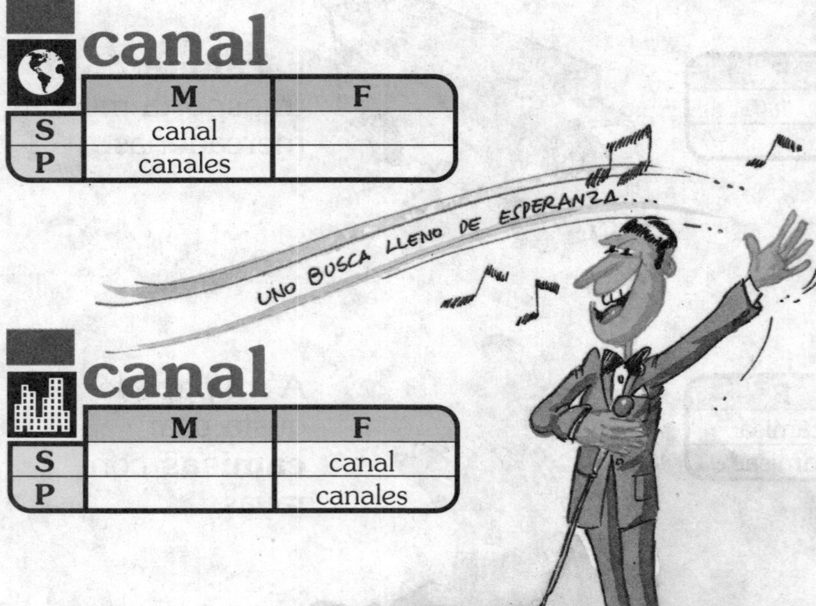


## canal

| | M | F |
|---|---|---|
| S | | canal |
| P | | canales |

Las aguas lluvias bajan por las **canales** del techo.

## canción

| | M | F |
|---|---|---|
| S | | canción |
| P | | canciones |

Poema hecho para ser cantado.

He aprendido varias **canciones** escuchando radio.

## cancha

| | M | F |
|---|---|---|
| S | | cancha |
| P | | canchas |

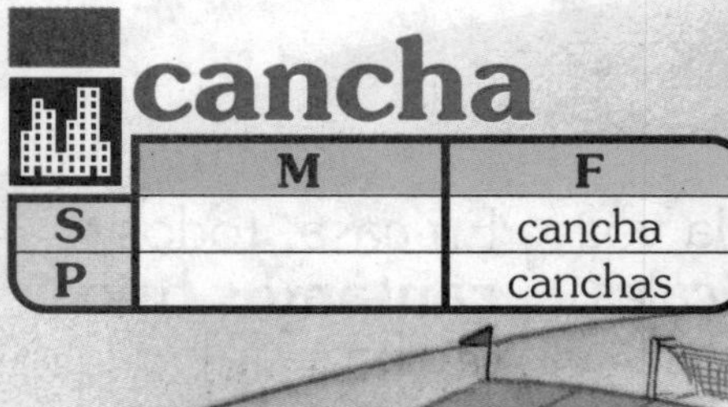

Terreno plano, algo extenso y despejado.

En las **canchas** había algunos montones de lingotes de cobre.

Lugar donde se practican ciertos juegos deportivos.

Con la lluvia de anoche, la **cancha** no quedó apta para el partido.

## candado

| | M | F |
|---|---|---|
| S | candado | |
| P | candados | |

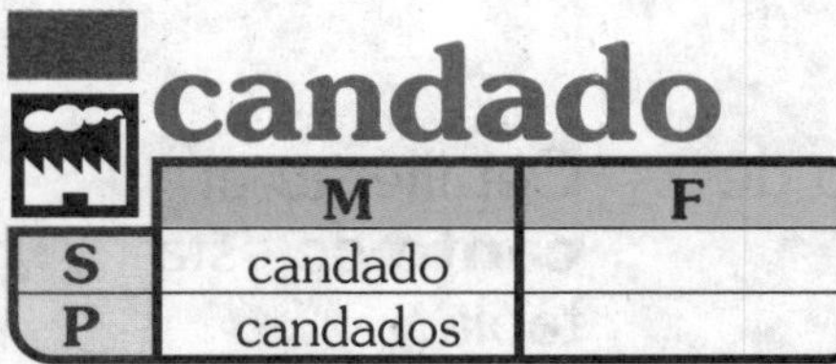

Mi papá asegura el portón con un **candado**.

## cansancio

| | M | F |
|---|---|---|
| S | cansancio | |
| P | cansancios | |

Después de la carrera, caballos y jinetes mostraban un gran **cansancio**.

## cansar

| Pasado | Presente | Futuro |
|---|---|---|
| (me) cansé | (me) canso | (me) cansaré |

(Hacer) perder las ganas de seguir atento o con fuerzas para algo.

No **canses** al perro con tantos correteos.
Me **cansé** de ver televisión.

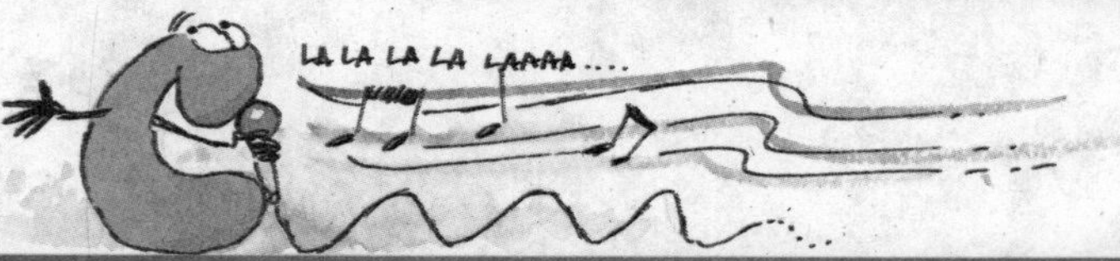

# cantar

| Pasado | Presente | Futuro |
|---|---|---|
| canté | canto | cantaré |

Formar con la voz sonidos musicales.

En casa, todos **cantamos** bajo la ducha.

Decir en voz alta los números de un sorteo o los nombres de una lista.

Cállate, que están **cantando** los números de la lotería.

# canto

| | M | F |
|---|---|---|
| S | canto | |
| P | cantos | |

Lado angosto de una cosa.

Cepílleme el **canto** de esta tabla.

El **canto** de los pájaros me despierta.

# cañería

| | M | F |
|---|---|---|
| S | | cañería |
| P | | cañerías |

Se rompió la **cañería** del agua.

# capa

| | M | F |
|---|---|---|
| S | | capa |
| P | | capas |

Se ha formado una **capa** de nieve muy espesa.

La Caperucita usa una **capa** roja.

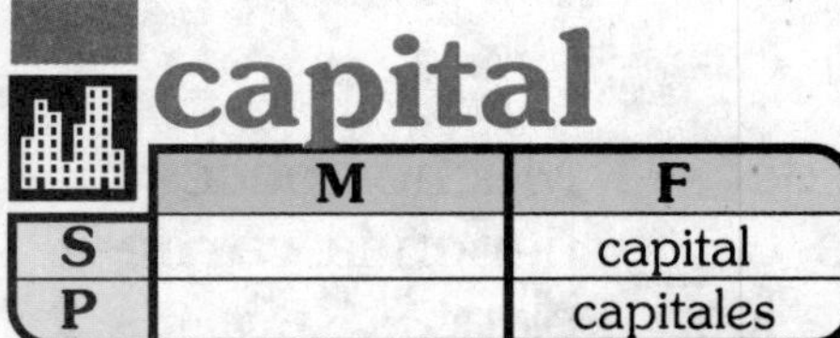

## capital

| | M | F |
|---|---|---|
| S | | capital |
| P | | capitales |

Ciudad más importante de un territorio, donde residen sus autoridades principales.

Santiago, Buenos Aires, Lima, Quito, Bogotá, Asunción, Montevideo, son **capitales**.

## cara

| | M | F |
|---|---|---|
| S | | cara |
| P | | caras |

Esa niña tiene la **cara** redonda.

El dado tiene seis **caras**.

## caracol

| | M | F |
|---|---|---|
| S | caracol | |
| P | caracoles | |

El **caracol** tiene casa propia.

## cárcel

| | M | F |
|---|---|---|
| S | | cárcel |
| P | | cárceles |

Los ladrones son llevados a la **cárcel** por la policía cuando el juez los condena.

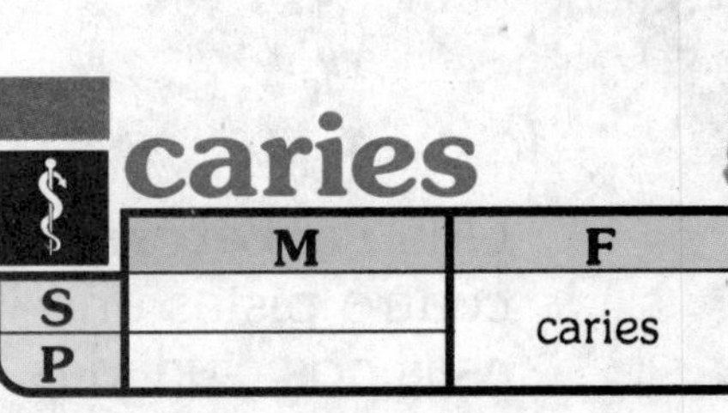

## caries

| | M | F |
|---|---|---|
| S | | caries |
| P | | |

Mis dientes no tienen ninguna **caries**.

## carne

| | M | F |
|---|---|---|
| S | | carne |
| P | | carnes |

Parte blanda del cuerpo de las personas y de los animales.

Muchos peces tienen la **carne** blanca.

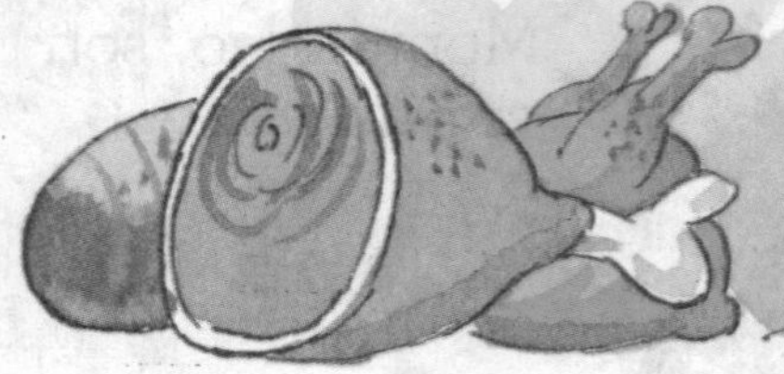

Parte interior y blanda de la fruta.

La **carne** de melón es muy jugosa.

## carnero

| | M | F |
|---|---|---|
| S | carnero | |
| P | carneros | |

Macho de la oveja.

El **carnero** de Magallanes es famoso por la calidad de su lana.

## carnicería

| | M | F |
|---|---|---|
| S | | carnicería |
| P | | carnicerías |

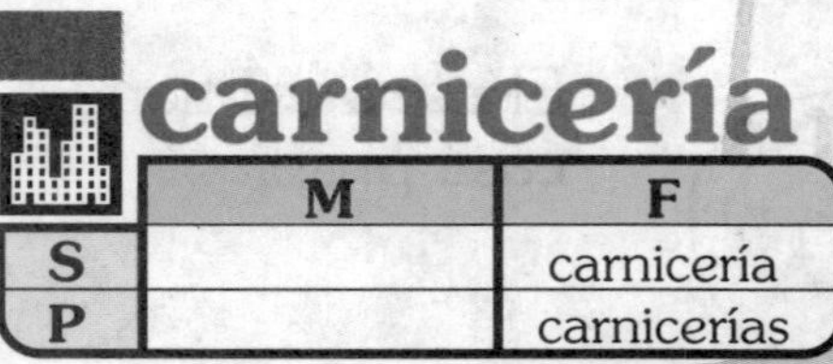


Mi mamá compra carne de pollo y de vacuno en una **carnicería**.

## carreta

| | M | F |
|---|---|---|
| S | | carreta |
| P | | carretas |

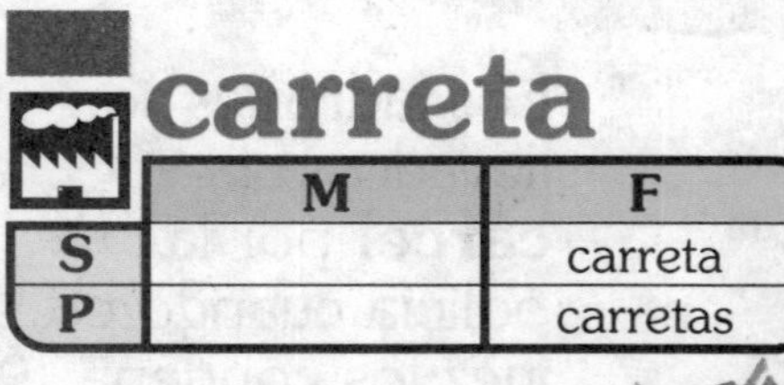

Ya no hay **carretas** en la ciudad.

## carretera

| | M | F |
|---|---|---|
| S | | carretera |
| P | | carreteras |

Una **carretera** de cuatro pistas une esas dos ciudades.

## carretilla

| | M | F |
|---|---|---|
| S | | carretilla |
| P | | carretillas |

Esos obreros transportan la arena y el cemento en una **carretilla**.

## carro

| | M | F |
|---|---|---|
| S | carro | |
| P | carros | |

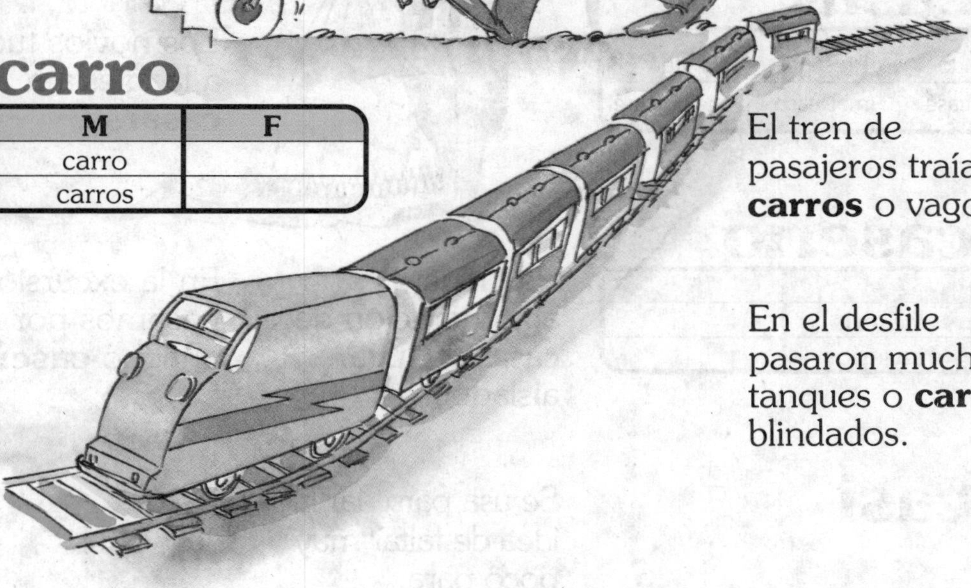

El tren de pasajeros traía seis **carros** o vagones.

En el desfile pasaron muchos tanques o **carros** blindados.

## carroza

| | M | F |
|---|---|---|
| S | | carroza |
| P | | carrozas |

En la **carroza** iban el rey y la reina de España.

## casa

| | M | F |
|---|---|---|
| S | | casa |
| P | | casas |

En esa **casa** vive mi compañero de curso.

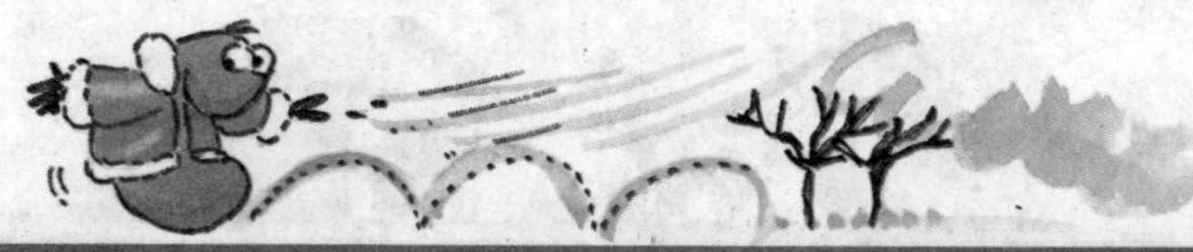

## casar

| Pasado | Presente | Futuro |
|---|---|---|
| (me) casé | (me) caso | (me) casaré |

Los novios fueron a la iglesia a **casarse**.

## caserío

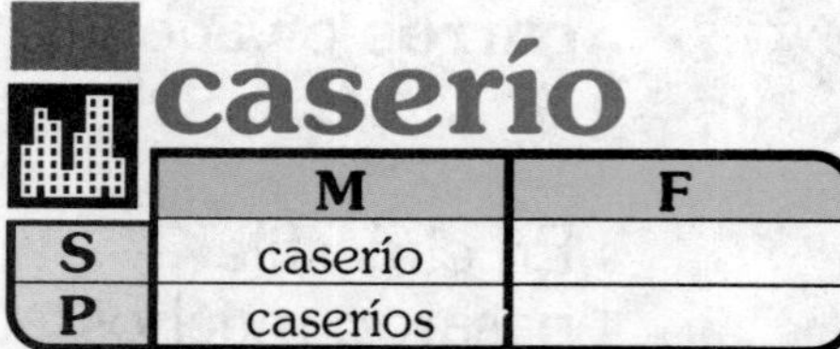

| | M | F |
|---|---|---|
| S | caserío | |
| P | caseríos | |

Pequeña aglomeración de casas en lugar aislado.

En la excursión pasamos por un antiguo **caserío**.

## adv. casi

Se usa para dar la idea de faltar muy poco para:

- que algo suceda.

**Casi** perdió el autobús.

- una medida o cantidad.

Anduvimos **casi** diez kilómetros.

## castaño

| | M | F |
|---|---|---|
| S | castaño | |
| P | castaños | |

El **castaño** es un árbol, cuyos frutos son las castañas.

Mi hermanita tiene ojos **castaños**, igual que yo.

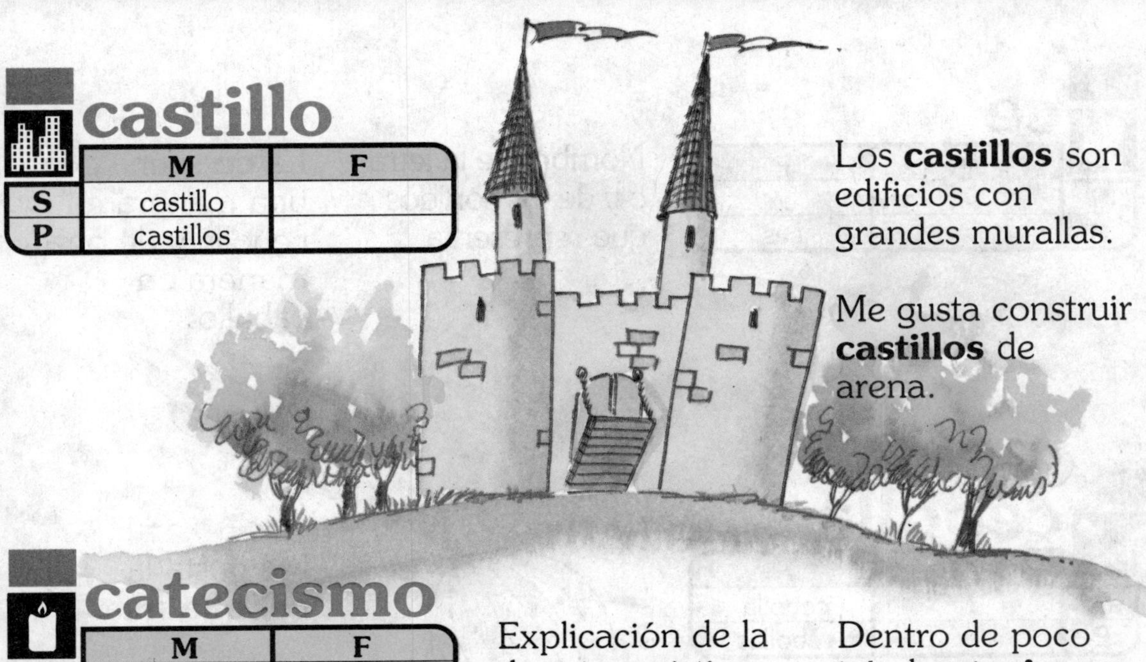

## castillo

| | M | F |
|---|---|---|
| S | castillo | |
| P | castillos | |

Los **castillos** son edificios con grandes murallas.

Me gusta construir **castillos** de arena.

## catecismo

| | M | F |
|---|---|---|
| S | catecismo | |
| P | catecismos | |

Explicación de la doctrina cristiana.

Dentro de poco iré al **catecismo**.

Libro que la contiene.

El párroco nos regaló un **catecismo** a cada uno.

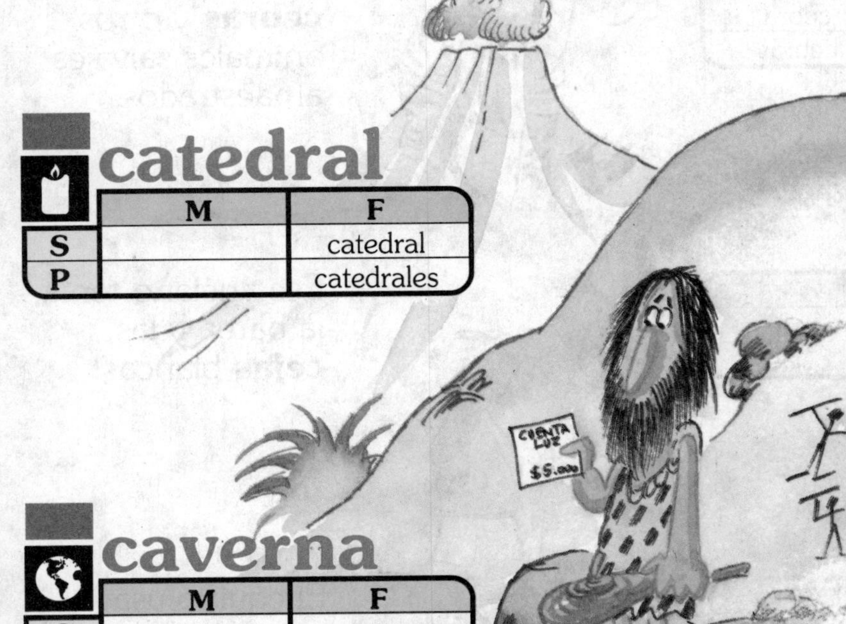


## catedral

| | M | F |
|---|---|---|
| S | | catedral |
| P | | catedrales |

La **catedral** es la iglesia a cargo de un obispo o arzobispo.

## caverna

| | M | F |
|---|---|---|
| S | | caverna |
| P | | cavernas |

El hombre primitivo vivía en **cavernas**.

## ce

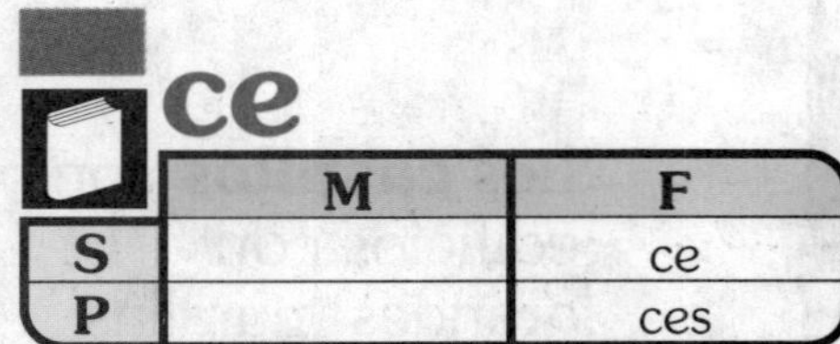

| | M | F |
|---|---|---|
| S | | ce |
| P | | ces |

Nombre de la letra c y de los sonidos que representa.

La **ce** suena de una manera en cebolla y de otra manera en caballo.

## cebolla

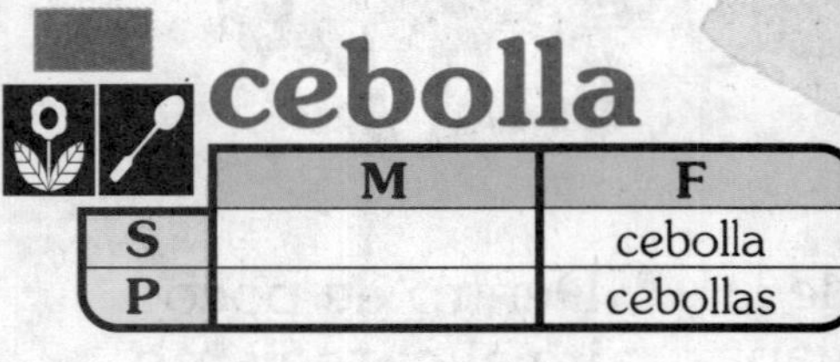

| | M | F |
|---|---|---|
| S | | cebolla |
| P | | cebollas |

Me gusta la **cebolla** frita.

## cebra

| | M | F |
|---|---|---|
| S | | cebra |
| P | | cebras |

El circo traía **cebras** y otros animales salvajes amaestrados.

## ceja

| | M | F |
|---|---|---|
| S | | ceja |
| P | | cejas |

Ese anciano tenía la barba y las **cejas** blancas.

## celeste

| | M | F |
|---|---|---|
| S | celeste | |
| P | celestes | |

El equipo usa pantalón blanco y camiseta **celeste**.

## cemento

| | M | F |
|---|---|---|
| S | cemento | |
| P | cementos | |

Polvo plomizo que mezclado con agua y arena se endurece y sirve para construir.

En la ciudad hay muchos edificios de **cemento**.

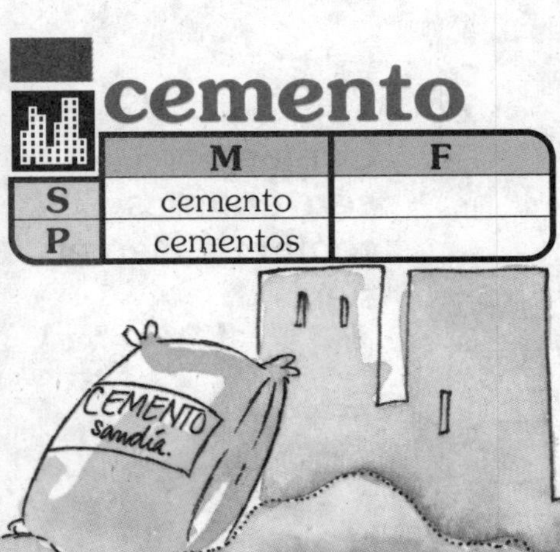


## cenar

| Pasado | Presente | Futuro |
|---|---|---|
| cené | ceno | cenaré |

Comer por la noche.

Llegamos a la casa justo a la hora de **cenar**.

## cenicero

| | M | F |
|---|---|---|
| S | cenicero | |
| P | ceniceros | |

Los **ceniceros** están siempre limpios ahora: mi papá dejó de fumar.

## ceniza

| | M | F |
|---|---|---|
| S | | ceniza |
| P | | cenizas |

Las **cenizas** del volcán cubrieron cerros y valles.

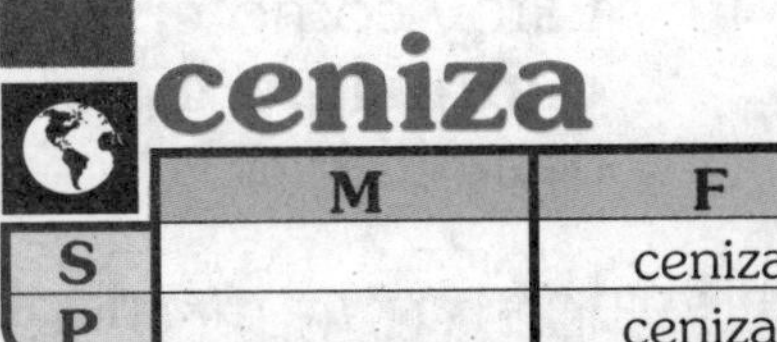

## centauro

| | M | F |
|---|---|---|
| S | centauro | |
| P | centauros | |

El **centauro** es un animal mitológico, mitad hombre y mitad caballo.

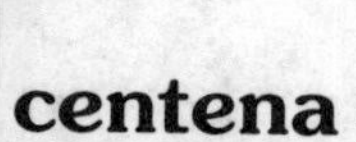

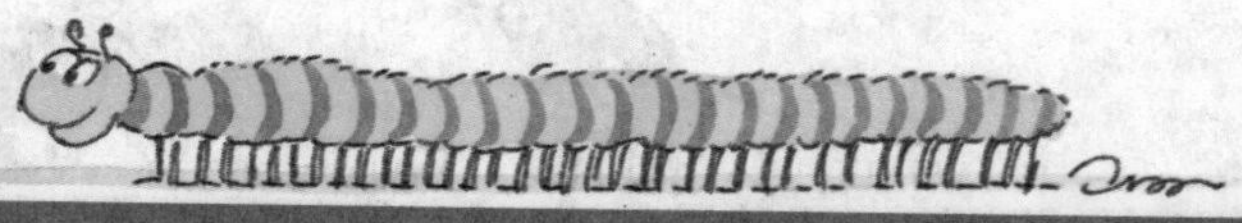

## centena

| | M | F |
|---|---|---|
| S | | centena |
| P | | centenas |

Contar por **centenas** es contar de cien en cien.

## centenar

| | M | F |
|---|---|---|
| S | centenar | |
| P | centenares | |

• Centena.

Las hormigas entraron a la cocina por **centenares**.

## centésimo

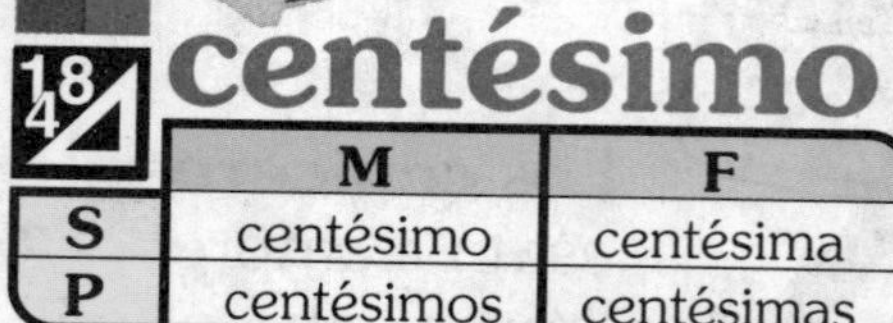

| | M | F |
|---|---|---|
| S | centésimo | centésima |
| P | centésimos | centésimas |

Cada una de las cien partes iguales en que se divide un todo.

El peso se divide en cien **centésimos** llamados centavos.

Que está en el puesto Nº 100.

Estoy como en el **centésimo** lugar de la fila.

## centímetro

| | M | F |
|---|---|---|
| S | centímetro | |
| P | centímetros | |

Cada una de las cien partes iguales en que se divide el metro.

Tenemos una diferencia en estatura: unos pocos **centímetros**.

## adv. cerca

Se usa para indicar:

- la proximidad en el espacio. — Viviremos muy **cerca**. **Cerca** de la escuela queda el estadio.
- la proximidad en el tiempo. — La primavera está **cerca**.
- lo que está a punto de suceder. — Estuvimos **cerca** de ganar el campeonato.

## adv. cerca de

- Aproximadamente. — En el estadio había **cerca de** 70.000 personas.

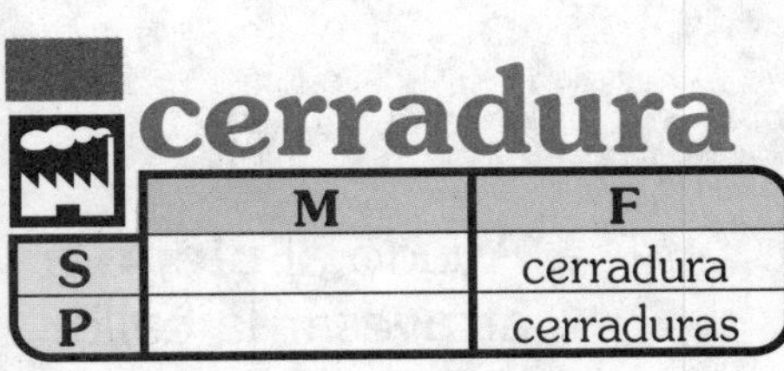

## cerdo

| | M | F |
|---|---|---|
| S | cerdo | cerda |
| P | cerdos | cerdas |

A los **cerdos** les encanta el barro.

## cerradura

| | M | F |
|---|---|---|
| S | | cerradura |
| P | | cerraduras |

Esta llave no entra en la **cerradura** de la puerta de calle.

## cerrar

| Pasado | Presente | Futuro |
|---|---|---|
| cerré | cierro | cerraré |

Impedir la entrada o la salida entre el interior y el exterior de algo.

**Cierra** la ventana para que no entre el viento.

Juntar los extremos de alguna cosa de modo que no quede espacio entre ellos.

El médico **cerró** la herida con aguja e hilo.

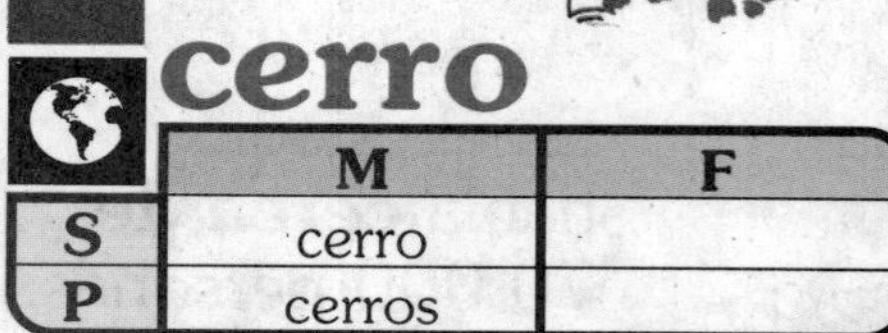

## cerro

| | M | F |
|---|---|---|
| S | cerro | |
| P | cerros | |

Me gusta subir al **cerro**.

## ciclismo

| | M | F |
|---|---|---|
| S | ciclismo | |
| P | | |

Deporte de andar o correr en bicicleta.

Gracias al **ciclismo** llegó a ser un excelente atleta.

## ciego

| | M | F |
|---|---|---|
| S | ciego | ciega |
| P | ciegos | ciegas |

Ayudó al **ciego** a atravesar la calle.

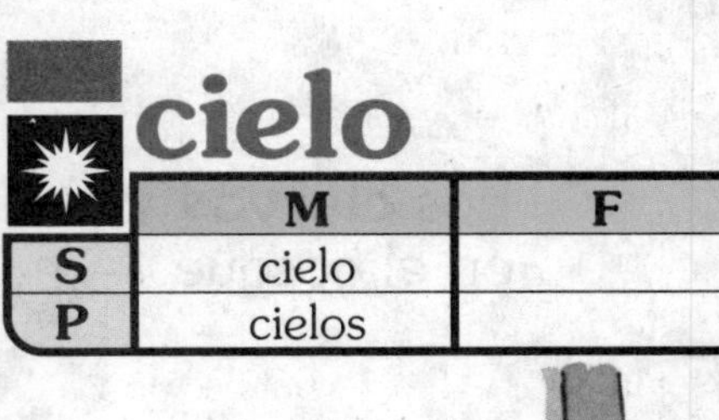

## cielo

| | M | F |
|---|---|---|
| S | cielo | |
| P | cielos | |

Me encanta ver el **cielo** lleno de estrellas.

Dios nos mira desde el **cielo**.

## ciencia

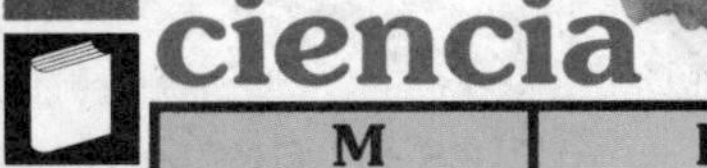

| | M | F |
|---|---|---|
| S | | ciencia |
| P | | ciencias |

Conocimiento de las cosas por sus causas.

El libro pone la **ciencia** al alcance de todos.

El mundo moderno se caracteriza por el desarrollo de las **ciencias**.

## ciento

| | M | F |
|---|---|---|
| S | ciento | |
| P | cientos | |

Cien unidades.

Compró un **ciento** de manzanas. (Cuando es adjetivo, se abrevia en **cien**: Compró **cien** manzanas).

## cierre

| | M | F |
|---|---|---|
| S | cierre | |
| P | cierres | |

El **cierre** del comercio es a las ocho de la noche.

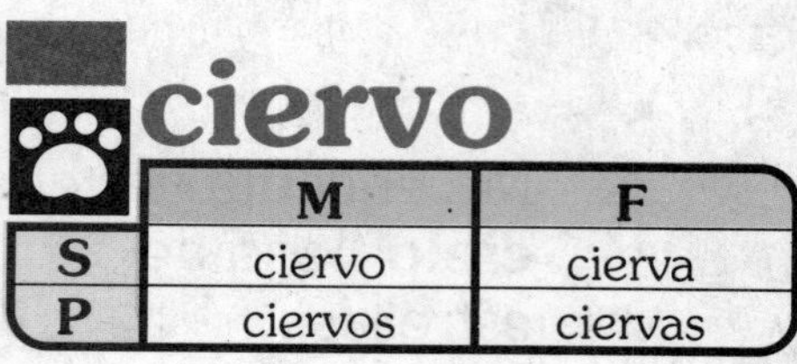

## ciervo

| | M | F |
|---|---|---|
| S | ciervo | cierva |
| P | ciervos | ciervas |

Los **ciervos** viven en el bosque.

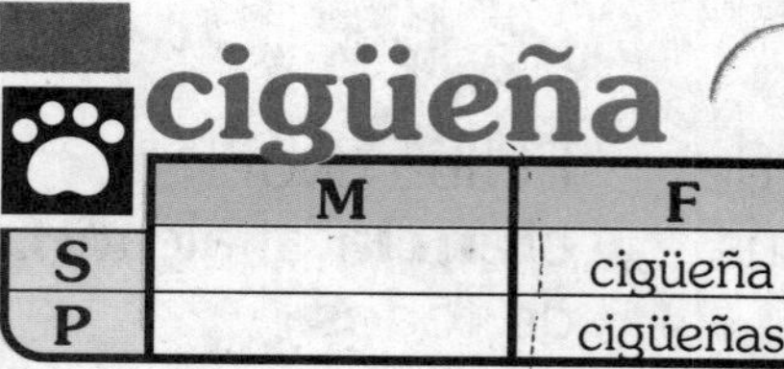

## cigüeña

| | M | F |
|---|---|---|
| S | | cigüeña |
| P | | cigüeñas |

Antes se decía a los niños que a los recién nacidos los traía una **cigüeña**.

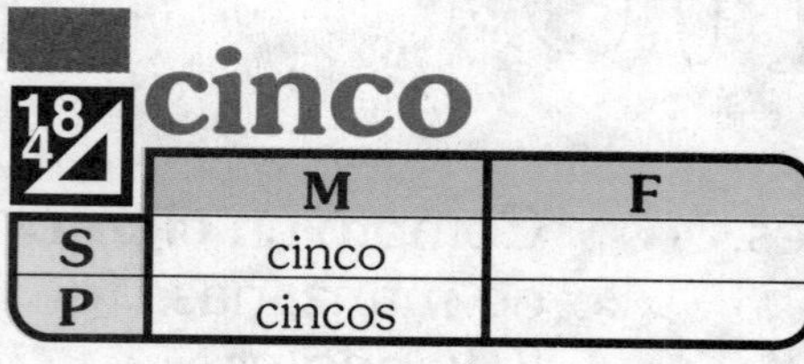

## cinco

| | M | F |
|---|---|---|
| S | cinco | |
| P | cincos | |

Me saqué varios **cincos** en matemática.

## cinco

| | M | F |
|---|---|---|
| S | | |
| P | cinco | |

Cada mano tiene **cinco** dedos. Los **cinco** están provistos de uñas.

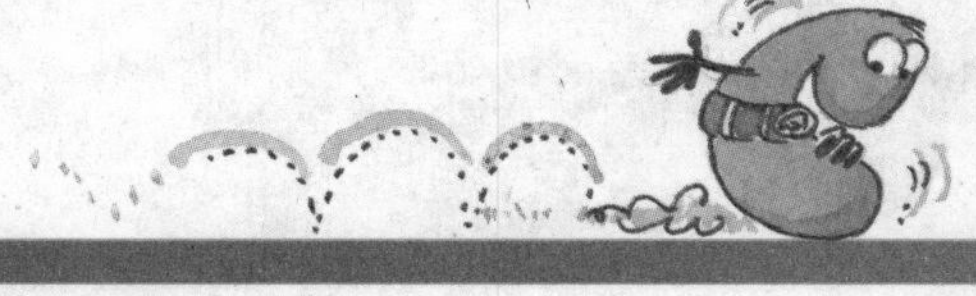

## cincuenta

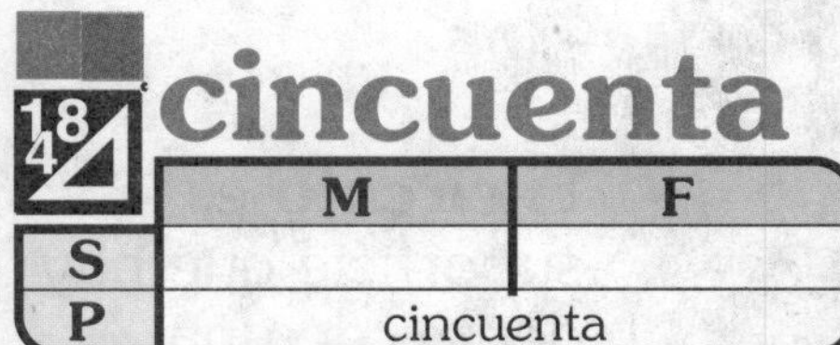

| | M | F |
|---|---|---|
| S | | |
| P | cincuenta | |

Le di al mendigo una moneda de **cincuenta** pesos.

## cine

| | M | F |
|---|---|---|
| S | cine | |
| P | cines | |

Arte de hacer películas.

El buen **cine** entretiene y educa.

Establecimiento en el que se exhiben películas.

Hay pocos **cines** en mi ciudad.

## cinta

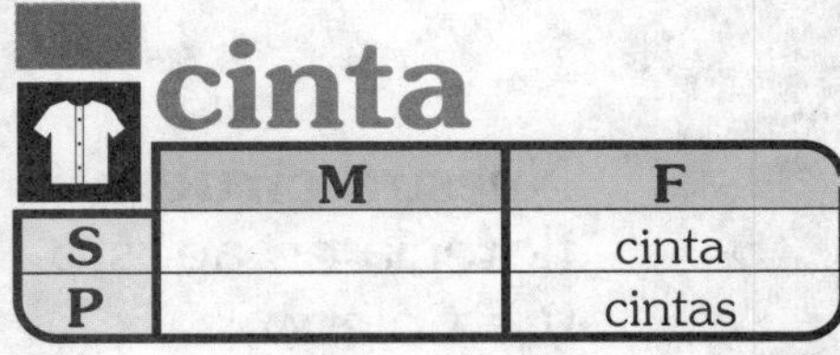

| | M | F |
|---|---|---|
| S | | cinta |
| P | | cintas |

Llevaba las trenzas atadas con una **cinta** blanca.

## cintura

| | M | F |
|---|---|---|
| S | | cintura |
| P | | cinturas |

Este vestido lleva un lazo en la **cintura**.

## cinturón

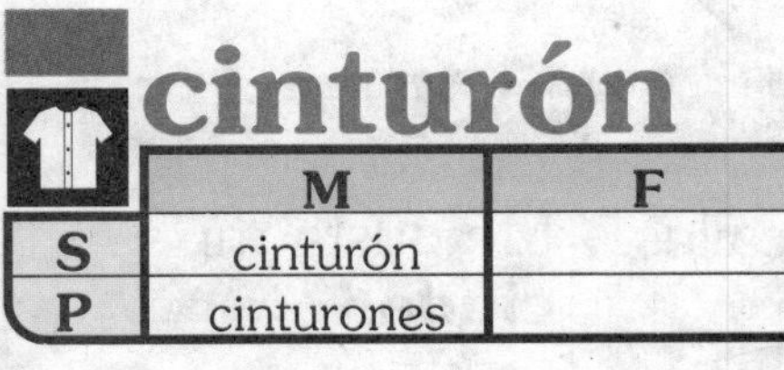

| | M | F |
|---|---|---|
| S | cinturón | |
| P | cinturones | |

Mi hermano mayor prefiere usar **cinturón** en vez de tirantes.

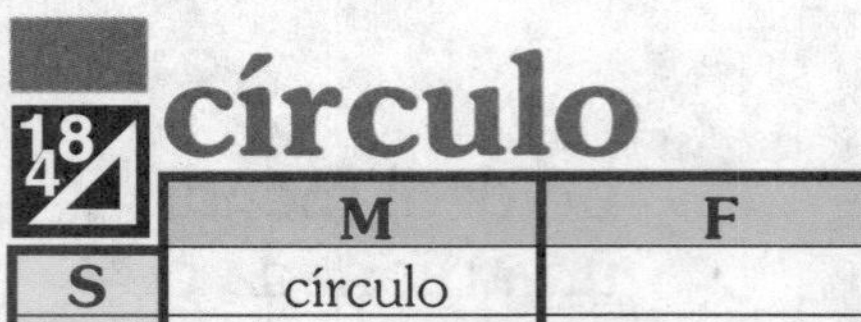

## círculo

| | M | F |
|---|---|---|
| S | círculo | |
| P | círculos | |

El **círculo** es la superficie que hay dentro de una circunferencia.

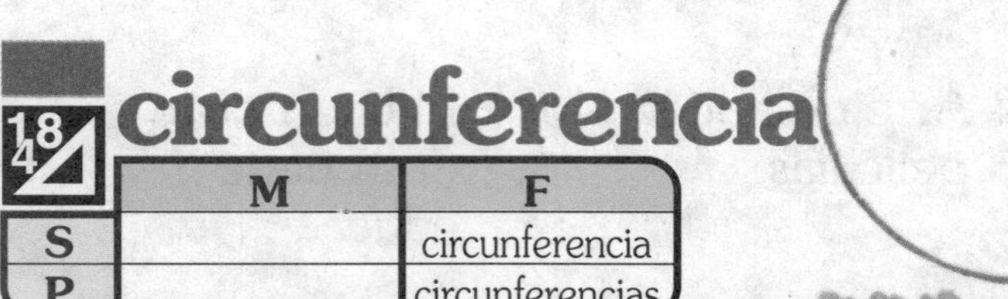

## circunferencia

| | M | F |
|---|---|---|
| S | | circunferencia |
| P | | circunferencias |

La **circunferencia** es una línea curva que se mantiene siempre a la misma distancia de un centro x.

## ciruelo

| | M | F |
|---|---|---|
| S | ciruelo | |
| P | ciruelos | |

Nuestro **ciruelo** florecía en agosto, y en pleno diciembre nos daba unas ciruelas muy grandes.

## cisne

| | M | F |
|---|---|---|
| S | cisne | |
| P | cisnes | |

En los lagos del sur de América habita el hermoso **cisne** de cuello negro.

## ciudad

| | M | F |
|---|---|---|
| S | | ciudad |
| P | | ciudades |

Conjunto de calles y edificios.

Me gusta mi **ciudad**.

## clavel

| | M | F |
|---|---|---|
| S | clavel | |
| P | claveles | |

Compré una docena de **claveles**.

## clavo

| | M | F |
|---|---|---|
| S | clavo | |
| P | clavos | |

El cuadro está colgado de un **clavo** en la pared.

## clínica

| | M | F |
|---|---|---|
| S | | clínica |
| P | | clínicas |

Hospital privado.

Mi tía tuvo a su hijo en una **clínica**.

## cloro

| | M | F |
|---|---|---|
| S | cloro | |
| P | | |

El **cloro** es un gas que, disuelto en agua, se usa para blanquear la ropa.

## cobre

| | M | F |
|---|---|---|
| S | cobre | |
| P | | |

Los minerales de **cobre** son abundantes en Chile.

## cocer

| Pasado | Presente | Futuro |
|---|---|---|
| cocí | cuezo | coceré |

Preparar alimentos sometiéndolos a la acción del calor.

Es muy conveniente **cocer** las verduras.

## cocina

| | M | F |
|---|---|---|
| S | | cocina |
| P | | cocinas |

En casa tenemos una **cocina** de cuatro platos.

Cuarto donde se cocina.

La **cocina** está comunicada con el comedor.

## cocinar

| Pasado | Presente | Futuro |
|---|---|---|
| cociné | cocino | cocinaré |

Mi papá **cocina** mejor que mi mamá.

## cocodrilo

| | M | F |
|---|---|---|
| S | cocodrilo | |
| P | cocodrilos | |

Los **cocodrilos** tienen los dientes muy afilados.

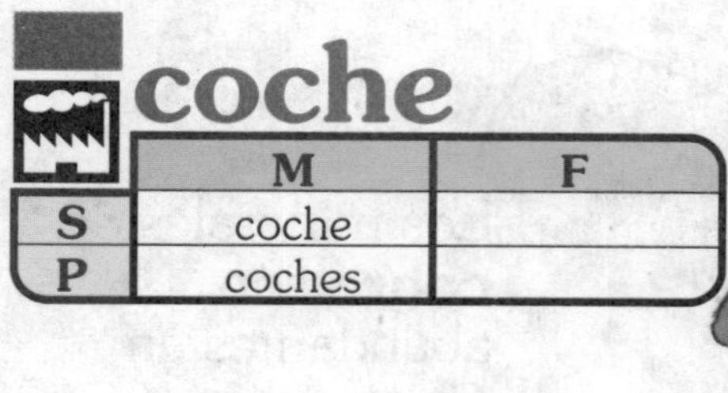

## coche

| | M | F |
|---|---|---|
| S | coche | |
| P | coches | |

Nuestros antepasados usaban **coches** tirados por caballos.

# codo

| | M | F |
|---|---|---|
| S | codo | |
| P | codos | |

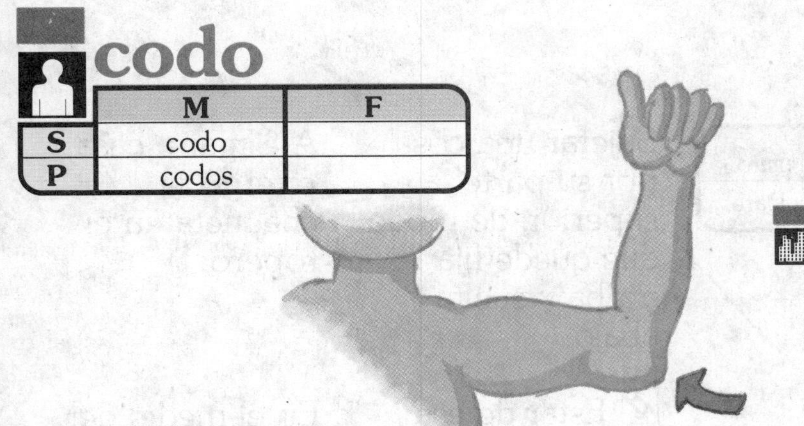

El **codo** une el antebrazo con el brazo.

La cañería tiene un **codo** al llegar a la pared.

# cojín

| | M | F |
|---|---|---|
| S | cojín | |
| P | cojines | |

El gato está echado en un **cojín**.

# cola

| | M | F |
|---|---|---|
| S | | cola |
| P | | colas |

El perro mueve la **cola** cuando está contento.

# colchón

| | M | F |
|---|---|---|
| S | colchón | |
| P | colchones | |

Mi mamá tiene un **colchón** de lana.

## colgar

| Pasado | Presente | Futuro |
|---|---|---|
| colgué | cuelgo | colgaré |

Sujetar una cosa por su parte superior, de modo que quede fija arriba y suelta abajo.

Al llegar a casa, **cuelgo** la chaqueta en el ropero.

Estar de esa manera.

En el medio del techo, en el comedor, **colgaba** una lámpara.

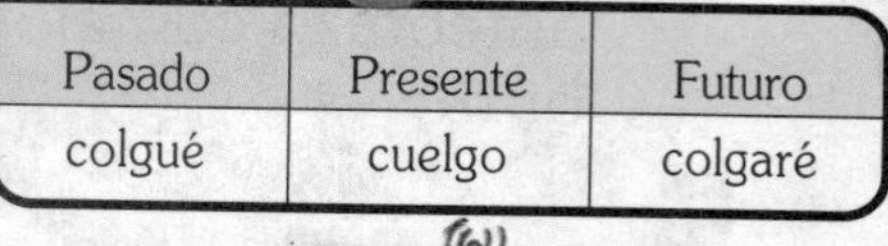

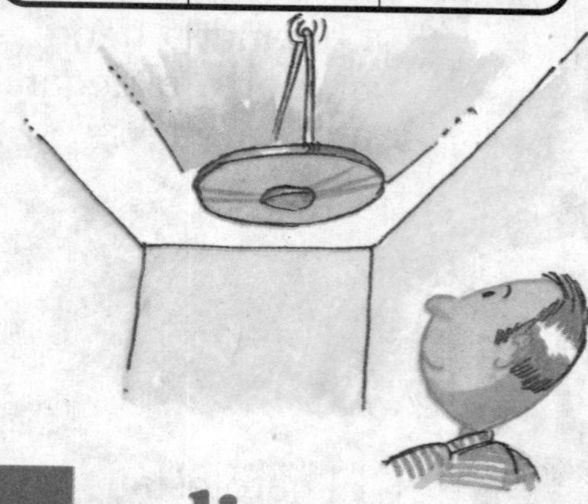

## colina

| | M | F |
|---|---|---|
| S | | colina |
| P | | colinas |

Subimos a una **colina** para contemplar el valle.

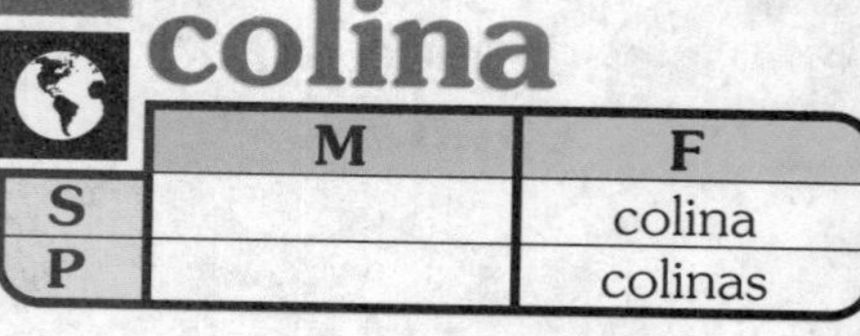

## colmillo

| | M | F |
|---|---|---|
| S | colmillo | |
| P | colmillos | |

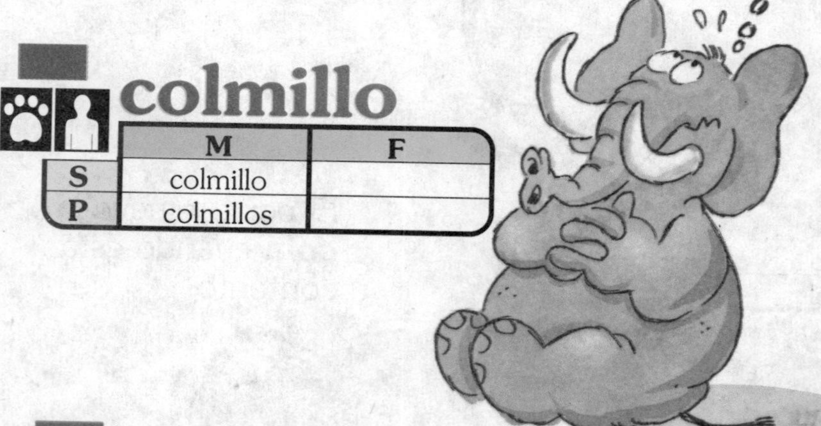

Los **colmillos** del elefante son de marfil.

Los **colmillos** están entre los dientes y las muelas.

## colocar

| Pasado | Presente | Futuro |
|---|---|---|
| coloqué | coloco | colocaré |

Poner algo o a alguien en cierto lugar.

**Coloqué** la ropa en los cajones.

**Colocaron** a Juanito en la silla.

## collar

| | M | F |
|---|---|---|
| S | collar | |
| P | collares | |

Mi mamá fue a la fiesta con su **collar** de perlas.

El cóndor tiene un **collar** de plumas blancas.

A mi perro lo saco a la calle con **collar**.

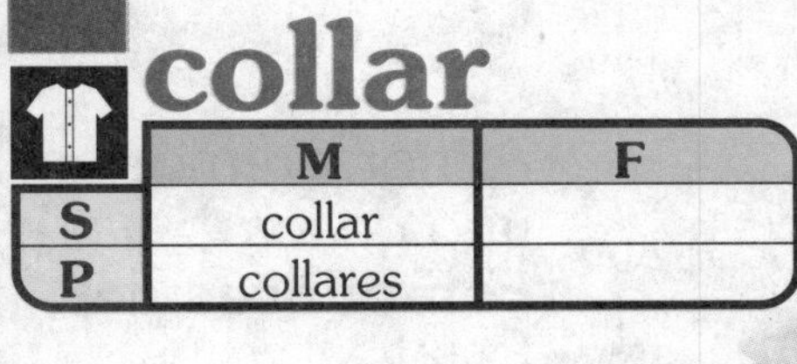

## coma

| | M | F |
|---|---|---|
| S | | coma |
| P | | comas |

En "Ven, hijo mío", hay una **coma** después de "Ven".

## comedia

| | M | F |
|---|---|---|
| S | | comedia |
| P | | comedias |

Obra divertida de teatro o cine.

Mi papá y mi mamá fueron a ver una **comedia**.

Situación divertida o en la que alguien pretende engañar o impresionar sin conseguirlo.

Para mí, lo que hiciste ayer fue una **comedia**.

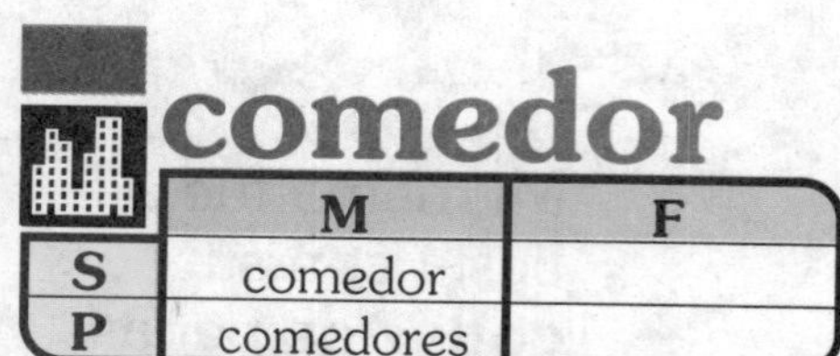

## comedor

| | M | F |
|---|---|---|
| S | comedor | |
| P | comedores | |

Almorzaremos en uno de los **comedores** del hotel.

## comer

| Pasado | Presente | Futuro |
|---|---|---|
| comí | como | comeré |

Masticar y tragar un alimento.

Me **comí** una presa de pollo.

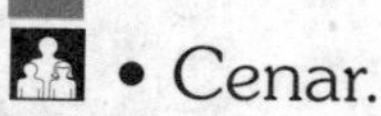

• Cenar.

**Comemos** a las ocho o nueve de la noche.

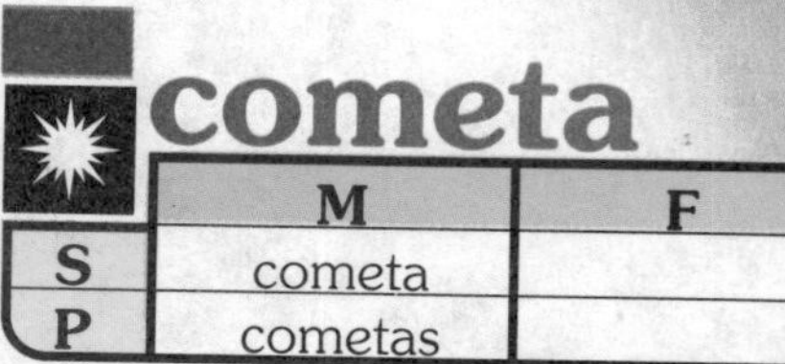

## cometa

| | M | F |
|---|---|---|
| S | cometa | |
| P | cometas | |

La cola del **cometa** Halley parecía una larga cabellera.

## comida

| | M | F |
|---|---|---|
| S | | comida |
| P | | comidas |

Respetemos las horas de **comida**.

adv. **como**

Se usa para:

| | |
|---|---|
| • establecer una igualdad o semejanza. | Veo que piensas **como** tu papá. |
| • presentar lo que se da como ejemplo. | Varios animales, **como** los perros y gatos, son domésticos. |
| • referirse a lo dicho. | **Como** dice mi viejo, el que las hace las paga. |
| • Indicar la causa o razón de algo. | **Como** te has portado bien, te daremos permiso para ir a la playa con tus primos. |

adv. **¿cómo?**

• De qué modo De qué manera.

¿Sabes tú **cómo** se forman las nubes?

**cómoda**

| | M | F |
|---|---|---|
| S | | cómoda |
| P | | cómodas |

Guardo mi ropa en un cajón de la **cómoda**.

## compañerismo

| | M | F |
|---|---|---|
| S | compañerismo | |
| P | compañerismos | |

Calidad de buen compañero.

En mi curso hay mucho **compañerismo**.

## compañero

| | M | F |
|---|---|---|
| S | compañero | compañera |
| P | compañeros | compañeras |

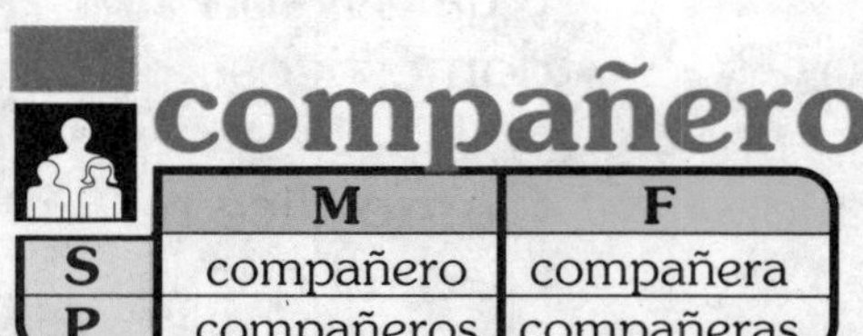

Mi **compañera** de música me presta la flauta.

## comprar

| Pasado | Presente | Futuro |
|---|---|---|
| compré | compro | compraré |

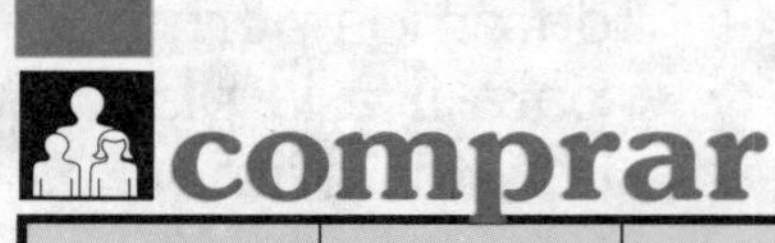

Adquirir algo mediante dinero.

A veces ayudo a mi mamá a **comprar** cosas para la casa.

## prep. con

Se usa antes de lo que indica:

- compañía de alguien.

Todos los sábados voy a comprar **con** mi mamá.

- lo que se agrega o se suma a algo.

A mí me gusta el helado **con** chocolate.

- la manera de realizar algo.

Me recibió **con** un abrazo.
Éste siempre me gana **con** trampa.

## concha

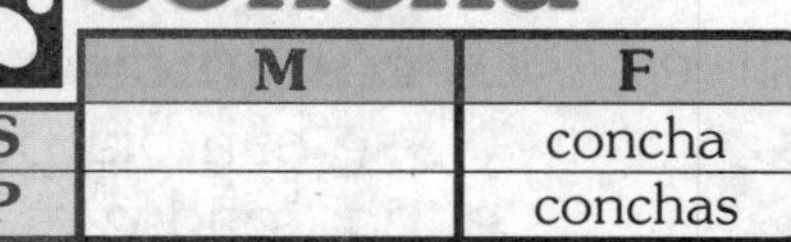

| | M | F |
|---|---|---|
| S | | concha |
| P | | conchas |

El mar arroja a la playa **conchas** de diversos moluscos.

## cóndor

| | M | F |
|---|---|---|
| S | cóndor | |
| P | cóndores | |

Los **cóndores** planean en las alturas de la cordillera andina.

## conejo

| | M | F |
|---|---|---|
| S | conejo | coneja |
| P | conejos | conejas |

Mi tío tiene crianza de **conejos**.

## congreso

| | M | F |
|---|---|---|
| S | congreso | |
| P | congresos | |

Reunión científica. Se celebra un **congreso** de Geografía.

Parlamento. El **Congreso** aprueba los proyectos de ley.

Edificio del Parlamento. Desfilaron frente al **Congreso**.

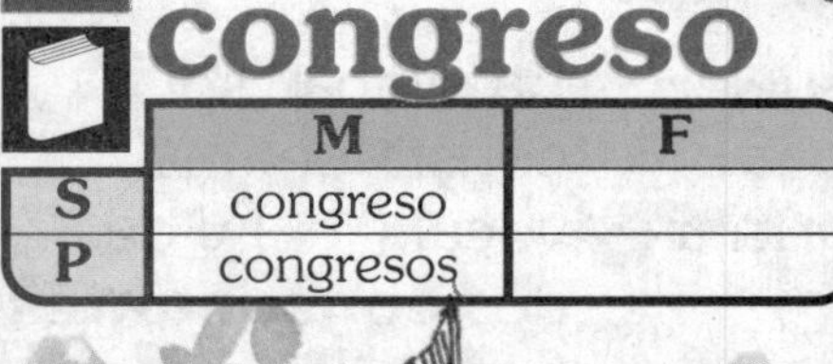


## congrio

| | M | F |
|---|---|---|
| S | congrio | |
| P | congrios | |

El **congrio** es un pescado exquisito.

## conjunción

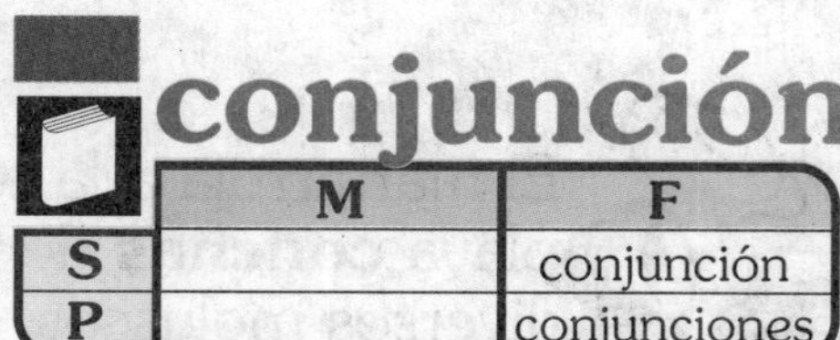

| | M | F |
|---|---|---|
| S | | conjunción |
| P | | conjunciones |

Palabra que sirve para unir dos términos semejantes.

La **conjunción** 'y', se cambia por 'e' en "padre e hijo".

## cono

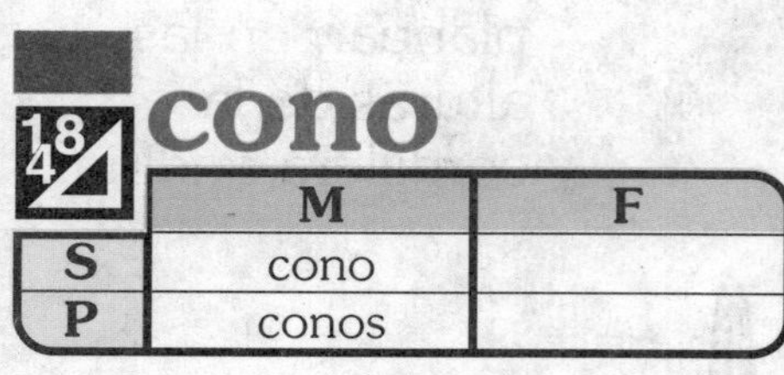

| | M | F |
|---|---|---|
| S | cono | |
| P | conos | |

El embudo tiene forma de **cono**.

## consonante

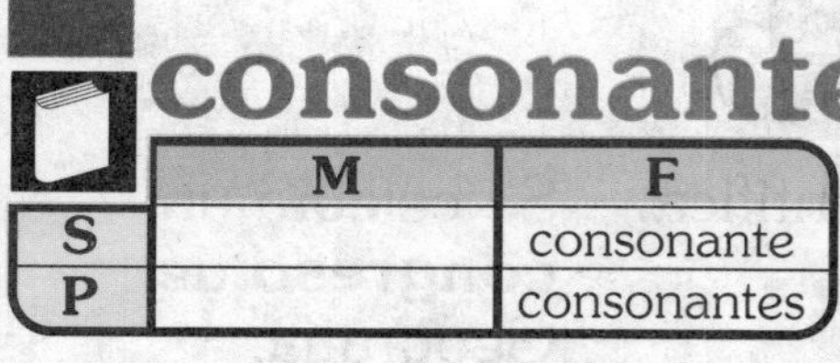

| | M | F |
|---|---|---|
| S | | consonante |
| P | | consonantes |

Sonido que suele acompañar a la vocal para formar sílabas.

La sílaba "sol" consta de una vocal ("o") y de dos **consonantes** ("s" y "l").

## contagiar

| Pasado | Presente | Futuro |
|---|---|---|
| contagié | contagio | contagiaré |

Trasmitir una enfermedad a otras personas.

En esa familia todos se **contagiaron** de sarampión.

## contagio

| | M | F |
|---|---|---|
| S | contagio | |
| P | contagios | |

Lávese las manos para evitar **contagios**.

## contar

| Pasado | Presente | Futuro |
|---|---|---|
| conté | cuento | contaré |

Enumerar personas, animales o cosas para saber cuántos son.

Si **cuentas** los dedos de las manos y de los pies, llegarás a 10 más 10.

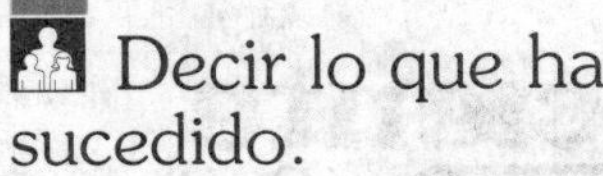

Decir lo que ha sucedido.

Antes de dormirme, mi mamá a veces me **cuenta** historias.

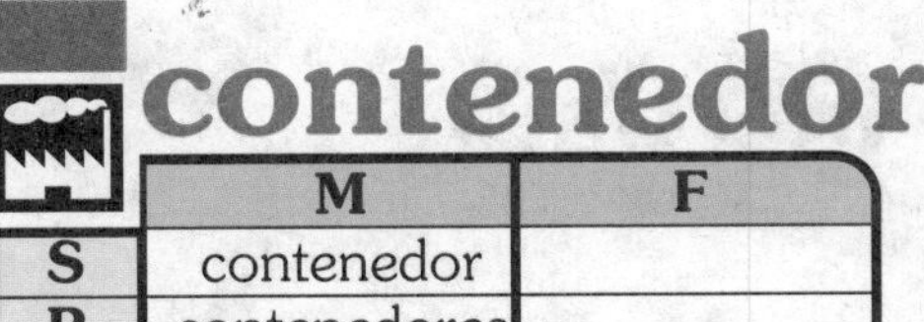

## contenedor

| | M | F |
|---|---|---|
| S | contenedor | |
| P | contenedores | |

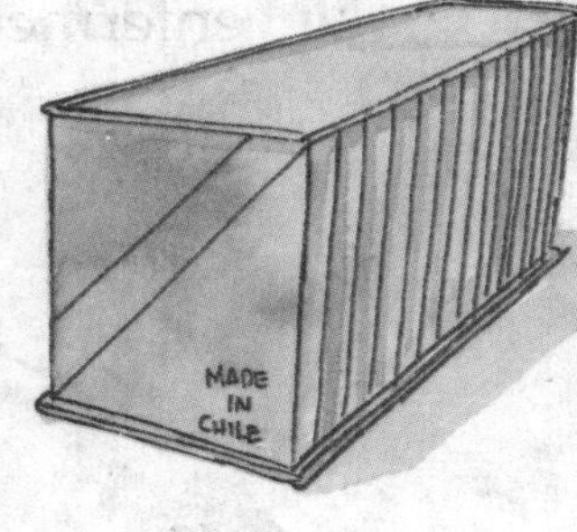


Los **contenedores** transportan por barco las mercaderías a todos los continentes.

## continente

| | M | F |
|---|---|---|
| S | continente | |
| P | continentes | |

La Tierra tiene seis **continentes**: América, Asia, Africa, Europa, Oceanía y Antártica.

## prep. contra

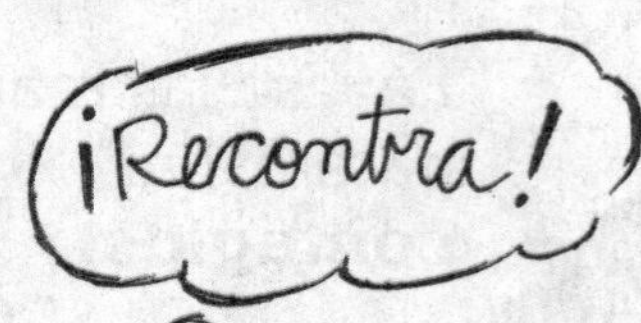

Se usa antes de lo que significa:

- el ser o cosa respecto de lo que hay oposición.

  Aquí todos estamos **contra** las drogas.

  No peleen unos **contra** otros.

- aquello en que alguien o algo se apoya.

  El profesor siempre se afirma **contra** la pared.

## convaleciente

| | M | F |
|---|---|---|
| S | convaleciente | |
| P | convalecientes | |

Recién mejorado de una enfermedad.

Mi hermanito está **convaleciente** de una gripe.

## conversar

| Pasado | Presente | Futuro |
|---|---|---|
| conversé | converso | conversaré |

Hablar animadamente entre varias personas.

Estuvimos **conversando** sobre la contaminación.

## copa

| | M | F |
|---|---|---|
| S | | copa |
| P | | copas |

Tomamos una **copa** de helado.

¿Quién ganará la **copa** América?

Hay ruido de pájaros en la **copa** del árbol.

## corbata

| | M | F |
|---|---|---|
| S | | corbata |
| P | | corbatas |

Los uniformes de los colegios se diferencian por el color de la **corbata**.

## corcho

| | M | F |
|---|---|---|
| S | corcho | |
| P | corchos | |

El **corcho** con que tapamos las botellas se obtiene de la corteza del alcornoque.

## cordero

| | M | F |
|---|---|---|
| S | cordero | |
| P | corderos | |

El **cordero** es la cría de la oveja y el carnero.

## cordillera

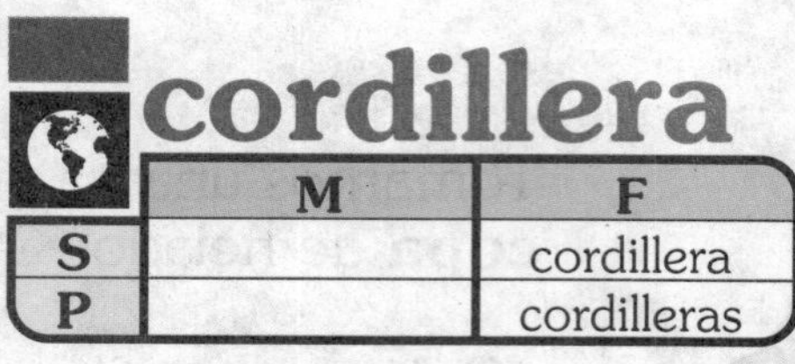

| | M | F |
|---|---|---|
| S | | cordillera |
| P | | cordilleras |

Cadena de montañas.

Hay valles que quedan entre dos **cordilleras**.

## cordón

| | M | F |
|---|---|---|
| S | cordón | |
| P | cordones | |

Amárrate bien los **cordones** de los zapatos.

## coro

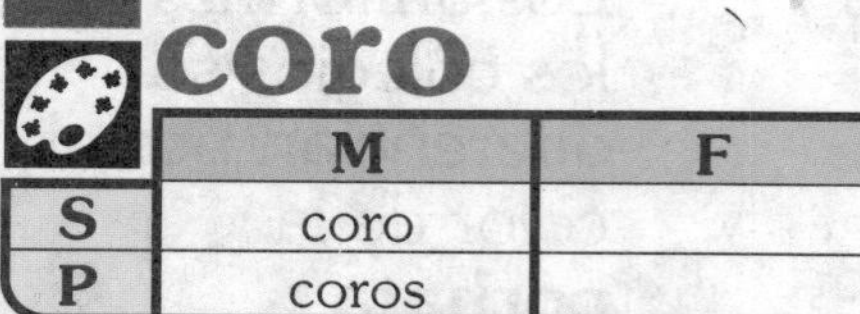

| | M | F |
|---|---|---|
| S | coro | |
| P | coros | |

El **coro** de la escuela está dirigido por el profesor.

## corona

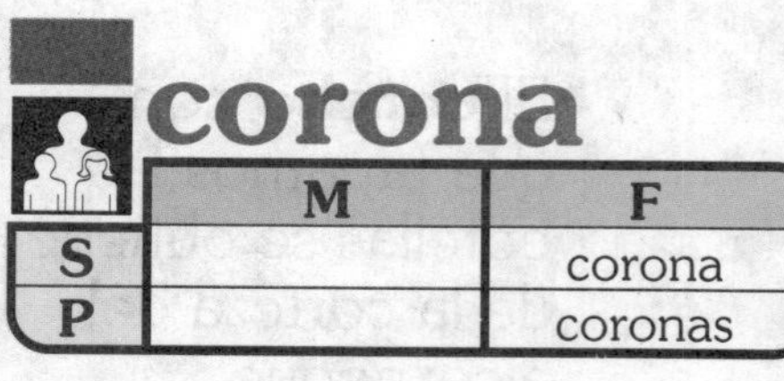

| | M | F |
|---|---|---|
| S | | corona |
| P | | coronas |

El rey y la reina llevan **coronas**.

## corral

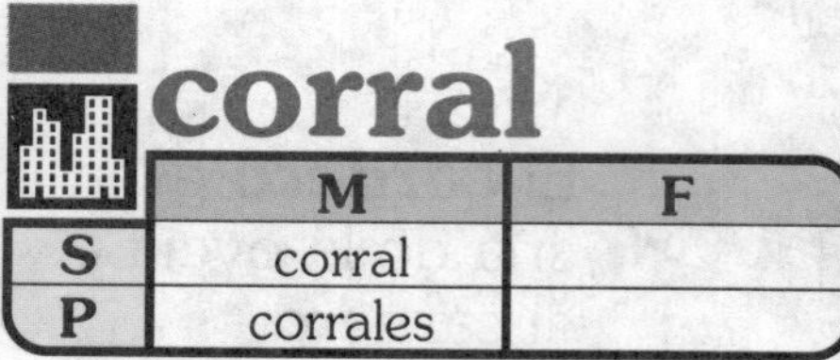

| | M | F |
|---|---|---|
| S | corral | |
| P | corrales | |

Los caballos son amansados en el **corral**.

## correo

| | M | F |
|---|---|---|
| S | correo | |
| P | correos | |

Servicio que recibe, distribuye, y envía las cartas.

Le enviamos una carta a mi abuelo por **correo** aéreo.

## corriente

| | M | F |
|---|---|---|
| S | | corriente |
| P | | corrientes |

La **corriente** del estero se llevó mi barquito de papel.

Ten cuidado con los enchufes: te puede dar la **corriente**.

## cortina

| | M | F |
|---|---|---|
| S | | cortina |
| P | | cortinas |

La ventana tiene una **cortina** floreada.

## coser

| Pasado | Presente | Futuro |
|---|---|---|
| cosí | coso | coseré |

Unir con hilo enhebrado en aguja partes de una tela, ropa o vestuario.

Ya aprendí a **coserme** los botones.

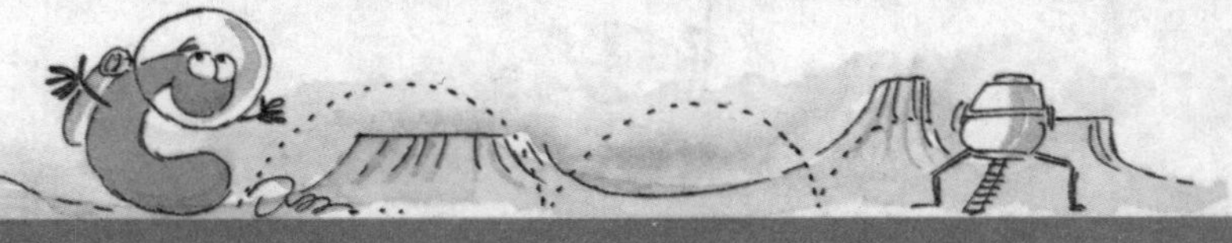

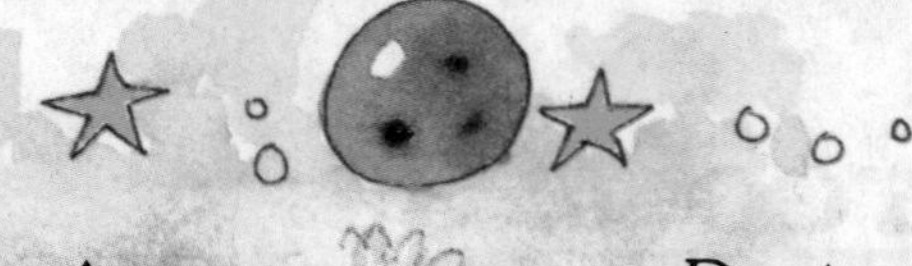

## cosmonauta

| | M | F |
|---|---|---|
| S | cosmonauta | |
| P | cosmonautas | |

• Astronauta.

Dentro de poco, nuestros **cosmonautas** estarán viajando a Marte.

## costa

| | M | F |
|---|---|---|
| S | | costa |
| P | | costas |

Orilla del mar.

Yo voy a veranear a la **costa**. Me gusta bañarme en el mar.

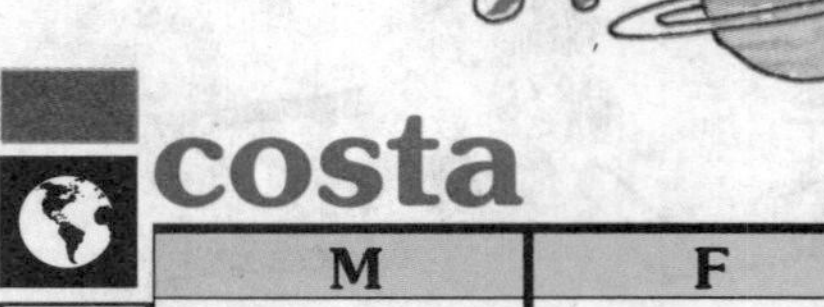

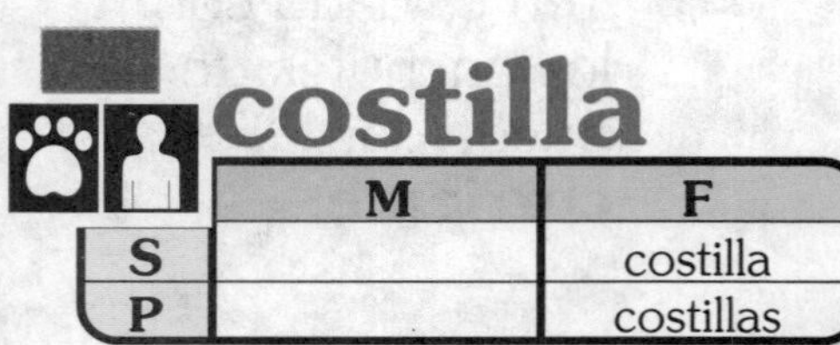

## costilla

| | M | F |
|---|---|---|
| S | | costilla |
| P | | costillas |

El perro está tan flaco que se le ven las **costillas**.

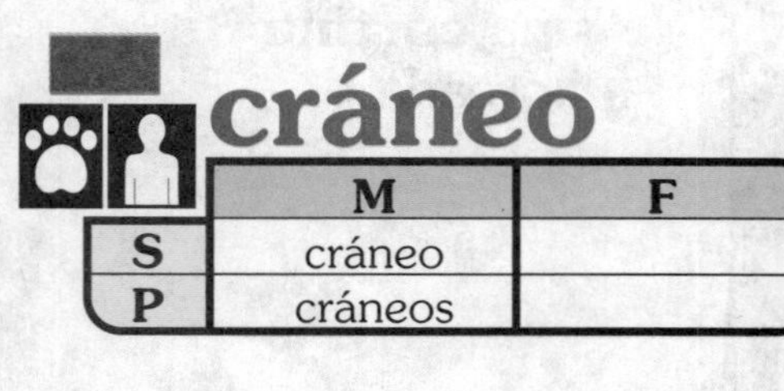

## cráneo

| | M | F |
|---|---|---|
| S | cráneo | |
| P | cráneos | |

Los mineros usan cascos para protegerse el **cráneo**.

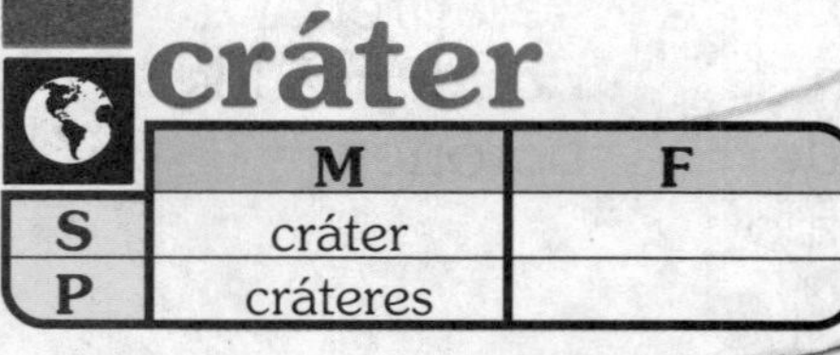

## cráter

| | M | F |
|---|---|---|
| S | cráter | |
| P | cráteres | |

El **cráter** de ese volcán humea permanentemente.

## crecer

| Pasado | Presente | Futuro |
|---|---|---|
| crecí | crezco | creceré |

Hacerse más grande con la edad.

Estoy **creciendo**. Tengo que comer bien.

Aumentar de tamaño o de fuerza.

El globo iba **creciendo**.

El temporal **crecía** y **crecía**.

## crecimiento

| | M | F |
|---|---|---|
| S | crecimiento | |
| P | crecimientos | |

Se ha puesto a tomar un jarabe para el **crecimiento**.

## crema

| | M | F |
|---|---|---|
| S | | crema |
| P | | cremas |

Nata de la leche.

¡Qué rico es el helado de **crema**!

Pasta fragante para embellecer el cutis.

Mis hermanas usan **crema** para las manos.

Lo mejor de un grupo de personas.

Los mejores alumnos son la **crema** del curso.

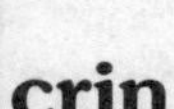

## crin

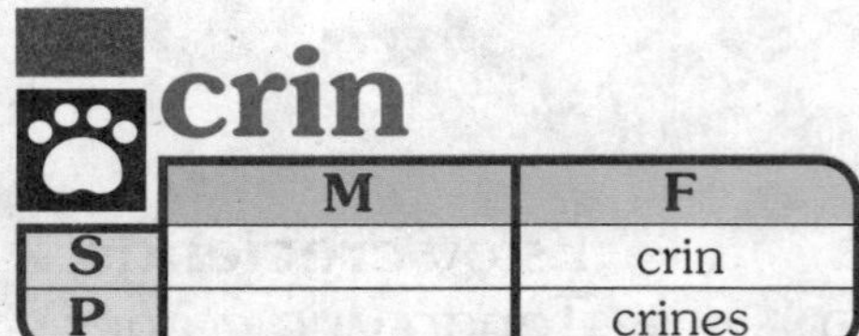

| | M | F |
|---|---|---|
| S | | crin |
| P | | crines |

Pelo duro de algunos animales.

Los caballos salvajes corrían con las **crines** al viento.

## cruz

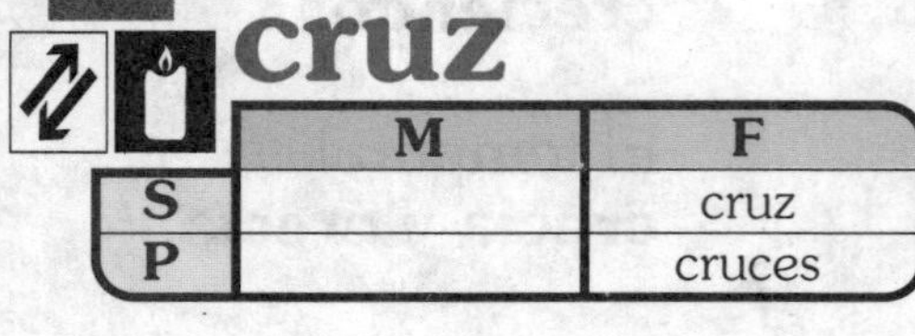

| | M | F |
|---|---|---|
| S | | cruz |
| P | | cruces |

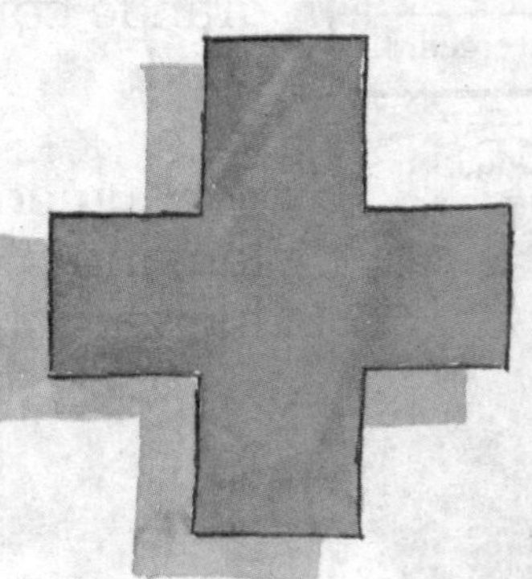

Hice una **cruz** delante de tu nombre para que no se me olvidara.

## cuaderno

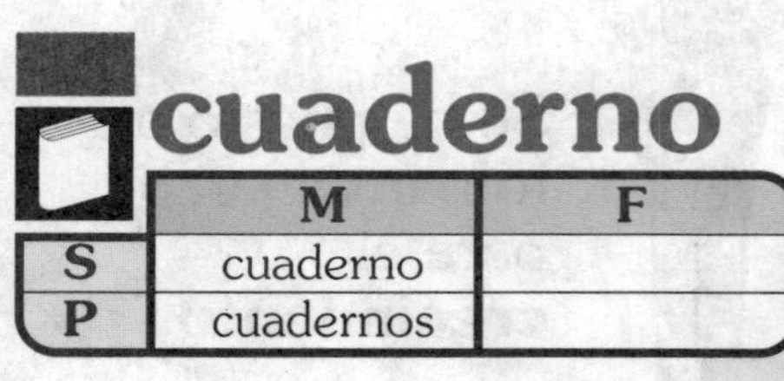

| | M | F |
|---|---|---|
| S | cuaderno | |
| P | cuadernos | |

Debo tener forrados todos mis **cuadernos**.

## cuadrado

| | M | F |
|---|---|---|
| S | cuadrado | |
| P | cuadrados | |

El **cuadrado** es una figura geométrica, con sus cuatro lados iguales.

## cuadro

| | M | F |
|---|---|---|
| S | cuadro | |
| P | cuadros | |

Figura en forma de cuadrado.

El tablero de ajedrez tiene **cuadros** claros y **cuadros** oscuros.

Tela pintada.

En la exposición había **cuadros** con paisajes.

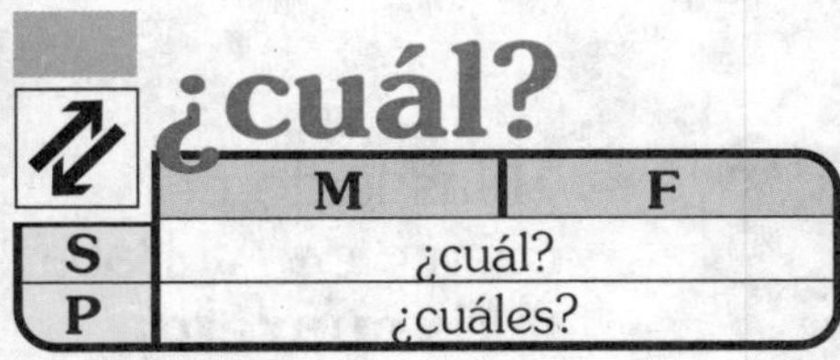




## ¿cuál?

| | M | F |
|---|---|---|
| S | ¿cuál? | |
| P | ¿cuáles? | |

Sirve para preguntar el nombre o la identificación de alguien o algo.

¿**Cuál** de tus tíos vendrá a visitarnos?

## adv. cuando

• En el momento de que se trata.

**Cuando** empieza a llover, busco mi paraguas.

## adv. ¿cuándo?

• ¿En qué momento?

¿**Cuándo** vendrás a verme?

• La forma de pregunta se usa muchas veces sólo para manifestar la molestia por algo que no se hace, no se cumple o perdura demasiado.

¿**Cuándo** aprenderás a comer sin hacer ruido con la boca? ¿Hasta **cuándo** tendré que esperar que obedezcas?

## cuanto

| | M | F |
|---|---|---|
| S | cuanto | cuanta |
| P | cuantos | cuantas |

Todo aquello o todos aquellos de que se trata.

Este dinero es **cuanto** tengo para el domingo.

## ¿cuánto?

| | M | F |
|---|---|---|
| S | ¿cuánto? | ¿cuánta? |
| P | ¿cuántos? | ¿cuántas? |

Sirve para preguntar por la cantidad, el precio o proporción de algo.

¿Sabes tú **cuántos** centímetros tiene el metro cuadrado? ¿**Cuánto** vale este reloj?

## cuarenta

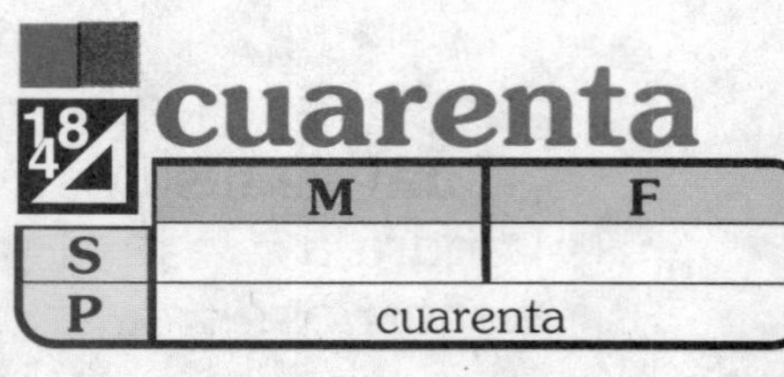

| | M | F |
|---|---|---|
| S | | |
| P | cuarenta | |

¿Has leído el cuento de Alí Babá y los **cuarenta** ladrones?

## cuarto

| | M | F |
|---|---|---|
| S | cuarto | |
| P | cuartos | |

Habitación pequeña.

Rosita estudia encerrada en su **cuarto**.

## cuarto

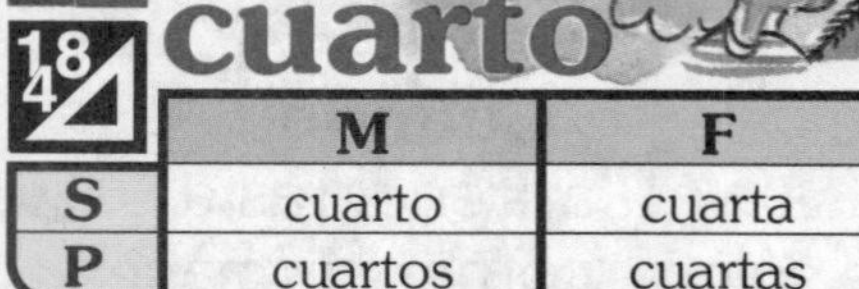

| | M | F |
|---|---|---|
| S | cuarto | cuarta |
| P | cuartos | cuartas |

Cada una de las cuatro partes iguales en que se divide un todo.

Un **cuarto** de metro: ¿cuántos centímetros son?

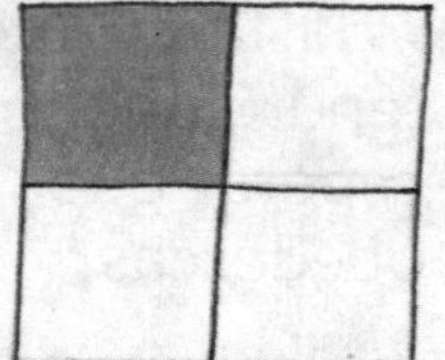

Que está en el lugar número cuatro.

Mi compañera está en la **cuarta** fila.

## cuatro

| | M | F |
|---|---|---|
| S | cuatro | |
| P | cuatros | |

Mi hermanito todavía no hace bien los **cuatros**.

## cuatro

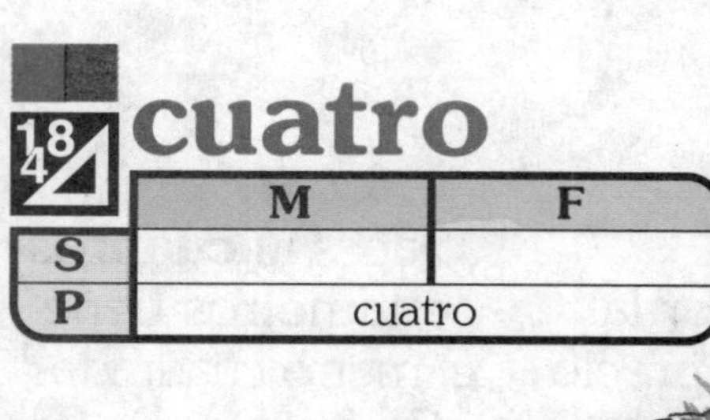

| | M | F |
|---|---|---|
| S | | |
| P | cuatro | |

Los animales cuadrúpedos tienen **cuatro** patas. Las **cuatro** terminan en garras o pezuñas.

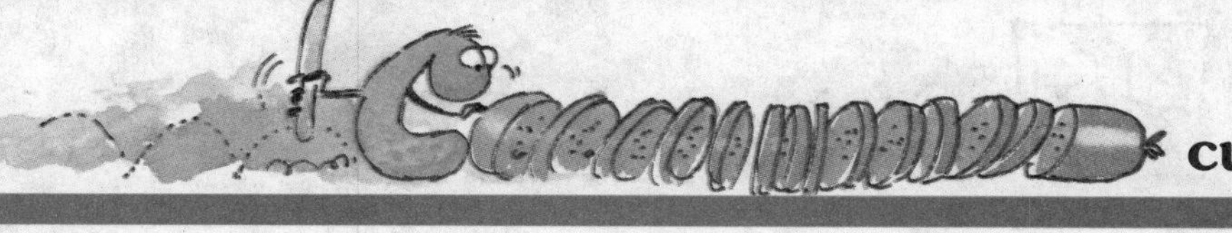



## cuatrocientos

| | M | F |
|---|---|---|
| S | | |
| P | cuatrocientos | cuatrocientas |

Creo que puedo ganar la carrera de los **cuatrocientos** metros planos.

## cubo

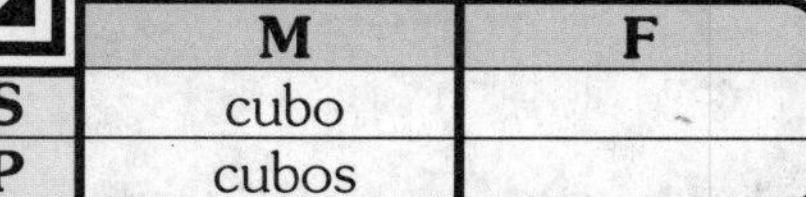

| | M | F |
|---|---|---|
| S | cubo | |
| P | cubos | |

Los dados son **cubos**, porque tienen sus seis caras cuadradas e iguales.

Lo ducharon con un **cubo** de agua.

## cuchara

| | M | F |
|---|---|---|
| S | | cuchara |
| P | | cucharas |

Llévate con cuidado la **cuchara** a la boca.

## cuchillo

| | M | F |
|---|---|---|
| S | cuchillo | |
| P | cuchillos | |

Con el **cuchillo** corto la carne.

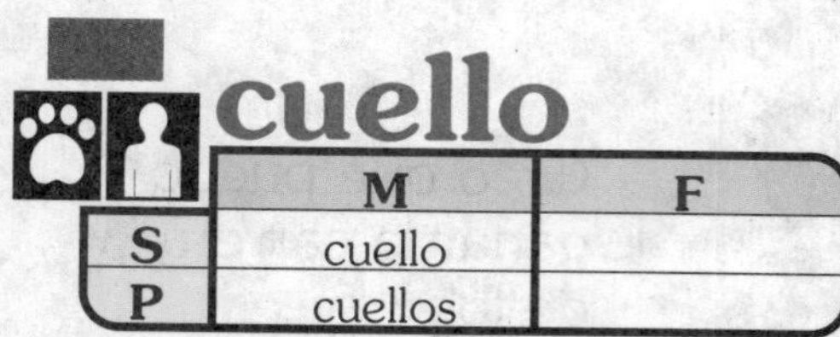

## cuello

| | M | F |
|---|---|---|
| S | cuello | |
| P | cuellos | |

El animal que tiene el **cuello** más largo es la jirafa.

Apenas le cruza el **cuello** de la camisa.

La botella venía con el **cuello** roto.

## cuento

| | M | F |
|---|---|---|
| S | cuento | |
| P | cuentos | |

Historia inventada de corta extensión.

La profesora nos leyó *El Patito Feo*. Es un hermoso **cuento** de Christian Andersen.

## cuerno

| | M | F |
|---|---|---|
| S | cuerno | |
| P | cuernos | |

El toro atacó al torero con sus **cuernos**.

## cuervo

| | M | F |
|---|---|---|
| S | cuervo | |
| P | cuervos | |

Los **cuervos**, de plumaje negro y lustroso, son aves muy voraces.

## culto

| | M | F |
|---|---|---|
| S | culto | culta |
| P | cultos | cultas |

Que posee cultura.

Nuestra profesora es una persona muy **culta**.

## cultura

| | M | F |
|---|---|---|
| S | | cultura |
| P | | culturas |

Conjunto de conocimientos y experiencias que uno ha logrado adquirir.

Las personas de poca **cultura** dejan caer desperdicios en cualquier parte.

Estado de desarrollo científico, artístico y religioso logrado por un pueblo.

Fue notable la **cultura** alcanzada por algunos pueblos precolombinos.

## cumbre

| | M | F |
|---|---|---|
| S | | cumbre |
| P | | cumbres |

En la **cumbre** de esa montaña hay mucha nieve.

## cuna

| | M | F |
|---|---|---|
| S | | cuna |
| P | | cunas |

Mi hermanito duerme todavía en la **cuna**.

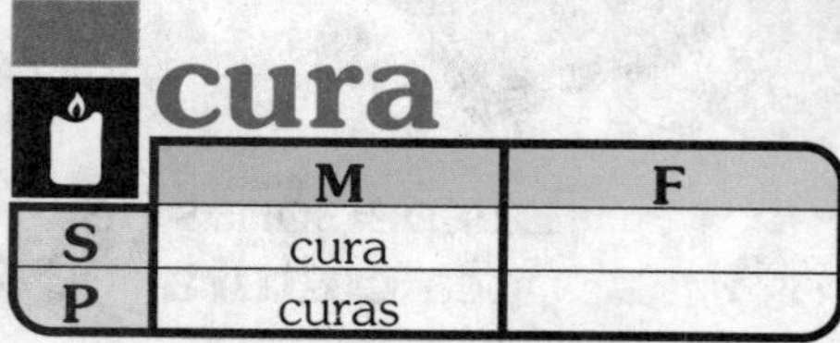

## cura

| | M | F |
|---|---|---|
| S | cura | |
| P | curas | |

Fui a ver al **cura** de mi parroquia.

## curandero

| | M | F |
|---|---|---|
| S | curandero | curandera |
| P | curanderos | curanderas |

Persona que trata de curar enfermedades sin ser médico.

Los **curanderos** saben de yerbas medicinales.

| A | B | C | CH | D | E | F | G | H | I |
|---|---|---|---|---|---|---|---|---|---|
| J | K | L | LL | M | N | Ñ | O | P | Q |
| R | S | T | U | V | W | X | Y | Z | |

## chaleco

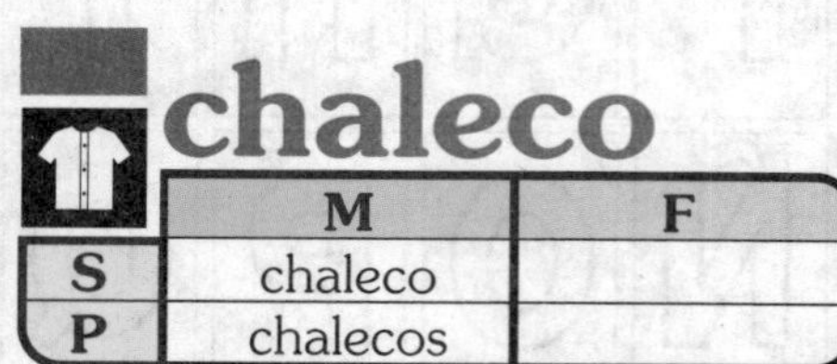

| | M | F |
|---|---|---|
| S | chaleco | |
| P | chalecos | |

Antiguamente los trajes se usaban con chaqueta, **chaleco** y pantalón.

## chancho

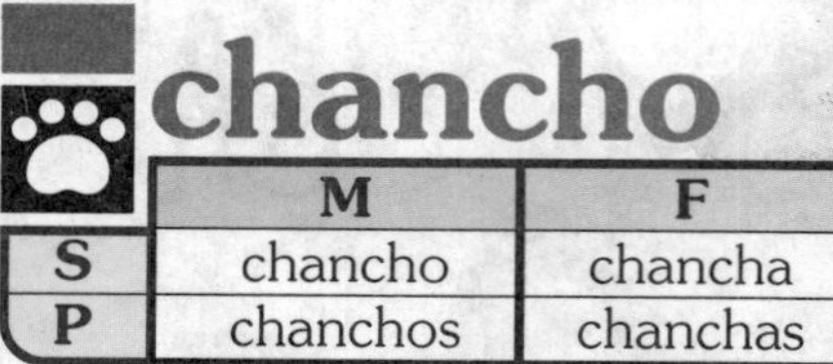

| | M | F |
|---|---|---|
| S | chancho | chancha |
| P | chanchos | chanchas |

Nos gustaba ver a los **chanchos** en el chiquero.

• Sucio.

No te comas las uñas; no seas **chancho**.

## chaqueta

| | M | F |
|---|---|---|
| S | | chaqueta |
| P | | chaquetas |

El payaso salió con **chaqueta** y pantalón a rayas.

## chato

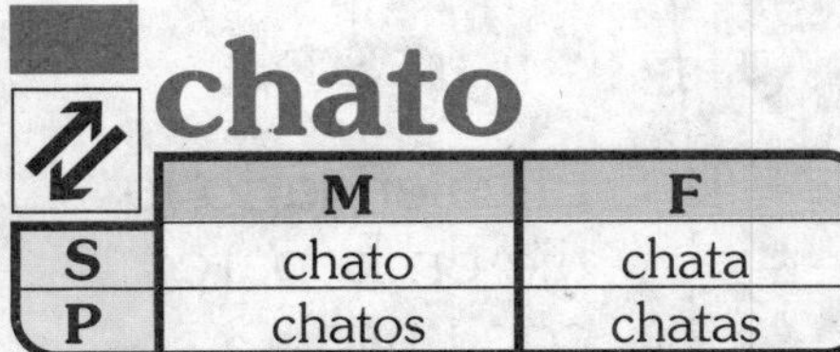

| | M | F |
|---|---|---|
| S | chato | chata |
| P | chatos | chatas |

• Aplastado. — Tiene la nariz **chata**.

De poca altura o estatura. — Los edificios de ese pueblo son **chatos**.

## che

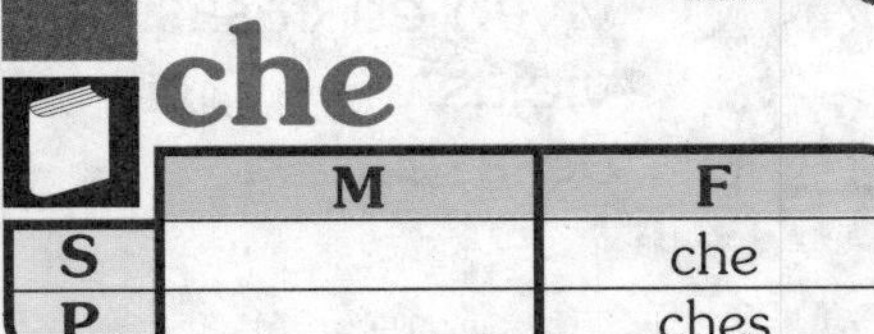

| | M | F |
|---|---|---|
| S | | che |
| P | | ches |

Nombre de la letra **che** y del sonido que representa. — La letra **che** se compone de una **c** y una **h**.

## chichón

| | M | F |
|---|---|---|
| S | chichón | |
| P | chichones | |

Me caí y me hice un **chichón** en la cabeza.

## chicle

| | M | F |
|---|---|---|
| S | chicle | |
| P | chicles | |

Si masticas **chicle**, no lo tires ni lo pegues en cualquier lugar.

## chimenea

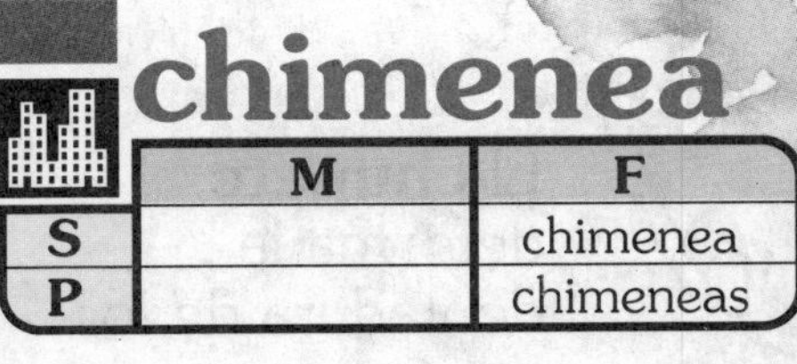

| | M | F |
|---|---|---|
| S | | chimenea |
| P | | chimeneas |

El humo de las **chimeneas** aumenta la contaminación de la ciudad.

## chinche

| | M | F |
|---|---|---|
| S | chinche | |
| P | chinches | |

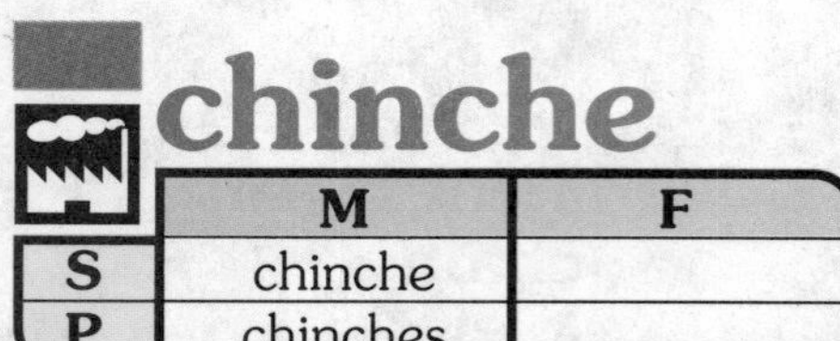


El calendario lo fijé en la pared con unos **chinches**.

## chinche

| | M | F |
|---|---|---|
| S | | chinche |
| P | | chinches |

Las **chinches** viven en casas viejas y desaseadas.

## chocolate

| | M | F |
|---|---|---|
| S | chocolate | |
| P | chocolates | |

Pasta alimenticia hecha con cacao y azúcar.

Me gusta mucho comer **chocolate** en barritas.

Nos sirvieron a todos una taza de **chocolate** con leche.

## choza

| | M | F |
|---|---|---|
| S | | choza |
| P | | chozas |

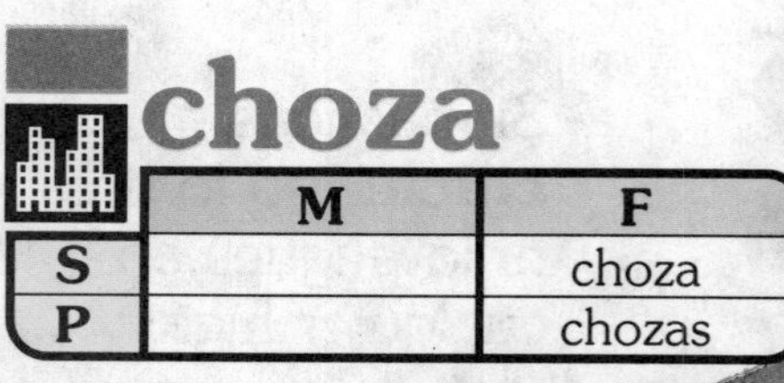

Esta familia de campesinos vivía en una **choza**.

## chupete

| | M | F |
|---|---|---|
| S | chupete | |
| P | chupetes | |

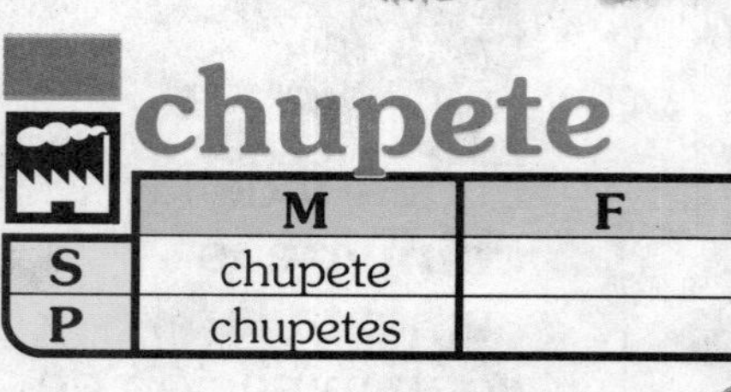

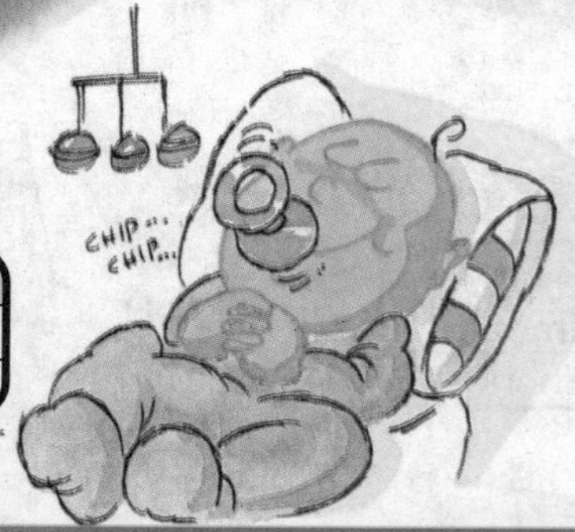


El **chupete** deforma la dentadura de los bebés.

| A | B | C | CH | D | E | F | G | H | I |
|---|---|---|---|---|---|---|---|---|---|
| J | K | L | LL | M | N | Ñ | O | P | Q |
| R | S | T | U | V | W | X | Y | Z | |

## damasco

| | M | F |
|---|---|---|
| S | damasco | |
| P | damascos | |

¡Con qué ganas me trepo al **damasco** a comerme los **damascos**!

## danza

| | M | F |
|---|---|---|
| S | | danza |
| P | | danzas |

Arte de danzar Acción de danzar.

Mi hermana ingresó a un curso de **danza**.

Pieza musical que se danza.

Quedamos muy cansados con la **danza**.

## dar

| Pasado | Presente | Futuro |
|---|---|---|
| di | doy | daré |

Entregarle algo a alguien.

**Dame**, por favor, la carta.

Producir algo frutos o beneficios.

Este árbol **da** mucha fruta.

El trabajo me **dará** algún dinero.

Indicar el reloj cierta hora.

**Dieron** las cinco. Debo irme.

Proporcionar un dato o noticia.

La radio está **dando** noticias.

## de

| | M | F |
|---|---|---|
| S | | de |
| P | | des |

Nombre de la letra **d** y del sonido que representa.

La **de** es la cuarta o la quinta letra del alfabeto... ¿De qué depende?

## prep. **de**

Se usa antes de lo que quiere decir:

| | |
|---|---|
| • quien es dueño o poseedor de algo. | Esa muñeca es **de** mi hermana. |
| • quien tiene algún parentesco u otra relación con alguien. | El papá **de** mi compañero es vecino **de** la profesora. |
| • el origen o procedencia de alguien o algo. | Mis abuelos eran **de** España. Los ríos bajan **de** los montes. |
| • la materia o el contenido de algo. | Ahora hay muchos juguetes **de** plástico. Tenemos que estudiar el atlas **de** América. |
| • la cualidad de algo o de alguien. | Escribió poemas **de** mucho mérito. Era una persona **de** gran valor. |
| • el uso de algo. | Le regalamos una máquina **de** afeitar. |
| • el modo en que uno está o hace algo. | Recitó la lección **de** memoria. |

## adv. **debajo**

| | |
|---|---|
| • (En la parte de) abajo. | Los calcetines quedaron **debajo** de la cama. Búscalos ahí **debajo**. |

## **débil**

| | M | F |
|---|---|---|
| S | débil | |
| P | débiles | |

| | |
|---|---|
| Sin resistencia o defensa. | Después de la enfermedad, quedó muy **débil**. |

## debilidad

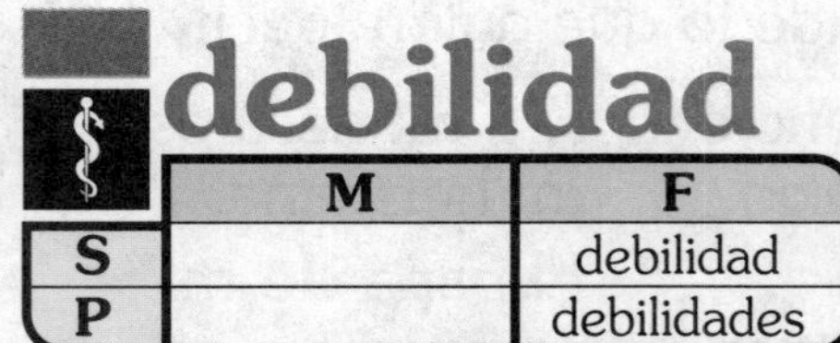

| | M | F |
|---|---|---|
| S | | debilidad |
| P | | debilidades |

Falta de fuerza o de voluntad.

La **debilidad** no le permitió levantarse.
No muestres **debilidad** con tus amigos.

1990...1991...1992...1993...1994...1995...1996 1997...1998...1999...

## década

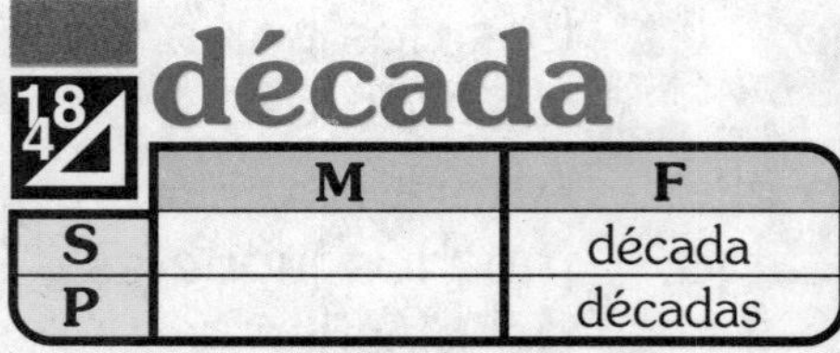

| | M | F |
|---|---|---|
| S | | década |
| P | | décadas |

Período de diez años; decenio.

Estamos en la última **década** del siglo XX.

## decena

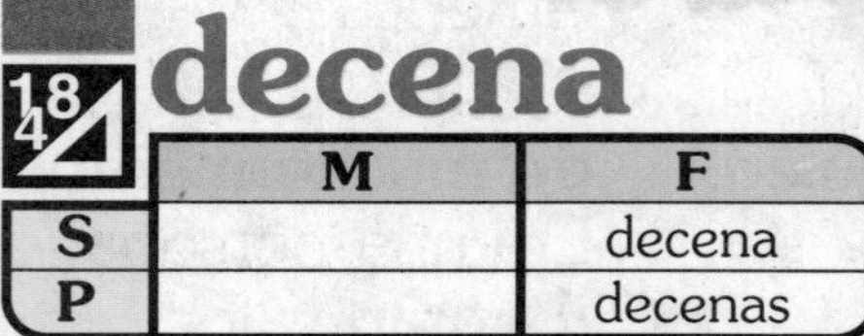

| | M | F |
|---|---|---|
| S | | decena |
| P | | decenas |

10 unidades.

Pedí una docena de huevos y me dieron apenas una **decena**.

## decímetro

| | M | F |
|---|---|---|
| S | decímetro | |
| P | decímetros | |

Un metro se puede dividir en diez partes. Cada una es un **decímetro**.

## décimo

| | M | F |
|---|---|---|
| S | décimo | décima |
| P | décimos | décimas |

Cada una de las 10 partes iguales en que se divide un todo.
Que está en el lugar Nº10.

Como somos diez, a mí me va a tocar una **décima** parte de la torta.
El **décimo** llegó último.

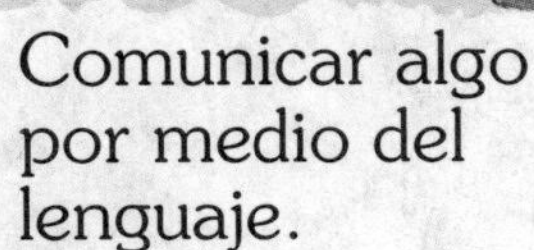

## decir

| Pasado | Presente | Futuro |
|---|---|---|
| dije | digo | diré |

Comunicar algo por medio del lenguaje.

Les **digo** a mis padres que los quiero mucho.

## dedo

| | M | F |
|---|---|---|
| S | dedo | |
| P | dedos | |

Algunos animales tienen **dedos** en las patas.

Las personas tienen **dedos** en los pies y en las manos.

## dejar

| Pasado | Presente | Futuro |
|---|---|---|
| dejé | dejo | dejaré |

Abandonar algo que se está haciendo o manipulando.

**Deja** de molestarme.
**Deja** ese jarrón, que se te puede caer.

Poner algo en cierto lugar.

**Dejé** las llaves en la mesita .

Separarse de alguien, irse de un lugar a otro.

**Dejamos** Buenos Aires a las 10 de la mañana.

Dar permiso o libertad para hacer algo.

No la **dejan** salir en bicicleta.

Provocar cierto efecto.

El temblor nos **dejó** muy asustados.

# del

• Se usa en lugar de **de el**.

Vengo **del** colegio.

adv. **delante**

• En la parte del frente o anterior a algo o a alguien.

En las motos, el foco blanco va **delante** y el rojo, detrás.

prep. **delante de**

• Ante.

El director habló **delante de** todo el colegio.

**delfín**

| | M | F |
|---|---|---|
| S | delfín | |
| P | delfines | |

Vimos **delfines** en el acuario.

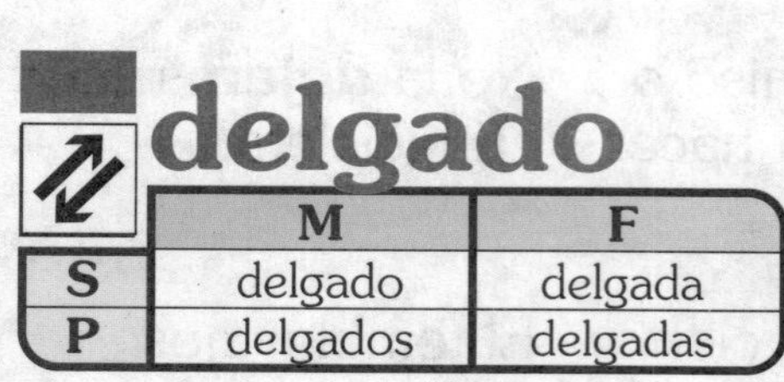

**delgado**

| | M | F |
|---|---|---|
| S | delgado | delgada |
| P | delgados | delgadas |

De pocas carnes

Ese mástil es muy **delgado**.

Después de la gripe, quedé bien **delgado**.

# delicadeza

| | M | F |
|---|---|---|
| S | | delicadeza |
| P | | delicadezas |

Cuidado en el trato con los demás o con las cosas.

El médico trata a sus enfermos con **delicadeza**.

# democracia

| | M | F |
|---|---|---|
| S | | democracia |
| P | | democracias |

Forma de gobierno en que el pueblo elige a sus gobernantes.

La mayoría de los países latinoamericanos vive en **democracia**.

# demonio

| | M | F |
|---|---|---|
| S | demonio | |
| P | demonios | |

• Diablo.

Me contaron la historia del brujo que engañó al **demonio**.

# denominador

| | M | F |
|---|---|---|
| S | denominador | |
| P | denominadores | |

El **denominador** es el número que va bajo la raya de una fracción. Indica la cantidad de partes iguales en que se ha dividido la unidad. El **denominador** equivale al divisor de la división.

## dentadura

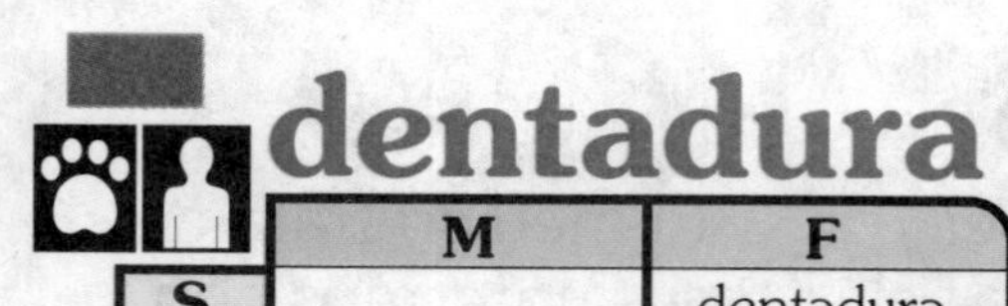

| | M | F |
|---|---|---|
| S | | dentadura |
| P | | dentaduras |

La **dentadura** del cocodrilo es larga y afilada.

## dental

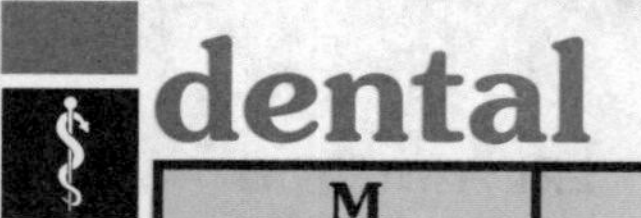

| | M | F |
|---|---|---|
| S | dental | |
| P | dentales | |

Debes ir a una clínica **dental** para que te examinen la dentadura.

## dentífrico

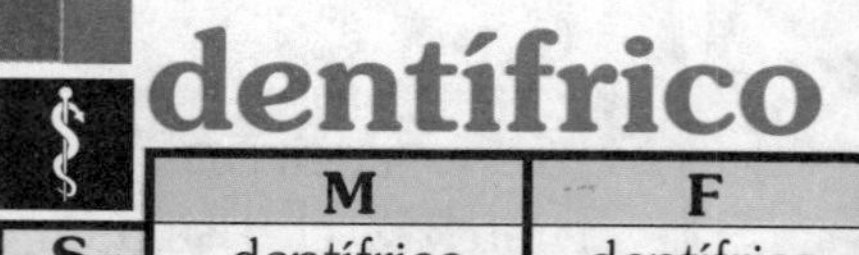

| | M | F |
|---|---|---|
| S | dentífrico | dentífrica |
| P | dentífricos | dentífricas |

Cepíllese los dientes, aunque sea sin **dentífrico**.

## dentista

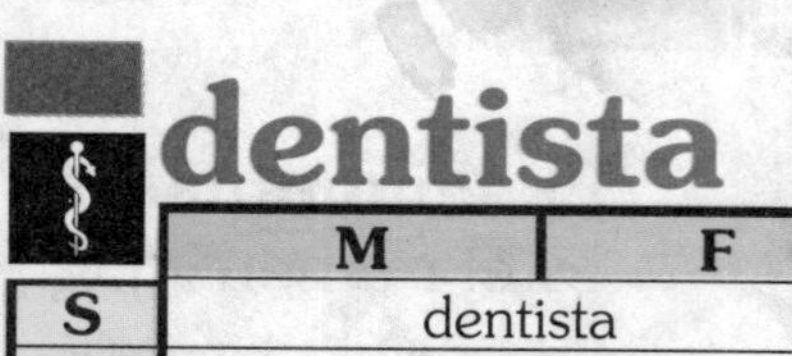

| | M | F |
|---|---|---|
| S | dentista | |
| P | dentistas | |

Fui al **dentista** para que me tapara una caries.

## adv. dentro

• Adentro.

Rompió el papel del regalo para ver lo que había **dentro**.

## adv. dentro de

Seguido de una expresión de tiempo significa:

- una vez que pase ese tiempo.

La excursión será **dentro de** una semana.

## departamento

| | M | F |
|---|---|---|
| S | departamento | |
| P | departamentos | |

En las ciudades, hay edificios de **departamentos**.

## deporte

| | M | F |
|---|---|---|
| S | deporte | |
| P | deportes | |

Mi papá practica tres **deportes**: fútbol, ciclismo y natación.

## deportista

| | M | F |
|---|---|---|
| S | deportista | |
| P | deportistas | |

Hace bien ser **deportista**.

## deportivo

| | M | F |
|---|---|---|
| S | deportivo | deportiva |
| P | deportivos | deportivas |

Un campeonato debe ser siempre una fiesta **deportiva**.

# desagüe

| | M | F |
|---|---|---|
| S | desagüe | |
| P | desagües | |

En esa rotura del baño, se puede observar el **desagüe**.

# descansar

| Pasado | Presente | Futuro |
|---|---|---|
| descansé | descanso | descansaré |

El caminante se echó en la hierba para **descansar**.

# descender

| Pasado | Presente | Futuro |
|---|---|---|
| descendí | desciendo | descenderé |

• Bajar.

El avión **descendió** suavemente.

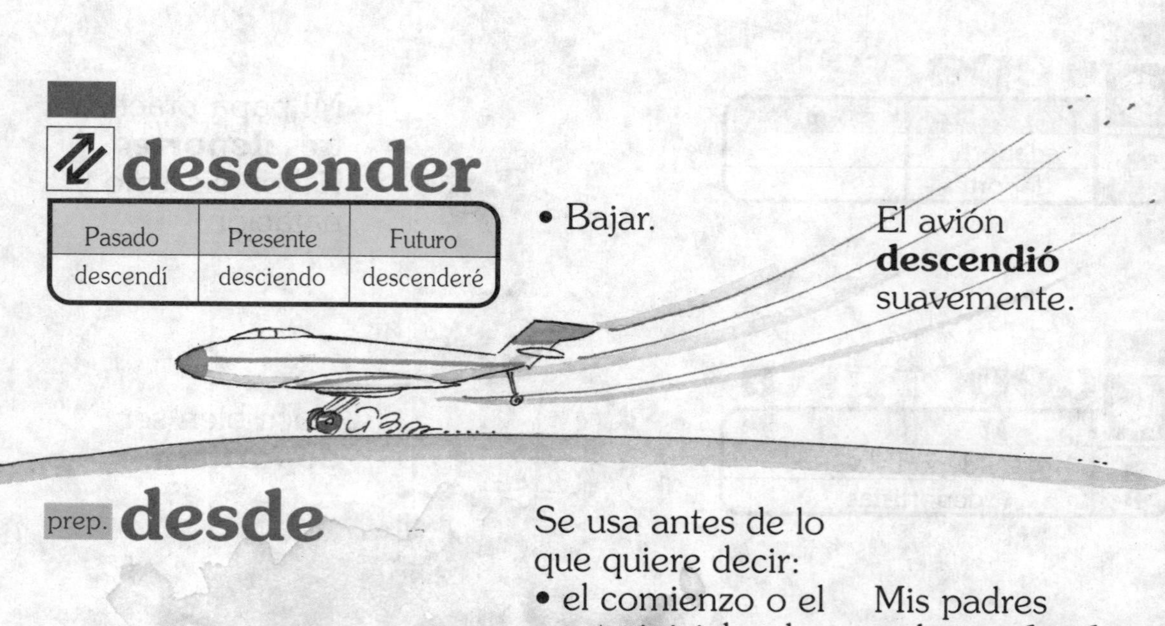

# prep. desde

Se usa antes de lo que quiere decir:
• el comienzo o el punto inicial o de partida.

Mis padres trabajan **desde** que amanece.
**Desde** aquí se divisa el mar.
Voy a correr **desde** mi casa hasta la esquina.

## desear

| Pasado | Presente | Futuro |
|---|---|---|
| deseé | deseo | desearé |

Sentir la necesidad de algo; querer conseguirlo por estimarlo bueno.

Siempre **deseé** tener una bicicleta.

## desierto

| | M | F |
|---|---|---|
| S | desierto | desierta |
| P | desiertos | desiertas |

Por las noches las calles se veían **desiertas**.

## desierto

| | M | F |
|---|---|---|
| S | desierto | |
| P | desiertos | |

El **desierto** es muy caluroso en el día y muy frío en la noche.

## despedir

| Pasado | Presente | Futuro |
|---|---|---|
| despedí | despido | despediré |

Decirle adiós o manifestarle afecto de alguna manera a alguien que se va.

Fuimos a **despedir** al abuelito.

Echar del trabajo a una persona.

La empresa **despidió** a varios empleados.

## adv. después

Se usa para decir que:

- algo ocurre más tarde de lo que se dice o se ha dicho. — **Después** de clases saldremos a recreo. Todo eso pasó **después**.
- alguien o algo está más atrás (respecto de lo que se dice o se ha dicho). — La vecina estaba **después** en la fila del banco, pero logró que la atendiesen primero. En luz hay una z **después** de la u.

## destapar

| Pasado | Presente | Futuro |
|---|---|---|
| destapé | destapo | destaparé |

Abrir o descubrir lo que estaba tapado.

**Destapé** diez gaseosas para las visitas.

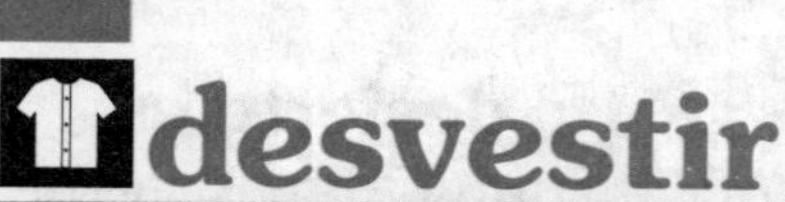

## desvestir

| Pasado | Presente | Futuro |
|---|---|---|
| (me) desvestí | (me) desvisto | (me) desvestiré |

Quitar(se) la ropa de vestir.

La niña **desviste** a la muñeca para mudarla.
Antes de acostarme, me **desvisto** y me lavo los dientes.

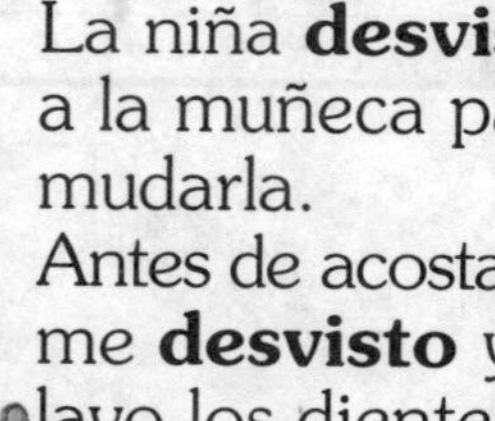

## detener

| Pasado | Presente | Futuro |
|---|---|---|
| detuve | detengo | detendré |

Impedir el avance o el movimiento de alguien o algo.

El conductor logró **detener** el bus en la bajada.

Apresar la policía al sospechoso de haber cometido una falta o delito.

**Detuvieron** a un ladrón en el supermercado.

adv. **detrás**

• En la parte de atrás o posterior.

El presidente iba adelante y los ministros **detrás**.

• De modo oculto de algo, o a espaldas de alguien.

**Detrás** de lo que dice, hay algo que no entiendo.
No hablen **detrás** de mí.

**día**

| | M | F |
|---|---|---|
| S | día | |
| P | días | |

24 horas.

La Tierra demora un **día** en girar sobre sí misma (rotación).

Estuve todo el **día** trabajando.

**diablo**

| | M | F |
|---|---|---|
| S | diablo | diabla |
| P | diablos | diablas |

Estos niños **diablos** ya se subieron a la higuera.

**diablo**

| | M | F |
|---|---|---|
| S | diablo | |
| P | diablos | |

Ser sobrenatural al servicio de la maldad.

Los **diablos** están en el infierno.

**diámetro**

| | M | F |
|---|---|---|
| S | diámetro | |
| P | diámetros | |

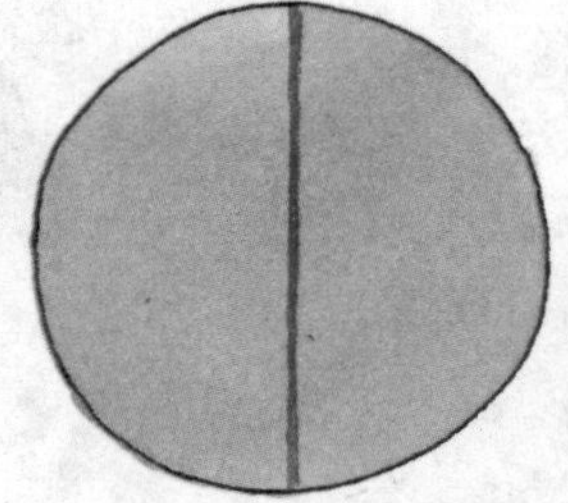

El **diámetro** es la línea recta que divide el círculo en dos mitades.

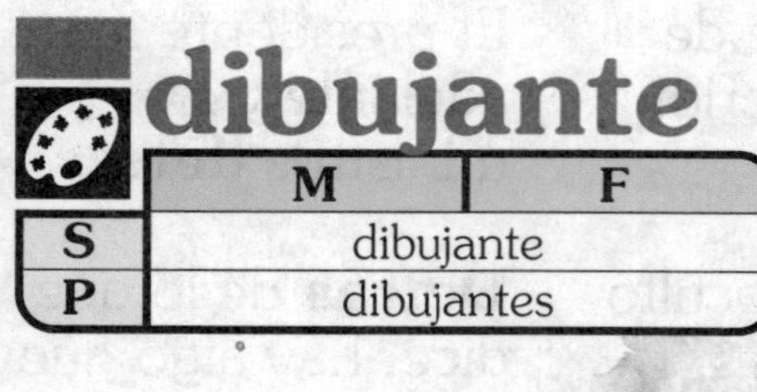

## dibujante

| | M | F |
|---|---|---|
| S | dibujante | |
| P | dibujantes | |

Persona que dibuja.

El profesor de Artes Plásticas es muy buen **dibujante**.

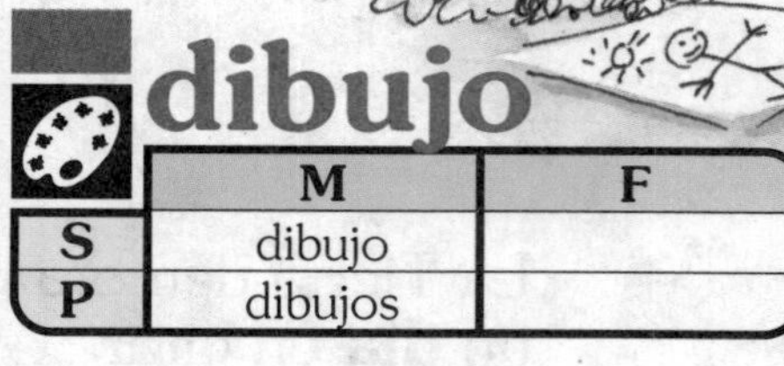

## dibujo

| | M | F |
|---|---|---|
| S | dibujo | |
| P | dibujos | |

Figura dibujada.

Les gusta mucho la clase de **dibujo**. Este **dibujo** de mi papá te lo regalo a ti.

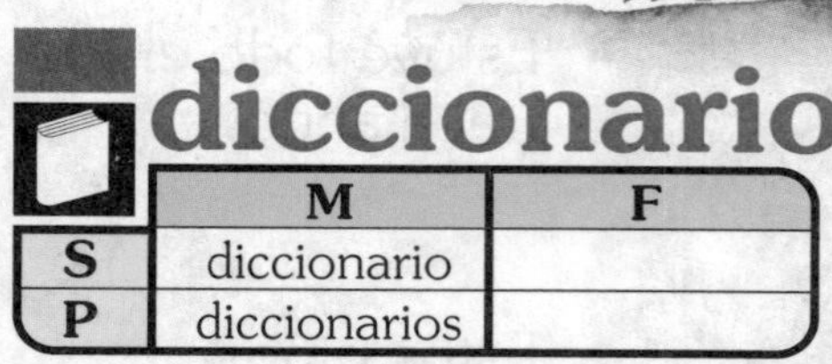

## diccionario

| | M | F |
|---|---|---|
| S | diccionario | |
| P | diccionarios | |

• Libro en que se recogen las palabras en orden alfabético con sus diversos significados.

El libro que tengo en las manos se llama “Primer **Diccionario**”.

## diente

| | M | F |
|---|---|---|
| S | diente | |
| P | dientes | |

Tenía unos **dientes** blanquísimos.

Le echamos un **diente** de ajo a la sopa.

Los engranajes de las máquinas tienen muchos **dientes**.

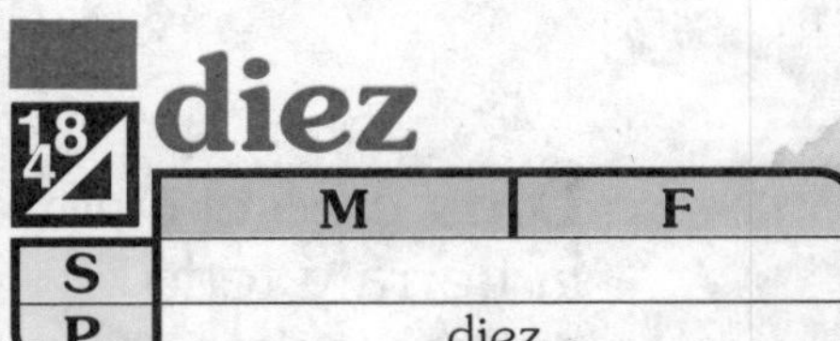

## diez

| | M | F |
|---|---|---|
| S | | |
| P | diez | |

Las dos manos hacen **diez** dedos.

## diez

| | M | F |
|---|---|---|
| S | diez | |
| P | dieces | |

Los **dieces** grabados en las monedas de $ 10 son todos iguales.

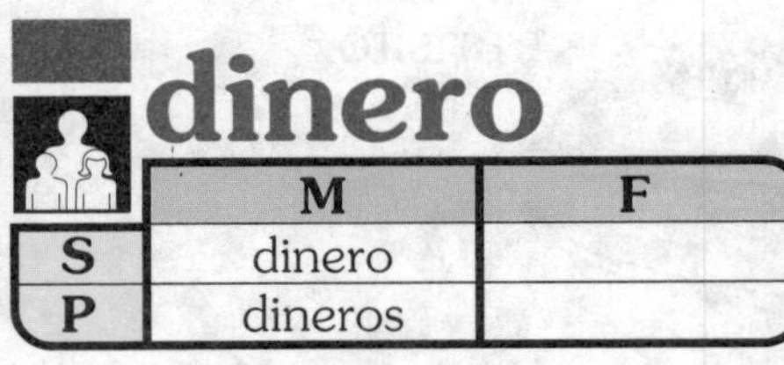

## dinero

| | M | F |
|---|---|---|
| S | dinero | |
| P | dineros | |

Mis padres trabajan para ganar **dinero** y mantener a la familia.

## dios

| | M | F |
|---|---|---|
| S | dios | diosa |
| P | dioses | diosas |

Mercurio, el **dios** de los viajeros y comerciantes, dio origen al día miércoles.

# Dios

| | M | F |
|---|---|---|
| S | Dios | |
| P | | |

**Dios** creó el cielo, la tierra y todo cuanto existe.

# director

| | M | F |
|---|---|---|
| S | director | directora |
| P | directores | directoras |

La **directora** de mi escuela es una señora muy amable.

# dirigir

| Pasado | Presente | Futuro |
|---|---|---|
| dirigí | dirijo | dirigiré |

Estar alguien al mando de una o más personas o cosas.

El Presidente **dirige** el país. Había un policía **dirigiendo** el tránsito.

# disco

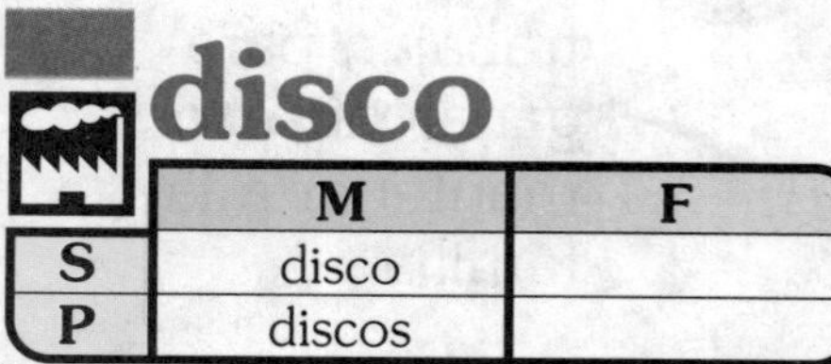

| | M | F |
|---|---|---|
| S | disco | |
| P | discos | |

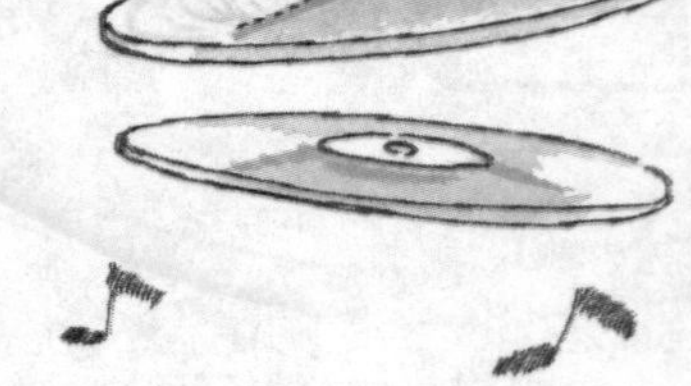


Pusimos **discos** con música folclórica.

# dividendo

| | M | F |
|---|---|---|
| S | dividendo | |
| P | dividendos | |

La cantidad que ha de dividirse por otra. El **dividendo** equivale al numerador de las fracciones.

En la operación 12:4 = 3, el número 12 es el **dividendo**.

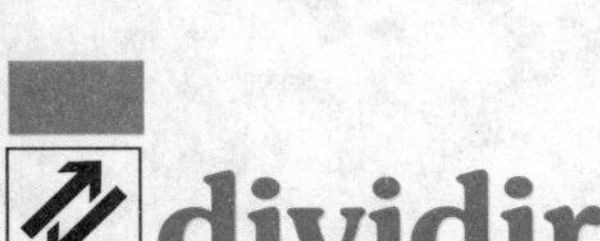

## dividir

| Pasado | Presente | Futuro |
|---|---|---|
| dividí | divido | dividiré |

Separar o cortar una cosa en partes. — **Dividí** la torta en seis partes.

Distribuir o repartir una cosa entre varios. — El profesor **dividió** el trabajo entre todos.

Servir de separación. — Una pared **divide** los dos cuartos.

Introducir enemistad o desacuerdo. — La envidia **divide** a los amigos.

Averiguar cuántas veces una cantidad está contenida en otra. — A ver si puedes **dividir** 18 por 3.

## división

| | M | F |
|---|---|---|
| S | división | |
| P | divisiones | |

La **división** 8:4 se lee ocho dividido por cuatro.

## divisor

| | M | F |
|---|---|---|
| S | divisor | |
| P | divisores | |

Cantidad por la que se divide otra. El **divisor** equivale al denominador de las fracciones. — En la operación 12:4 = 3, el número 4 es el **divisor**.

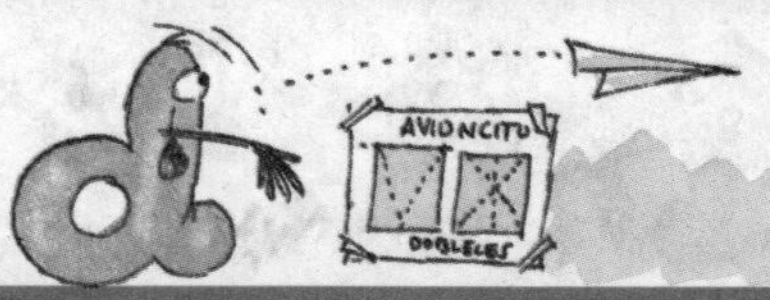

## doblar

| Pasado | Presente | Futuro |
|---|---|---|
| doblé | doblo | doblaré |

Poner una sobre otra dos o más partes de una cosa flexible. — **Doblé** el papel en varias partes.

Darle forma curva a una cosa recta, plana o larga. — Hay que **doblar** el alambre para guardarlo.

Mover alguna articulación del cuerpo, como la cintura o las rodillas. — Me arrodillé **doblando** las rodillas.

Cambiar de dirección hacia algún lado, girar. — El auto **dobló** hacia la derecha.

## doble ve

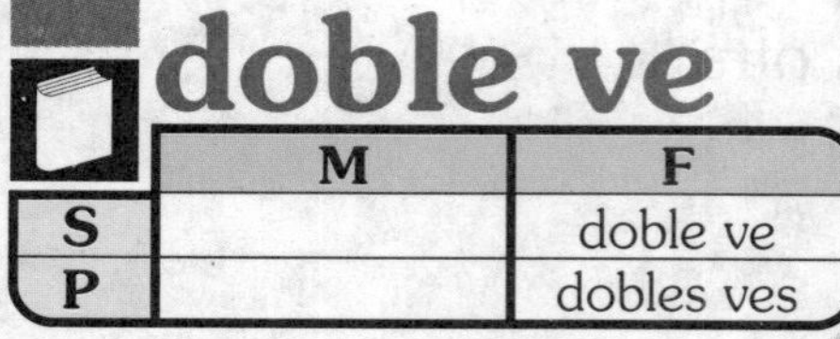

| | M | F |
|---|---|---|
| S | | doble ve |
| P | | dobles ves |

Nombre de la letra **w**. — La **doble ve** aparece sólo en palabras extranjeras como Washington. También se la llama **doble u**.

## doce

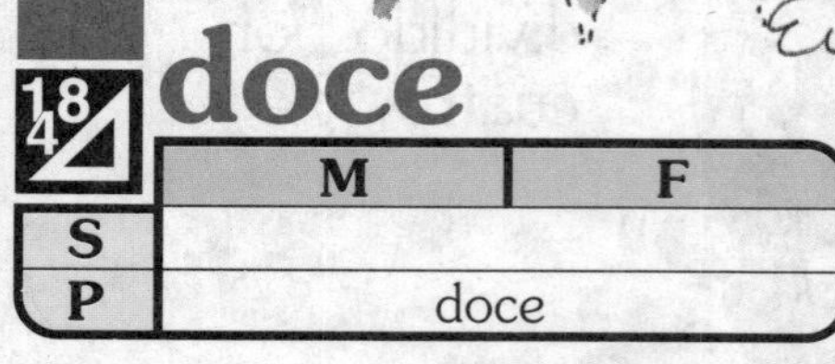

| | M | F |
|---|---|---|
| S | | |
| P | doce | |

La docena tiene **doce** unidades.

## docena

| | M | F |
|---|---|---|
| S | | docena |
| P | | docenas |

12 unidades. — Fui a comprar una **docena** de huevos.

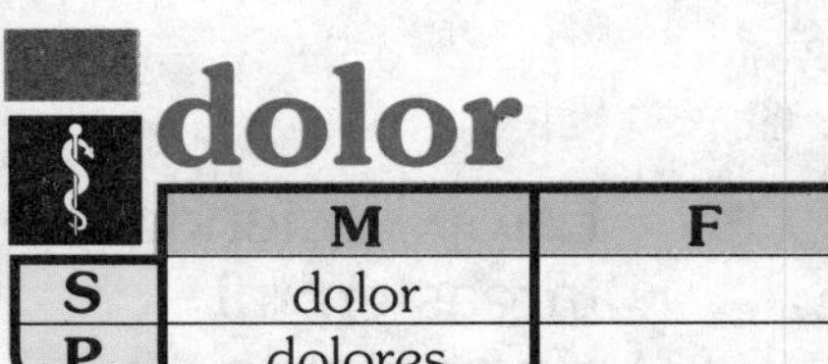

## dolor

| | M | F |
|---|---|---|
| S | dolor | |
| P | dolores | |

Sintió **dolor** de muelas.

## adv. donde

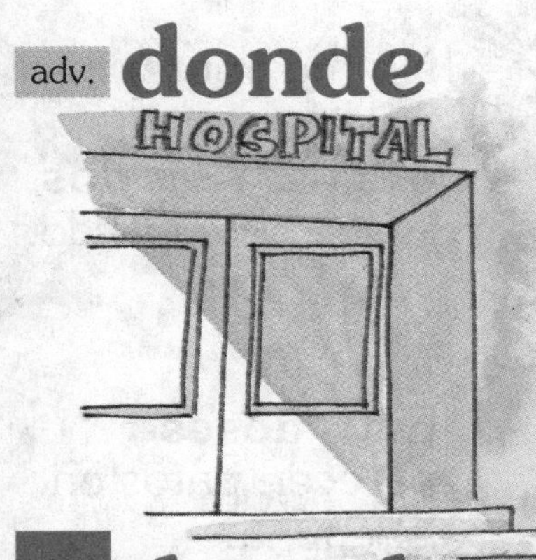


Se usa para decir:

- el lugar en que hay o sucede algo.

Voy **donde** hay mucha nieve.
Fue al hospital **donde** operaron a su abuelito.

## dorado

| | M | F |
|---|---|---|
| S | dorado | dorada |
| P | dorados | doradas |

De color de oro.

Eso se veía **dorado**, pero no era de oro.

## dormir

| Pasado | Presente | Futuro |
|---|---|---|
| (me) dormí | (me) duermo | (me) dormiré |

Entrar o estar en sueño.

Los niños deben **dormir** por lo menos ocho horas.

Hacer que alguien entre en el sueño.

Hay que **dormir** al niño meciéndole la cuna.

Perder la sensibilidad de una parte del cuerpo.

Se me **durmió** una pierna.

## dormitorio

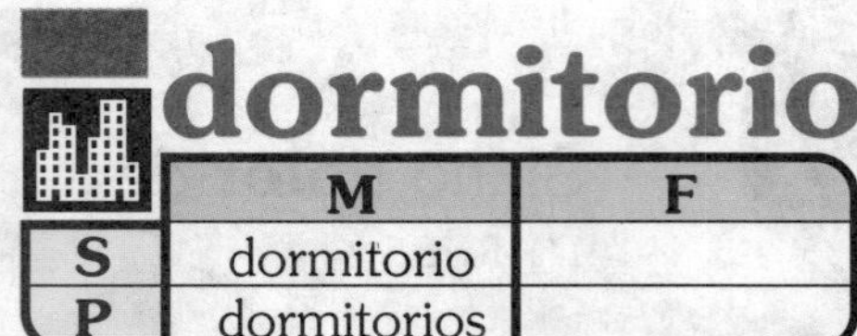

| | M | F |
|---|---|---|
| S | dormitorio | |
| P | dormitorios | |

Habitación dispuesta para dormir en ella.

Estoy haciendo las tareas en mi **dormitorio**.

## dos

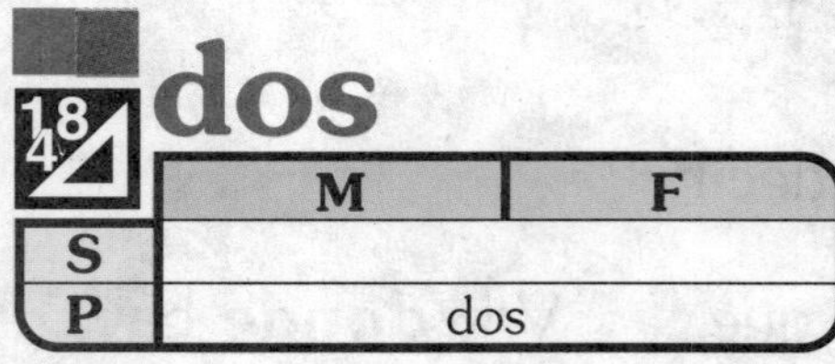

| | M | F |
|---|---|---|
| S | | |
| P | dos | dos |

No me apure. Sólo tengo **dos** manos. Y las **dos** las estoy ocupando.

## dos

| | M | F |
|---|---|---|
| S | dos | |
| P | doses | |

Estos **doses** parecen patos en la laguna.

## doscientos

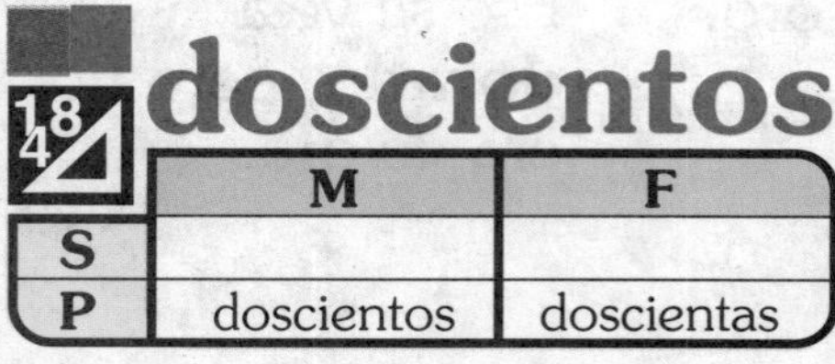

| | M | F |
|---|---|---|
| S | | |
| P | doscientos | doscientas |

Hasta allá hay cerca de **doscientos** kilómetros.

## ducha

| | M | F |
|---|---|---|
| S | | ducha |
| P | | duchas |

Especie de regadera puesta sobre la bañera para asearse el cuerpo con el agua que sale desde allí.

Está saliendo muy fría el agua de la **ducha**.

Acto de lavarse el cuerpo con ella.

Es agradable darse una **ducha** antes de acostarse.

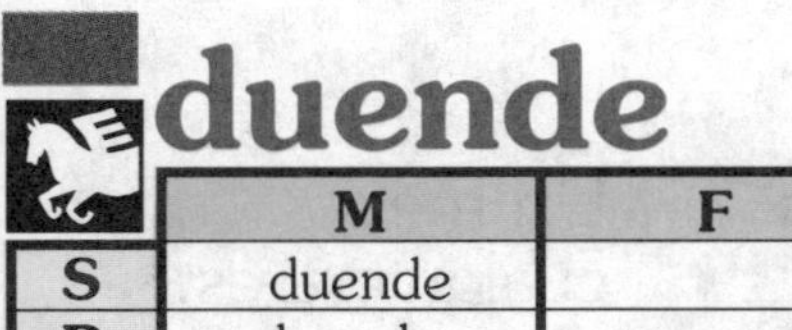

## duende

| | M | F |
|---|---|---|
| S | duende | |
| P | duendes | |

Los **duendes** del bosque tenían una fiesta a la luz de la luna.

## dulce

| | M | F |
|---|---|---|
| S | dulce | |
| P | dulces | |

Con sabor como el de la miel o el azúcar.

La uva cuando está madura, es **dulce**.

Agradable de sentir.

Mi mamá tiene una voz muy **dulce**.

## dulzura

| | M | F |
|---|---|---|
| S | | dulzura |
| P | | dulzuras |

Mis padres siempre me tratan con **dulzura**.

## duna

| | M | F |
|---|---|---|
| S | | duna |
| P | | dunas |

Colina de arena que forma el viento en desiertos y playas.

Hay que plantar muchos árboles para atajar el avance de las **dunas**.

## duodécimo

|   | M | F |
|---|---|---|
| S | duodécimo | duodécima |
| P | duodécimos | duodécimas |

Cada una de las doce partes en que se divide un todo.

Un mes cualquiera es, aproximadamente, la **duodécima** parte del año.

## adv. durante

• Antes de una expresión que señale.
un suceso o acontecimiento, quiere decir el tiempo en que eso sucede.

Lo que les voy a contar ocurrió **durante** la guerra.

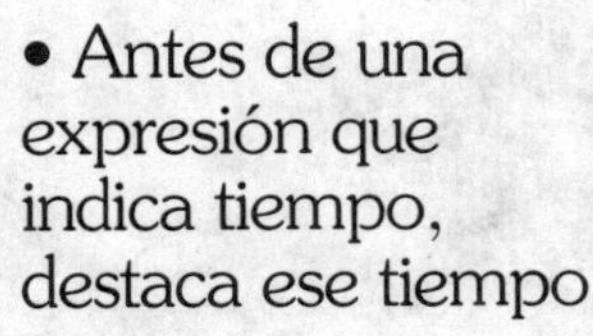

• Antes de una expresión que indica tiempo, destaca ese tiempo.

Mi profesor estudió los problemas limítrofes **durante** muchos años.

## dureza

|   | M | F |
|---|---|---|
| S |   | dureza |
| P |   | durezas |

Calidad de duro.

El auto no sufrió mucho con el golpe gracias a su **dureza**.
Hay faltas que obligan a padres o profesores a actuar con **dureza**.

| A | B | C | CH | D | E | F | G | H | I |
|---|---|---|---|---|---|---|---|---|---|
| J | K | L | LL | M | N | Ñ | O | P | Q |
| R | S | T | U | V | W | X | Y | Z | |

# e

| | M | F |
|---|---|---|
| S | | e |
| P | | ees |

• Nombre de la letra **e** y del sonido que representa.

La letra **e** es la segunda de las vocales.

En la palabra "cante" la **e** no lleva acento; en "canté", lleva acento.

conj. **e**

Se usa en lugar de **y** antes de las palabras que empiezan con i o hi.

Aves **e** insectos.

Padres **e** hijos.

# eclipse

| | M | F |
|---|---|---|
| S | eclipse | |
| P | eclipses | |

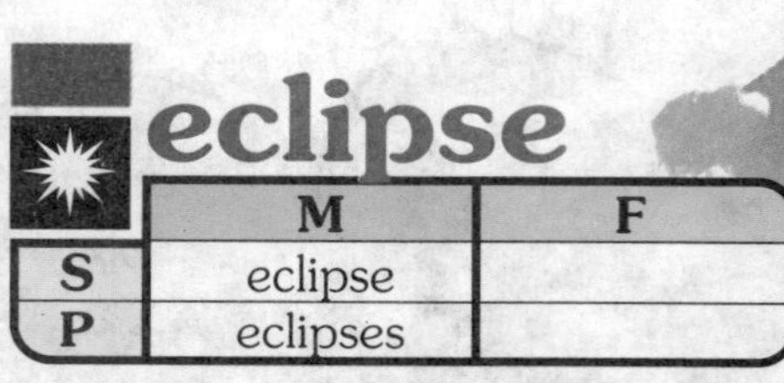

En el **eclipse** de Luna, nuestro planeta se interpone entre la Luna y el Sol.

# ecología

| | M | F |
|---|---|---|
| S | | ecología |
| P | | |

Estudio de las relaciones entre los organismos y el medio en que viven.

La **ecología** nos enseña a proteger nuestro planeta del hombre mismo.

Cuidado y protección del medio ambiente.

Estamos clasificando nuestra basura por **ecología**, esto es, para que no contamine.

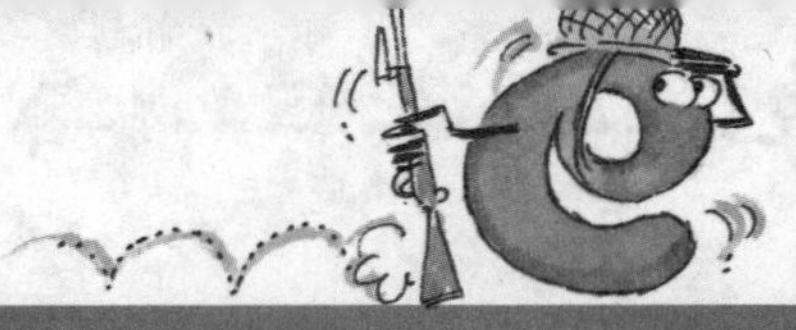

## ecuador

| | M | F |
|---|---|---|
| S | ecuador | |
| P | | |

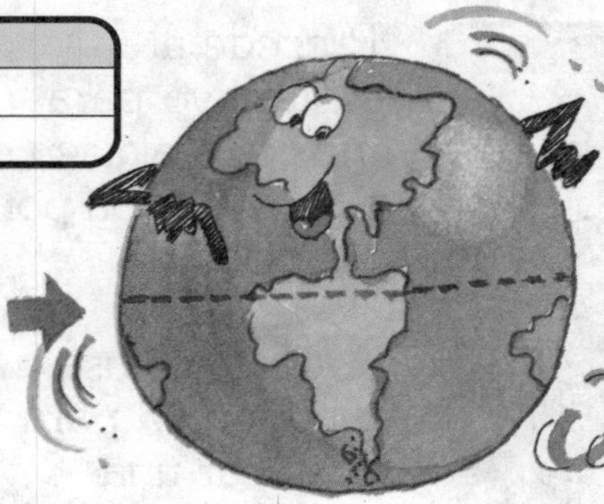

El **ecuador** es una línea imaginaria que divide la Tierra en dos partes iguales: el hemisferio norte y el hemisferio sur.

## edificio

| | M | F |
|---|---|---|
| S | edificio | |
| P | edificios | |

En las ciudades hay muchos **edificios**: casas, iglesias, tiendas, escuelas, mercados, etc.

## efe

| | M | F |
|---|---|---|
| S | | efe |
| P | | efes |

Nombre de la letra **f** y del sonido que representa.

Algunos apellidos rusos se escriben con dos **efes** finales, como Strogoff.

## ejército

| | M | F |
|---|---|---|
| S | ejército | |
| P | ejércitos | |

El **ejército** es la fuerza armada que combate en tierra.

## el

| | M | F |
|---|---|---|
| S | el | la |
| P | los | las |

Precede al sustantivo para indicar a alguien o algo que se da por conocido.

**El** papá, **la** mamá, **los** abuelos y **las** tías, son **las** personas mayores de mi familia.

A veces se usa también **lo** para destacar una cualidad.

No sabes **lo** importante que es ser buen alumno.

## él

| | M | F |
|---|---|---|
| S | él | ella |
| P | ellos | ellas |

La persona o personas de quien o de quienes se habla.

**Él** y **ella** forman un matrimonio casi perfecto.

A veces se usa también **ello** para reproducir algo que ya se ha dicho.

Nunca mientas; **ello** te puede acarrear muchos problemas.

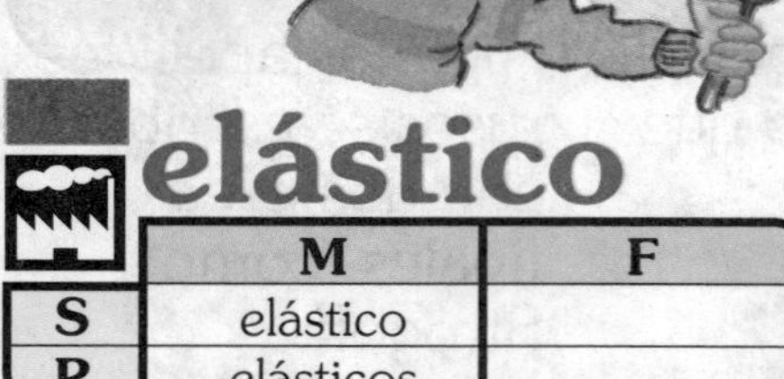

## elástico

| | M | F |
|---|---|---|
| S | elástico | |
| P | elásticos | |

Cinta de goma que se puede estirar fácilmente.

Usa un **elástico** para sujetarse el pelo.

## elástico

| | M | F |
|---|---|---|
| S | elástico | elástica |
| P | elásticos | elásticas |

Que se puede estirar o encoger fácilmente sin cortarse ni quebrarse.

Usa una venda **elástica** para protegerse los tobillos.

## el cual

| | M | F |
|---|---|---|
| S | el cual | la cual |
| P | los cuales | las cuales |

- que.

Este es el colegio en **el cual** estuve el año pasado.

- quien, quienes.

La niña con **la cual** nos encontramos es mi hermana.

## ele

| | M | F |
|---|---|---|
| S | | ele |
| P | | eles |

Nombre de la letra **l** y del sonido que representa.

La palabra **lana** es diferente a la palabra **llana**. ¿Sabes por qué?

## elefante

| | M | F |
|---|---|---|
| S | elefante | elefanta |
| P` | elefantes | elefantas |

Los niños se entretienen mucho con los **elefantes** del zoológico.

## elle

| | M | F |
|---|---|---|
| S | | elle |
| P | | elles |

Nombre de la letra **ll** y del sonido que representa. También se llama **doble ele**. Se suele pronunciar como ye.

¿Sabes tú distinguir entre un zapallo rallado con **elle**, de un zapallo rayado con ye?

## embarcación

| | M | F |
|---|---|---|
| S | | embarcación |
| P | | embarcaciones |

En ese astillero se hace todo tipo de **embarcaciones**.

## eme

| | M | F |
|---|---|---|
| S | | eme |
| P | | emes |

Nombre de la letra **m** y del sonido que representa.

La palabra mamá tiene dos **emes**.

## empapelar

| Pasado | Presente | Futuro |
|---|---|---|
| empapelé | empapelo | empapelaré |

**Empapelamos** las habitaciones de la casa.

## empaquetar

| Pasado | Presente | Futuro |
|---|---|---|
| empaqueté | empaqueto | empaquetaré |

Envolver algo haciendo un paquete.

Ayudé a mi mamá a **empaquetar** los regalos.

## empeine

| | M | F |
|---|---|---|
| S | empeine | |
| P | empeines | |

El **empeine** del zapato no debe apretar el **empeine** del pie.

## empujar

| Pasado | Presente | Futuro |
|---|---|---|
| empujé | empujo | empujaré |

Hacer fuerza contra alguien o algo para moverlo de su sitio.

Tuvimos que **empujar** el baúl para cambiarlo de lugar.

Tratar de obligar a otro a hacer algo.

Nadie me **empuja** a mí a hacer algo que no debo.

## prep. en

Se usa antes de lo que quiere decir:

- El lugar donde está o sucede algo.

El partido será **en** la capital.

- El momento en que se produce o sucede algo.

Me encontraré contigo **en** una semana más.

- El modo en que se hace algo o la manera como se produce o sucede algo.

Te hablo **en** serio: no lo tomes **en** broma.

- La clase de vehículo en que uno viaja.

Algún día viajaré **en** barco y **en** avión.

## encerrar

| Pasado | Presente | Futuro |
|---|---|---|
| encerré | encierro | encerraré |

Meter a una persona o animal en un lugar del que no pueda salir.

En la cárcel se **encierra** a los ladrones.

Contener una cosa algo que se puede descubrir.

La Biblia **encierra** enseñanzas muy valiosas.

## adv. encima

• En la parte de arriba, en un lugar más alto.

**Encima** de los edificios hay antenas.

• Sobre alguien o algo, cubriéndolo en todo o en parte.

No te pongas tanta ropa **encima**.

• Además.

Su papá lo felicitó por sus notas y, **encima**, le regaló un reloj.

## enchufe

| | M | F |
|---|---|---|
| S | enchufe | |
| P | enchufes | |

Ten cuidado al poner o sacar el **enchufe**; te puede dar la electricidad.

## endurecer

| Pasado | Presente | Futuro |
|---|---|---|
| endurecí | endurezco | endureceré |

Si guardas el pan en un cajón, se va a **endurecer**.

El profesor **endureció** la mirada al ver llegar atrasados a tantos niños.

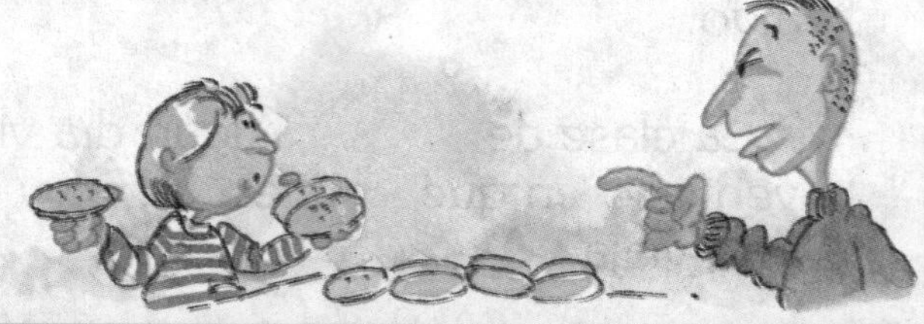

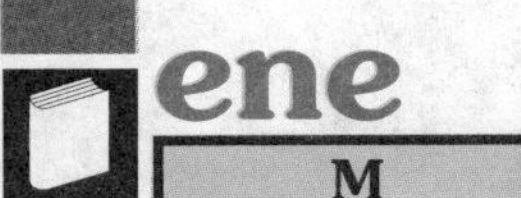

## ene

| | M | F |
|---|---|---|
| S | | ene |
| P | | enes |

Nombre de la letra **n** y del sonido que representa.

Casi todas las negaciones empiezan por **ene**: no, nada, nunca, nadie, ninguno...

## enfermarse

| Pasado | Presente | Futuro |
|---|---|---|
| enfermé | enfermo | enfermaré |

No comas tanto; te vas a **enfermar**.

## enfermedad

| | M | F |
|---|---|---|
| S | | enfermedad |
| P | | enfermedades |

Mal que tiene el que está enfermo.

Mi abuelita tiene una **enfermedad** al estómago.

## enfermero

| | M | F |
|---|---|---|
| S | enfermero | enfermera |
| P | enfermeros | enfermeras |

Al herido lo llevan los **enfermeros** en una camilla.

## enfermizo

| | M | F |
|---|---|---|
| S | enfermizo | enfermiza |
| P | enfermizos | enfermizas |

Que se enferma fácilmente.

Es **enfermizo** porque no se alimenta bien.

## engañar

| Pasado | Presente | Futuro |
|---|---|---|
| engañé | engaño | engañaré |

Hacer creer a alguien algo que no es cierto.

No **engañes** a nadie, ni por broma...

## engordar

| Pasado | Presente | Futuro |
|---|---|---|
| engordé | engordo | engordaré |

Ponerse gordo. Subir de peso.

Estás **engordando** porque comes chocolates a toda hora.

## ensalada

| | M | F |
|---|---|---|
| S | | ensalada |
| P | | ensaladas |

No hay como una buena **ensalada** bien surtida.

## enseñanza

| | M | F |
|---|---|---|
| S | | enseñanza |
| P | | enseñanzas |

Está dedicado por completo a la **enseñanza**.

Conjunto de habilidades o conocimientos que se enseñan.

Aprovecharé lo mejor posible las **enseñanzas** que he recibido.

## enseñar

| Pasado | Presente | Futuro |
|---|---|---|
| enseñé | enseño | enseñaré |

Comunicar a otro(s) un arte o ciencia para que lo(s) aprenda(n).

La profesora nos está **enseñando** a cantar.

## entender

| Pasado | Presente | Futuro |
|---|---|---|
| entendí | entiendo | entenderé |

Darse cuenta de la razón o del significado de algo.

Ya **entendí** por qué llueve.

## entendimiento

| | M | F |
|---|---|---|
| S | entendimiento | |
| P | entendimientos | |

A los dos años, un niño no tiene mucho **entendimiento**.

## entero

| | M | F |
|---|---|---|
| S | entero | |
| P | enteros | |

Número formado por unidades exactas.

El primer **entero** es el número 1. En $4\frac{2}{3}$ hay un **entero** (el 4) y una fracción ($\frac{2}{3}$).

## entero

| | M | F |
|---|---|---|
| S | entero | entera |
| P | enteros | enteras |

• Completo, sin ni un poco menos.

Me comí un pastel **entero**.

¿Y?...¿Entonces?

## adv. entonces

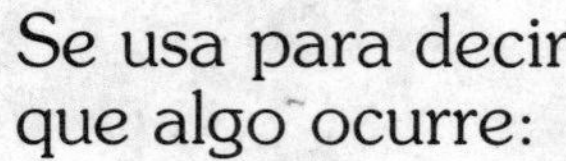

Se usa para decir que algo ocurre:

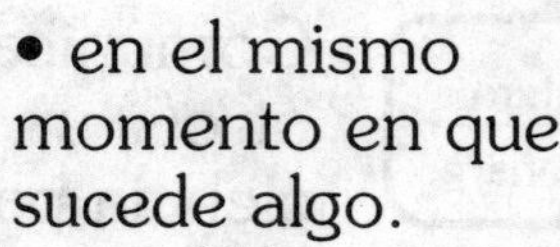

- en el mismo momento en que sucede algo. — Fue **entonces** cuando le avisaron que había ganado el premio.
- como consecuencia de algo. — Cuidó bien a su perro; **entonces** el animalito se mejoró.

## entrar

| Pasado | Presente | Futuro |
|---|---|---|
| entré | entro | entraré |

Pasar al interior de algún lugar o cosa. — Esta llave no **entra** en la cerradura. El perro **entró** al dormitorio. Apenas **entra** en el auto.

Empezar a formar parte de un grupo o institución. — Hace poco **entré** a esa sección del colegio.

## prep. entre

Se usa para indicar la noción de:

- en el medio de. — **Entre** Chile y Argentina se levanta la cordillera.
- un estado intermedio. — Se despidió **entre** triste y alegre.
- participación de varios. — El diario mural lo hacemos **entre** todos.

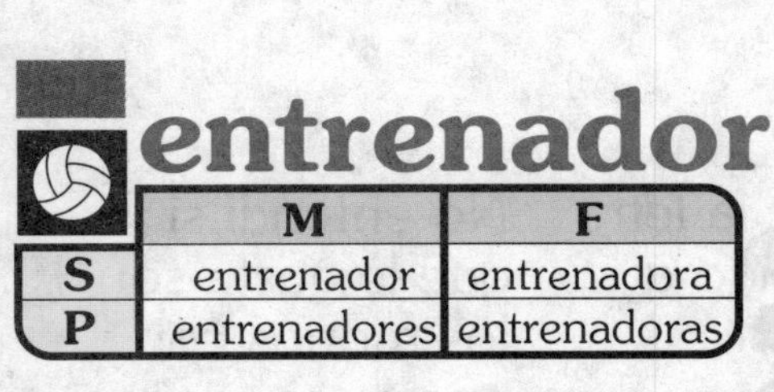

## entrenador

| | M | F |
|---|---|---|
| S | entrenador | entrenadora |
| P | entrenadores | entrenadoras |

Nuestra **entrenadora** es la profesora de Educación Física.

## enviar

| Pasado | Presente | Futuro |
|---|---|---|
| envié | envío | enviaré |

Hacer que algo o alguien vaya hacia otro sitio.

¿**Enviaremos** algún día una tripulación al planeta Marte?

Me **enviaron** una carta por correo aéreo.

## envidiar

| Pasado | Presente | Futuro |
|---|---|---|
| envidié | envidio | envidiaré |

Desear para uno algo que tiene otro; sufrir por el bien ajeno.

Nunca serás feliz si **envidias** a tus compañeros.

## envolver

| Pasado | Presente | Futuro |
|---|---|---|
| envolví | envuelvo | envolveré |

Rodear algo o a alguien con papel o tela.

Los regalos se **envuelven** con papeles especiales.

Rodear o cubrir completamente.

**Envolvieron** al niño en una manta.

Las llamas **envolvían** el edificio cuando llegaron los bomberos.

## eñe

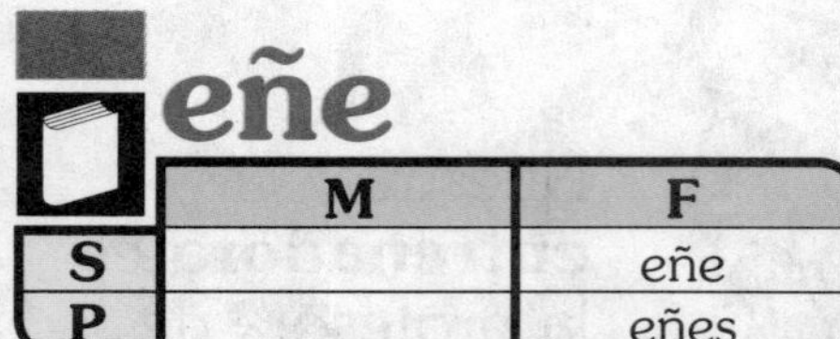

| | M | F |
|---|---|---|
| S | | eñe |
| P | | eñes |

Nombre de la letra **ñ** y del sonido que representa.

No entendí si lo que le gusta son los monos con ene o los moños con **eñe**.

## epidemia

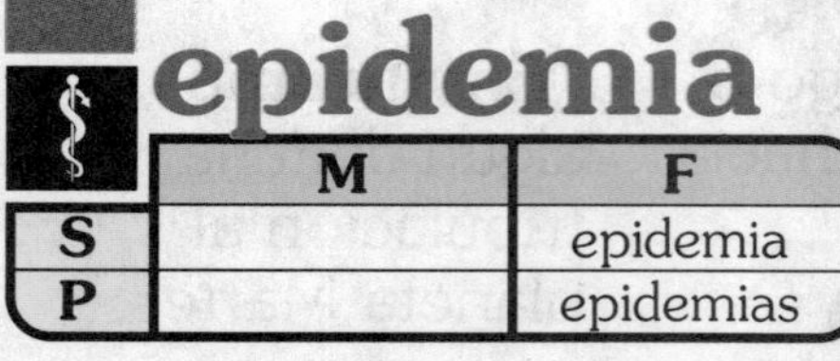

| | M | F |
|---|---|---|
| S | | epidemia |
| P | | epidemias |

Enfermedad contagiosa que ataca a mucha gente a la vez.

Hierve las verduras porque hay **epidemia** de cólera y hepatitis.

## equis

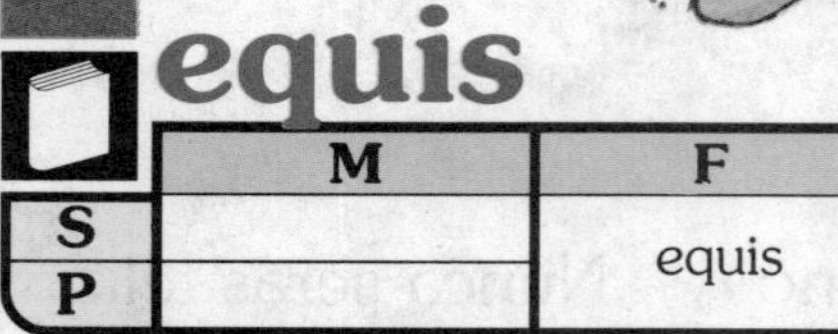

| | M | F |
|---|---|---|
| S | | equis |
| P | | |

Nombre de la letra **x**.

El signo de multiplicación se escribe como un punto o como una **equis**.

## equitación

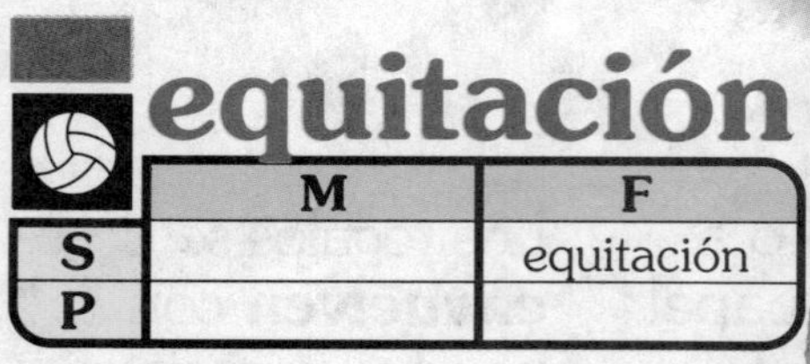

| | M | F |
|---|---|---|
| S | | equitación |
| P | | |

Lo más hermoso de la **equitación** son los saltos de los caballos.

## ere

| | M | F |
|---|---|---|
| S | | ere |
| P | | eres |

Nombre de la letra **r** y del sonido suave que en ciertos casos representa.

Si le quito una **ere** a cerro, me quedo con cero... ¿No es verdad?

## erizo

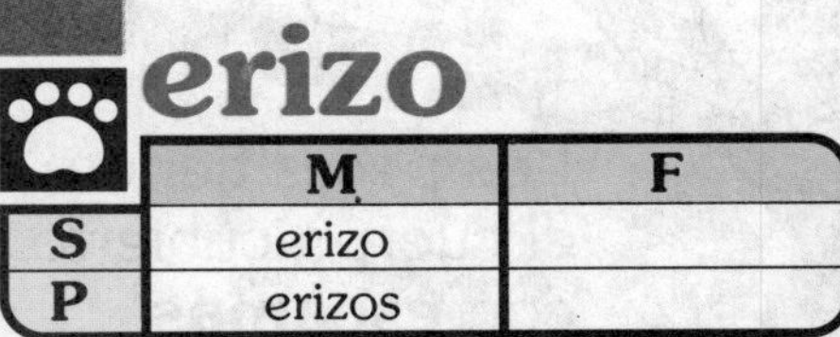

| | M | F |
|---|---|---|
| S | erizo | |
| P | erizos | |

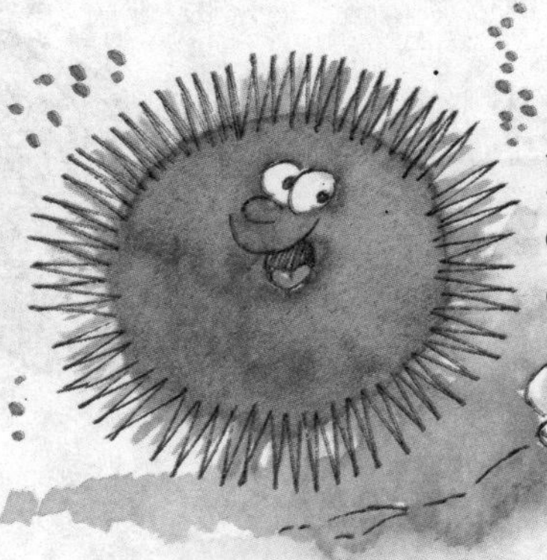

No todos los **erizos** son comestibles.

## erre

| | M | F |
|---|---|---|
| S | | erre |
| P | | erres |

Nombre de la letra **rr** y del sonido que representa.

Rosa se pronuncia con **erre**, pero debe escribirse con una sola r... ¿Sabes tú por qué?

## escala

| | M | F |
|---|---|---|
| S | | escala |
| P | | escalas |

Los bomberos traían varias **escalas** para apagar el incendio.

Para arreglar el techo mi tío usó una **escala** larga y firme.

## escalofrío

| | M | F |
|---|---|---|
| S | escalofrío | |
| P | escalofríos | |

Fiebre acompañada de frío.

Me sentí enfermo: tenía **escalofrío**.

Sensación de terror o de gran repugnancia.

Las ratas le dan **escalofríos**.

## escama

| | M | F |
|---|---|---|
| S | | escama |
| P | | escamas |

Los peces tienen el cuerpo cubierto con **escamas**.

## adv. escasamente

• Muy poco, casi nada, apenas.

El pobre mendigo comía **escasamente**.

## escena

| | M | F |
|---|---|---|
| S | | escena |
| P | | escenas |

Parte de una obra de teatro en que actúan los mismos personajes.

Nos divertimos mucho con la **escena** del sobrino que se disfraza de tía.

## escenario

| | M | F |
|---|---|---|
| S | escenario | |
| P | escenarios | |

Lugar del teatro en que actúan los actores.

El **escenario** se veía perfectamente.

Lugar donde se desarrolla un suceso importante.

Los periodistas fueron hasta el **escenario** mismo de la noticia.

## escoba

| | M | F |
|---|---|---|
| S | | escoba |
| P | | escobas |

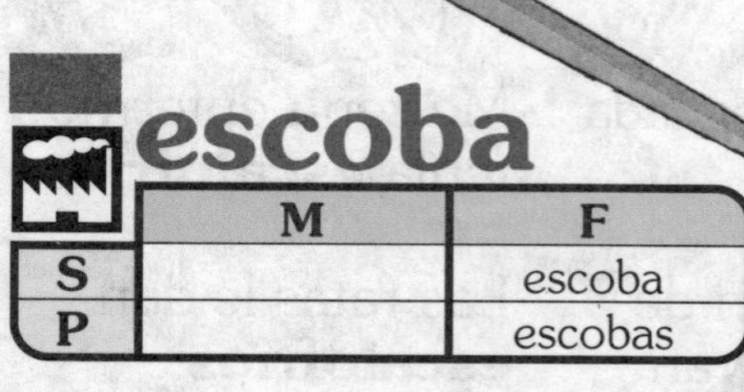

Las **escobas** deben barrer sobre la tierra húmeda para no levantar polvo.

## escribir

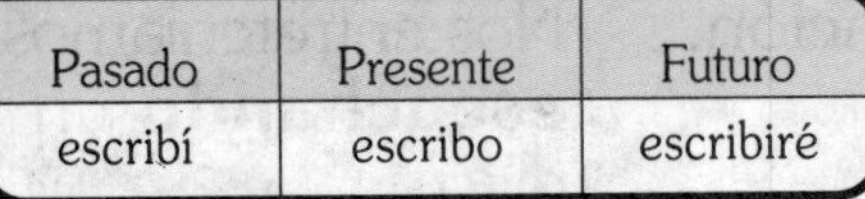

| Pasado | Presente | Futuro |
|---|---|---|
| escribí | escribo | escribiré |

Representar las palabras por medio de signos visuales.

Lo primero que aprendí a **escribir** fue mi nombre completo.

Comunicarse con otras personas por medio de la escritura.

Te **escribí** hace tiempo y todavía no me contestas.

## escritor

| | M | F |
|---|---|---|
| S | escritor | escritora |
| P | escritores | escritoras |

Tenemos muy buenos **escritores** en América Latina.

## escritorio

| | M | F |
|---|---|---|
| S | escritorio | |
| P | escritorios | |

Me trajeron un **escritorio** para que pueda hacer mis tareas con comodidad.

## escritura

| | M | F |
|---|---|---|
| S | | escritura |
| P | | escrituras |

Modo de escribir.

Todavía no logro mejorar mi **escritura**.

Sistema de escritura propio de una lengua.

La **escritura** china es tan difícil como hermosa.

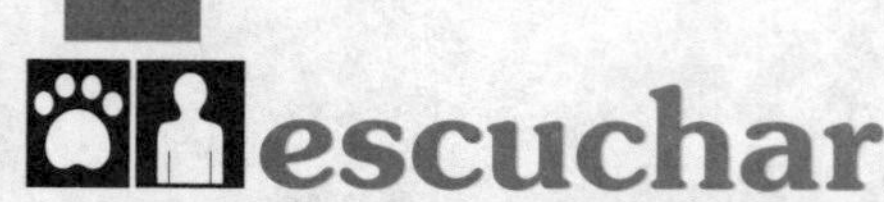

## escuchar

| Pasado | Presente | Futuro |
|---|---|---|
| escuché | escucho | escucharé |

Oír con atención.

Nos entreteníamos **escuchando** un disco.

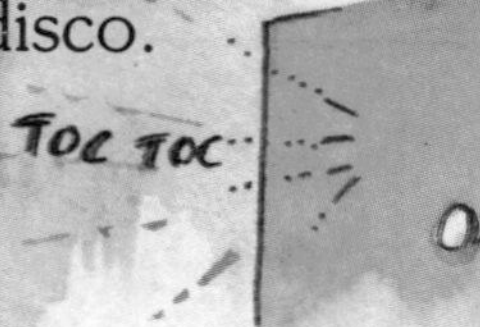


## escudo

| | M | F |
|---|---|---|
| S | escudo | |
| P | escudos | |

Cada país tiene una bandera y un **escudo**.

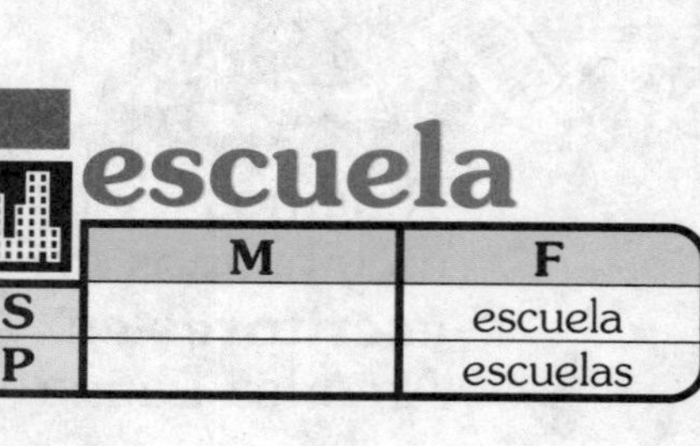

## escuela

| | M | F |
|---|---|---|
| S | | escuela |
| P | | escuelas |

Los niños van a la **escuela** para educarse y aprender.

## escultura

| | M | F |
|---|---|---|
| S | | escultura |
| P | | esculturas |

Arte de modelar o tallar una figura.

Miguel Angel cultivó la pintura y la **escultura**.

Figura modelada o tallada.

El próximo domingo visitaremos el Parque de las **Esculturas**.

## escupir

| Pasado | Presente | Futuro |
|---|---|---|
| escupí | escupo | escupiré |

Tirar saliva por la boca.

No **escupas** en el suelo.

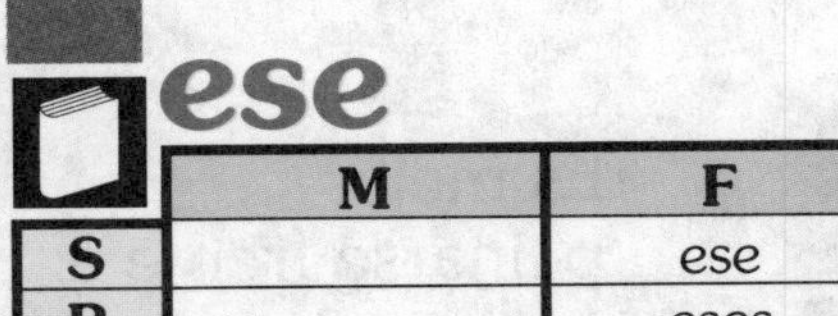

## ese

| | M | F |
|---|---|---|
| S | | ese |
| P | | eses |

Nombre de la letra **s** y del sonido que representa.

¿Sabes tú la diferencia que hay entre coser con **ese** y cocer con ce?

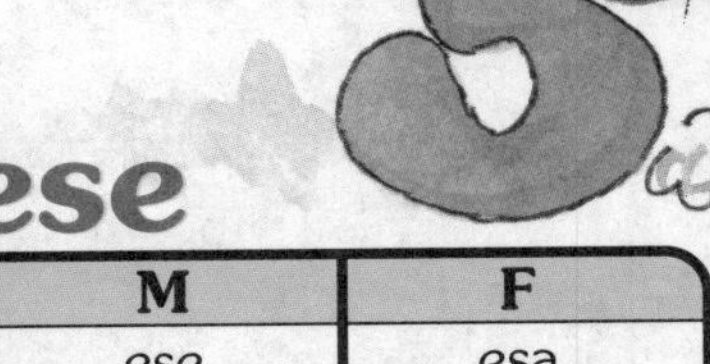

## ese

| | M | F |
|---|---|---|
| S | ese | esa |
| P | esos | esas |

Pásame **ese** libro, por favor.

Ya vienen **ésos**.

También se dice **eso** para referirse a algo que ya ha sido mencionado.

Quiero un poco de **eso**.

## esfera

| | M | F |
|---|---|---|
| S | | esfera |
| P | | esferas |

La Tierra tiene casi la forma de una **esfera**.

## espalda

| | M | F |
|---|---|---|
| S | | espalda |
| P | | espaldas |

Lleva un saco de materiales a la **espalda**.

La chaqueta tiene la **espalda** arrugada.

## espejo

| | M | F |
|---|---|---|
| S | espejo | |
| P | espejos | |

Es mejor peinarse frente a un **espejo**.

## esponja

| | M | F |
|---|---|---|
| S | | esponja |
| P | | esponjas |

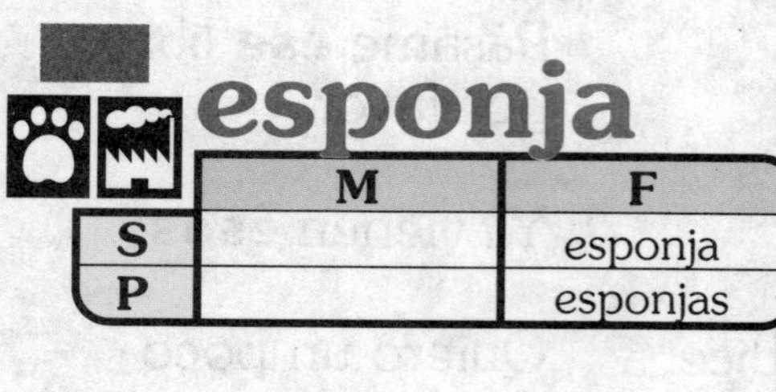

Las **esponjas** pueden ser naturales o sintéticas y sirven para limpiar.

## esqueleto

| | M | F |
|---|---|---|
| S | esqueleto | |
| P | esqueletos | |

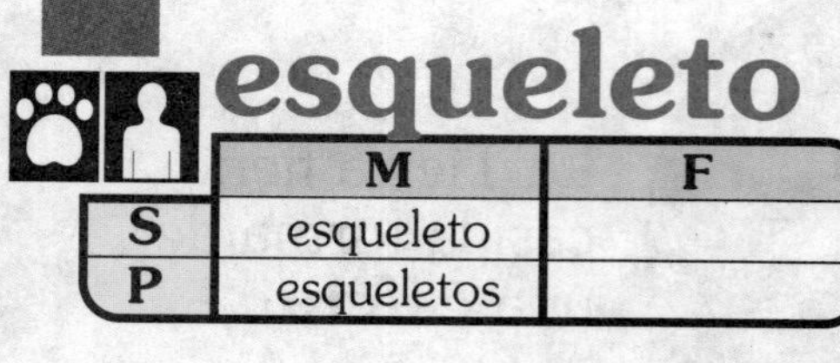

El **esqueleto** es propio de los seres vertebrados.

## esquí

| | M | F |
|---|---|---|
| S | esquí | |
| P | esquíes | |

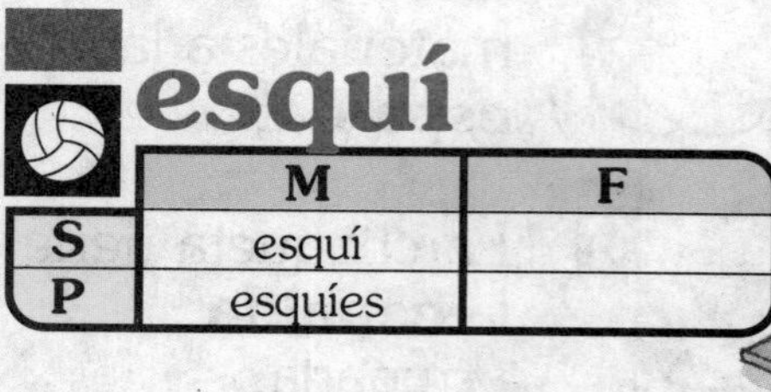

Necesito un buen par de **esquíes** para deslizarme en la nieve.

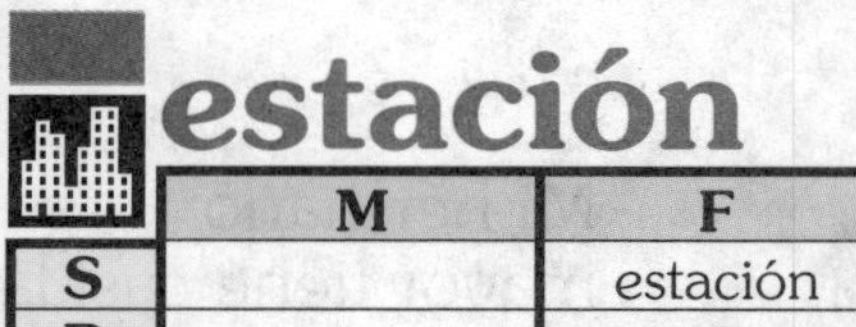

## estación

| | M | F |
|---|---|---|
| S | | estación |
| P | | estaciones |

Lugar en que la gente acostumbra detenerse cuando viaja.

Nos encontramos en una de las **estaciones** del tren.

Lugar desde el que se transmiten las señales de radio o de televisión.

Me gustan las **estaciones** que transmiten buenos programas.

Cada uno de los cuatro períodos de clima diferente en que se divide el año.

Las **estaciones** del año son: verano, otoño, invierno y primavera.

## estadio

| | M | F |
|---|---|---|
| S | estadio | |
| P | estadios | |

El **estadio** estaba lleno de público.

## estante

| | M | F |
|---|---|---|
| S | estante | |
| P | estantes | |

En el **estante** de la sala hay varios libros.

## estar

| Pasado | Presente | Futuro |
|---|---|---|
| estuve | estoy | estaré |

Encontrarse alguien o algo en cierta condición o situación.

Tenemos que apresurarnos, porque **estamos** atrasados.

El día **está** nublado.

## estatura

| | M | F |
|---|---|---|
| S | | estatura |
| P | | estaturas |

Mi hermano mayor tiene casi la **estatura** de mi papá.

## este

| | M | F |
|---|---|---|
| S | este | esta |
| P | estos | estas |

Que está muy cercano o próximo a mí, en el espacio o en el tiempo.

También digo **esto** para referirme a algo que está muy cercano a mí.

Te voy a prestar **este** libro.

De los dos prefiero **éste**.

**Esto** es un diccionario.

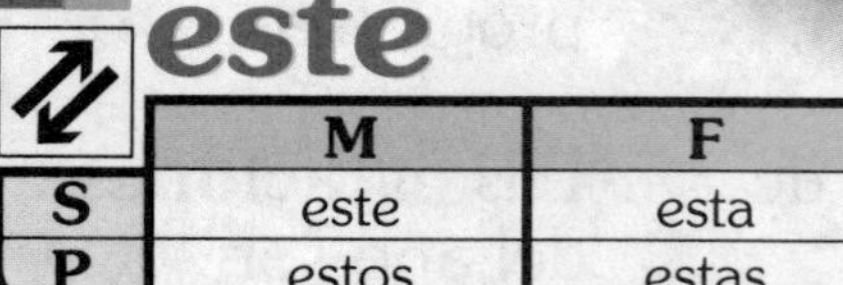

## estómago

| | M | F |
|---|---|---|
| S | estómago | |
| P | estómagos | |

La digestión de los alimentos se hace en el **estómago**.

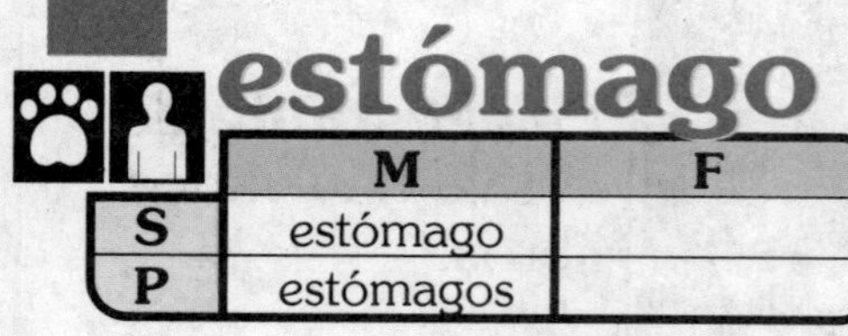


## estornudar

| Pasado | Presente | Futuro |
|---|---|---|
| estornudé | estornudo | estornudaré |

El polvo de la habitación me hace **estornudar**.

## estrecho

| | M | F |
|---|---|---|
| S | estrecho | estrecha |
| P | estrechos | estrechas |

Como has crecido tanto, la camisa te queda **estrecha**.

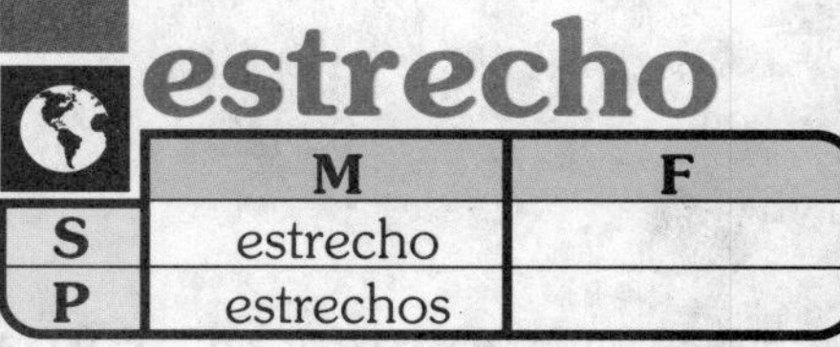

## estrecho

| | M | F |
|---|---|---|
| S | estrecho | |
| P | estrechos | |

El **estrecho** de Gibraltar une el mar Mediterráneo con el océano Atlántico.

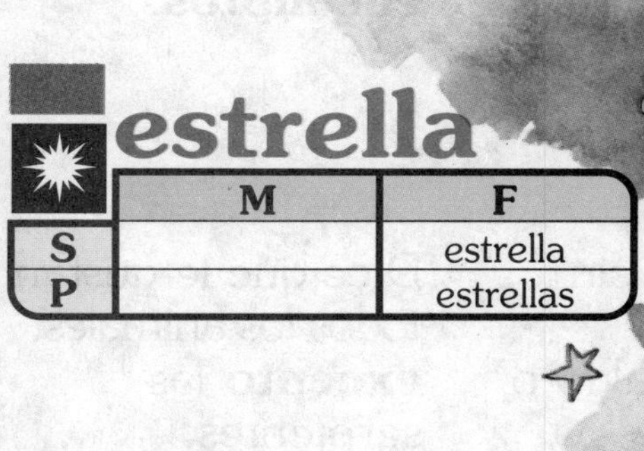

## estrella

| | M | F |
|---|---|---|
| S | | estrella |
| P | | estrellas |

En las noches sin nubes el cielo se ve lleno de **estrellas**.

Las **estrellas** del circo hacían acrobacias en el trapecio.

## estudiante

| | M | F |
|---|---|---|
| S | estudiante | |
| P | estudiantes | |

Persona que estudia en algún establecimiento de enseñanza.

Para ser un buen **estudiante** hay que ser disciplinado.

## estudiar

| Pasado | Presente | Futuro |
|---|---|---|
| estudié | estudio | estudiaré |

Aplicar la inteligencia y la memoria para aprender algo.

Todavía me falta **estudiar** muchas materias.

## estufa

| | M | F |
|---|---|---|
| S | | estufa |
| P | | estufas |

La **estufa** sirve para calentar las habitaciones en el invierno.

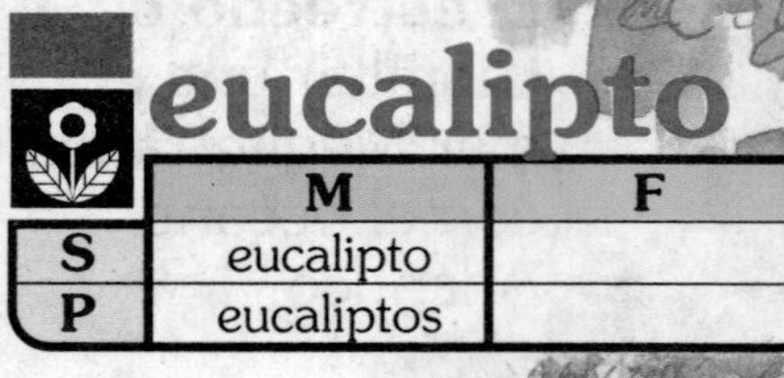

## eucalipto

| | M | F |
|---|---|---|
| S | eucalipto | |
| P | eucaliptos | |

Sentimos el aroma del bosque de **eucaliptos**.

## adv. excepto

• Fuera de, sin incluir o considerar algo o a alguien.

Dice que le gustan todos los animales, **excepto** las serpientes.

## explicar

| Pasado | Presente | Futuro |
|---|---|---|
| expliqué | explico | explicaré |

Dar a conocer algo de modo claro y preciso para que sea bien entendido.

El profesor nos estuvo **explicando** la manera como se produce la lluvia.

## explorador

| | M | F |
|---|---|---|
| S | explorador | exploradora |
| P | exploradores | exploradoras |

Los **exploradores** se internaron en la selva.

| A | B | C | CH | D | E | F | G | H | I |
|---|---|---|---|---|---|---|---|---|---|
| J | K | L | LL | M | N | Ñ | O | P | Q |
| R | S | T | U | V | W | X | Y | Z | |

## falda

| | M | F |
|---|---|---|
| S | | falda |
| P | | faldas |

A mi prima le gusta más usar **faldas** que pantalones.

## familia

| | M | F |
|---|---|---|
| S | | familia |
| P | | familias |

En esta fotografía aparece toda mi **familia**: mi papá, mi mamá, mis hermanos y yo.

## fantasma

| | M | F |
|---|---|---|
| S | fantasma | |
| P | fantasmas | |

Nos reíamos del **fantasma** que aparecía en la televisión.

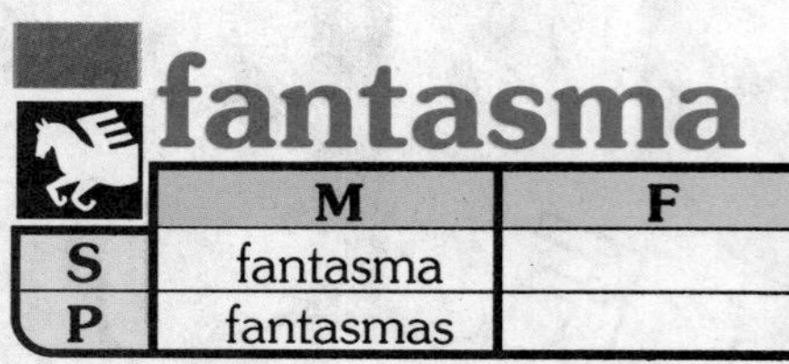

## farmacia

| | M | F |
|---|---|---|
| S | | farmacia |
| P | | farmacias |

Establecimiento en que se venden remedios y otros artículos para la salud.

Fui a la **farmacia** a comprar pastillas para la tos.

## fatiga

| | M | F |
|---|---|---|
| S | | fatiga |
| P | | fatigas |

Cansancio muy grande.

Ese señor parecía tener **fatiga** después de la caminata.

## fauna

| | M | F |
|---|---|---|
| S | | fauna |
| P | | faunas |

Muchos animales de la **fauna** silvestre se están extinguiendo.

## felino

| | M | F |
|---|---|---|
| S | felino | |
| P | felinos | |

Entre los **felinos** más conocidos están el tigre, el león y el gato.

## feo

| | M | F |
|---|---|---|
| S | feo | fea |
| P | feos | feas |

Que por su aspecto resulta desagradable a los sentidos.

¡Qué **fea** es una playa contaminada con desperdicios!

## feria

| | M | F |
|---|---|---|
| S | | feria |
| P | | ferias |

Fuimos a la **feria** a comprar frutas y verduras.

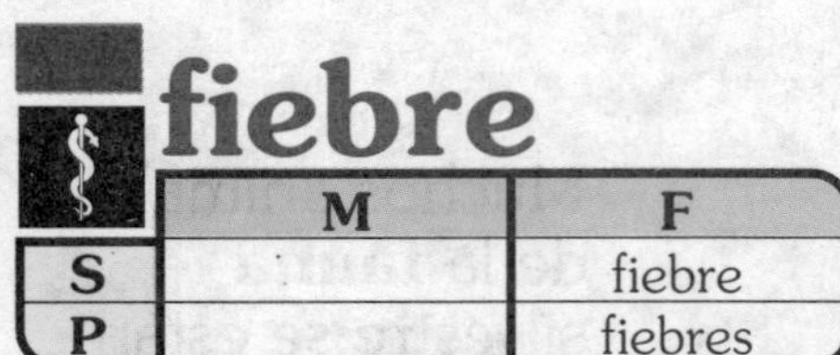

## fiebre

| | M | F |
|---|---|---|
| S | | fiebre |
| P | | fiebres |

Calor excesivo en el cuerpo a causa de una enfermedad.

La gripe produce, a veces, **fiebre**.

## fiel

| | M | F |
|---|---|---|
| S | fiel | |
| P | fieles | |

El perro es un **fiel** amigo de su amo.

## fiera

| | M | F |
|---|---|---|
| S | | fiera |
| P | | fieras |

¡Qué lindo es el espectáculo de los circos de **fieras**!

## fierro

| | M | F |
|---|---|---|
| S | fierro | |
| P | fierros | |

Hierro.

El **fierro** es un metal muy útil y muy abundante en nuestro planeta.

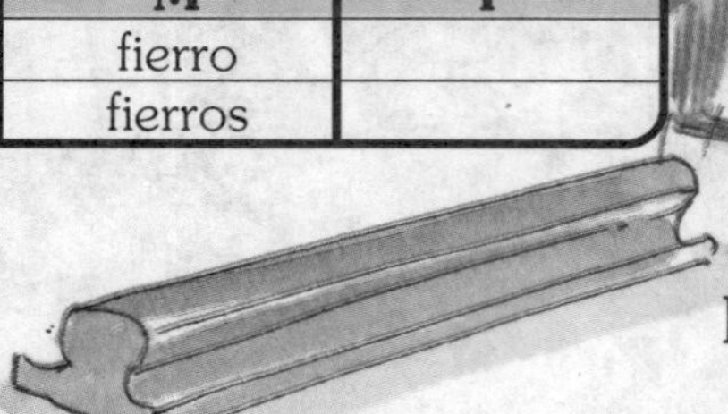

Los rieles del ferrocarril son de **fierro**.

## fiesta

| | M | F |
|---|---|---|
| S | | fiesta |
| P | | fiestas |

Tu **fiesta** de cumpleaños se celebró con una gran torta.

## filo

| | M | F |
|---|---|---|
| S | filo | |
| P | filos | |

Borde afilado o muy delgado.

¡Cuidado con el **filo** del cuchillo!

## filtro

| | M | F |
|---|---|---|
| S | filtro | |
| P | filtros | |

Los autos tienen un **filtro** de aire que impide que entren partículas al motor.

## flan

| | M | F |
|---|---|---|
| S | flan | |
| P | flanes | |

El **flan** de vainilla es un postre muy rico.

## flauta

| | M | F |
|---|---|---|
| S | | flauta |
| P | | flautas |

Mi hermano mayor toca la **flauta** en la orquesta del colegio.

## flor

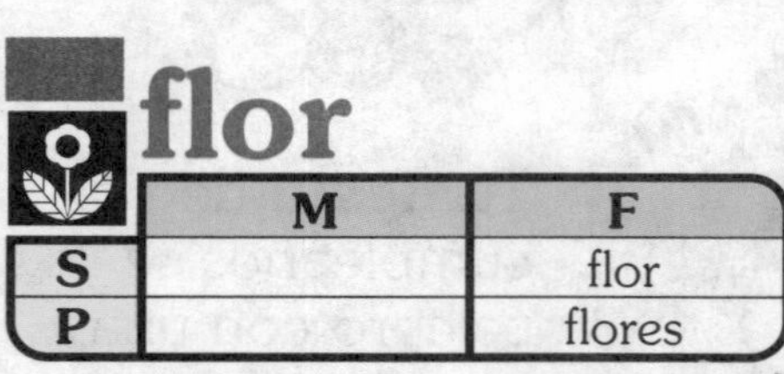

| | M | F |
|---|---|---|
| S | | flor |
| P | | flores |

La primavera es la estación de las **flores**.

## flora

| | M | F |
|---|---|---|
| S | | flora |
| P | | floras |

No hagamos fuego en el bosque. Protejamos la **flora** silvestre.

## florero

| | M | F |
|---|---|---|
| S | florero | |
| P | floreros | |

No te olvides de cambiarle el agua al **florero**.

## flotador

| | M | F |
|---|---|---|
| S | flotador | |
| P | flotadores | |

Te aconsejo que uses un **flotador** en la piscina.

## forro

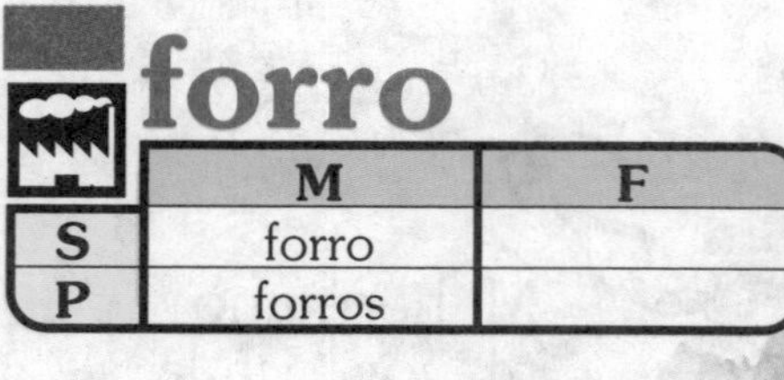

| | M | F |
|---|---|---|
| S | forro | |
| P | forros | |

Todos mis cuadernos tienen **forros** azules.

Se me descosió el **forro** de la chaqueta.

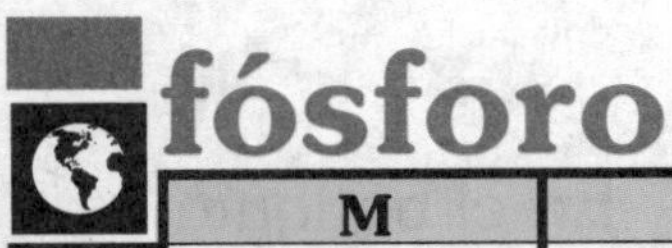

## fósforo

| | M | F |
|---|---|---|
| S | fósforo | |
| P | fósforos | |

El **fósforo** es una sustancia blanquecina que arde en contacto con el aire.

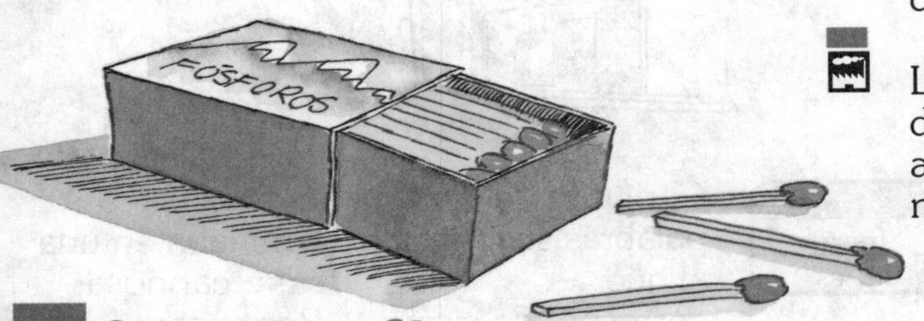


Los **fósforos** no deben dejarse al alcance de los niños.

## fotografía

| | M | F |
|---|---|---|
| S | | fotografía |
| P | | fotografías |

Arte de fotografiar.

Mi papá es muy aficionado a la **fotografía**.

Estampa que se obtiene al fotografiar.

Cuando fuimos al campo sacamos lindas **fotografías**.

## fotografiar

| Pasado | Presente | Futuro |
|---|---|---|
| fotografié | fotografío | fotografiaré |

Me gustaría **fotografiar** a mis primos.

## fragancia

| | M | F |
|---|---|---|
| S | | fragancia |
| P | | fragancias |

• Aroma, olor agradable.

En el jardín se respiraba la **fragancia** de los jazmines.

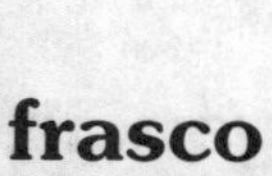

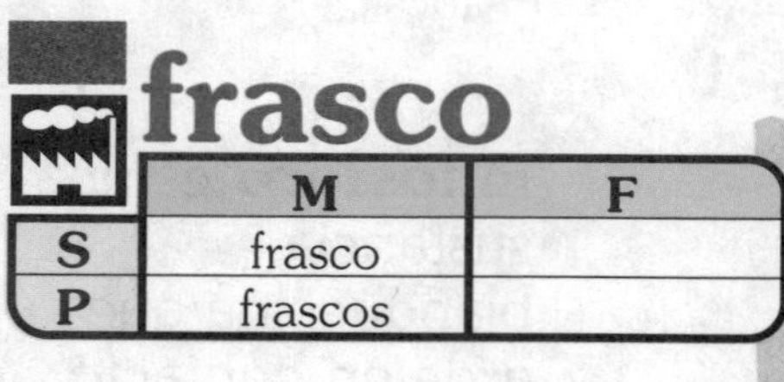

## frasco

| | M | F |
|---|---|---|
| S | frasco | |
| P | frascos | |

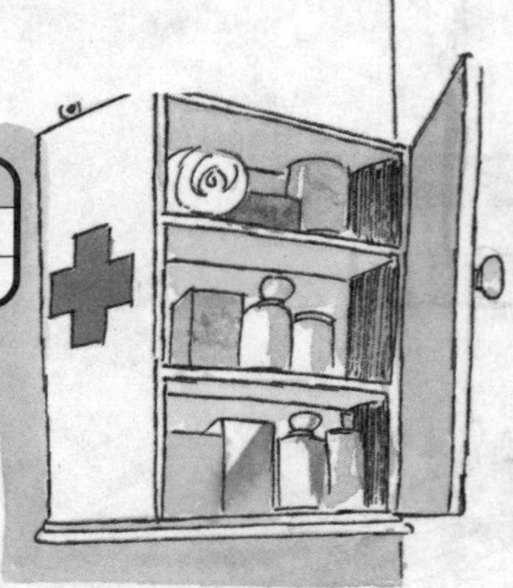

En el botiquín hay varios **frascos** de remedios.

## frase

| | M | F |
|---|---|---|
| S | | frase |
| P | | frases |

Conjunto de palabras sucesivas al que corresponde cierto significado.

La carta terminaba en una **frase** cariñosa: "Besos para todos".

## freír

| Pasado | Presente | Futuro |
|---|---|---|
| freí | frío | freiré |

Pásame, por favor, la sartén para **freír** el pescado.

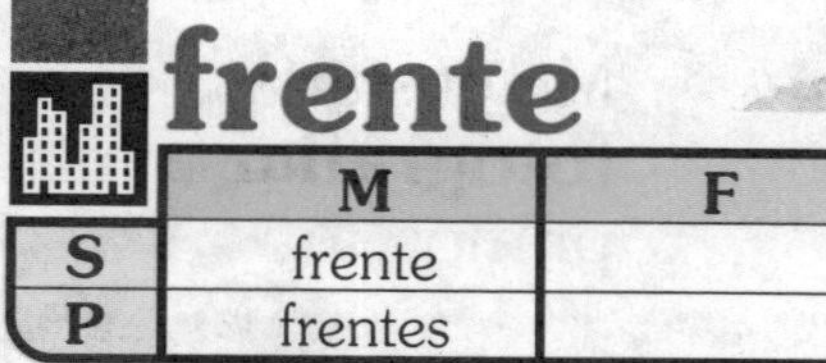

## frente

| | M | F |
|---|---|---|
| S | frente | |
| P | frentes | |

Acaban de pintar el **frente** de la casa.

## frente

| | M | F |
|---|---|---|
| S | | frente |
| P | | frentes |

Con el peinado que usas, apenas se te ve la **frente**.

## frío

| | M | F |
|---|---|---|
| S | frío | fría |
| P | fríos | frías |

De muy baja temperatura.

Las noches de invierno estaban cada vez más **frías**.

Poco afectuoso, poco cariñoso.

El saludo entre los vecinos era más bien **frío**.

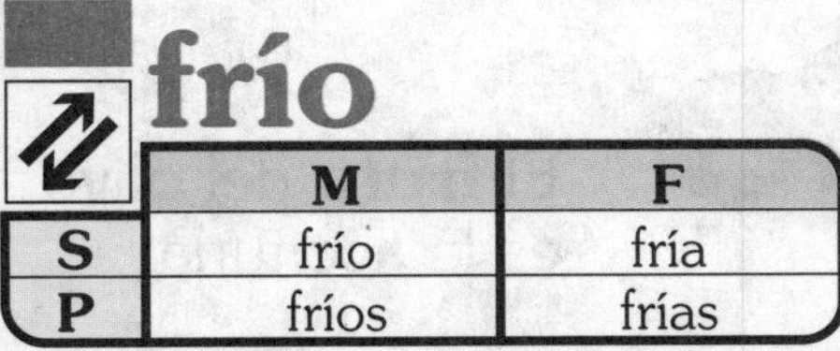

## frío

| | M | F |
|---|---|---|
| S | frío | |
| P | fríos | |

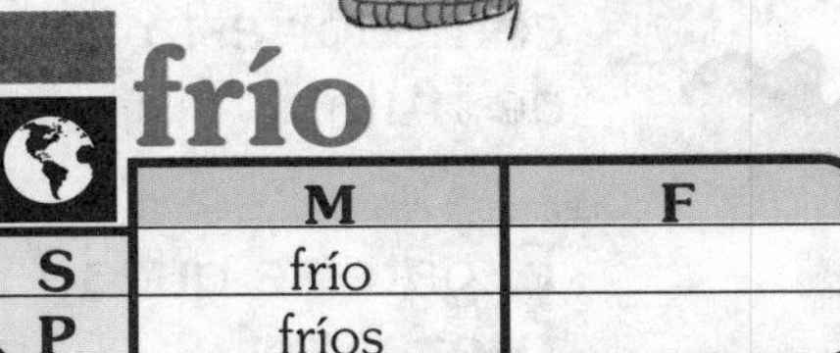

Llevó ropa gruesa para protegerse de los **fríos** de la cordillera.

## frutería

| | M | F |
|---|---|---|
| S | | frutería |
| P | | fruterías |

Local destinado a la venta de frutas.

Compré manzanas, peras y kiwis en la **frutería**.

## frutilla

| | M | F |
|---|---|---|
| S | | frutilla |
| P | | frutillas |

Fuimos de excursión a un cerro lleno de **frutillas** silvestres.

## fruto

| | M | F |
|---|---|---|
| S | fruto | |
| P | frutos | |

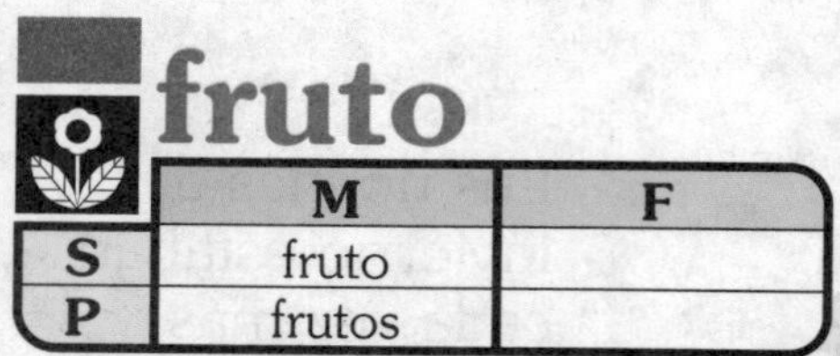

El **fruto** del olivo es la aceituna.

## fuente

| | M | F |
|---|---|---|
| S | | fuente |
| P | | fuentes |

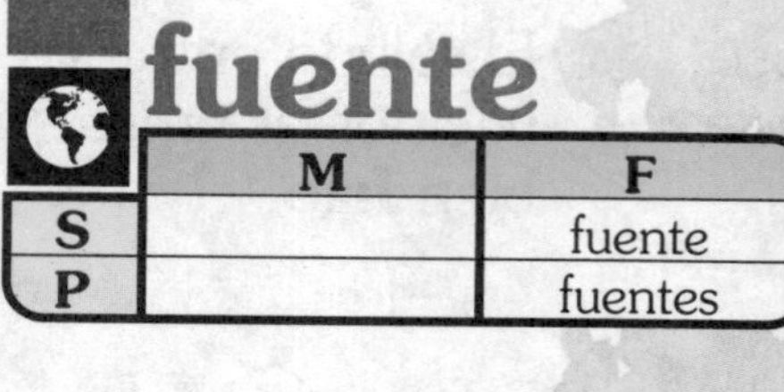

Fuimos a beber a una **fuente** que hay en el cerro.

La **fuente** del comedor está llena de fruta.

## adv. fuera

• Afuera.

El gato se quedó **fuera**.

No dejes tus lápices **fuera** del estuche.

## adv. fuera de

• Con la excepción de.

Todos los planetas conocidos, **fuera de** la Tierra, son inhabitables.

• Excluido de.

Esta tarea está **fuera de** programa.

## fundo

| | M | F |
|---|---|---|
| S | fundo | |
| P | fundos | |

• Hacienda, finca, estancia.

En el campo hay muchos **fundos**.

| A | B | C | CH | D | E | F | G | H | I |
|---|---|---|---|---|---|---|---|---|---|
| J | K | L | LL | M | N | Ñ | O | P | Q |
| R | S | T | U | V | W | X | Y | Z | |

## gallo

| | M | F |
|---|---|---|
| S | gallo | gallina |
| P | gallos | gallinas |

El **gallo** del vecino me despierta con su ¡ki-ki-ri-kí!

Mi **gallina** cacarea cuando pone un huevo.

La cría del **gallo** y la **gallina** es el pollo.

## galpón

| | M | F |
|---|---|---|
| S | galpón | |
| P | galpones | |

El alimento para los animales se guarda en un **galpón**.

## ganso

| | M | F |
|---|---|---|
| S | ganso | gansa |
| P | gansos | gansas |

Los **gansos** avisan con sus graznidos cuando llega a la casa algún extraño.

Persona torpe y algo tonta.

Es muy **gansa** para que la dejen cuidando al bebé.

## garbanzo

| | M | F |
|---|---|---|
| S | garbanzo | |
| P | garbanzos | |

El **garbanzo** es una planta de tallos duros con flores blancas.

De estas flores salen unas vainas, en el interior de las cuales están los **garbanzos**.

## garganta

| | M | F |
|---|---|---|
| S | | garganta |
| P | | gargantas |

Cuando el doctor me examina la **garganta**, tengo que abrir mucho la boca.

Atravesamos por una **garganta** entre las montañas.

## garra

| | M | F |
|---|---|---|
| S | | garra |
| P | | garras |

El gato oculta sus **garras** para caminar.

## gas

| | M | F |
|---|---|---|
| S | gas | |
| P | gases | |

Algunas chimeneas despiden **gases** que contaminan el aire.

## gaseosa

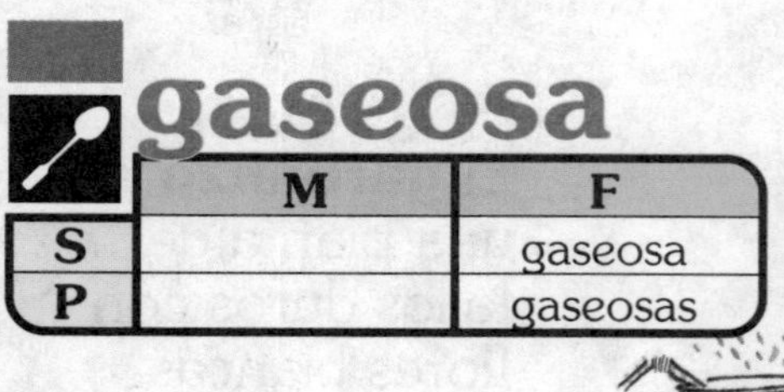

| | M | F |
|---|---|---|
| S | | gaseosa |
| P | | gaseosas |

En la mesa del comedor había tres bebidas **gaseosas**.

## gato

| | M | F |
|---|---|---|
| S | gato | gata |
| P | gatos | gatas |

Cuando tiene hambre, el **gato** maúlla.

## gaviota

| | M | F |
|---|---|---|
| S | | gaviota |
| P | | gaviotas |

Las **gaviotas** volaban sobre la bahía.

## ge

| | M | F |
|---|---|---|
| S | | ge |
| P | | ges |

Nombre de la letra **g** y de los sonidos que representa.

Cirugía se escribe con **ge** y no con jota.

Rugido se pronuncia con **ge** de gente.

## geografía

| | M | F |
|---|---|---|
| S | | Geografía |
| P | | |

Descripción de la Tierra.

En la clase de **geografía** el profesor nos mostró varias islas en el mapa.

## gimnasia

| | M | F |
|---|---|---|
| S | | gimnasia |
| P | | |

Saltamos y corremos en la clase de **gimnasia**.

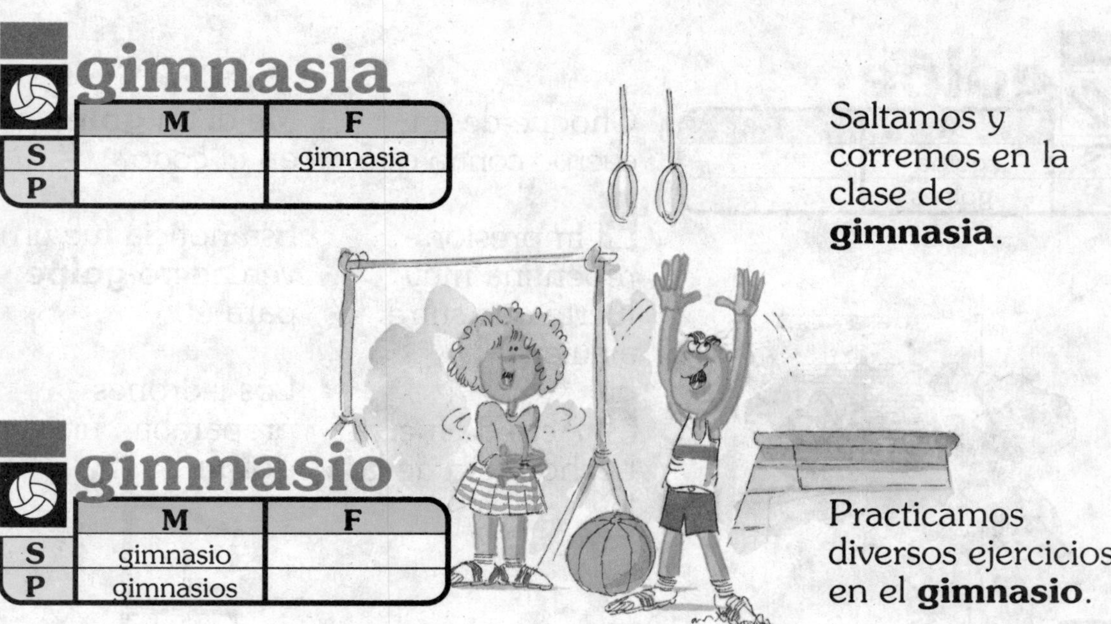

## gimnasio

| | M | F |
|---|---|---|
| S | gimnasio | |
| P | gimnasios | |

Practicamos diversos ejercicios en el **gimnasio**.

## globo

| | M | F |
|---|---|---|
| S | globo | |
| P | globos | |

Había **globos** de colores, sorpresas y torta.

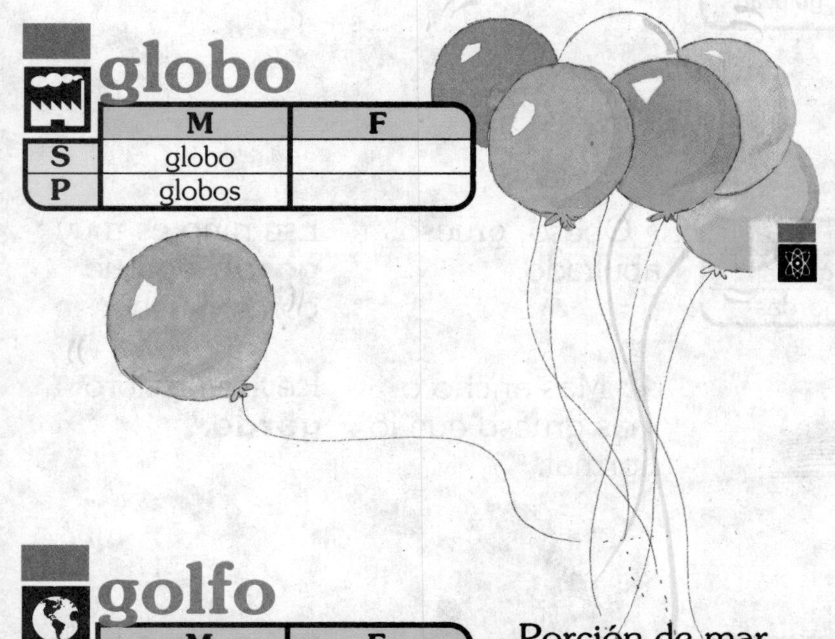

El **globo** fue uno de los primeros inventos para volar.

## golfo

| | M | F |
|---|---|---|
| S | golfo | |
| P | golfos | |

Porción de mar que se interna en la tierra.

El **golfo** de Penas es famoso por sus tormentas.

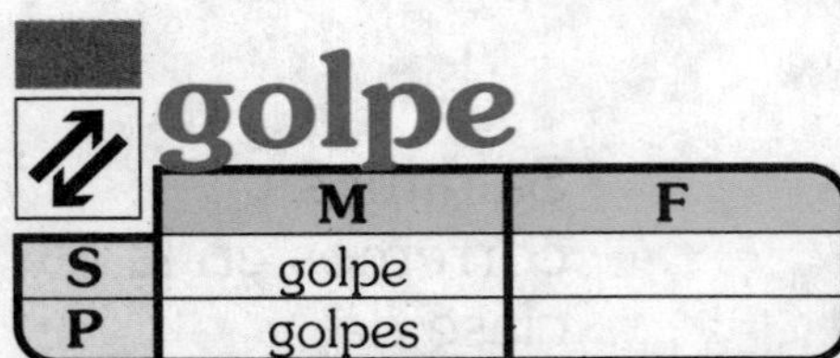

## golpe

| | M | F |
|---|---|---|
| S | golpe | |
| P | golpes | |

Choque de un cuerpo contra otro. — Me di un **golpe** en el codo.

Impresión repentina muy fuerte que sufre alguien. — Esa noticia fue un verdadero **golpe** para él.

Acto de fuerza hecho fuera de la ley. — Los ladrones preparaban un **golpe**.

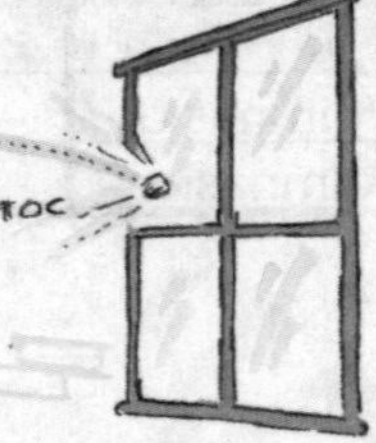


## golpear

| Pasado | Presente | Futuro |
|---|---|---|
| golpeé | golpeo | golpearé |

Dar uno o varios golpes. — La piedra **golpeó** el vidrio.

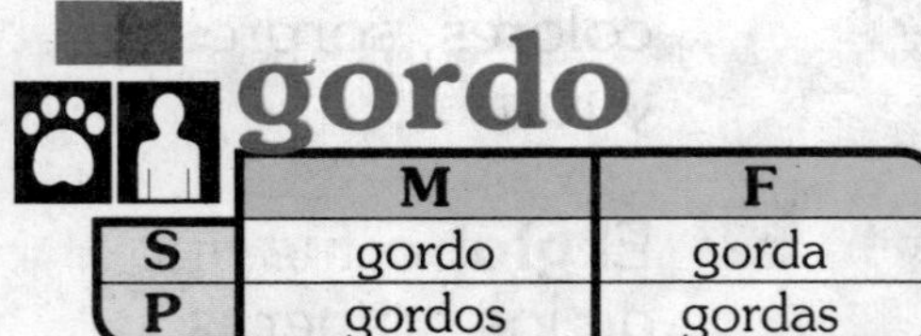

## gordo

| | M | F |
|---|---|---|
| S | gordo | gorda |
| P | gordos | gordas |

• Obeso, grueso, abultado. — Ese niño es muy **gordo** porque come mucho.

Más ancho o más grueso que lo normal. — Revisé un libro **gordo**.

## gorila

| | M | F |
|---|---|---|
| S | gorila | |
| P | gorilas | |

El **gorila** del zoológico es muy grande.

## gorra

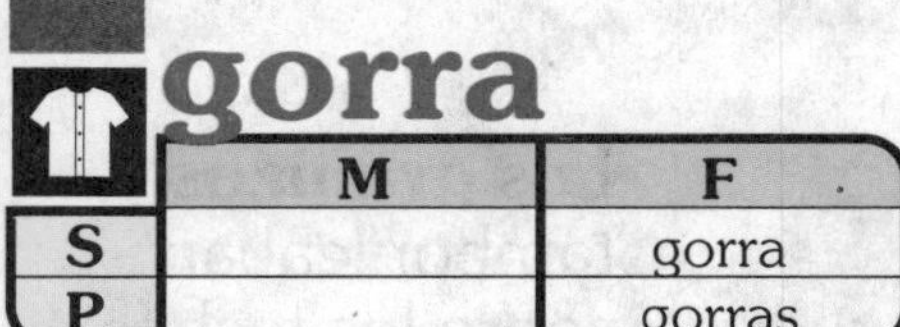

| | M | F |
|---|---|---|
| S | | gorra |
| P | | gorras |

Los policías usan **gorras** con viseras.

## gorro

| | M | F |
|---|---|---|
| S | gorro | |
| P | gorros | |

Un **gorro** de lana es lo mejor para protegerse la cabeza del frío y del viento.

## gota

| | M | F |
|---|---|---|
| S | | gota |
| P | | gotas |

Hay **gotas** de rocío en el pasto.

## grabadora

| | M | F |
|---|---|---|
| S | | grabadora |
| P | | grabadoras |

El detective llevaba una **grabadora**.

## gramo

| | M | F |
|---|---|---|
| S | gramo | |
| P | gramos | |

Milésima parte del kilogramo.

Compré medio kilo, es decir, 500 **gramos** de pan.

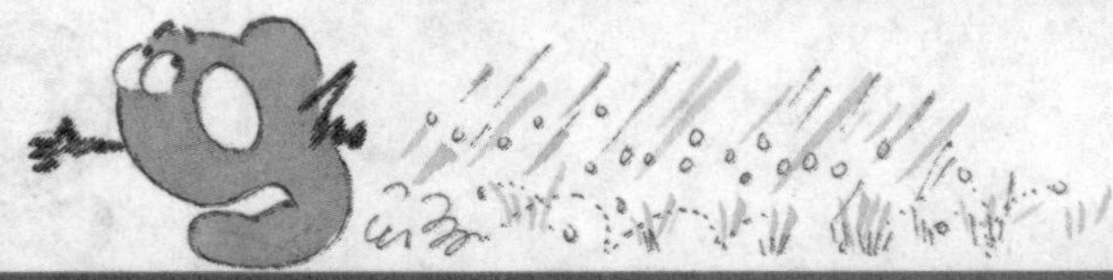

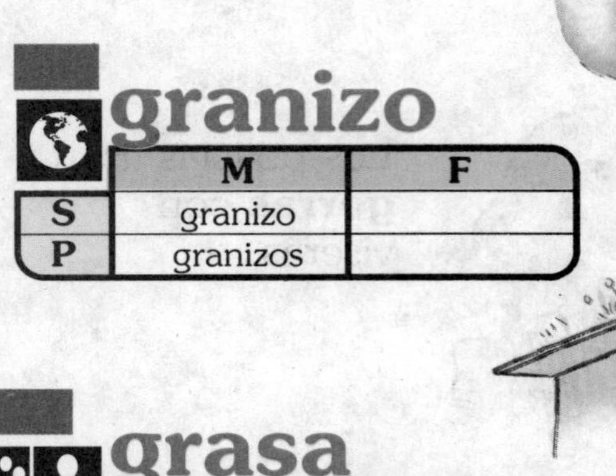

## granizo

| | M | F |
|---|---|---|
| S | granizo | |
| P | granizos | |

Los **granizos** tamborileaban sobre los techos.

## grasa

| | M | F |
|---|---|---|
| S | | grasa |
| P | | grasas |

Materia amarilla y pegajosa que se halla bajo la piel.

Los cerdos tienen mucha **grasa** en el cuerpo.

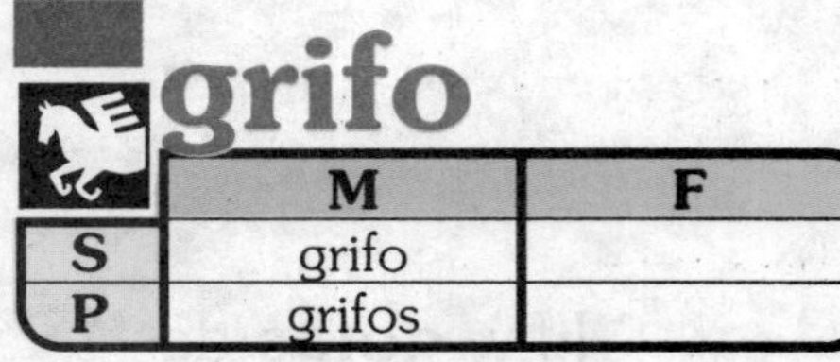

## grifo

| | M | F |
|---|---|---|
| S | grifo | |
| P | grifos | |

Animal mitológico con cabeza de águila y cuerpo de león.

En la antigüedad la gente creía en **grifos** y dragones.

Llave para la salida del agua.

En la esquina de mi casa hay un **grifo** para incendios.

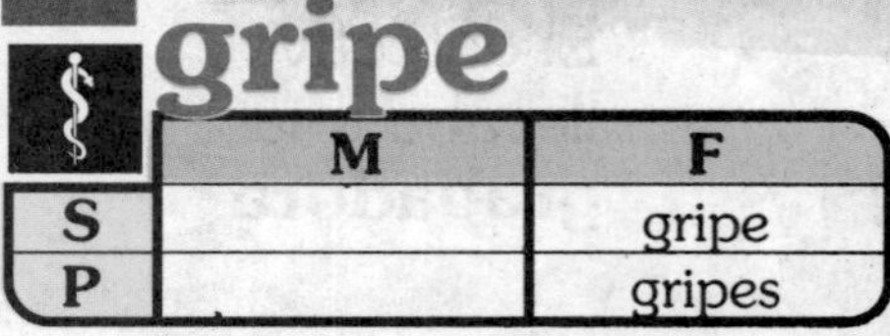

## gripe

| | M | F |
|---|---|---|
| S | | gripe |
| P | | gripes |

Cuídense en el invierno de la epidemia de **gripe**.

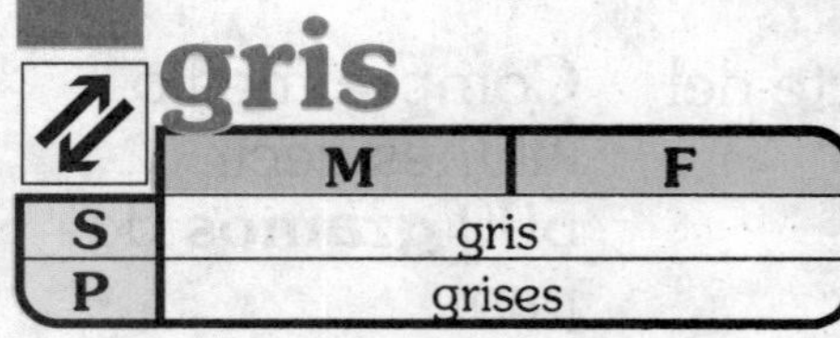

## gris

| | M | F |
|---|---|---|
| S | gris | |
| P | grises | |

El día estaba nublado y el mar se veía **gris**.

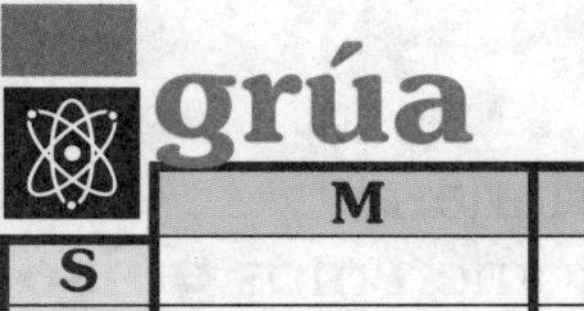

## grúa

| | M | F |
|---|---|---|
| S | | grúa |
| P | | grúas |

Las **grúas** del puerto trasladan la mercadería a los barcos.

## gruñir

| Pasado | Presente | Futuro |
|---|---|---|
| gruñí | gruño | gruñiré |

Emitir gruñidos algunos animales, como el cerdo, el perro, etc.

Mi perro guardián le **gruñe** a la gente que no conoce.

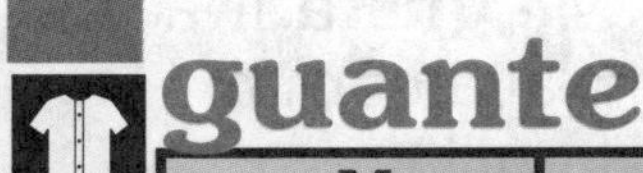

## guante

| | M | F |
|---|---|---|
| S | guante | |
| P | guantes | |

Los **guantes** me protegen las manos del frío.

## guerra

| | M | F |
|---|---|---|
| S | | guerra |
| P | | guerras |

Lucha armada.

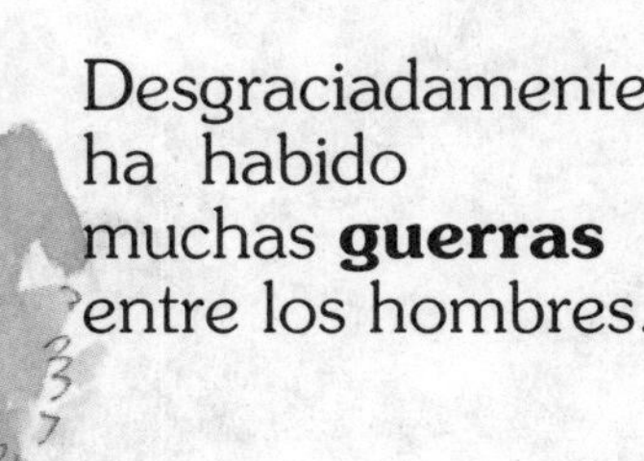

Desgraciadamente ha habido muchas **guerras** entre los hombres.

## guindo

| | M | F |
|---|---|---|
| S | guindo | |
| P | guindos | |

El fruto del **guindo** son las guindas.

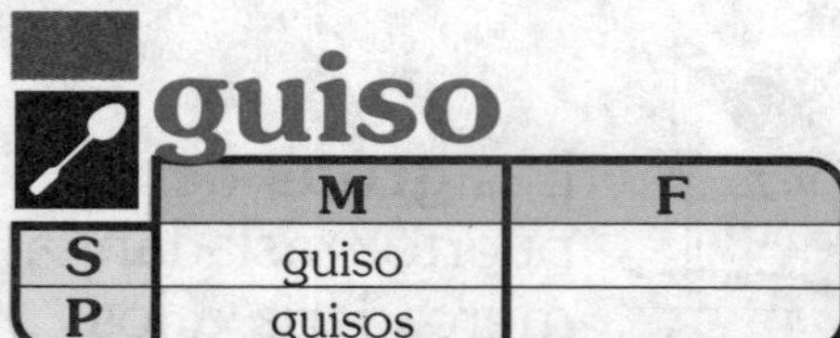

## guiso

| | M | F |
|---|---|---|
| S | guiso | |
| P | guisos | |

Preparación de alimentos cocidos. — Mañana comeremos **guiso** de verduras.

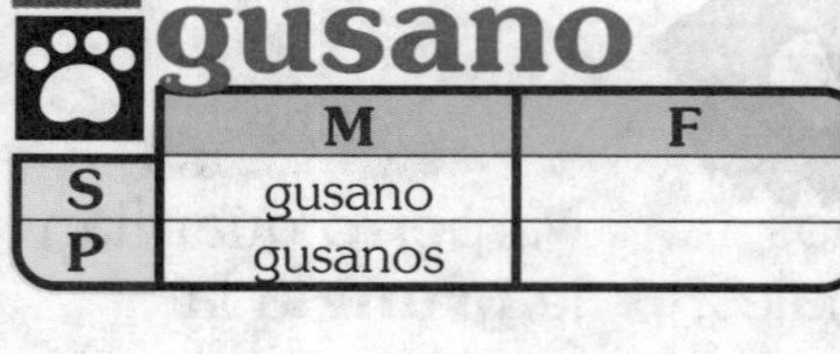

## gusano

| | M | F |
|---|---|---|
| S | gusano | |
| P | gusanos | |

Lombriz pequeña. — Me encontré un **gusano** verde en el maíz.

## gustar

| Pasado | Presente | Futuro |
|---|---|---|
| gusté | gusto | gustaré |

Ser alguien o algo del agrado de uno. — Me **gusta** ir a la playa con mi familia.

## gusto

| | M | F |
|---|---|---|
| S | gusto | |
| P | gustos | |

Sentido del gusto. — El **gusto** está localizado en la lengua.

Sabor de una cosa. — El limón tiene un **gusto** ácido.

Agrado o satisfacción al experimentar o decidir algo. — Ayuda por el **gusto** de hacer el bien.

Capacidad para reconocer la belleza. — Tiene **gusto** para vestirse.

| A | B | C | CH | D | E | F | G | H | I |
|---|---|---|---|---|---|---|---|---|---|
| J | K | L | LL | M | N | Ñ | O | P | Q |
| R | S | T | U | V | W | X | Y | Z | |

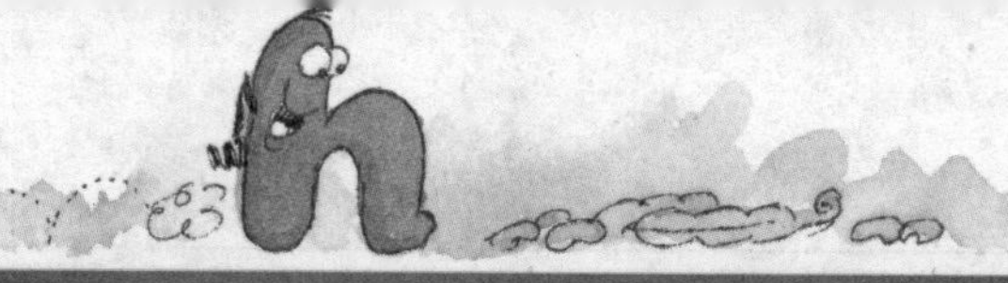

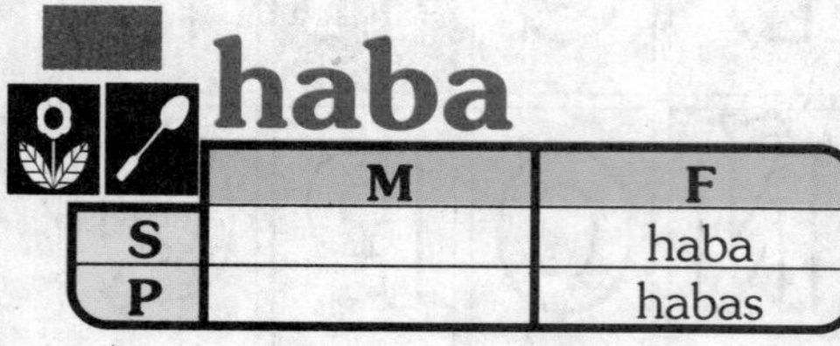

# haba

| | M | F |
|---|---|---|
| S | | haba |
| P | | habas |

Las **habas** tiernas son las mejores.

# haber

| Pasado | Presente | Futuro |
|---|---|---|
| hube | he | habré |

Estar, existir o suceder algo en algún lugar.

**Había** muchos cuadros en las paredes.

Con **de**, más infinitivo, significa ser obligatorio o necesario que algo suceda.

**He** de estudiar más, si quiero mejorar mis notas.

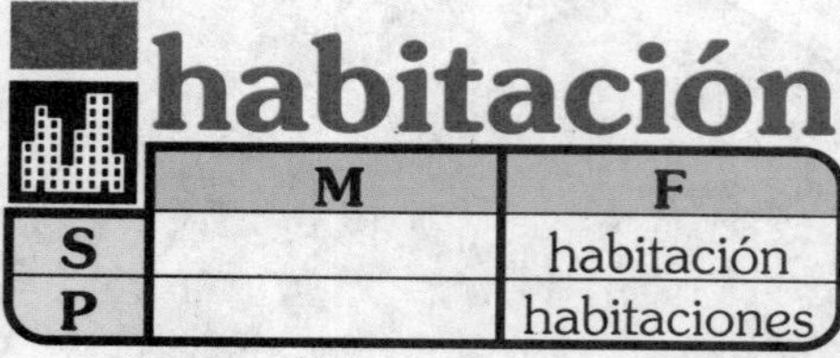

# habitación

| | M | F |
|---|---|---|
| S | | habitación |
| P | | habitaciones |

Cada uno de los lugares cerrados por paredes en que se divide un edificio.

Vivía en un palacio con muchas **habitaciones**.

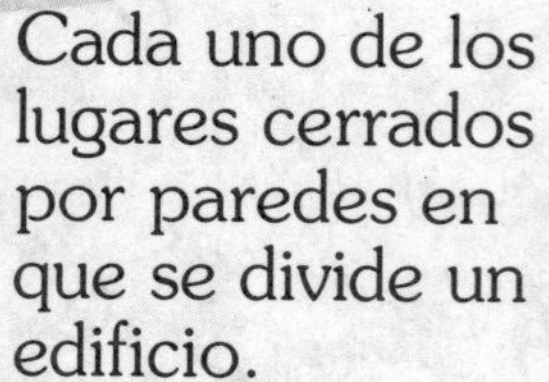

# hablar

| Pasado | Presente | Futuro |
|---|---|---|
| hablé | hablo | hablaré |

Decir lo que uno piensa, quiere o siente por medio de palabras.

**Hablé** con mi profesora para pedirle que me explicara la tarea.

# hacer

| Pasado | Presente | Futuro |
|---|---|---|
| hice | hago | haré |

Dar existencia a algo, creándolo o transformándolo. — Mi papá sabe **hacer** juguetes.

Llevar a cabo una acción. — Estoy **haciendo** mis tareas.

Producir cierto efecto o resultado. — Los payasos **hicieron** reír mucho al público.

# prep. hacia

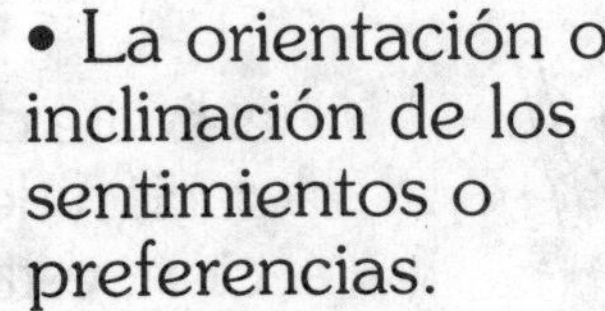

Se usa para indicar:

- La dirección que tiene o lleva un movimiento o el lugar a donde alguien se dirige. — El auto viró **hacia** la derecha. Vamos **hacia** la cordillera.
- La orientación o inclinación de los sentimientos o preferencias. — Creo que tienes una actitud muy generosa **hacia** todo el mundo.
- La cercanía o proximidad de algo en el espacio o en el tiempo. — El monolito queda **hacia** el centro de la ciudad. Las notas se darán **hacia** fines de mes.

# hacienda

| | M | F |
|---|---|---|
| S | | hacienda |
| P | | haciendas |

El tren pasó por una **hacienda** en la que había animales pastando.

## hache

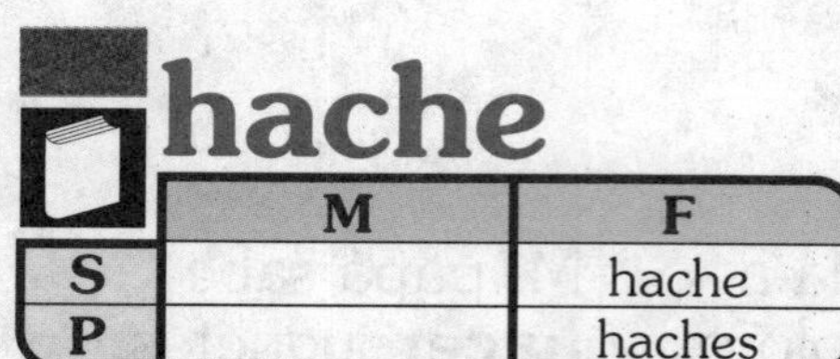

| | M | F |
|---|---|---|
| S | | hache |
| P | | haches |

Nombre de la letra **h**.
Es una letra muda.

Hombre y hembra se escriben con **hache**.

## hada

| | M | F |
|---|---|---|
| S | | hada |
| P | | hadas |

El **hada** madrina vistió a Cenicienta con un vestido de fiesta.

## prep. hasta

Sirve para indicar:

• el límite al que llega alguien o algo.

Caminé **hasta** la puerta.

El auto subió **hasta** que se le fundió el motor.

• el límite de duración de una acción, estado o situación.

Estuve estudiando **hasta** las 10 de la noche.
Permanecimos sentados **hasta** que nos llamó el doctor.

• el límite de una cantidad.

Te puedo prestar **hasta** dos libros.

• la inclusión de alguien o de algo que bien podría faltar.

**Hasta** los abuelos participaron en la carrera.
Se fumigaron **hasta** las plantas de interior.

## hebilla

| | M | F |
|---|---|---|
| S | | hebilla |
| P | | hebillas |

Mi hermana tiene una **hebilla** bien grande en su cinturón.

## hechicero

| | M | F |
|---|---|---|
| S | hechicero | hechicera |
| P | hechiceros | hechiceras |

El **hechicero** de la tribu trataba de sanar al hijo del jefe.

## hediondo

| | M | F |
|---|---|---|
| S | hediondo | hedionda |
| P | hediondos | hediondas |

• Fétido; que tiene mal olor.

El pescado descompuesto es **hediondo**.

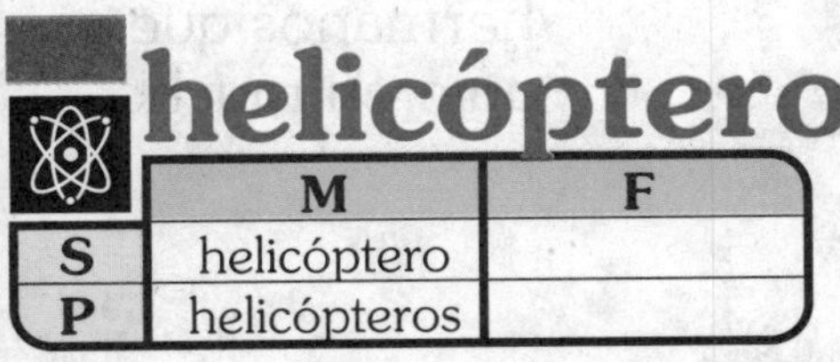

## helicóptero

| | M | F |
|---|---|---|
| S | helicóptero | |
| P | helicópteros | |

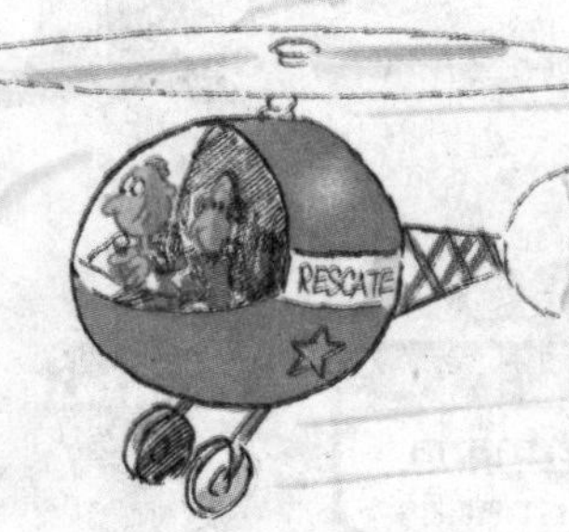


A los escaladores perdidos los rescataron en un **helicóptero**.

## hemisferio

| | M | F |
|---|---|---|
| S | hemisferio | |
| P | hemisferios | |

Los **hemisferios** son las mitades en que se divide la Tierra: norte, sobre la línea del Ecuador y sur, bajo la línea del Ecuador.

## herida

| | M | F |
|---|---|---|
| S | | herida |
| P | | heridas |

Me hice una **herida** en la pierna.

## herido

| | M | F |
|---|---|---|
| S | herido | herida |
| P | heridos | heridas |

El accidente dejó varios **heridos**.

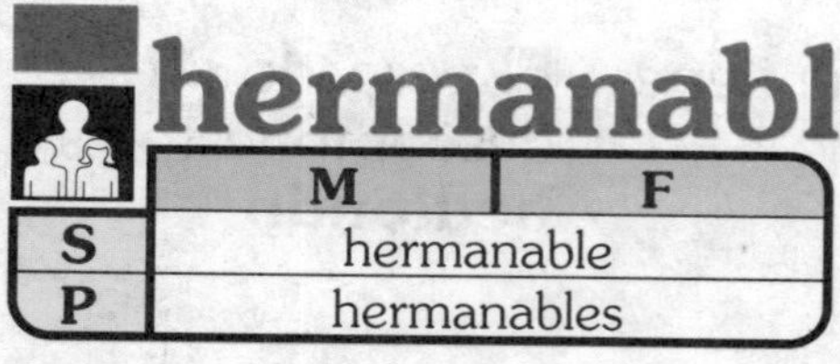

## hermanable

| | M | F |
|---|---|---|
| S | hermanable | |
| P | hermanables | |

En Chile se dice que son **hermanables** los hermanos que se quieren mucho.

## hermano

| | M | F |
|---|---|---|
| S | hermano | hermana |
| P | hermanos | hermanas |

Somos **hermanos**. ¿No ves que somos hijos de los mismos padres?

## hermoso

| | M | F |
|---|---|---|
| S | hermoso | hermosa |
| P | hermosos | hermosas |

• Bello; agradable a los sentidos.

El mar, al atardecer, es un espectáculo realmente **hermoso**.

## hielo

| | M | F |
|---|---|---|
| S | hielo | |
| P | hielos | |

En el mar, cerca de la Antártica, flotan enormes **hielos**.

## hierba

| | M | F |
|---|---|---|
| S | | hierba |
| P | | hierbas |

Me entretengo mirando cómo pastan los animales en la **hierba** de los campos.

## hígado

| | M | F |
|---|---|---|
| S | hígado | |
| P | hígados | |

El **hígado** es un importante órgano de nuestro cuerpo.

## higuera

| | M | F |
|---|---|---|
| S | | higuera |
| P | | higueras |

La **higuera** da dos frutos: los higos y las brevas.

## hijo

| | M | F |
|---|---|---|
| S | hijo | hija |
| P | hijos | hijas |

Padre e **hijo** juegan todos los días.

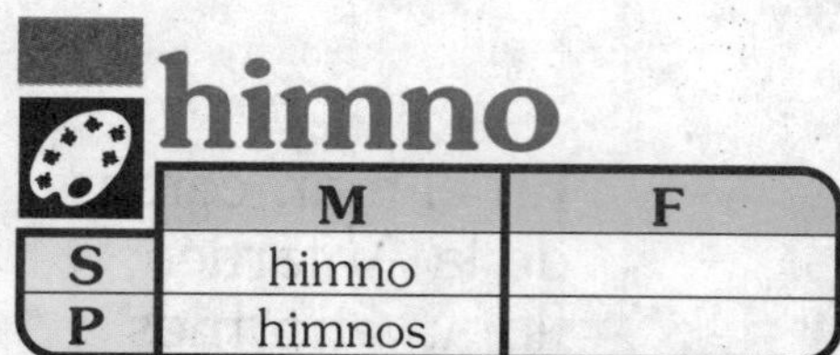

## himno

| | M | F |
|---|---|---|
| S | himno | |
| P | himnos | |

Composición poética de alabanza, hecha para ser cantada.

El acto patriótico comenzó con el **himno** nacional.

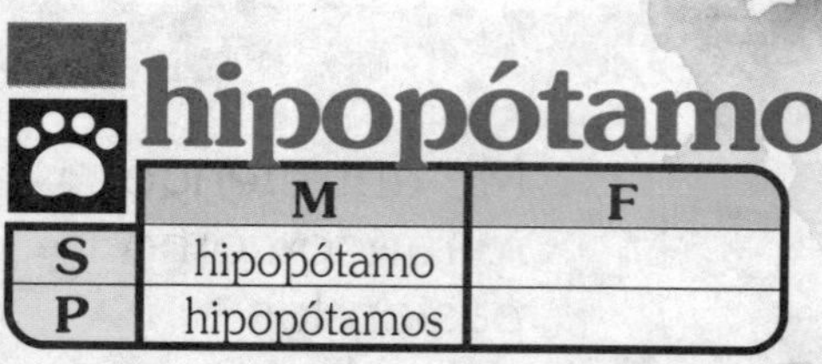

## hipopótamo

| | M | F |
|---|---|---|
| S | hipopótamo | |
| P | hipopótamos | |

Los **hipopótamos** viven la mayor parte del tiempo en el agua.

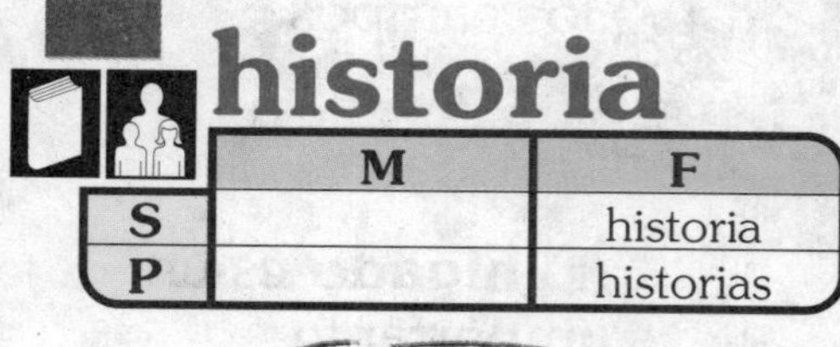

## historia

| | M | F |
|---|---|---|
| S | | historia |
| P | | historias |

Sucesión de hechos de importancia y narración de ellos.

Hay muchas batallas famosas en la **historia** del mundo.

Relato de sucesos inventados.

El abuelo nos contaba **historias** de aventuras.

## hocico

| | M | F |
|---|---|---|
| S | hocico | |
| P | hocicos | |

La gata acarrea a sus hijitos con el **hocico**.

## hogar

| | M | F |
|---|---|---|
| S | hogar | |
| P | hogares | |

Lugar donde vive una familia.

No hay mayor alegría que volver al **hogar**.

interj. **¡hola!**

• Se usa para saludar cuando uno llega a algún lugar.

¡**Hola**, niños! ¡Me da gusto verlos!

**hombre**

• Varón.

| | M | F |
|---|---|---|
| S | hombre | |
| P | hombres | |

Antiguamente sólo los **hombres** proveían de alimentos a la familia.

El **hombre** se diferencia de los animales por la inteligencia y el lenguaje.

**hombro**

| | M | F |
|---|---|---|
| S | hombro | |
| P | hombros | |

Los niños se suben a los **hombros** de sus papás.

**honda**

| | M | F |
|---|---|---|
| S | | honda |
| P | | hondas |

David venció a Goliat con una simple **honda**.

**horizonte**

| | M | F |
|---|---|---|
| S | horizonte | |
| P | horizontes | |

El **horizonte** siempre está lejos.

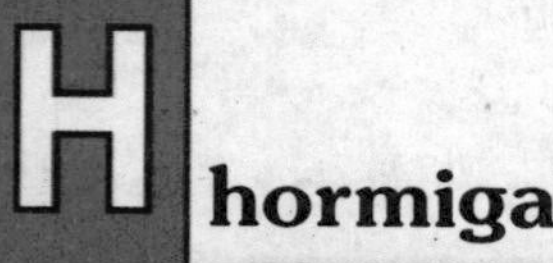

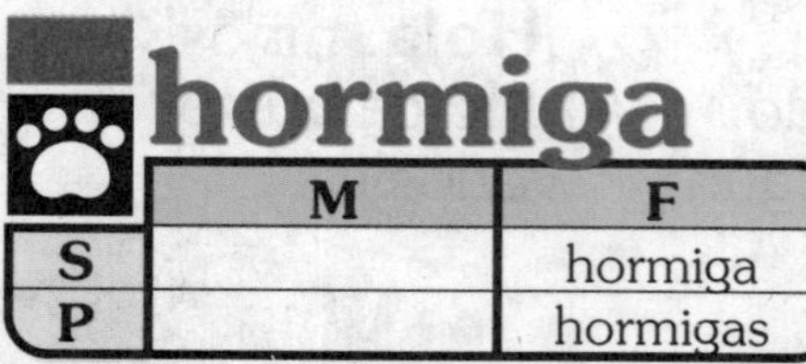

## hormiga

| | M | F |
|---|---|---|
| S | | hormiga |
| P | | hormigas |

La **hormiga** es un insecto muy laborioso.

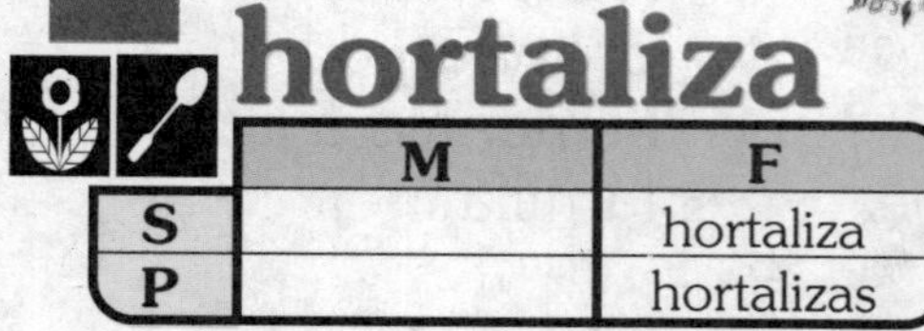

## hortaliza

| | M | F |
|---|---|---|
| S | | hortaliza |
| P | | hortalizas |

Verdura que se cultiva en una huerta.

En la verdulería se vende toda clase de **hortalizas**.

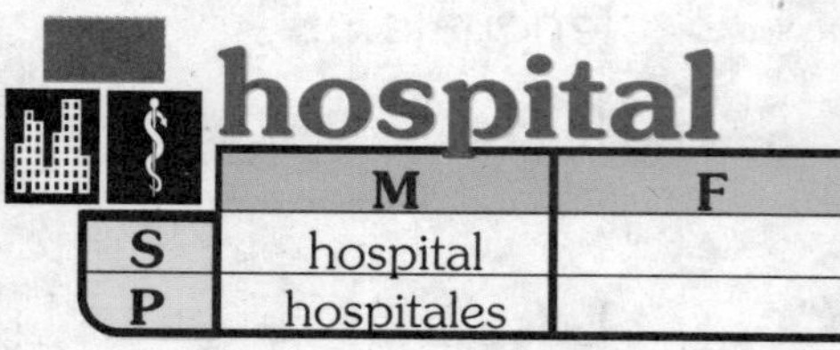

## hospital

| | M | F |
|---|---|---|
| S | hospital | |
| P | hospitales | |

Edificio destinado a la curación y al cuidado de los enfermos y heridos.

Los llevaron en una ambulancia al **hospital**.

## hotel

| | M | F |
|---|---|---|
| S | hotel | |
| P | hoteles | |

Edificio con habitaciones para alojar pasajeros.

En las playas hay **hoteles** y restoranes para los turistas.

adv. **hoy**

Si ayer fue sábado, **hoy** es domingo.

## huerta

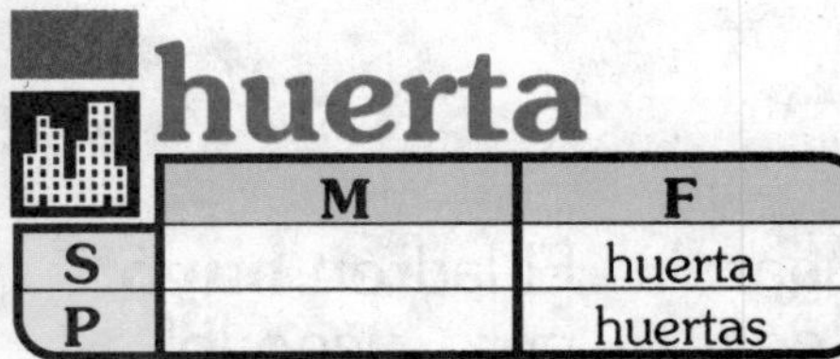

| | M | F |
|---|---|---|
| S | | huerta |
| P | | huertas |

Terreno en que se cultivan hortalizas y también, a veces, árboles frutales.

Estas zanahorias son de la **huerta** de mi abuelo.

## huerto

| | M | F |
|---|---|---|
| S | huerto | |
| P | huertos | |

Huerta pequeña, en que se cultivan especialmente árboles frutales.

Las casas antiguas tenían un **huerto** con manzanos, naranjos, ciruelos, etc.

## hueso

| | M | F |
|---|---|---|
| S | hueso | |
| P | huesos | |

Mi perro se entretiene royendo **huesos**.

## huevo

| | M | F |
|---|---|---|
| S | huevo | |
| P | huevos | |

Las aves, los peces, los reptiles y los anfibios ponen **huevos**.

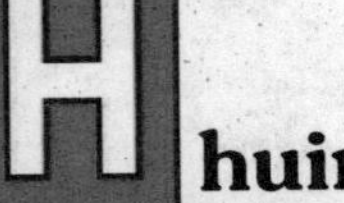

## huir

| Pasado | Presente | Futuro |
|---|---|---|
| huí | huyo | huiré |

Salir de un lugar para librarse de algún mal, molestia o peligro.

El ladrón **huyó**, pero luego lo apresaron.

## humedad

| | M | F |
|---|---|---|
| S | | humedad |
| P | | |

Restos de agua que impregnan un lugar que se había mojado.

Quedó mucha **humedad** en las paredes después de la lluvia.

Vapor de agua que hay en el aire.

El higrómetro es un aparato para medir la **humedad** del aire.

## humedecer

| Pasado | Presente | Futuro |
|---|---|---|
| humedecí | humedezco | humedeceré |

Hay que **humedecer** la ropa reseca antes de plancharla.

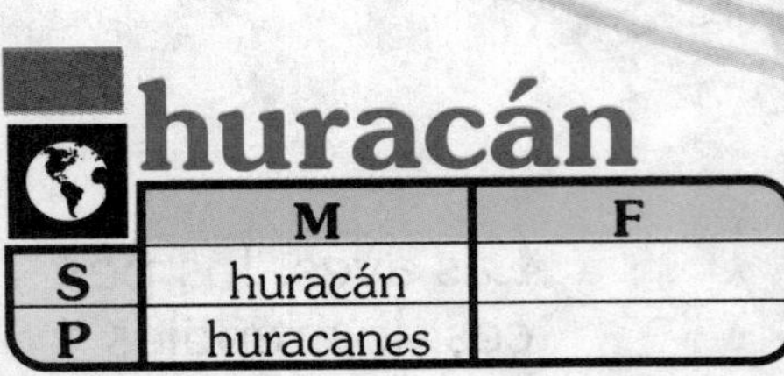

## huracán

| | M | F |
|---|---|---|
| S | huracán | |
| P | huracanes | |

El **huracán** del Caribe arrasaba con las palmeras de la playa.

| A | B | C | CH | D | E | F | G | H | I |
|---|---|---|---|---|---|---|---|---|---|
| J | K | L | LL | M | N | Ñ | O | P | Q |
| R | S | T | U | V | W | X | Y | Z | |

## i

| | M | F |
|---|---|---|
| S | | i |
| P | | íes |

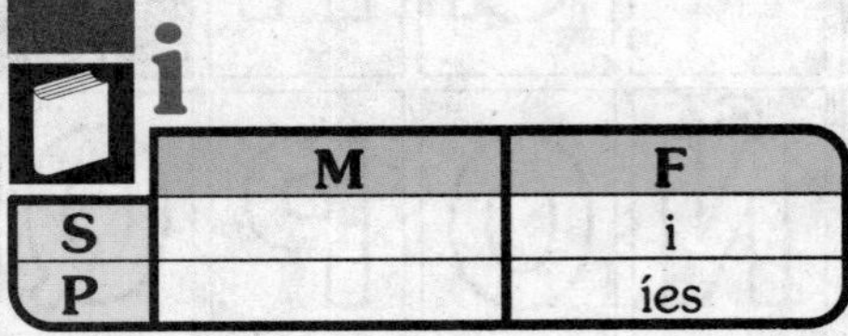

Nombre de la letra **i** y del sonido que representa. (También se la llama i latina para distinguirla de la y, que es la i griega.)

El puntito sobre la **i** se cambia por acento en el plural **íes**.

Maní se pronuncia con acento en la **i**.

## idea

| | M | F |
|---|---|---|
| S | | idea |
| P | | ideas |

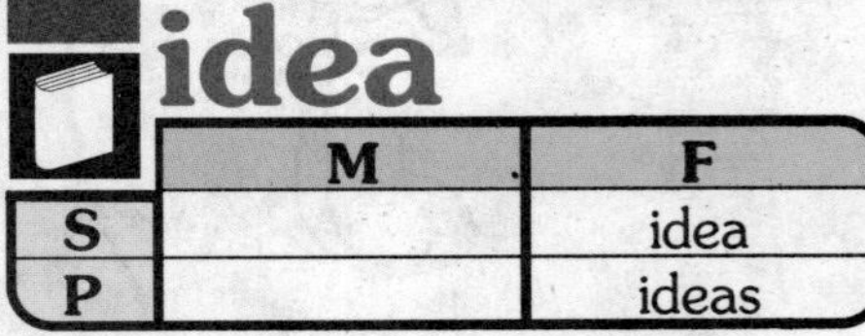

Representación o pensamiento que le viene a uno a la mente.

Tuve la buena **idea** de salir con mi paraguas.

## iglesia

| | M | F |
|---|---|---|
| S | | iglesia |
| P | | iglesias |

Voy a la **iglesia** los domingos.

## ignorante

| | M | F |
|---|---|---|
| S | ignorante | |
| P | ignorantes | |

Que no sabe.

No es bueno que haya gente **ignorante**.

Que no sabe lo que por cultura debiera saber.

Estudio para no ser un **ignorante**.

## imagen

| | M | F |
|---|---|---|
| S | | imagen |
| P | | imágenes |

Representación en la mente de la figura de alguien o algo.

Todavía conservo la **imagen** de mi primer día de clases.

Figura religiosa de Dios o de algún santo.

Sacaron en procesión las **imágenes**.

## imaginar

| Pasado | Presente | Futuro |
|---|---|---|
| imaginé | imagino | imaginaré |

No me cuesta mucho **imaginar** el mar y yo bañándome en él.

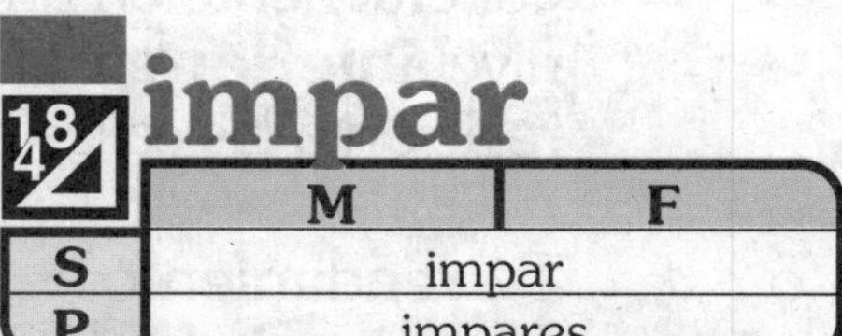

## impar

| | M | F |
|---|---|---|
| S | impar | |
| P | impares | |

Los números **impares** no se pueden dividir exactamente por 2.

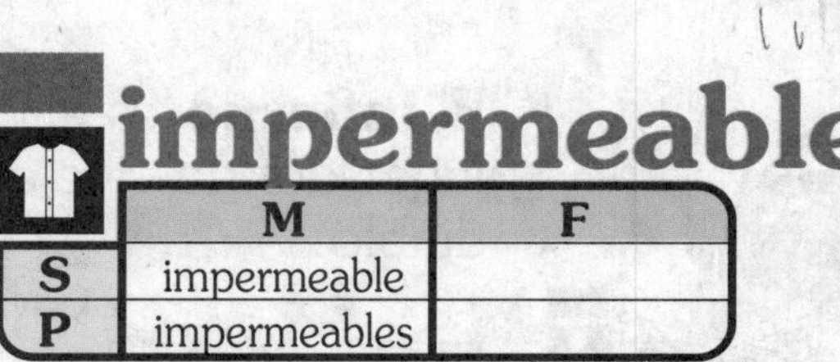

## impermeable

| | M | F |
|---|---|---|
| S | impermeable | |
| P | impermeables | |

Cuando llueve, salgo a la calle con mi **impermeable** gris.

## adv. incluso

• También.

Todos, **incluso** los niños, participarán en la carrera.

## incoloro

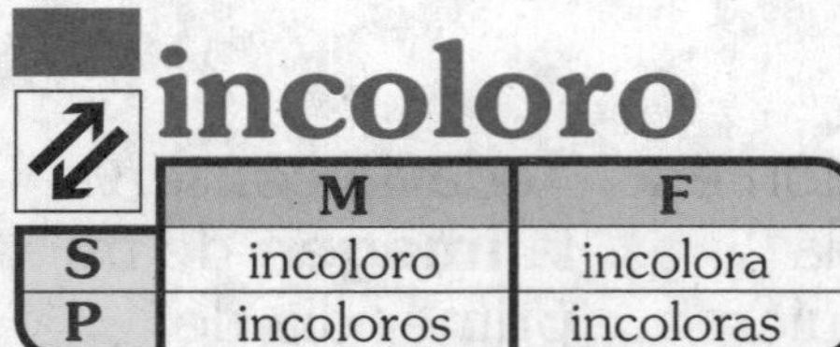

| | M | F |
|---|---|---|
| S | incoloro | incolora |
| P | incoloros | incoloras |

Que no tiene color.

El agua pura es **incolora**.

## infección

| | M | F |
|---|---|---|
| S | | infección |
| P | | infecciones |

Enfermedad con gérmenes que atacan el organismo.

Se hirió el pie y, como no lo cuidó, le vino una **infección**.

## inferior

| | M | F |
|---|---|---|
| S | inferior | |
| P | inferiores | |

Más bajo en altura.

El tren subterráneo se encuentra generalmente en un nivel **inferior** en relación a las calles.

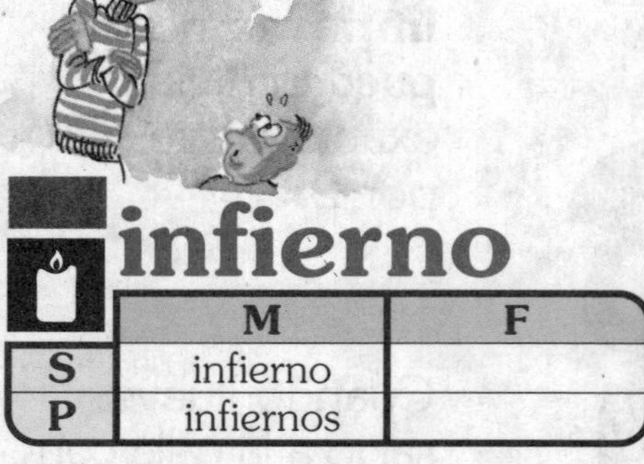

De más baja o peor calidad.

Tú rendimiento era antes **inferior**.

## infierno

| | M | F |
|---|---|---|
| S | infierno | |
| P | infiernos | |

El **infierno** es el lugar donde vive el diablo.

El tránsito suele ser un **infierno**.

## insecto

| | M | F |
|---|---|---|
| S | insecto | |
| P | insectos | |

No todos los **insectos** son dañinos.

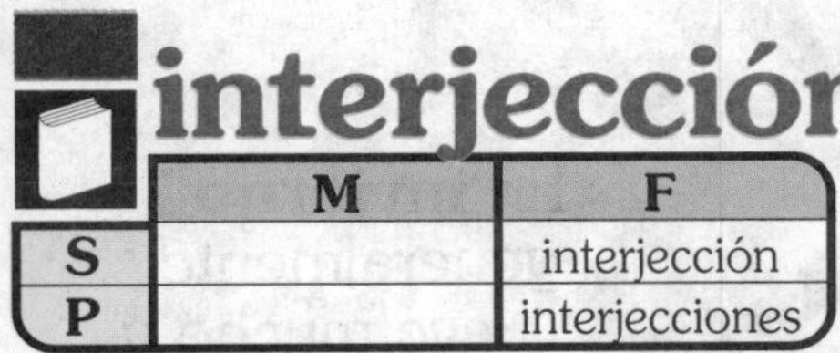

# interjección

| | M | F |
|---|---|---|
| S | | interjección |
| P | | interjecciones |

Palabra con que se expresa una impresión repentina.

Es tan exagerado, que por cualquier cosa lanza tres o cuatro **interjecciones**.

# interruptor

| | M | F |
|---|---|---|
| S | interruptor | |
| P | interruptores | |

Estamos sin luz en la cocina porque se echó a perder el **interruptor**.

# intestino

| | M | F |
|---|---|---|
| S | intestino | |
| P | intestinos | |

Los **intestinos** se encuentran en el vientre y ayudan en la digestión de los alimentos.

# inválido

| | M | F |
|---|---|---|
| S | inválido | inválida |
| P | inválidos | inválidas |

Que por alguna enfermedad o accidente no puede andar o moverse como los demás.

Había varios **inválidos** en la clínica.

# invertebrado

| | M | F |
|---|---|---|
| S | invertebrado | |
| P | invertebrados | |

Los **invertebrados**, como las arañas y los insectos, carecen de columna vertebral.

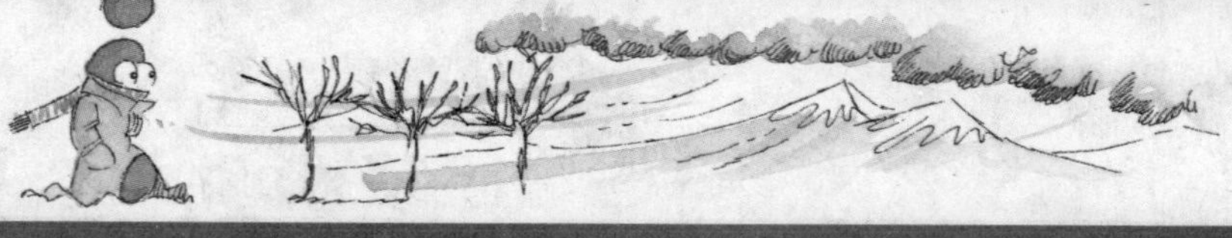

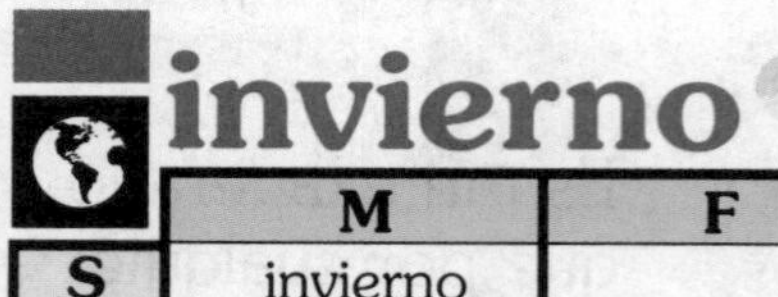

## invierno

| | M | F |
|---|---|---|
| S | invierno | |
| P | inviernos | |

En **invierno** generalmente llueve mucho y hace frío. En algunos países nieva.

## inyección

| | M | F |
|---|---|---|
| S | | inyección |
| P | | inyecciones |

El médico me recetó una **inyección**.

## ir

| Pasado | Presente | Futuro |
|---|---|---|
| fui | voy | iré |

Trasladarse de un lugar a otro.

Muchos niños **van** a pie a la escuela.

Con **a** más infinitivo, significa estar a punto de hacer o de suceder algo.

Ahora mismo **voy a leer** tu carta.

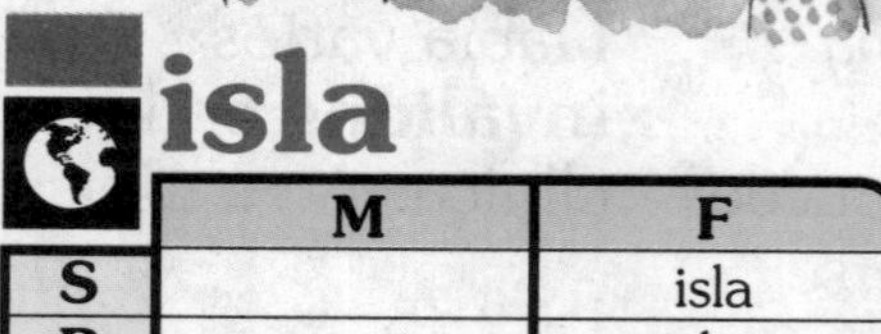

## isla

| | M | F |
|---|---|---|
| S | | isla |
| P | | islas |

Para ir a una **isla** hay que tomar una embarcación, porque las islas están rodeadas de agua por todas partes.

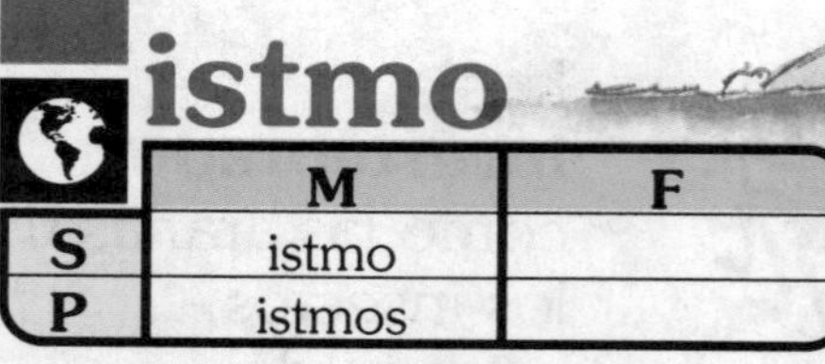

## istmo

| | M | F |
|---|---|---|
| S | istmo | |
| P | istmos | |

Lengua de tierra que une dos porciones de tierra mucho más grandes.

A comienzos del siglo XX, se abrió un canal en el **istmo** de Panamá.

| A | B | C | CH | D | E | F | G | H | I |
|---|---|---|---|---|---|---|---|---|---|
| J | K | L | LL | M | N | Ñ | O | P | Q |
| R | S | T | U | V | W | X | Y | Z | |

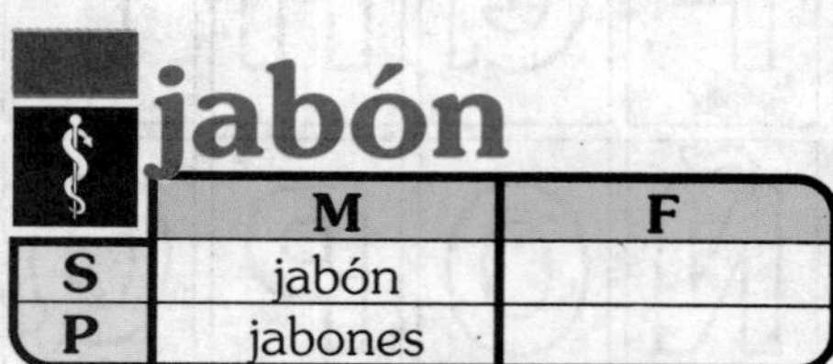

## jabón

| | M | F |
|---|---|---|
| S | jabón | |
| P | jabones | |

Antes de comer, lávate bien las manos con **jabón**.

## adv. jamás

• Nunca.

No aceptes **jamás** invitaciones de extraños.

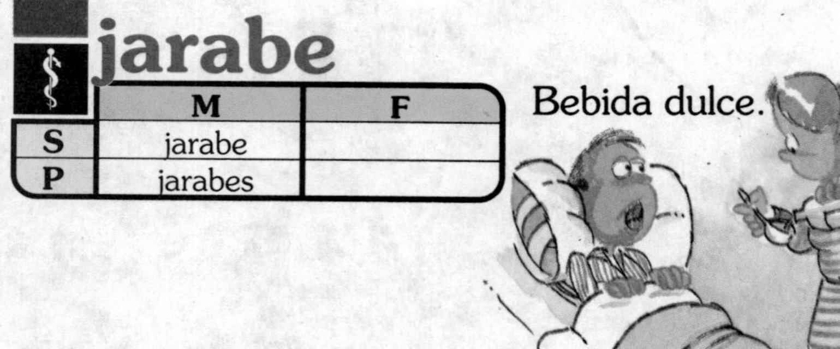

## jarabe

| | M | F |
|---|---|---|
| S | jarabe | |
| P | jarabes | |

Bebida dulce.

Cuando tengo tos me dan un **jarabe** tan exquisito, que no parece remedio, ni tónico.

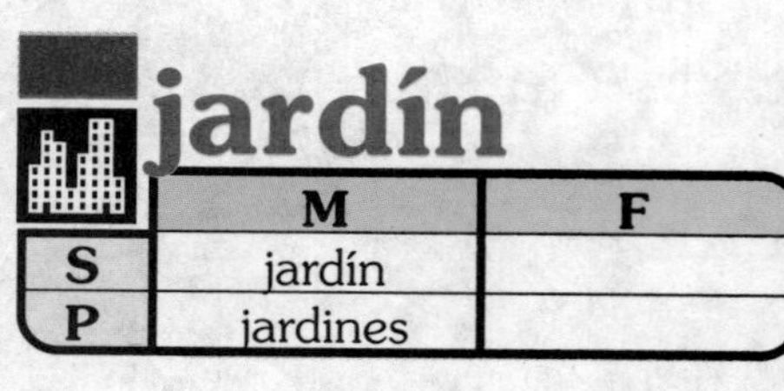

## jardín

| | M | F |
|---|---|---|
| S | jardín | |
| P | jardines | |

En el **jardín** se cultivan muchas plantas con hermosas flores.

## jarro

| | M | F |
|---|---|---|
| S | jarro | |
| P | jarros | |

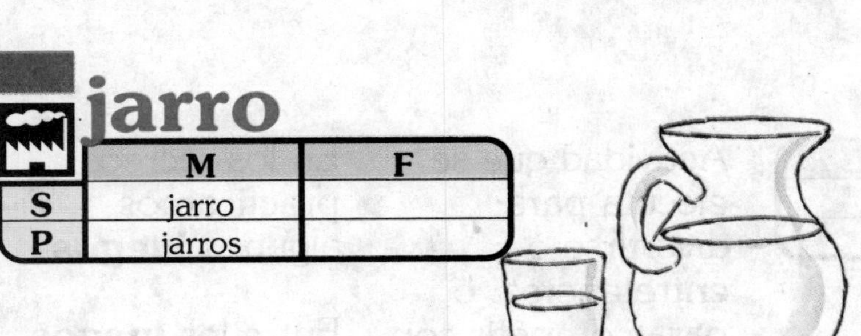

Todas las mañanas me tomo un **jarro** de leche.

## jaula

| | M | F |
|---|---|---|
| S | | jaula |
| P | | jaulas |

Daba pena ver a tantos pajaritos encerrados en sus **jaulas**.

## jet

| | M | F |
|---|---|---|
| S | jet | |
| P | jets | |

Palabra inglesa. Se pronuncia yet, yets.

El **jet** es un avión de reacción.

## jota

| | M | F |
|---|---|---|
| S | | jota |
| P | | jotas |

Nombre de la letra **j** y del sonido que representa.

La palabra "jefe" se escribe y se pronuncia con **jota**.

Baile español de Aragón.

Nos enseñaron a bailar la **jota**.

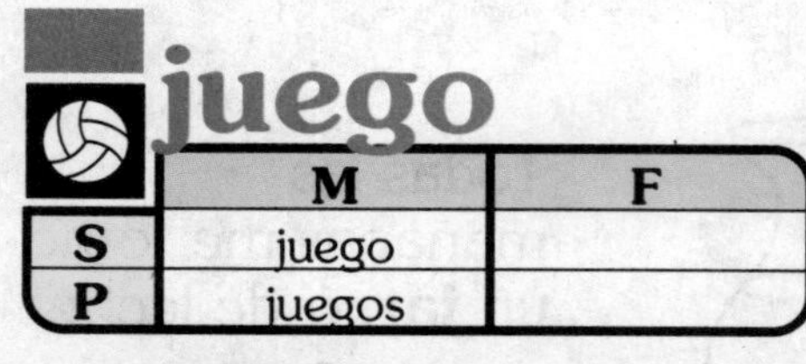

## juego

| | M | F |
|---|---|---|
| S | juego | |
| P | juegos | |

Actividad que se ejecuta para divertirse o entretenerse; o para competir con otro(s) o probar suerte.

En los recreos practicamos algunos **juegos**.

Entre los **juegos** deportivos, me gusta mucho el básquetbol.

La lotería es también un **juego**.

## juez

| | M | F |
|---|---|---|
| S | juez | jueza |
| P | jueces | juezas |

Funcionario que administra justicia.

El **juez** aplica multas a los conductores que no respetan las leyes del tránsito.

Arbitro de un juego.

El **juez** del partido anuló un gol. Todos le encontraron la razón.

## jugar

| Pasado | Presente | Futuro |
|---|---|---|
| jugué | juego | jugaré |

Tomar parte en un juego.

Me entretuve mucho **jugando** con la pelota.

## jugo

| | M | F |
|---|---|---|
| S | jugo | |
| P | jugos | |

Secreción animal o vegetal.

El **jugo** gástrico es producido por el estómago para digerir los alimentos.

Líquido alimenticio que se prepara con substancias vegetales o animales.

El **jugo** de frutas es rico en vitaminas.

## juguera

| | M | F |
|---|---|---|
| S | | juguera |
| P | | jugueras |

Mi mamá prepara jugos de frutas en la **juguera**.

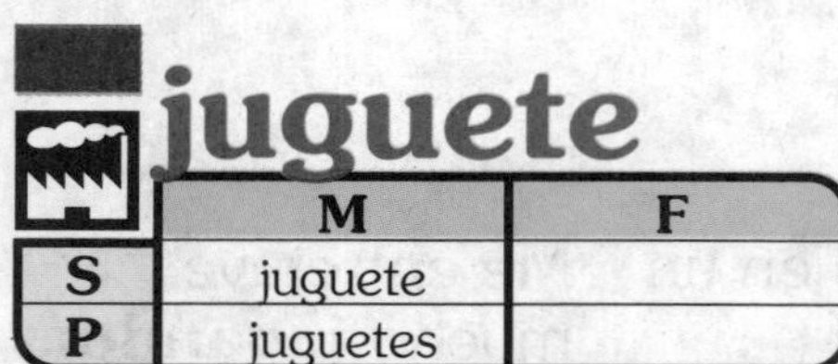

## juguete

| | M | F |
|---|---|---|
| S | juguete | |
| P | juguetes | |

Objeto que sirve para que jueguen los niños.

Hay que saber compartir los **juguetes** con los amigos.

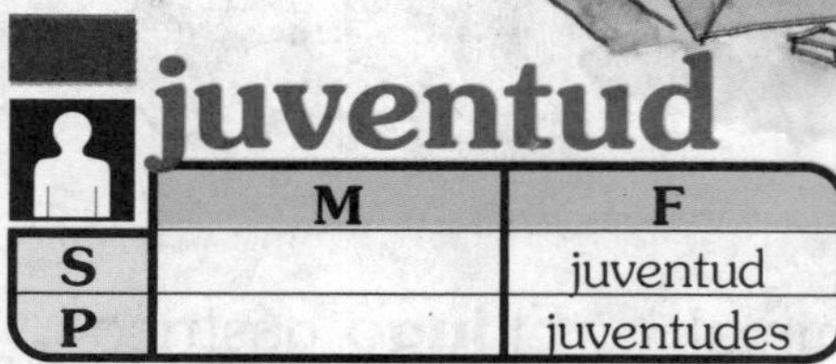

## juventud

| | M | F |
|---|---|---|
| S | | juventud |
| P | | juventudes |

Un muchacho de quince años está en toda su **juventud**.

Conjunto de jóvenes.

La **juventud** se reúne en la playa.

| A | B | CH | D | E | F | G | H | I | |
|---|---|---|---|---|---|---|---|---|---|
| J | K | L | LL | M | N | Ñ | O | P | Q |
| R | S | T | U | V | W | X | Y | Z | |

## ka

| | M | F |
|---|---|---|
| S | | ka |
| P | | kas |

Nombre de la letra **k** y del sonido que representa.

La **ka** se usa en palabras extranjeras, como **okey**.

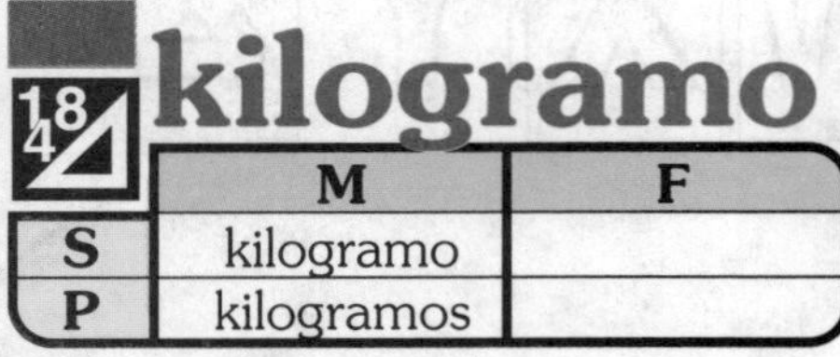


## kilogramo

| | M | F |
|---|---|---|
| S | kilogramo | |
| P | kilogramos | |

Unidad de peso equivalente a un litro de agua.

Subí varios **kilogramos** durante las vacaciones.

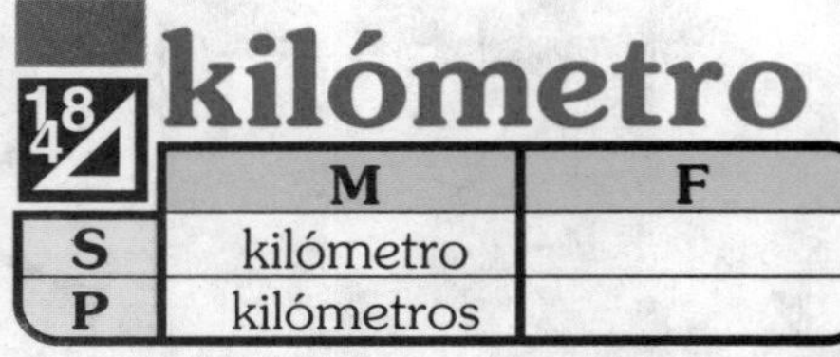


## kilómetro

| | M | F |
|---|---|---|
| S | kilómetro | |
| P | kilómetros | |

1.000 metros.

El puente nuevo tiene dos **kilómetros** de largo.

## kiosco

| | M | F |
|---|---|---|
| S | kiosco | |
| P | kioscos | |

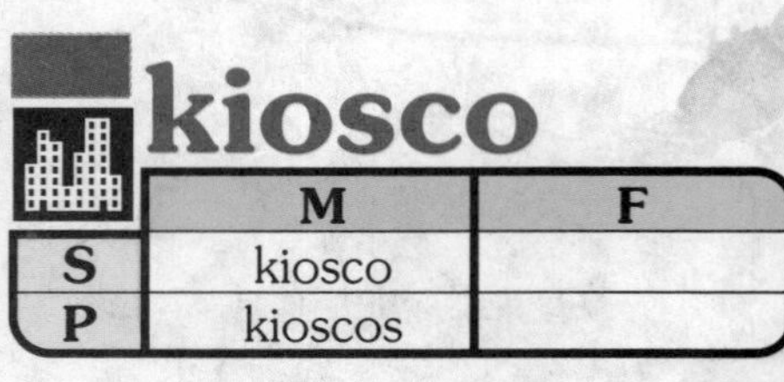


Los diarios y las revistas se venden en el **kiosco**.

## kiwi

| | M | F |
|---|---|---|
| S | kiwi | |
| P | kiwis | |

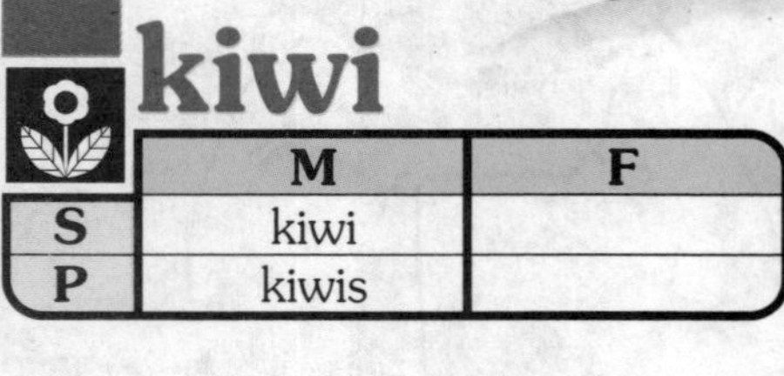

El **kiwi** es una enredadera originaria de la China.
Su fruto se llama también **kiwi** y es muy rico en vitamina C.

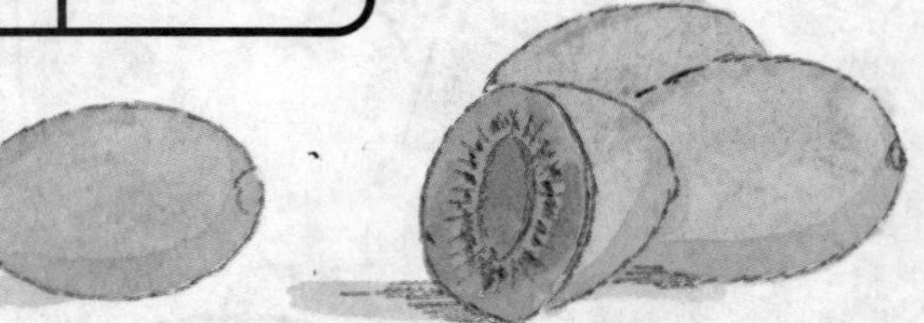

| A | B | C | CH | D | E | F | G | H | I |
|---|---|---|---|---|---|---|---|---|---|
| J | K | **L** | LL | M | N | Ñ | O | P | Q |
| R | S | T | U | V | W | X | Y | Z | |

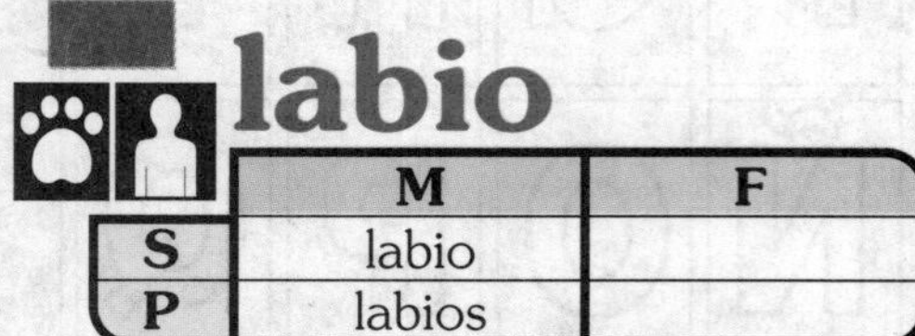

## labio

| | M | F |
|---|---|---|
| S | labio | |
| P | labios | |

Mi mamá se pinta los **labios**.

## laboratorio

| | M | F |
|---|---|---|
| S | laboratorio | |
| P | laboratorios | |

Me encantan las clases en el **laboratorio** de química.

## ladrar

| Pasado | Presente | Futuro |
|---|---|---|
| ladré | ladro | ladraré |

Emitir ladridos el perro.

Mi mascota **ladra** cuando se acerca gente extraña.

## ladrillo

| | M | F |
|---|---|---|
| S | ladrillo | |
| P | ladrillos | |

Las murallas se hacen con **ladrillos**.

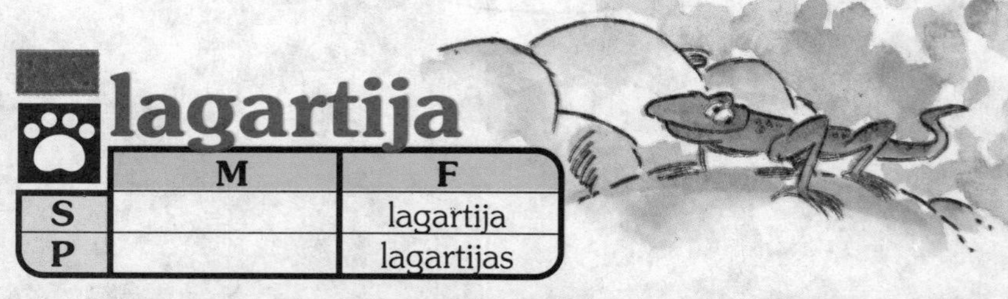

## lagartija

| | M | F |
|---|---|---|
| S | | lagartija |
| P | | lagartijas |

Las **lagartijas** viven entre las piedras.

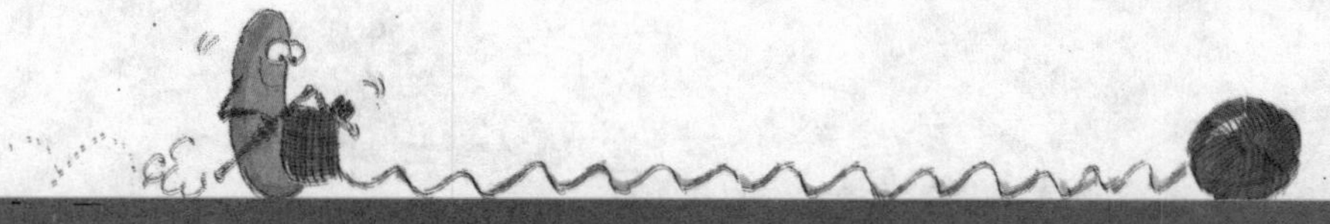

## lagarto

| | M | F |
|---|---|---|
| S | lagarto | |
| P | lagartos | |

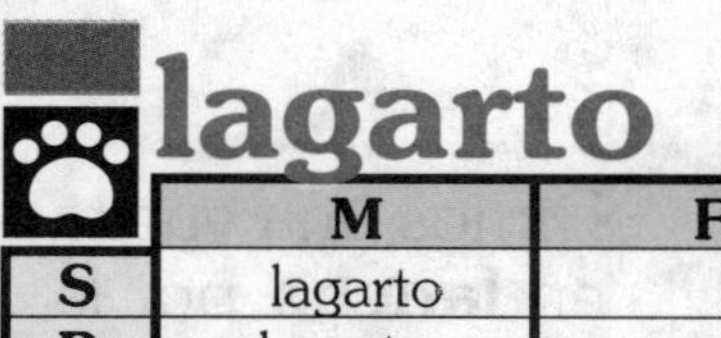

A los **lagartos** les gusta tomar el sol.

## lago

| | M | F |
|---|---|---|
| S | lago | |
| P | lagos | |

Tomamos esta fotografía del **lago**.

## lámpara

| | M | F |
|---|---|---|
| S | | lámpara |
| P | | lámparas |

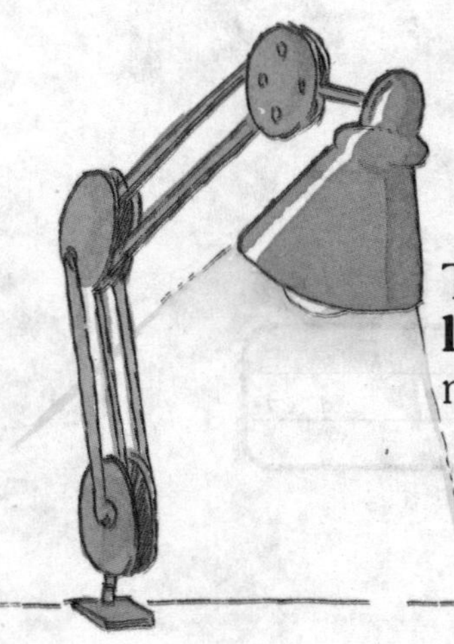

Tengo una **lámpara** sobre mi escritorio.

## lana

| | M | F |
|---|---|---|
| S | | lana |
| P | | lanas |

Las ovejas producen abundante **lana**.

## lancha

| | M | F |
|---|---|---|
| S | | lancha |
| P | | lanchas |

Dimos una vuelta en **lancha** por la bahía.

## langosta

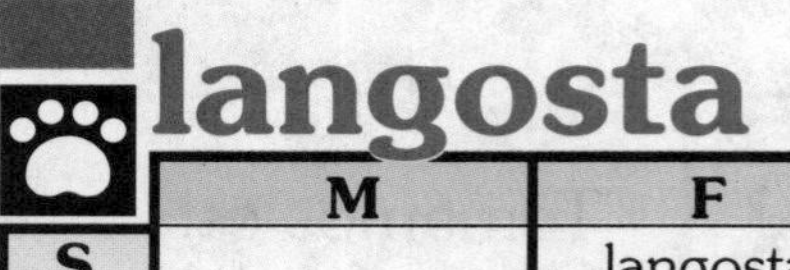

| | M | F |
|---|---|---|
| S | | langosta |
| P | | langostas |

Las **langostas** son perjudiciales para la agricultura.

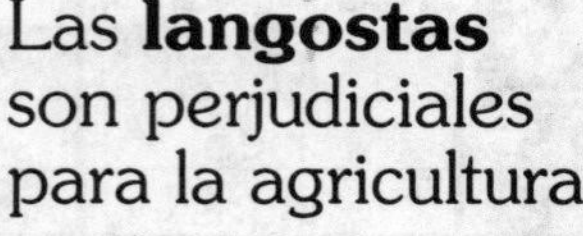

La **langosta** de mar es un manjar delicioso.

## langostino

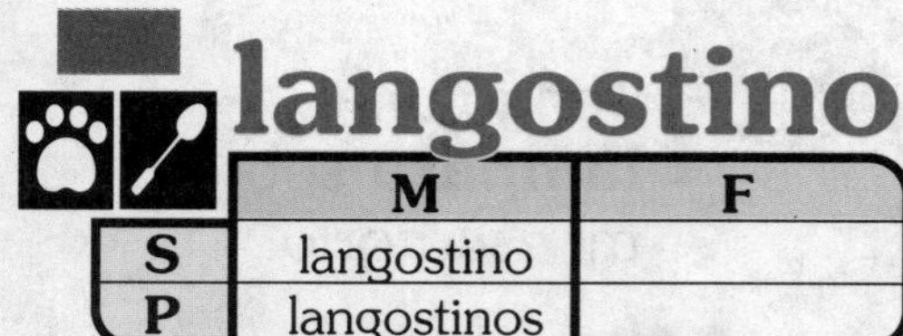

| | M | F |
|---|---|---|
| S | langostino | |
| P | langostinos | |

Me gusta mucho la ensalada con **langostinos**.

## lápiz

| | M | F |
|---|---|---|
| S | lápiz | |
| P | lápices | |

Voy a pintar el arco iris con mis **lápices** de colores.

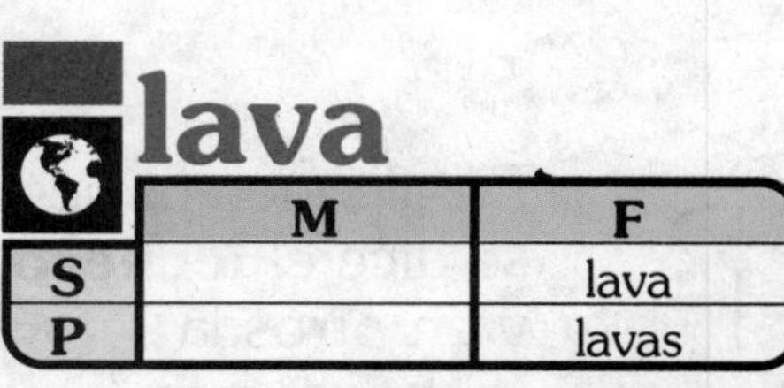

## lava

| | M | F |
|---|---|---|
| S | | lava |
| P | | lavas |

La **lava** ardiente del volcán destruyó los bosques.

## lavadero

| | M | F |
|---|---|---|
| S | lavadero | |
| P | lavaderos | |

Lugar para lavar la ropa.

Las sábanas están remojándose en el **lavadero**.

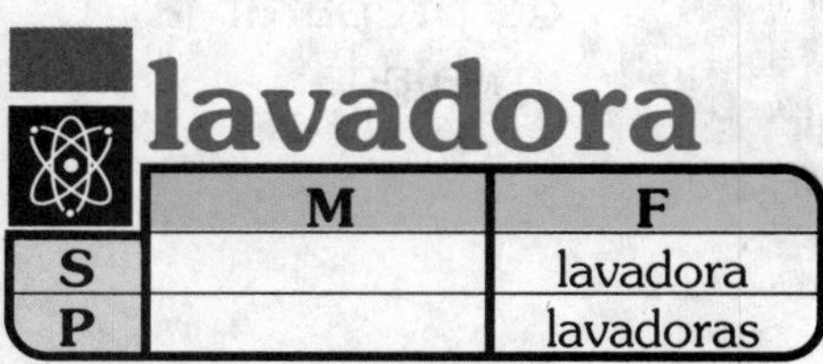

## lavadora

| | M | F |
|---|---|---|
| S | | lavadora |
| P | | lavadoras |

La ropa se lava más rápido en una **lavadora**.

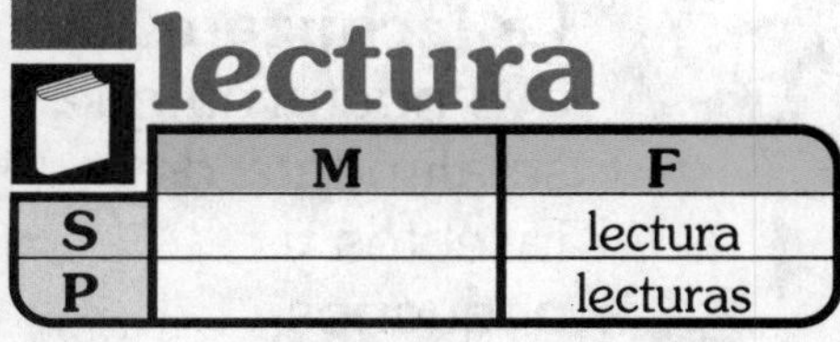

## lectura

| | M | F |
|---|---|---|
| S | | lectura |
| P | | lecturas |

Me entretengo con una buena **lectura**.

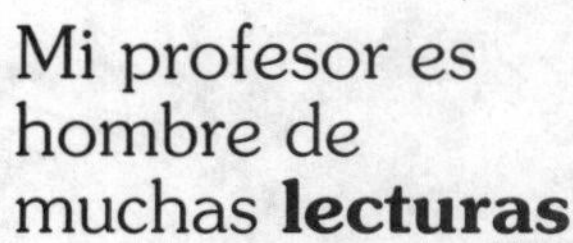

Mi profesor es hombre de muchas **lecturas**.

## leche

| | M | F |
|---|---|---|
| S | | leche |
| P | | leches |

La **leche** es el líquido con que se alimentan los bebés y las crías de los mamíferos.

## lechero

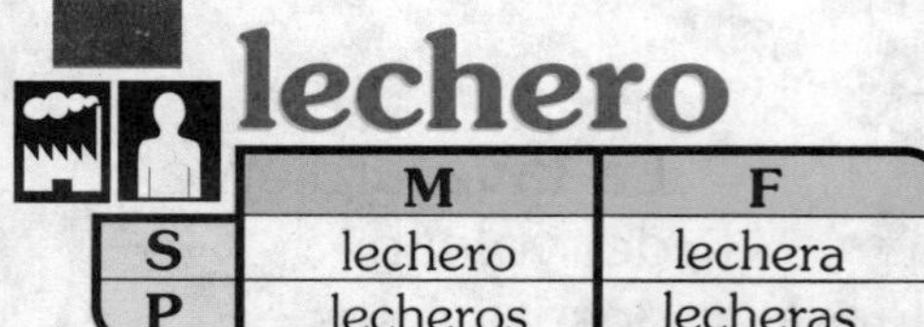

| | M | F |
|---|---|---|
| S | lechero | lechera |
| P | lecheros | lecheras |

En algunos países se dice el **lechero** y en otros la **lechera**, para referirse a la olla para calentar la leche.

El **lechero** llegó muy temprano.

## lechuga

| | M | F |
|---|---|---|
| S | | lechuga |
| P | | lechugas |

Mi mamá lava las **lechugas** antes de preparar la ensalada.

## lechuza

| | M | F |
|---|---|---|
| S | | lechuza |
| P | | lechuzas |

La **lechuza** es un ave nocturna que se alimenta de insectos y pequeños roedores.

## leer

| Pasado | Presente | Futuro |
|---|---|---|
| leí | leo | leeré |

Entender lo que está escrito.

Me gusta **leer** todo lo que cae en mis manos: libros, revistas, diarios, etc.

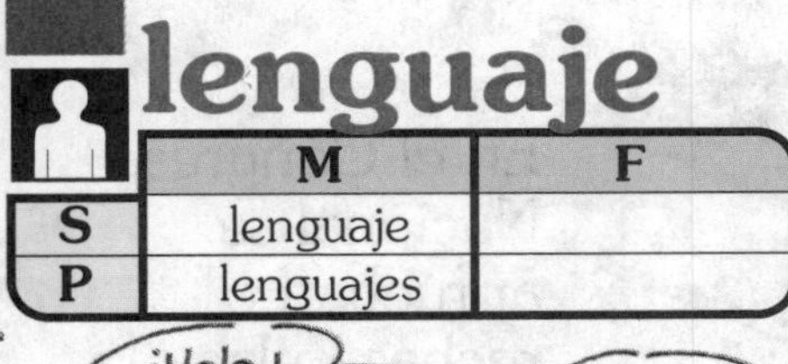

## lenguaje

| | M | F |
|---|---|---|
| S | lenguaje | |
| P | lenguajes | |

Medio de comunicación entre las personas.

El **lenguaje** de los sordos se expresa mediante gestos.

Modo de hablar característico de alguien.

Esta niña tiene muy buen **lenguaje**.

## lenteja

| | M | F |
|---|---|---|
| S | | lenteja |
| P | | lentejas |

Prepara muy bien las **lentejas** con tocino.

## león

| | M | F |
|---|---|---|
| S | león | leona |
| P | leones | leonas |

Los **leones** viven en la selva africana.

El **león** americano es el puma.

## letra

| | M | F |
|---|---|---|
| S | | letra |
| P | | letras |

Cada uno de los signos de la escritura.

Las palabras están formadas por **letras**.

## ley

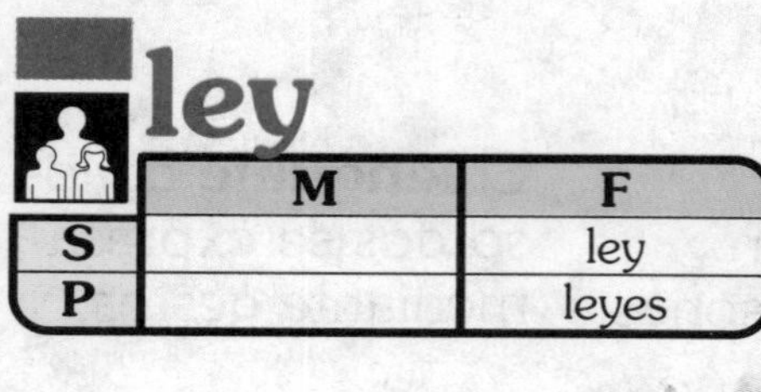

| | M | F |
|---|---|---|
| S | | ley |
| P | | leyes |

En el Congreso Nacional se aprueban o rechazan las **leyes**.

## librería

| | M | F |
|---|---|---|
| S | | librería |
| P | | librerías |

Establecimiento en que se venden libros.

Voy a la librería a comprar **libros** para las vacaciones.

## libro

| | M | F |
|---|---|---|
| S | libro | |
| P | libros | |

El **libro** es el vehículo más importante de la cultura.

## lijar

| Pasado | Presente | Futuro |
|---|---|---|
| lijé | lijo | lijaré |

Pulir con una lija.

Hay que **lijar** la puerta antes de barnizarla.

## limonada

| | M | F |
|---|---|---|
| S | | limonada |
| P | | limonadas |

Bebida de jugo de limón con azúcar.

¡Qué refrescante es una **limonada** en verano!

## limonero

| | M | F |
|---|---|---|
| S | limonero | |
| P | limoneros | |

Árbol que da limones.

Tengo un **limonero** que da frutos todo el año.

## limpiar

| Pasado | Presente | Futuro |
|---|---|---|
| limpié | limpio | limpiaré |

Quitar la suciedad o las manchas de una cosa.

En la tintorería **limpian** la ropa.

## linterna

| | M | F |
|---|---|---|
| S | | linterna |
| P | | linternas |

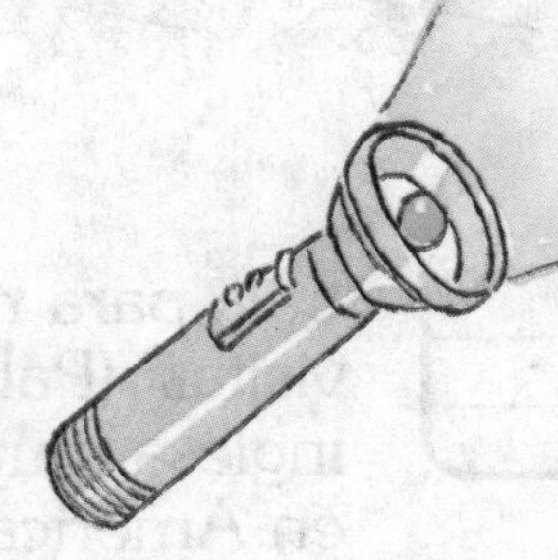

No te olvides de llevar una **linterna**.

## líquido

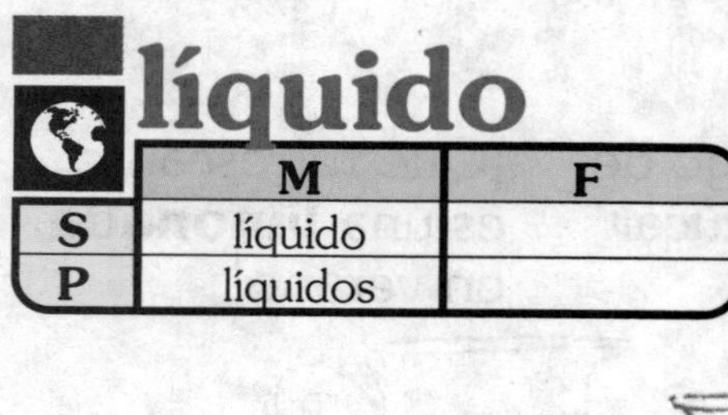

| | M | F |
|---|---|---|
| S | líquido | |
| P | líquidos | |

Los **líquidos** toman siempre la forma del recipiente que los contiene.

## liso

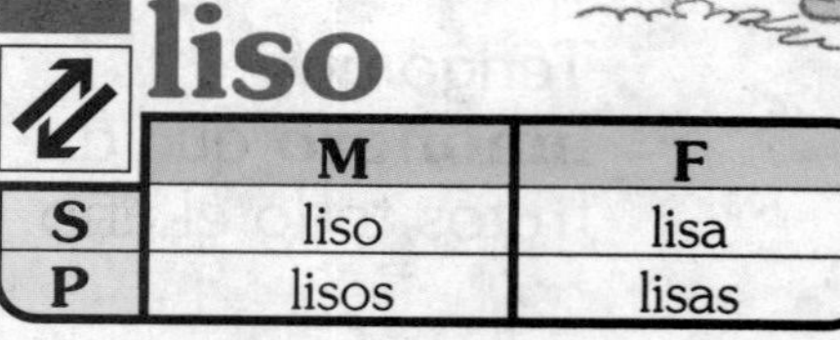

| | M | F |
|---|---|---|
| S | liso | lisa |
| P | lisos | lisas |

De superficie suave y sin asperezas.

Las ventanas de la casa tienen vidrios **lisos** y transparentes.

## litera

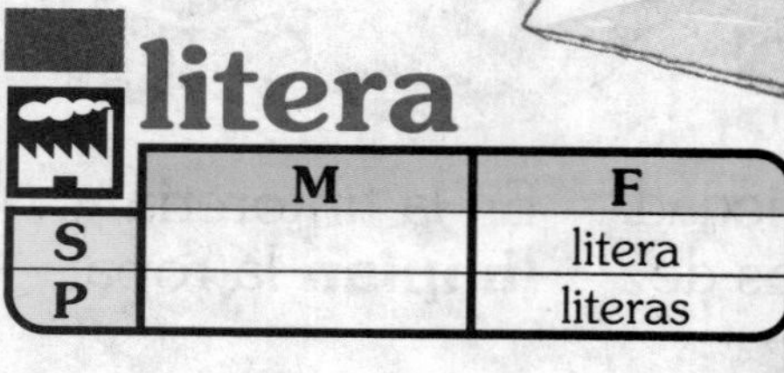

| | M | F |
|---|---|---|
| S | | litera |
| P | | literas |

Están durmiendo en una **litera** como los marinos en su barco.

## living

| | M | F |
|---|---|---|
| S | living | |
| P | livings | |

Sala para recibir visitas. (Palabra inglesa muy usada en América).

En el **living** nos reunimos todos los días.

## lobo

| | M | F |
|---|---|---|
| S | lobo | loba |
| P | lobos | lobas |

Me gustó el cuento de Caperucita y el **lobo**.

## locomotora

| | M | F |
|---|---|---|
| S | | locomotora |
| P | | locomotoras |

La **locomotora** es la máquina del tren que arrastra a los vagones.

## lombriz

| | M | F |
|---|---|---|
| S | | lombriz |
| P | | lombrices |

Las **lombrices** son gusanos que ayudan a fertilizar la tierra.

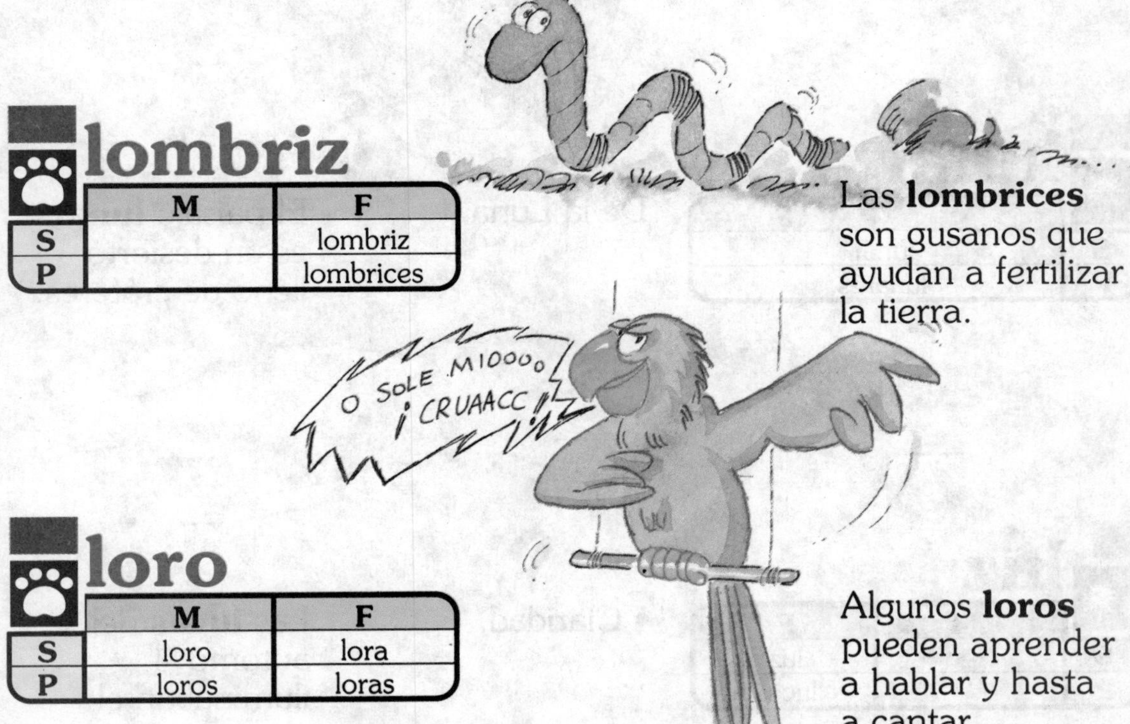


## loro

| | M | F |
|---|---|---|
| S | loro | lora |
| P | loros | loras |

Algunos **loros** pueden aprender a hablar y hasta a cantar.

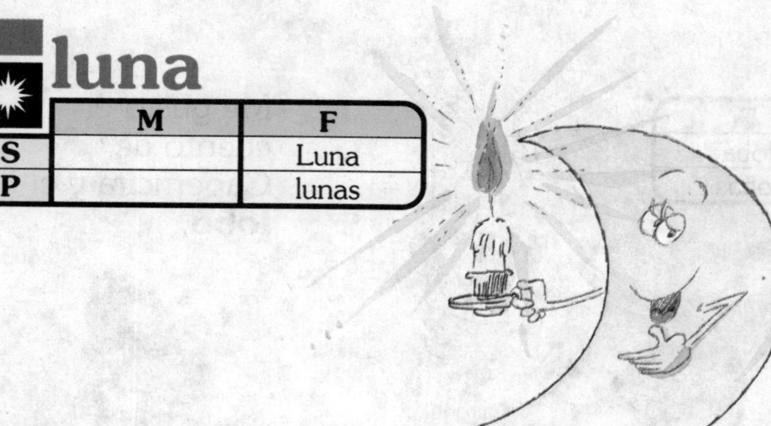

## luna

| | M | F |
|---|---|---|
| S | | Luna |
| P | | lunas |

La **Luna**, satélite de la Tierra, carece de luz propia.

El planeta Marte tiene varias **lunas**.

## lunar

| | M | F |
|---|---|---|
| S | lunar | |
| P | lunares | |

Mi tía tiene un **lunar** en la mejilla.

## lunar

| | M | F |
|---|---|---|
| S | lunar | lunar |
| P | lunares | lunares |

De la Luna.

El paisaje **lunar** es un desierto lleno de cráteres.

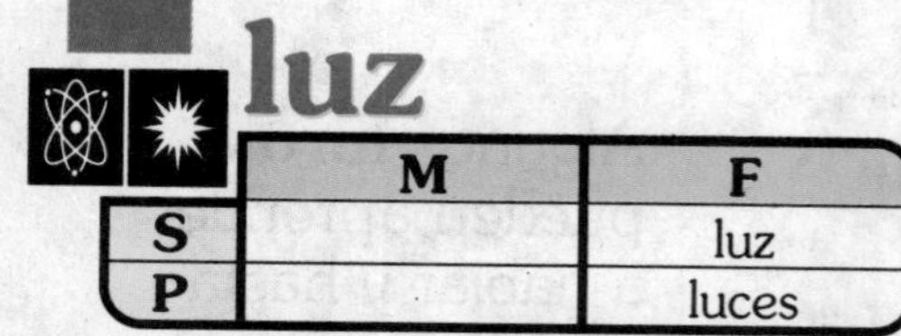

## luz

| | M | F |
|---|---|---|
| S | | luz |
| P | | luces |

• Claridad.

Las **luces** del automóvil iluminaban el camino.

| A | B | C | CH | D | E | F | G | H | I |
|---|---|---|---|---|---|---|---|---|---|
| J | K | L | LL | M | N | Ñ | O | P | Q |
| R | S | T | U | V | W | X | Y | Z | |

## llama

| | M | F |
|---|---|---|
| S | | llama |
| P | | llamas |

No te acerques mucho a las **llamas**; te puedes quemar.

Las **llamas** son las bestias de carga de los indios del Perú y Bolivia.

## llamar

| Pasado | Presente | Futuro |
|---|---|---|
| llamé | llamo | llamaré |

Hacer señas o dar voces para que alguien o un animal se acerque o preste atención.

**Llamé** a mi hermano para que me ayudara a abrir la puerta.

Avisar a alguien para que asista a cierto sitio.

Hoy **llaman** a entrenamiento a los jugadores.

Dar cierto nombre o tenerlo.

Lo **llaman** Pablo. Me **llamo** Pablo.

## llanura

| | M | F |
|---|---|---|
| S | | llanura |
| P | | llanuras |

Al costado este y sur de la cordillera de los Andes se extiende la **llanura** conocida con el nombre de pampa argentina.

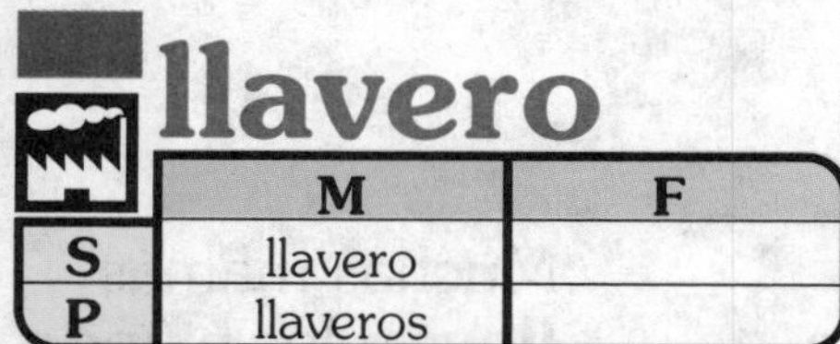

# llavero

| | M | F |
|---|---|---|
| S | llavero | |
| P | llaveros | |

Mi papá tiene un **llavero** con todas las llaves de la casa.

# llegar

| Pasado | Presente | Futuro |
|---|---|---|
| llegué | llego | llegaré |

Entrar a cierto lugar.

Después de tres horas de viaje, **llegamos** a la playa.

Conseguir, por fin, lo que uno pretendía.

Gracias a su esfuerzo, **llegó** a dirigir la fábrica.

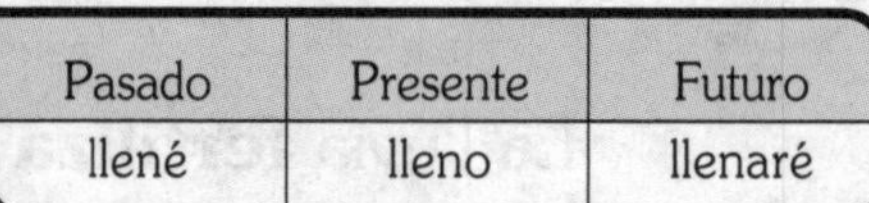

# llenar

| Pasado | Presente | Futuro |
|---|---|---|
| llené | lleno | llenaré |

Ocupar un espacio o superficie en su totalidad.

La lluvia **llenó** la piscina.

**Llené** una página con sumas.

El estadio se **llenó** de gente.

## llevar

| Pasado | Presente | Futuro |
|---|---|---|
| llevé | llevo | llevaré |

Conducir o transportar a alguien o algo de un lugar a otro.

Muchas mamás **llevan** los niños a la escuela.

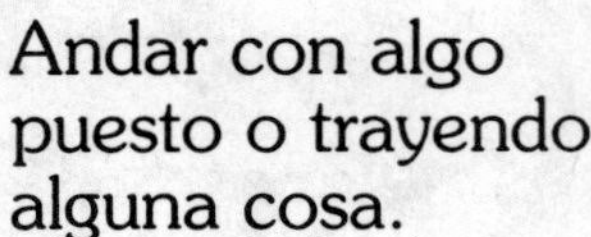

Andar con algo puesto o trayendo alguna cosa.

La señora **llevaba** sombrero.
**Llevo** siempre un lápiz.

Ser causa de algo.

Tu bondad me **lleva** a quererte más.

Pasar el tiempo haciendo algo.

**Lleva** un año practicando piano.

## llorar

| Pasado | Presente | Futuro |
|---|---|---|
| lloré | lloro | lloraré |

¡GUAAAAAA!

El bebé **llora** cuando tiene hambre; el niño **llora** cuando tiene pena.

## lluvia

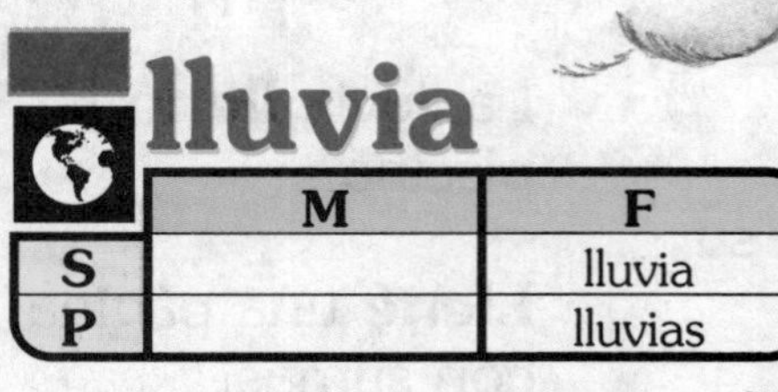

| | M | F |
|---|---|---|
| S | | lluvia |
| P | | lluvias |

La lluvia **fertiliza** los campos.

| A | B | CH | D | E | F | G | H | I |  |
|---|---|---|---|---|---|---|---|---|---|
| J | K | L | LL | M | N | Ñ | O | P | Q |
| R | S | T | U | V | W | X | Y | Z |  |

## madera

| | M | F |
|---|---|---|
| S | | madera |
| P | | maderas |

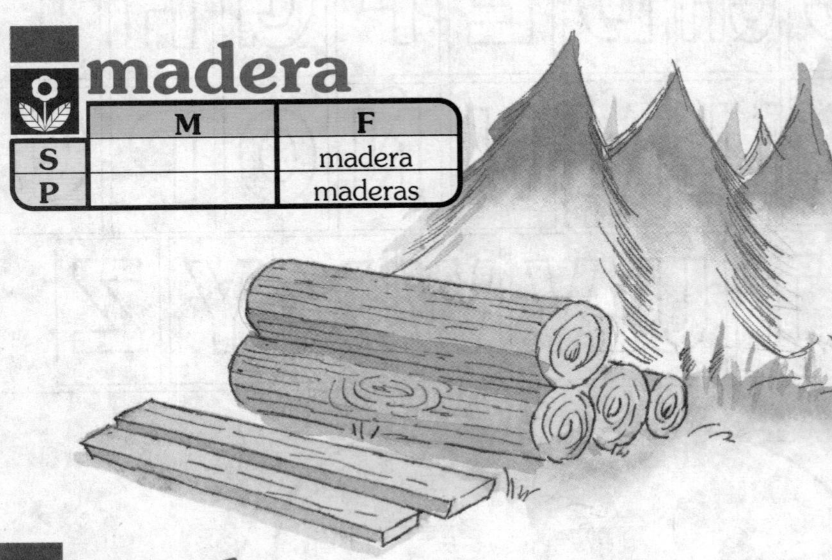

La **madera** se obtiene de los árboles.

El bosque nativo de América produce muy buenas **maderas**.

## madre

| | M | F |
|---|---|---|
| S | | madre |
| P | | madres |

La **madre** cuida a su hijito con amor.

Las **madres** de la caridad atienden a los enfermos.

## madrina

| | M | F |
|---|---|---|
| S | | madrina |
| P | | madrinas |

Mi **madrina** trata de comadre a mi mamá.

## maestro

| | M | F |
|---|---|---|
| S | maestro | maestra |
| P | maestros | maestras |

• Profesor.

La directora es una buena **maestra**.

Persona que domina su oficio.

Me gusta la música de los grandes **maestros**.

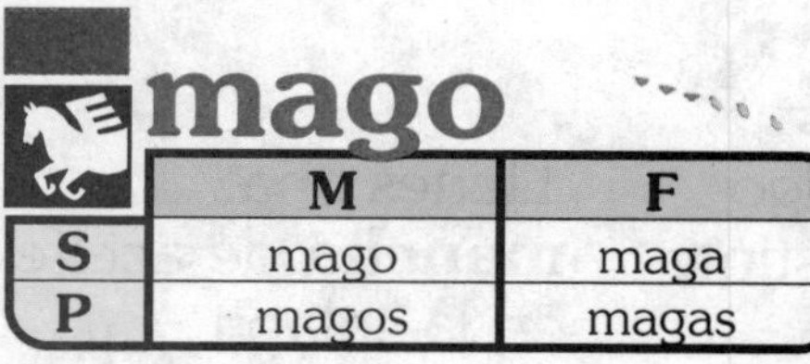

# mago

| | M | F |
|---|---|---|
| S | mago | maga |
| P | magos | magas |

El **mago** hizo aparecer el conejo de su sombrero.

# mal

| | M | F |
|---|---|---|
| S | mal | |
| P | males | |

Lo que es malo, porque no debe imitarse o porque ocasiona malestar o desgracia.

El **mal** nunca trae felicidad.

Entre los peores **males** de la humanidad está la guerra.

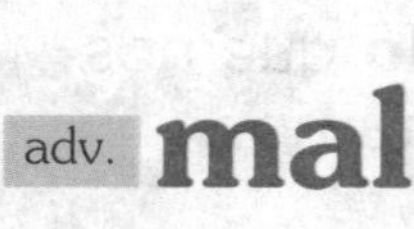

adv. **mal**

• No como debe ser.

Ando **mal** de salud.

# mamá

| | M | F |
|---|---|---|
| S | | mamá |
| P | | mamás |

• Madre.

Para mí, ella es la mejor **mamá** del mundo.

# mamadera

| | M | F |
|---|---|---|
| S | | mamadera |
| P | | mamaderas |

• Biberón (en Chile).

El niño está tomando leche en **mamadera**.

# mancha

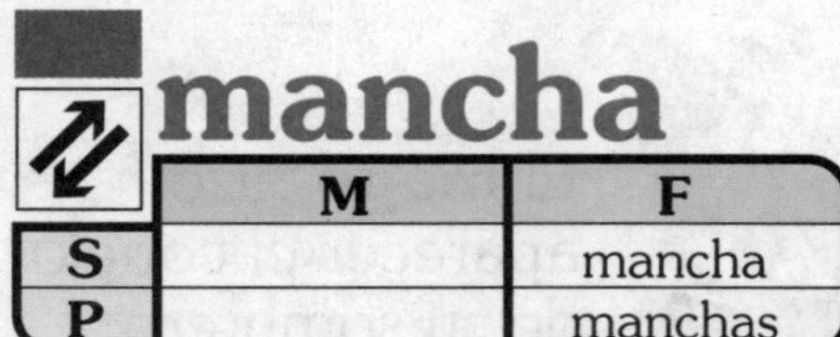

| | M | F |
|---|---|---|
| S | | mancha |
| P | | manchas |

Porción de algo sucio o de distinto color en una superficie.

Tienes una **mancha** de aceite en la solapa.

El potro era de color blanco con **manchas** negras.

Mala acción.

Tuvo buena conducta, sin una **mancha**.

# mandar

| Pasado | Presente | Futuro |
|---|---|---|
| mandé | mando | mandaré |

Encargar a otro que haga o deje de hacer algo.

El profesor **mandó** que nos formáramos.

La mamá nos está **mandando** que dejemos de jugar.

Tener autoridad sobre otros.

El capitán es el que **manda** en el barco.

• Enviar.

Mi mamá me **mandó** un regalo.

# manga

| | M | F |
|---|---|---|
| S | | manga |
| P | | mangas |

En verano la gente usa ropa de **mangas** cortas.

# manguera

| | M | F |
|---|---|---|
| S | | manguera |
| P | | mangueras |

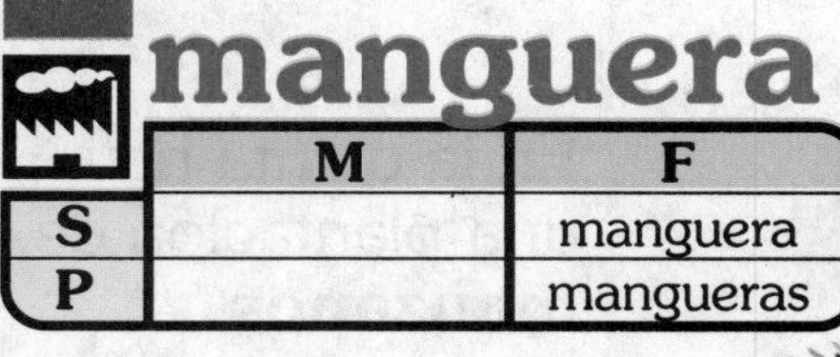

La **manguera** para regar el jardín está enrollada.

# mano

| | M | F |
|---|---|---|
| S | | mano |
| P | | manos |

¿Han visto tocar el piano a cuatro **manos**?

El caballo cuando se encabrita levanta las **manos**.

Esta pared necesita varias **manos** de pintura.

Lado izquierdo o derecho.

Mi casa queda a la **mano** derecha del pasaje.

# mantel

| | M | F |
|---|---|---|
| S | mantel | |
| P | manteles | |

Compré un **mantel** a cuadros.

# manubrio

| | M | F |
|---|---|---|
| S | manubrio | |
| P | manubrios | |

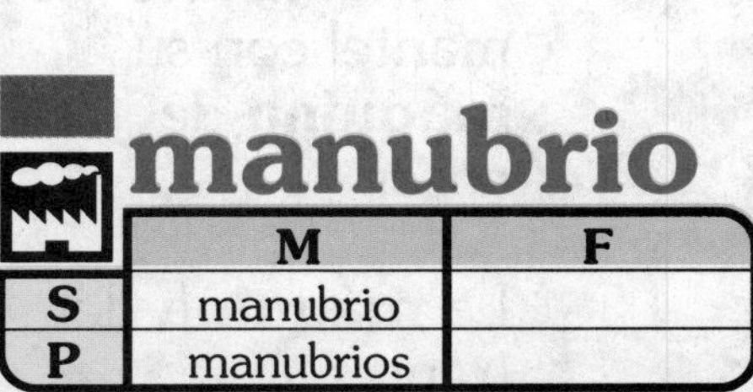

El **manubrio** de la bicicleta está suelto. Debo arreglarlo.

## manzano

| | M | F |
|---|---|---|
| S | manzano | |
| P | manzanos | |

Árbol que da manzanas.

En la quinta hay una plantación de **manzanos**.

## adv. mañana

Si hoy es jueves, **mañana** será viernes.

## mañana

| | M | F |
|---|---|---|
| S | | mañana |
| P | | mañanas |

Tiempo que dura desde el amanecer hasta el mediodía.

En las **mañanas** tengo clases.

## mapa

| | M | F |
|---|---|---|
| S | mapa | |
| P | mapas | |

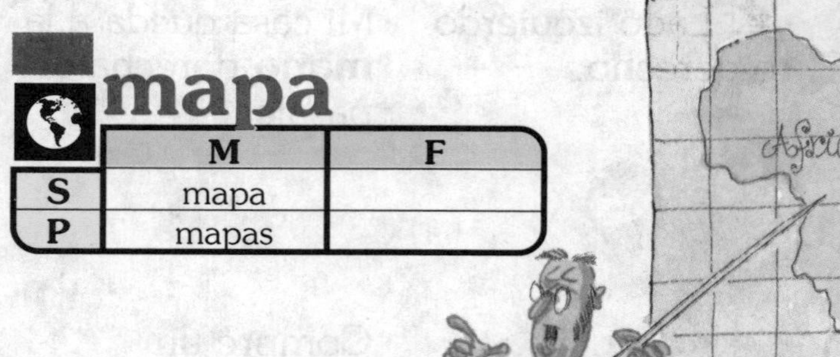


Este **mapa** muestra el continente africano.

## máquina

| | M | F |
|---|---|---|
| S | | máquina |
| P | | máquinas |

Mi mamá hizo un mantel con su **máquina** de coser.

La **máquina** del tren es la locomotora.

## maquinaria

| | M | F |
|---|---|---|
| S | | maquinaria |
| P | | maquinarias |

Conjunto de máquinas.

El mecánico examinó la **maquinaria** de la fábrica.

## mar

| | M | F |
|---|---|---|
| S | mar | |
| P | mares | |

Gran masa de agua salada.

Los peces viven en el **mar**.

## maratón

| | M | F |
|---|---|---|
| S | maratón | |
| P | maratones | |

El **maratón** verdadero es una carrera de 42 kilómetros. (En Chile se dice la **maratón**).

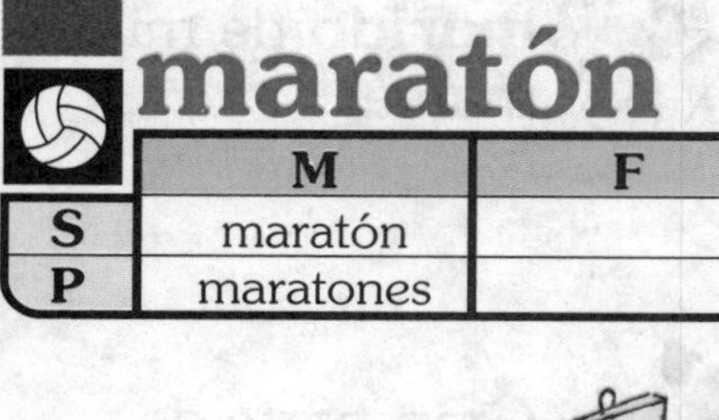


## maravilloso

| | M | F |
|---|---|---|
| S | maravilloso | maravillosa |
| P | maravillosos | maravillosas |

Que causa admiración.

El universo es **maravilloso**.

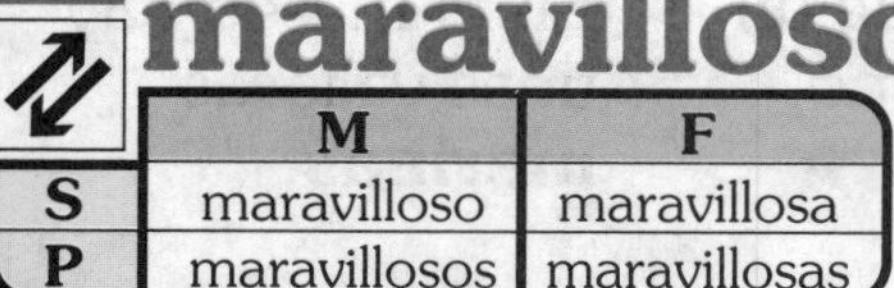

## marea

| | M | F |
|---|---|---|
| S | | marea |
| P | | mareas |

Aprovechan las bajas **mareas** para capturar mariscos.

## marearse

| Pasado | Presente | Futuro |
|---|---|---|
| (me) mareé | (me) mareo | (me) marearé |

Sentir malestar por pérdida del sentido del equilibrio.

Esa niñita se **mareó** en el barco.

## marido

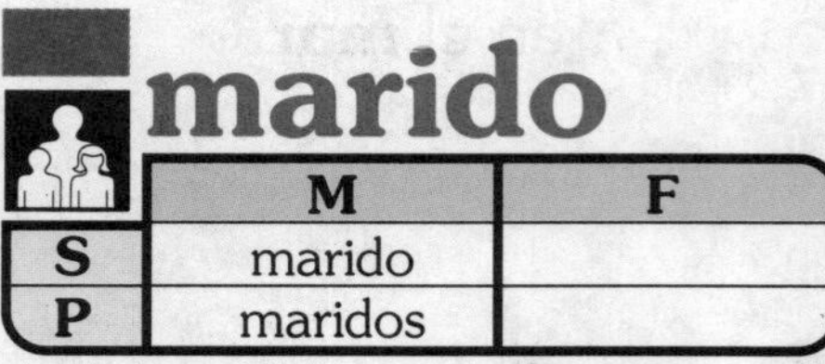

| | M | F |
|---|---|---|
| S | marido | |
| P | maridos | |

Mi papá es el **marido** de mi mamá.

## marina

| | M | F |
|---|---|---|
| S | | marina |
| P | | marinas |

Conjunto de buques y tripulantes de un país.

Gran parte de las exportaciones se hacen por intermedio de la **marina** mercante.

Cuadro de un paisaje marino.

En el museo hay unas valiosas **marinas**.

## marino

| | M | F |
|---|---|---|
| S | marino | |
| P | marinos | |

Ser **marino** es una profesión muy hermosa.

## marino

| | M | F |
|---|---|---|
| S | marino | marina |
| P | marinos | marinas |

Del mar.

Las corrientes **marinas** lo arrastraron en dirección a la isla.

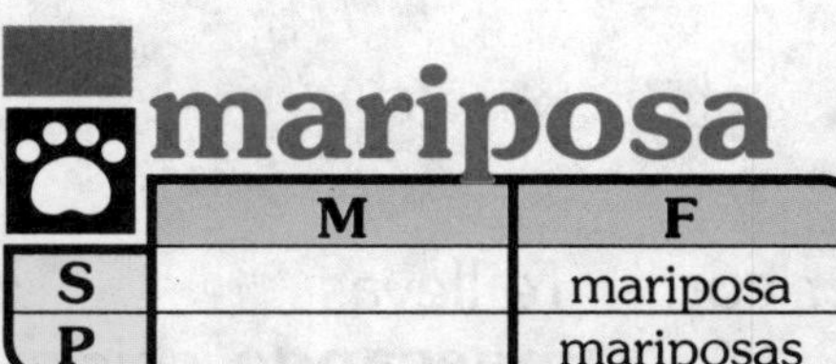

## mariposa

| | M | F |
|---|---|---|
| S | | mariposa |
| P | | mariposas |

Hay **mariposas** de todos los colores y tamaños.

## martillo

| | M | F |
|---|---|---|
| S | martillo | |
| P | martillos | |

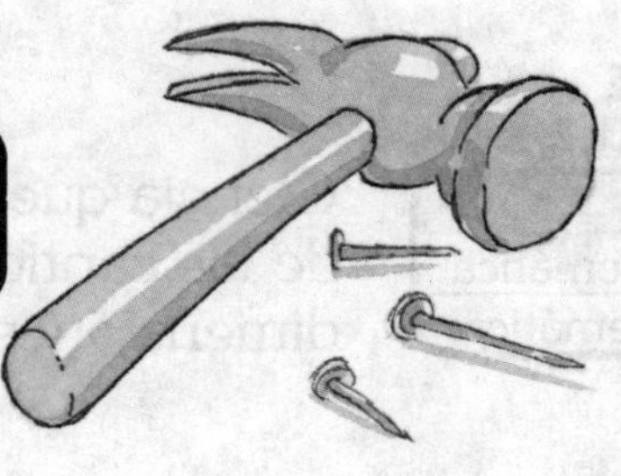

El **martillo** sirve para clavar y sacar clavos.

## conj. mas

• Pero.

El mal ciudadano conoce la ley, **mas** no la respeta.

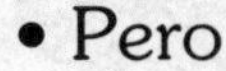

## adv. más

• En mayor grado o cantidad.

Estudias **más** que muchos otros compañeros.

El jardín es **más** bello en primavera.

• Mayor grado o cantidad de algo.

Si cuidas tus útiles, ahorrarás **más** dinero a tus padres.

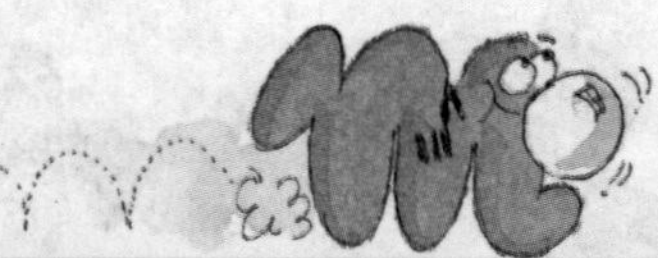

# mascar

| Pasado | Presente | Futuro |
|---|---|---|
| masqué | masco | mascaré |

Partir o moler con los dientes; masticar.

Te llevas **mascando** chicle. Eso no es bueno.

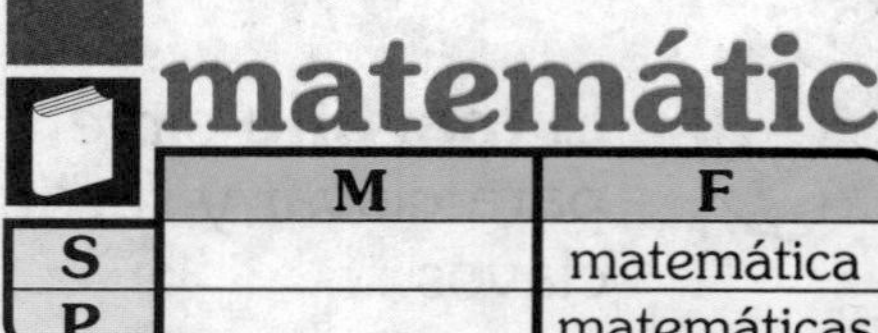

# matemática

| | M | F |
|---|---|---|
| S | | matemática |
| P | | matemáticas |

Ciencia que trata de las cantidades y dimensiones.

En el libro de **matemática** figuran las cuatro operaciones: suma, resta, multiplicación y división.

La geometría es una parte de las **Matemáticas**.

# maullar

| Pasado | Presente | Futuro |
|---|---|---|
| maullé | maúllo | maullaré |

Emitir maullidos el gato.

Den comida a mi gata. Está **maullando**.

# mayonesa

| | M | F |
|---|---|---|
| S | | mayonesa |
| P | | mayonesas |

Pasta preparada con yemas de huevo y aceite.

No hay nada más delicioso que los mariscos con **mayonesa**.

## mayúscula

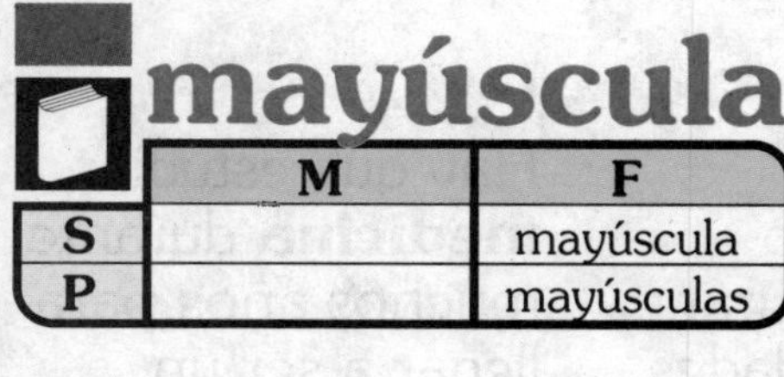

| | M | F |
|---|---|---|
| S | | mayúscula |
| P | | mayúsculas |

Los nombres propios como Jorge, París, Colombia, etc., se escriben con **mayúscula** inicial.

## me

• Yo, en ciertos casos.

**Me** encanta nadar en un mar tranquilo y no contaminado.

## mecer

| Pasado | Presente | Futuro |
|---|---|---|
| mecí | mezo | meceré |

Mover algo de un lado a otro sin cambiarlo de lugar.

El viento **mece** las hojas.

La madre **mece** al niño para que se duerma.

## media

| | M | F |
|---|---|---|
| S | | media |
| P | | medias |

• Calcetín.

Voy a la nieve con **medias** de lana.

## medicina

| | M | F |
|---|---|---|
| S | | medicina |
| P | | medicinas |

Ciencia que estudia cómo precaver y curar las enfermedades.

Hay que estudiar **medicina** durante muchos años para llegar a ser un médico.

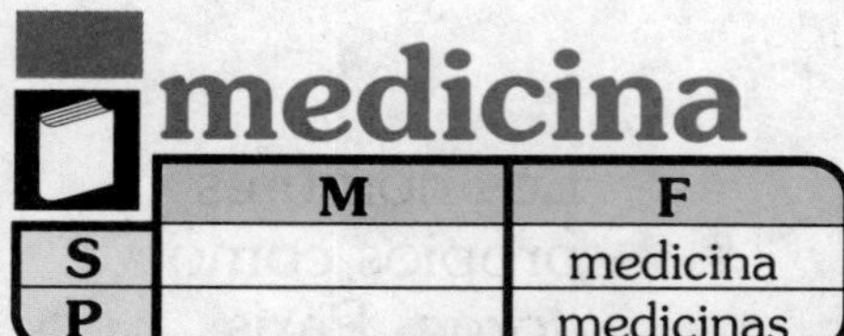

Sustancia que sirve para curar alguna enfermedad; remedio.

Hay que tomar las **medicinas** que receta el doctor.

## médico

| | M | F |
|---|---|---|
| S | médico | |
| P | médicos | |

Profesional dedicado a tratar enfermos.

El **médico** le aconsejó que no debía fumar.

## medio

| | M | F |
|---|---|---|
| S | medio | media |
| P | medios | medias |

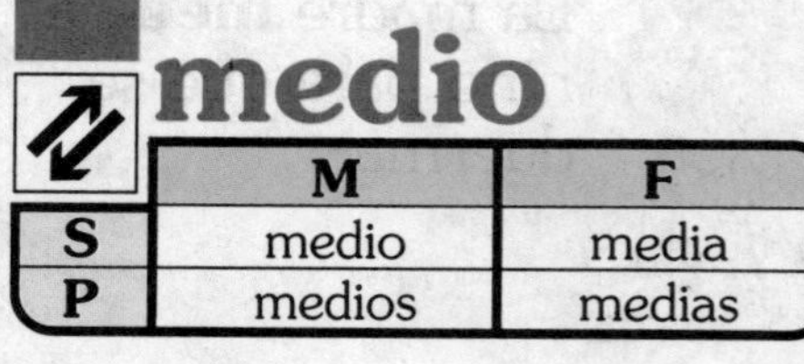

Mitad de una cosa.

Me dieron **medio** limón.

Entre dos cantidades o en un punto intermedio.

Me pusieron una nota **media**.

Lima está a una distancia **media** entre Santiago y Caracas.

## medio

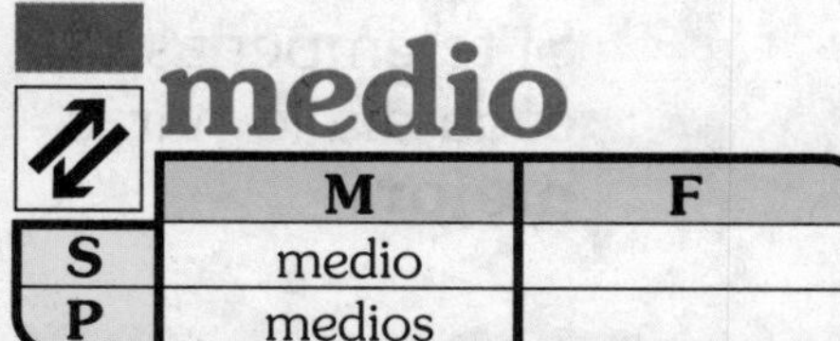

| | M | F |
|---|---|---|
| S | medio | |
| P | medios | |

Ambiente en que se vive.

La selva es el **medio** en que viven los animales salvajes.

Lo que se hace o es necesario para conseguir algo.

No repitas la lección de memoria. No es ese el **medio** para aprender.

## medir

| Pasado | Presente | Futuro |
|---|---|---|
| medí | mido | mediré |

Determinar la dimensión, el peso o la capacidad de una cosa.

Estoy **midiendo** una tabla para hacer un juguete.

## mejilla

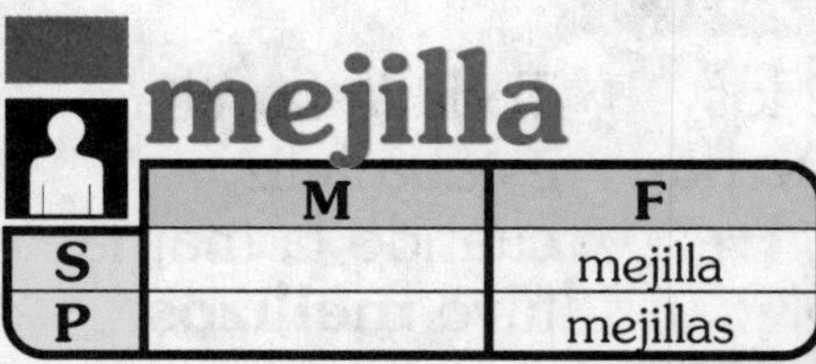

| | M | F |
|---|---|---|
| S | | mejilla |
| P | | mejillas |

Le di un beso en la **mejilla**.

## mejor

| | M | F |
|---|---|---|
| S | mejor | |
| P | mejores | |

Más bueno.

La **mejor** virtud es el amor al prójimo.

adv. **mejor**

• Más bien.

Si te empeñas, cada día lo harás **mejor**.

## melodía

| | M | F |
|---|---|---|
| S | | melodía |
| P | | melodías |

Sucesión de sonidos musicales.

No me costó mucho aprender esa **melodía**.

## melón

| | M | F |
|---|---|---|
| S | melón | |
| P | melones | |

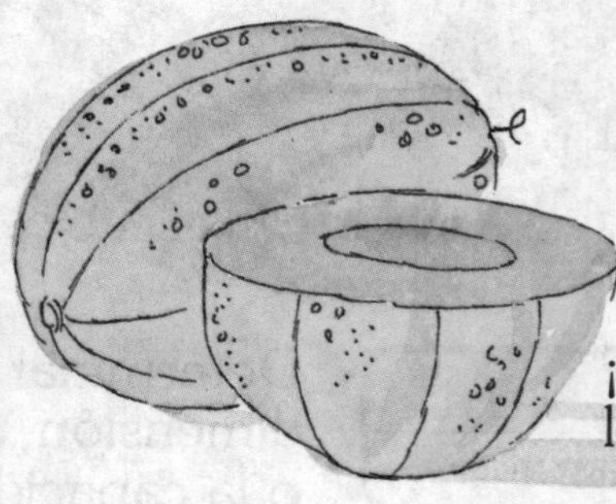

¡Qué frescos son los **melones**!

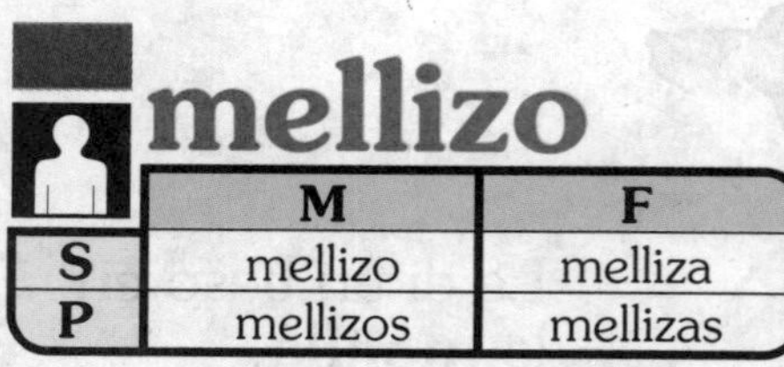

## mellizo

| | M | F |
|---|---|---|
| S | mellizo | melliza |
| P | mellizos | mellizas |

Cada uno de los hermanos que han nacido en el mismo parto.

Toda la familia estaba feliz cuando la mamá tuvo **mellizos**.

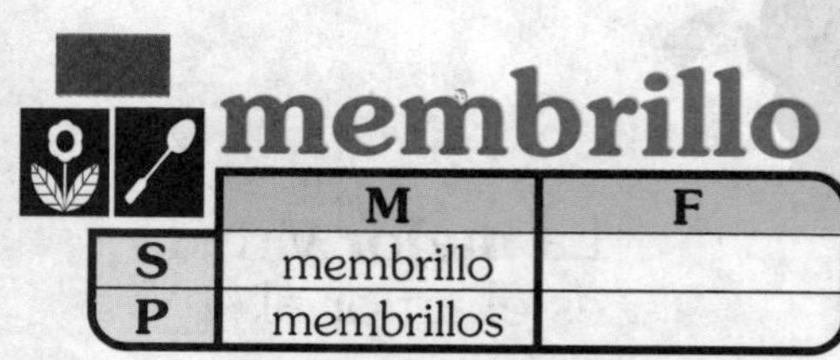

## membrillo

| | M | F |
|---|---|---|
| S | membrillo | |
| P | membrillos | |

Golpeé el **membrillo** contra la pared y me quedó blando.

## memoria

| | M | F |
|---|---|---|
| S | | memoria |
| P | | memorias |

Capacidad que uno tiene para recordar lo que ha pasado o lo que ha estudiado.

No hay que confiarse tanto en la **memoria**. Hay que estudiar tratando de entender.

## adv. menos

• En menor grado o cantidad.

En invierno, el sol calienta **menos**. Con la televisión te has puesto **menos** estudioso.

Menor grado o cantidad de algo.

Si no eres generoso, cada día tendrás **menos** amigos.

## mentir

| Pasado | Presente | Futuro |
|---|---|---|
| mentí | miento | mentiré |

Decir algo que no es verdad.

¿Te han contado la historia del pastor que de tanto **mentir** nadie le creyó cuando dijo la verdad?

## meñique

| | M | F |
|---|---|---|
| S | meñique | |
| P | meñiques | |

El **meñique** es el dedo más pequeño de la mano.

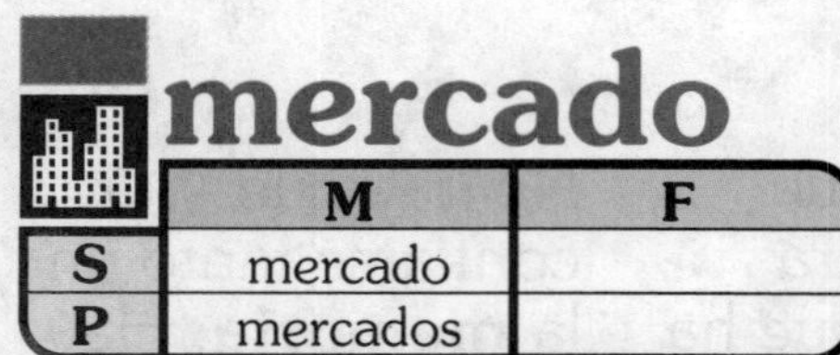

## mercado

| | M | F |
|---|---|---|
| S | mercado | |
| P | mercados | |

Edificio donde hay muchos puestos de frutas, verduras, flores y comestibles.

Mi mamá fue al **mercado** a comprar mariscos.

## mes

| | M | F |
|---|---|---|
| S | mes | |
| P | meses | |

Cada uno de los doce períodos en que se divide el año.

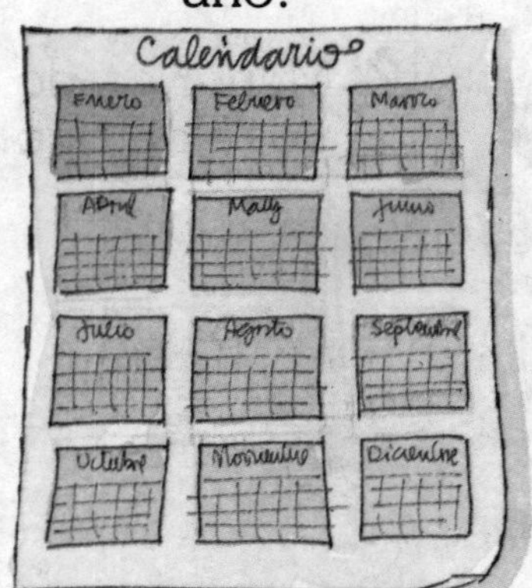


Estos son los **meses** del año: enero, febrero, marzo, abril, mayo, junio, julio, agosto, setiembre (o septiembre), octubre, noviembre y diciembre.

## meta

| | M | F |
|---|---|---|
| S | | meta |
| P | | metas |

Lugar donde termina una carrera.

El auto que llegó primero a la **meta** tenía el número 13.

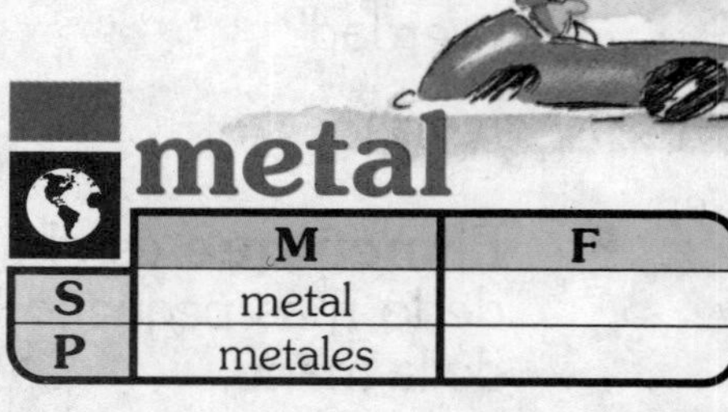

## metal

| | M | F |
|---|---|---|
| S | metal | |
| P | metales | |

Los **metales** nobles son el oro y la plata.

# metro

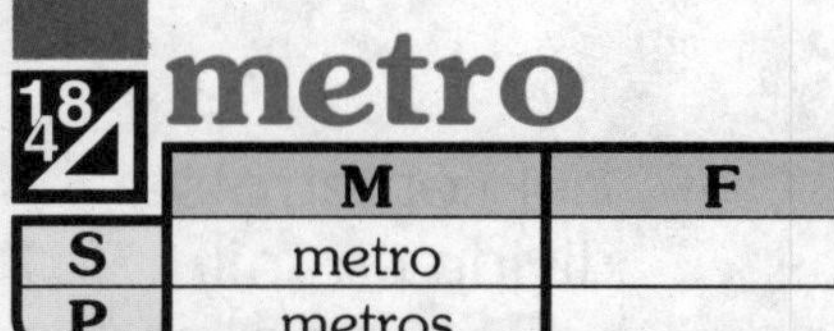

| | M | F |
|---|---|---|
| S | metro | |
| P | metros | |

El **metro** se divide en 100 centímetros.

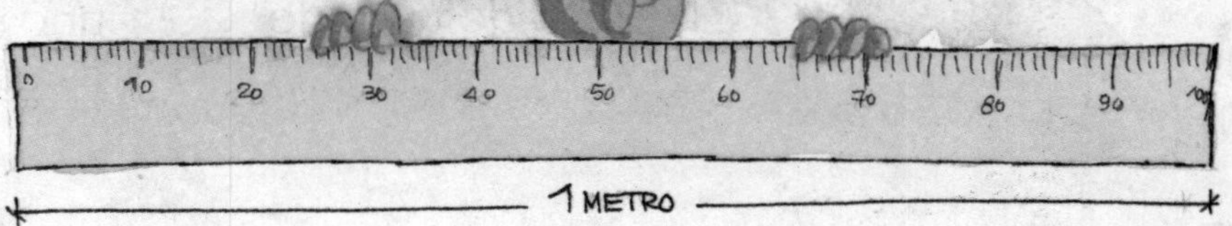


# mí

| | M | F |
|---|---|---|
| S | mí | |
| P | | |

Yo, cuando va precedido de preposición.

Siempre tengo un amigo cerca de **mí**.

• Si la prep. es "con", **mí** se convierte en **migo**, y el resultado es **conmigo**.

Si se trata de faltar a clases, no cuenten **conmigo**.

# mil

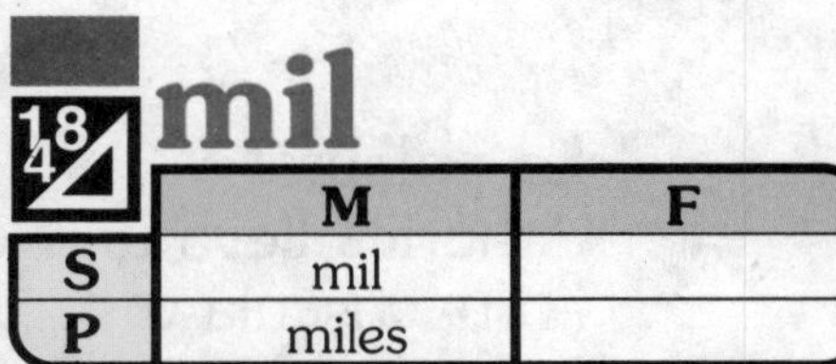

| | M | F |
|---|---|---|
| S | mil | |
| P | miles | |

Juntó un **mil**, otro **mil**, otro **mil** y otro **mil**, hasta tener varios **miles**.

# mil

| | M | F |
|---|---|---|
| S | | |
| P | mil | |

Un billete de **mil** pesos es igual a **mil** monedas de un peso.

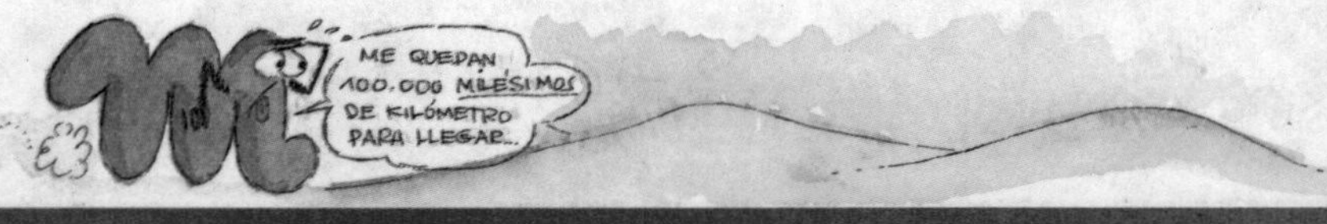


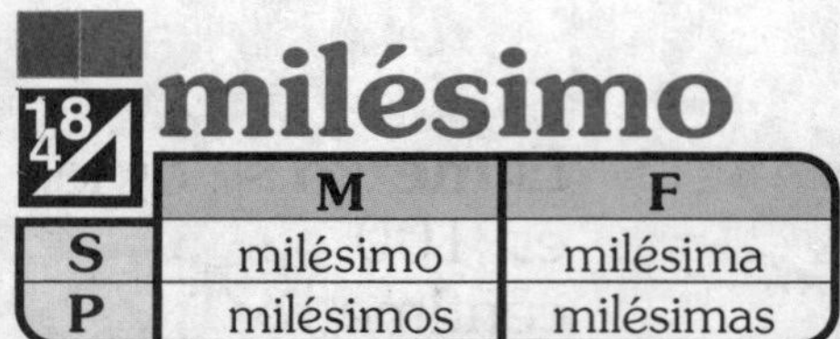

## milésimo

| | M | F |
|---|---|---|
| S | milésimo | milésima |
| P | milésimos | milésimas |

Una de las mil partes iguales en que se divide un todo.

El kilómetro se divide en mil **milésimos**, cada uno de los cuales es un metro.

## milímetro

| | M | F |
|---|---|---|
| S | milímetro | |
| P | milímetros | |

Cada una de las mil partes iguales en que se divide el metro.

Un **milímetro** más, y la llave no entra en la cerradura.

## millón

| | M | F |
|---|---|---|
| S | millón | |
| P | millones | |

Mil veces mil.

Nuestro idioma es hablado por más de 300 **millones** de personas.

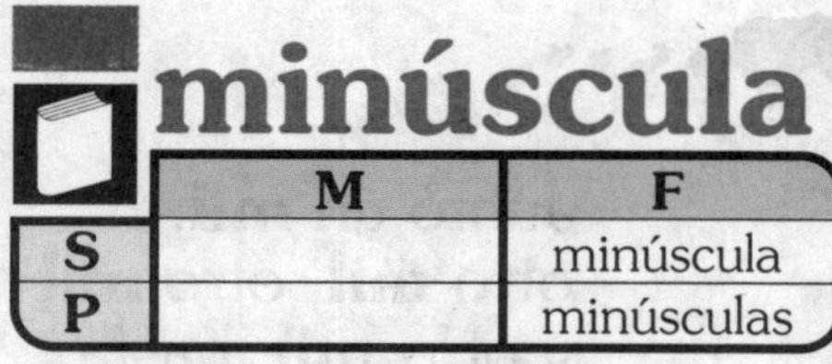

## minúscula

| | M | F |
|---|---|---|
| S | | minúscula |
| P | | minúsculas |

La palabra América lleva una A mayúscula y todas las demás son letras **minúsculas**.

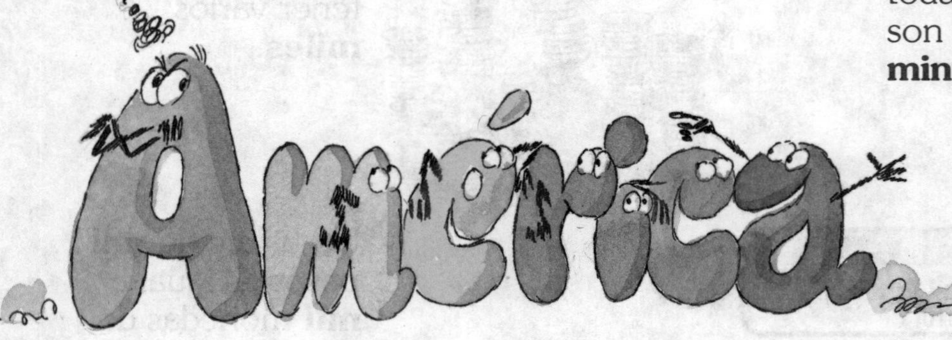

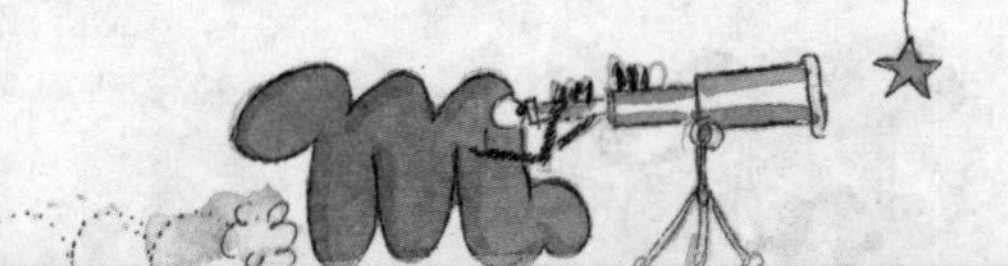



## minuto

| | M | F |
|---|---|---|
| S | minuto | |
| P | minutos | |

Cada uno de los sesenta períodos iguales en que se divide la hora.

El profesor nos recomienda que no lleguemos atrasados ni en un solo **minuto**.

## mío

| | M | F |
|---|---|---|
| S | mío | mía |
| P | míos | mías |

Lo que me pertenece.

Este libro es **mío**.

Cuando se antepone al sustantivo, se convierte en **mi**, **mis**.

**Mi** Primer Diccionario me sirve para hacer **mis** tareas.

## mirar

| Pasado | Presente | Futuro |
|---|---|---|
| miré | miro | miraré |

Dirigir la vista hacia alguien o algo para verlo.

Me entretuve **mirando** la puesta de sol.

## mismo

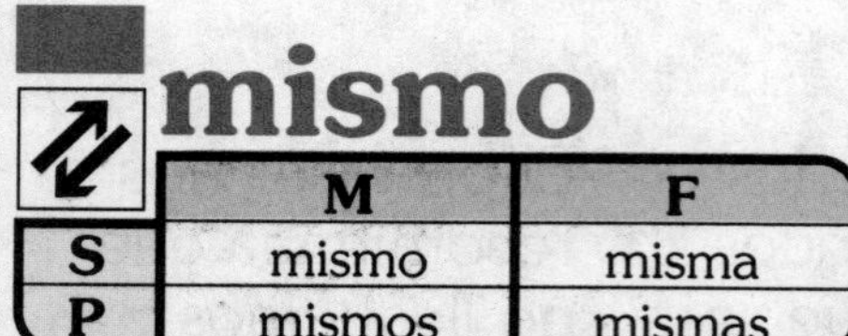

| | M | F |
|---|---|---|
| S | mismo | misma |
| P | mismos | mismas |

Que es uno solo o no cambia.

El cartero anda siempre con la **misma** gorra.

Que es igual o muy parecido.

Mi hermano y yo tenemos el pelo del **mismo** color.

En persona.

¿Tú **mismo** escribiste ese cuento?

A veces se usa como **sustantivo**.

Los **mismos** nos ganaron otra vez.

A mí cualquier deporte me da lo **mismo**.

## adv. mismo

Se usa para:
• reforzar o recalcar lo dicho.

Ahora **mismo** voy.

## mitad

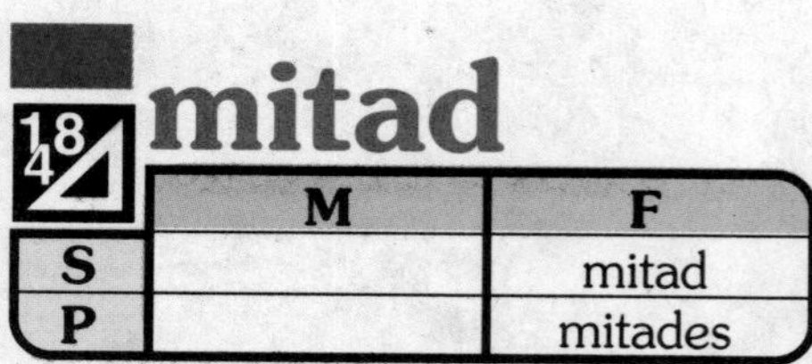

| | M | F |
|---|---|---|
| S | | mitad |
| P | | mitades |

Cada una de las dos partes iguales en que se divide un todo.

Repartámonos el pastel en dos **mitades**.

## mojar

| Pasado | Presente | Futuro |
|---|---|---|
| mojé | mojo | mojaré |

Echar agua sobre alguien o algo que estaba seco.

Siempre me **mojo** el pelo antes de peinarme.

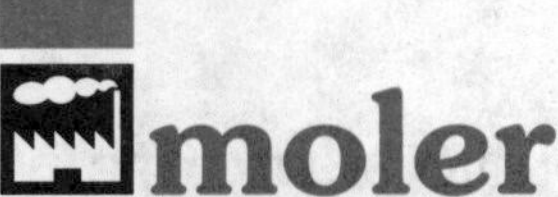

## moler

| Pasado | Presente | Futuro |
|---|---|---|
| molí | muelo | moleré |

Machacar algo hasta reducirlo a pedazos pequeños o a polvo.

Los molinos **muelen** el trigo para convertirlo en harina.

Cansar mucho hasta dejar adolorido.

Quedé **molido** después de la caminata.

## moneda

| | M | F |
|---|---|---|
| S | | moneda |
| P | | monedas |

Te cambio una **moneda** de $ 100 por 10 **monedas** de $ 10.

## mono

| | M | F |
|---|---|---|
| S | mono | mona |
| P | monos | monas |

El **mono** es el animal que más se parece al hombre.

## montaña

| | M | F |
|---|---|---|
| S | | montaña |
| P | | montañas |

Allá se ven las **montañas** nevadas.

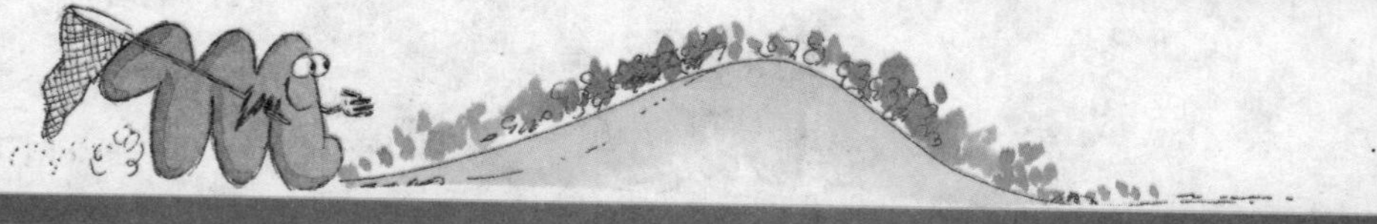

## monte

| | M | F |
|---|---|---|
| S | monte | |
| P | montes | |

Subió al **monte** a observar pájaros.

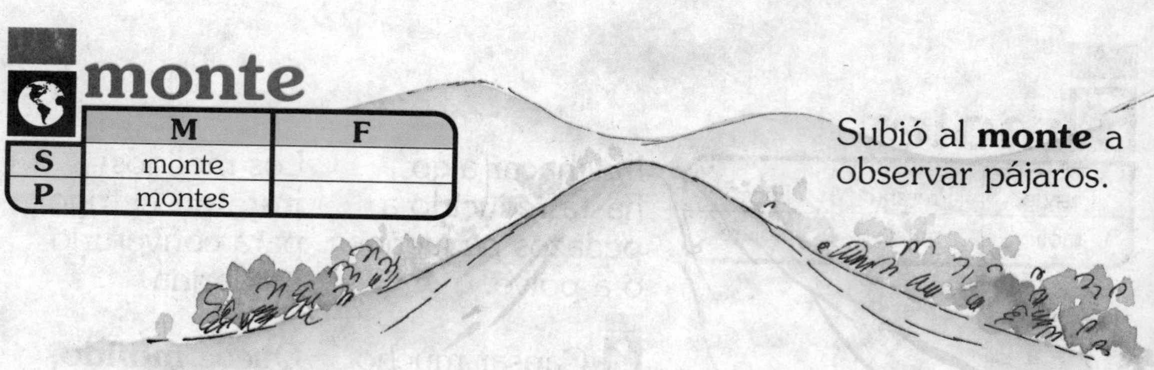

## morada

| | M | F |
|---|---|---|
| S | | morada |
| P | | moradas |

Lugar donde uno vive.

Las **moradas** de los hombres primitivos eran cavernas.

## morado

| | M | F |
|---|---|---|
| S | morado | morada |
| P | morados | moradas |

De color de mora, que es entre azul y rojo.

Con el golpe, se me puso **morada** la rodilla.

## moreno

| | M | F |
|---|---|---|
| S | moreno | morena |
| P | morenos | morenas |

De piel algo oscura y pelo negro.

La mayor parte de los latinos son **morenos**.

## morir(se)

| Pasado | Presente | Futuro |
|---|---|---|
| (me) morí | (me) muero | (me) moriré |

Dejar de vivir.

Hay insectos que nacen y **mueren** en pocos días.

Llora porque se **murió** su perro regalón.

Desaparecer o tener algo su fin.

Muchos ríos **mueren** antes de llegar al mar.

Se acabó la leña y se **murió** la hoguera.

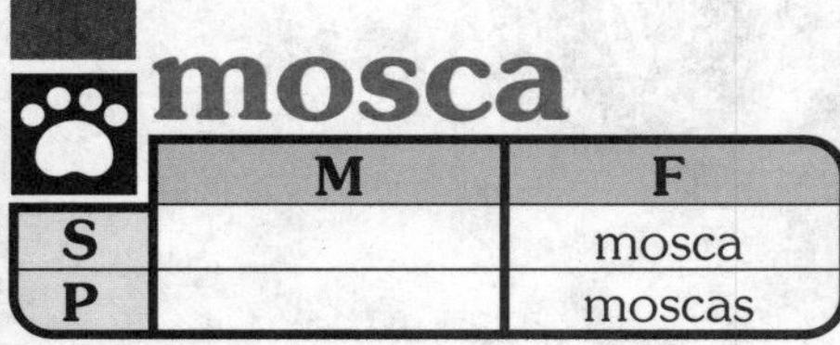

## mosca

| | M | F |
|---|---|---|
| S | | mosca |
| P | | moscas |

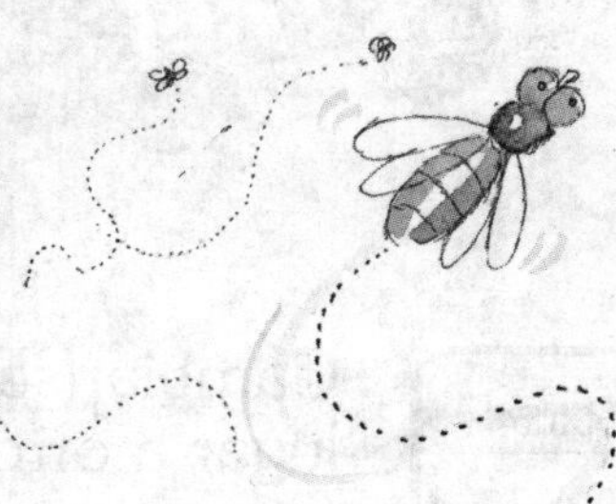

Las **moscas** son insectos que transmiten enfermedades.

## mostrar

| Pasado | Presente | Futuro |
|---|---|---|
| mostré | muestro | mostraré |

Exhibir o presentar algo a la vista de los que quieran verlo.

Anita me **mostró** su colección de libros.

Manifestar un afecto, sentimiento o actitud.

Mi perro se **muestra** muy contento cuando me ve.

## motocicleta

| | M | F |
|---|---|---|
| S | | motocicleta |
| P | | motocicletas |

Lo acompañaban dos policías en **motocicletas**.

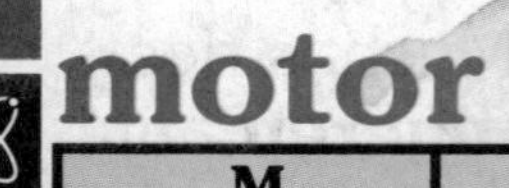

## motor

| | M | F |
|---|---|---|
| S | motor | |
| P | motores | |

El **motor** es una máquina que produce y transmite movimiento.

## mover

| Pasado | Presente | Futuro |
|---|---|---|
| moví | muevo | moveré |

Cambiar(se) de un lugar a otro

**Movimos** varios muebles para limpiar la sala.

La cortina se **movía** con el viento.

Agitar(se) hacia uno y otro lado una parte del cuerpo o estructura.

**Movían** las manos para saludarnos.

El tren empezó a **moverse**.

## mucho

| | M | F |
|---|---|---|
| S | mucho | mucha |
| P | muchos | muchas |

Gran cantidad de. — Siempre ha habido **muchos** poetas y poetisas.

Gran intensidad de. — Venía con **mucha** hambre.

Gran cantidad. — Las industrias tienen que fabricar zapatos para **muchos**.

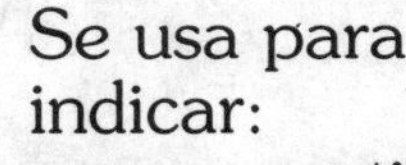


## adv. mucho

Se usa para indicar:

- gran cantidad, intensidad o duración de una acción o cualidad.

Corriste **mucho**: estás transpirando.

Tardaste **mucho** en salir.

Estás **mucho** mejor ahora.

- Se abrevia en **muy** cuando precede a un adjetivo que no indica comparación.

Mi mamá dice que mi papá es **muy** divertido.

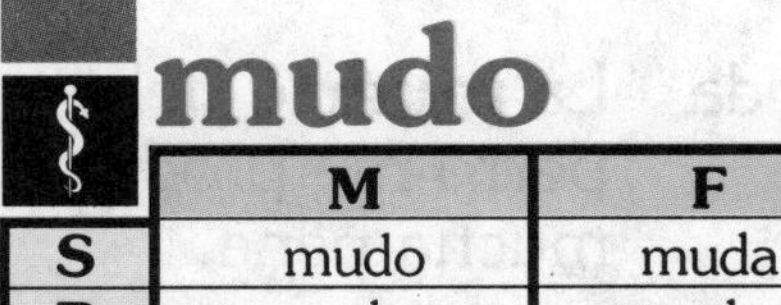

## mudo

| | M | F |
|---|---|---|
| S | mudo | muda |
| P | mudos | mudas |

Persona que no puede hablar. — No puede aprender a hablar; nació sordo y por eso es **mudo**.

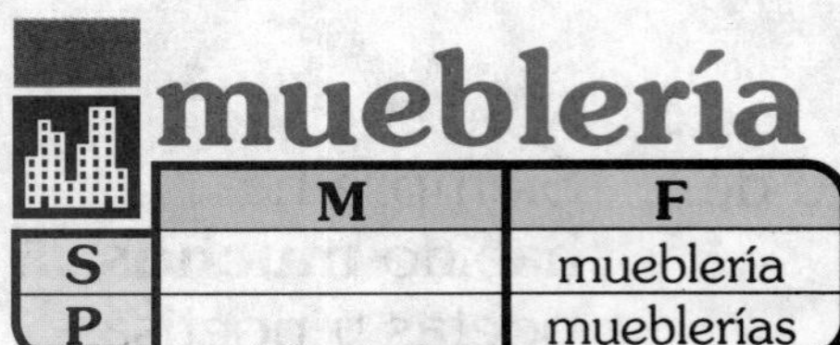

## mueblería

| | M | F |
|---|---|---|
| S | | mueblería |
| P | | mueblerías |

Local donde se hacen o venden muebles.

Mi papá compró el estante en una **mueblería**.

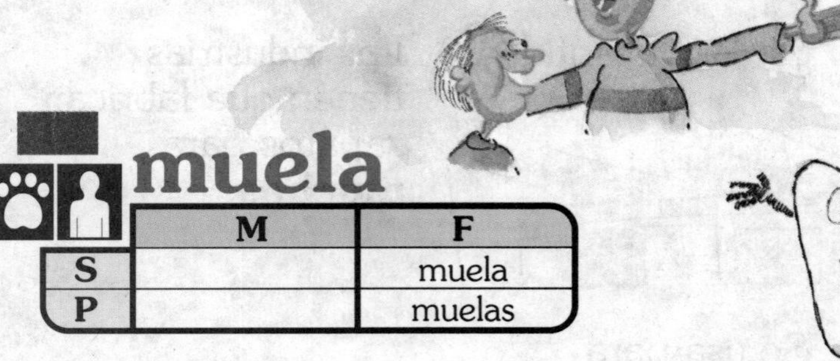

## muela

| | M | F |
|---|---|---|
| S | | muela |
| P | | muelas |

La **muela** del juicio es la última en salir.

## muelle

| | M | F |
|---|---|---|
| S | muelle | |
| P | muelles | |

Los barcos atracan al **muelle** para cargar y descargar.

## muerte

| | M | F |
|---|---|---|
| S | | muerte |
| P | | muertes |

Término de la vida de un ser.

La **muerte** del perro me produjo mucha pena.

## multiplicar

| Pasado | Presente | Futuro |
| --- | --- | --- |
| multipliqué | multiplico | multiplicaré |

Repetir un número (multiplicando) tantas veces cuantas lo indica otro (multiplicador).

Si **multiplico** 3x2, el resultado o producto es 6.

## municipalidad

| | M | F |
| --- | --- | --- |
| S | | municipalidad |
| P | | municipalidades |

La **municipalidad** se ocupa del aseo, salubridad y ornato de la ciudad.

## muñeca

| | M | F |
| --- | --- | --- |
| S | | muñeca |
| P | | muñecas |

En la **muñeca** izquierda se usa el reloj.

## muñeco

| | M | F |
| --- | --- | --- |
| S | muñeco | muñeca |
| P | muñecos | muñecas |

Mi hermana juega a las **muñecas** con sus amigas.

## muralla

| | M | F |
|---|---|---|
| S | | muralla |
| P | | murallas |

• Muro.

La gran **muralla** china es la más larga del mundo.

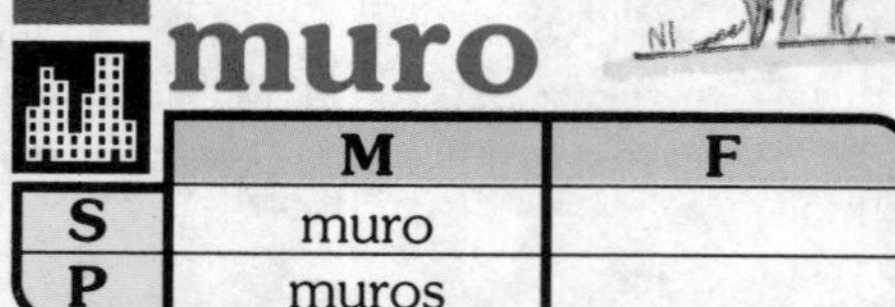

## muro

| | M | F |
|---|---|---|
| S | muro | |
| P | muros | |

Pared construida para encerrar o dividir un espacio o sostener algo.

El **muro** exterior de mi casa es de ladrillos.

## música

| | M | F |
|---|---|---|
| S | | música |
| P | | músicas |

Sucesión de sonidos agradables al oído.

La **música** clásica es la favorita de mi papá.

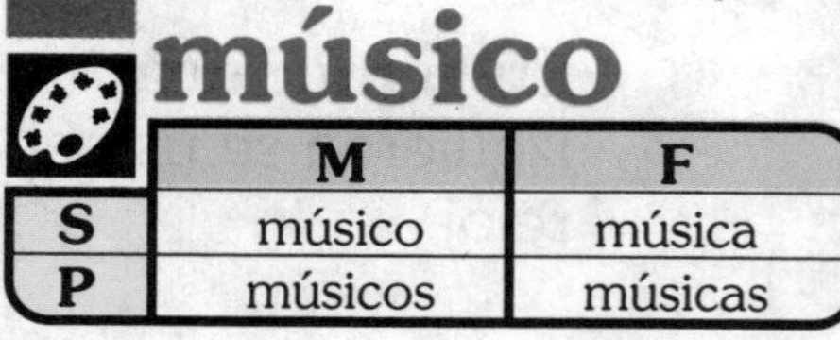

## músico

| | M | F |
|---|---|---|
| S | músico | música |
| P | músicos | músicas |

Persona que compone música o que toca algún instrumento musical.

Los **músicos** afinan sus instrumentos antes del concierto.

adv. **muy**

• Se usa en lugar de **mucho**.

Te veo **muy** interesado en estudiar el medio ambiente.

| A | B | C | CH | D | E | F | G | H | I |
|---|---|---|---|---|---|---|---|---|---|
| J | K | L | LL | M | **N** | Ñ | O | P | Q |
| R | S | T | U | V | W | X | Y | Z | |

## nacer

| Pasado | Presente | Futuro |
|---|---|---|
| nací | nazco | naceré |

Empezar a vivir.

Yo **nací** en el sur de nuestro país.

Tener algo su comienzo o aparición.

Hoy **nació** en el curso la idea de hacer un periódico mural.

El sol **nace** en el este y muere en el oeste.

## nacimiento

| | M | F |
|---|---|---|
| S | nacimiento | |
| P | nacimientos | |

El **nacimiento** de los pollitos se produce cuando rompen la cáscara del huevo.

## nada

• Ninguna cosa.

Busqué un regalo para ti, pero no encontré **nada** que me gustara.

## nada

| | M | F |
|---|---|---|
| S | | nada |
| P | | |

Lo que no existe.

Dios creó el mundo de la **nada**.

## nadie

• Ninguna persona.

Por la noche no se ve a **nadie** en la calle.

## naranja

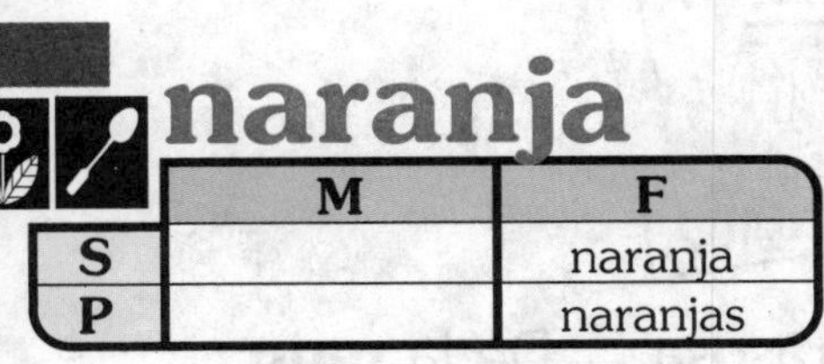

| | M | F |
|---|---|---|
| S | | naranja |
| P | | naranjas |

Las **naranjas** de cáscara delgada son siempre jugosas.

## nariz

| | M | F |
|---|---|---|
| S | | nariz |
| P | | narices |

Con el frío del invierno, se me hiela la **nariz**.

## narración

| | M | F |
|---|---|---|
| S | | narración |
| P | | narraciones |

Empezó su **narración** haciendo un recuerdo de su niñez.

Texto que narra algo.

En la biblioteca de la escuela hay muchos libros con **narraciones** fantásticas.

## narrador

| | M | F |
|---|---|---|
| S | narrador | narradora |
| P | narradores | narradoras |

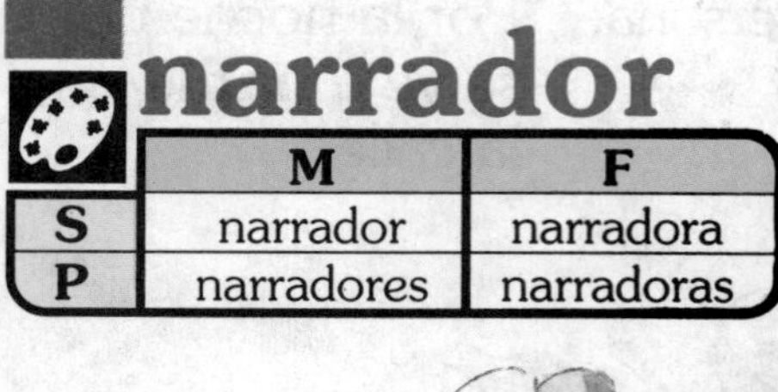

Los **narradores** saben contar historias.

## nata

| | M | F |
|---|---|---|
| S | | nata |
| P | | natas |

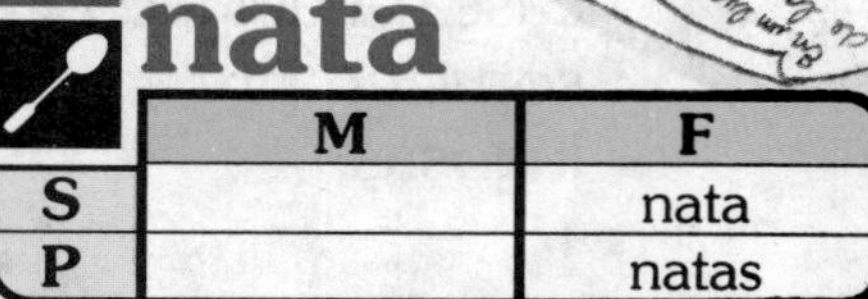

Sustancia grasosa que se forma en la superficie de la leche al cocerla.

De la **nata** se obtiene la mantequilla.

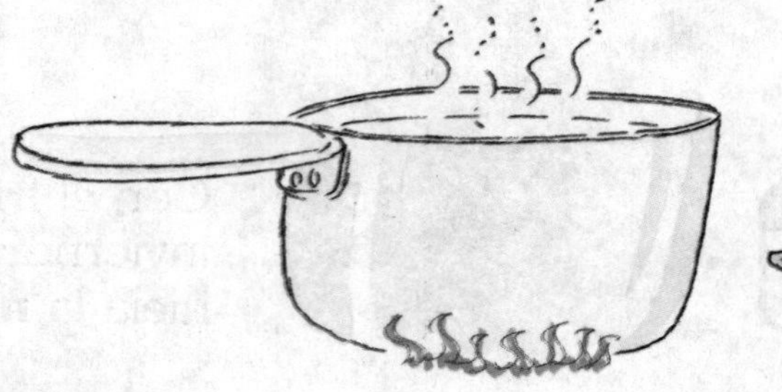

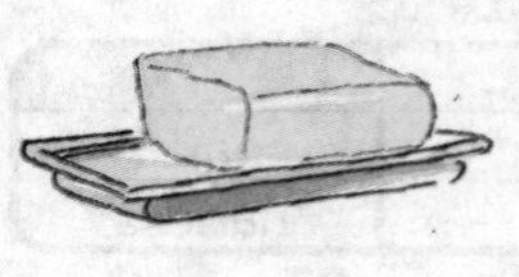

## nave

| | M | F |
|---|---|---|
| S | | nave |
| P | | naves |

- Embarcación.

El portaaviones es una enorme **nave** de guerra.

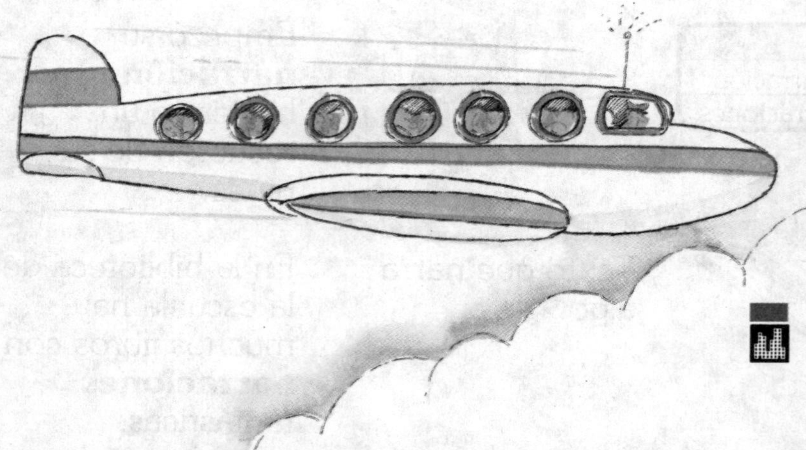

En las **naves** aéreas caben cientos de pasajeros.

En la **nave** central de la iglesia hay una gran imagen.

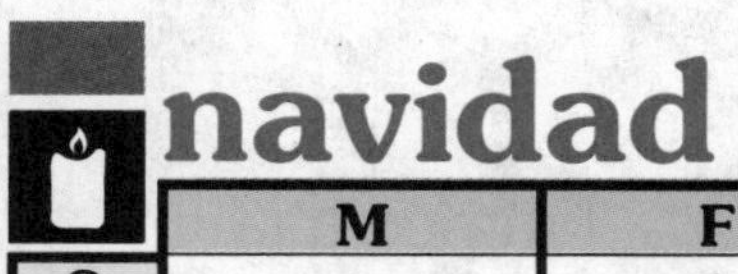

# navidad

| | M | F |
|---|---|---|
| S | | navidad |
| P | | navidades |

En la **Navidad** se recuerda el nacimiento de Jesús.

# negro

| | M | F |
|---|---|---|
| S | negro | negra |
| P | negros | negras |

De color muy oscuro, como el que se ve al cerrar los ojos.

Al gato **negro** sólo le veía brillar los ojos en la oscuridad.

Persona de piel muy oscura.

Gran parte de la población de África es de raza **negra**.

# nevar

| Pasado | Presente | Futuro |
|---|---|---|
| nevó | nieva | nevará |

Cuando **nieva**, salimos a la calle y organizamos batallas con pelotas de nieve.

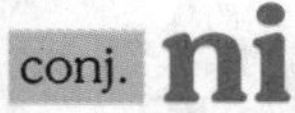

# conj. ni

• Y tampoco.

En mi ciudad no hay smog **ni** ruidos molestos.

• A veces se repite, sustituyendo en un caso a **no**.

Está tan enfermito, que **ni** come **ni** duerme.
Está tan enfermito, que **no** come **ni** duerme.

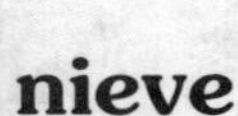

## nieve

| | M | F |
|---|---|---|
| S | | nieve |
| P | | nieves |

Fuimos a la cordillera a esquiar en la **nieve**.

## ningún

| | M | F |
|---|---|---|
| S | ningún(o) | ninguna |
| P | | |

Ni una sola persona, ni una sola cosa.

No vi a **ninguno**.

**Ninguna** nube se veía en el cielo.

Antes del sustantivo, se abrevia en **ningún**.

No vi a **ningún** policía.

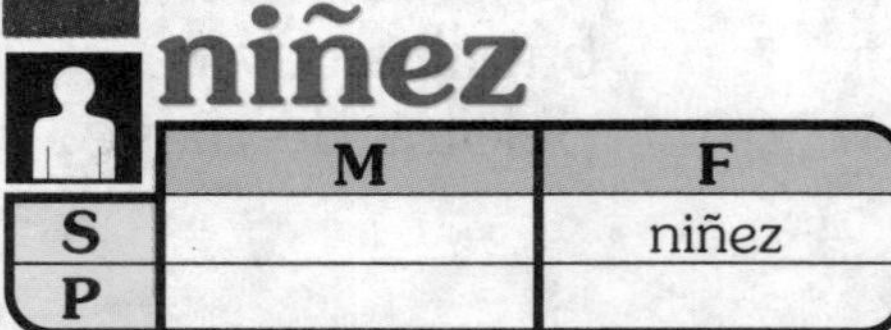

## niñez

| | M | F |
|---|---|---|
| S | | niñez |
| P | | |

Edad entre el nacimiento y la adolescencia.

La **niñez** es una de las edades más bellas de la vida.

## adv. no

Se usa para:

• expresar negación o falta de conformidad con algo.

–¡**No**! –le contesté con energía–. Yo **no** creo en esas cosas.

## noche

| | M | F |
|---|---|---|
| S | | noche |
| P | | noches |

En la **noche**, con su silencio y oscuridad, lo mejor es dormir.

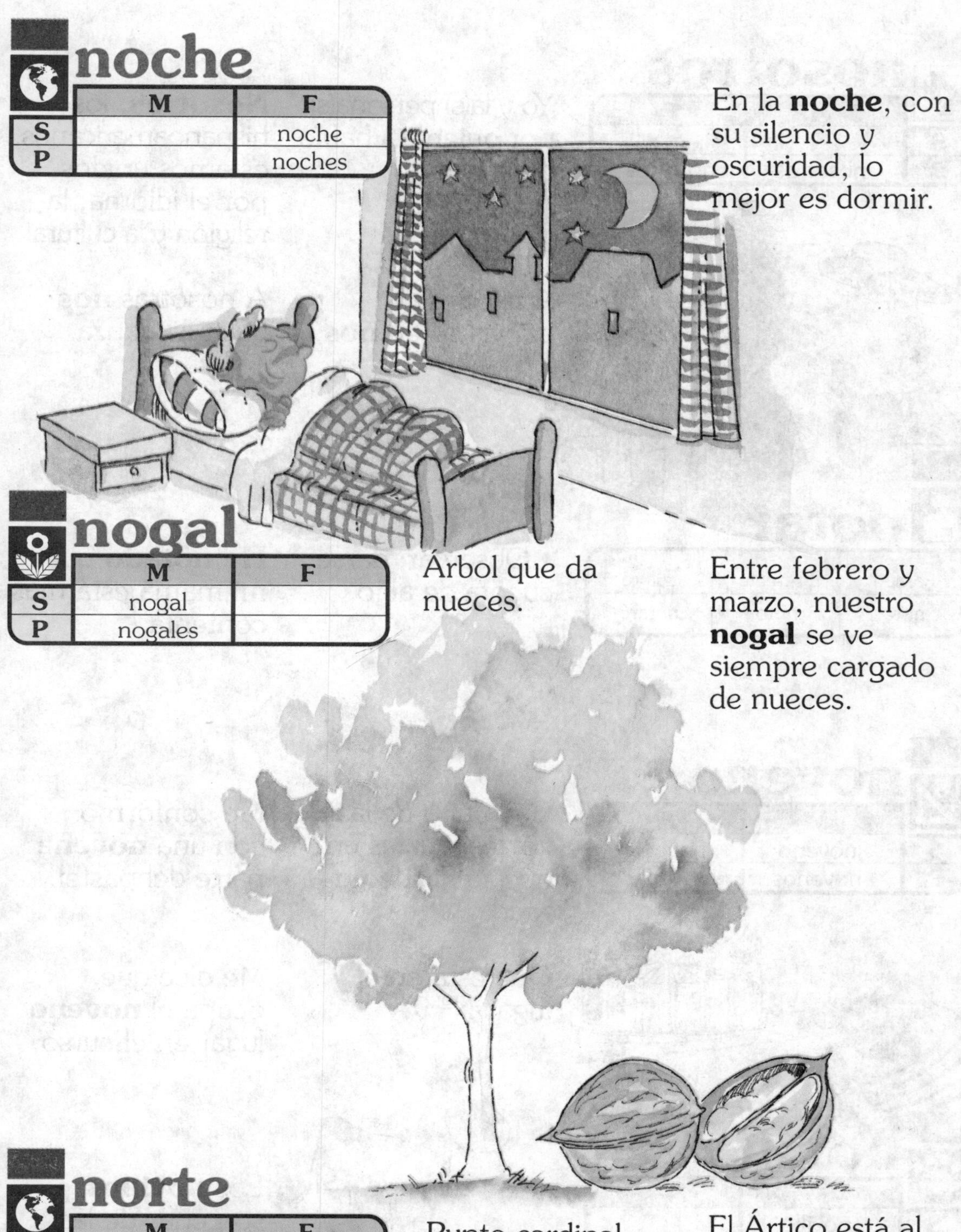

## nogal

| | M | F |
|---|---|---|
| S | nogal | |
| P | nogales | |

Árbol que da nueces.

Entre febrero y marzo, nuestro **nogal** se ve siempre cargado de nueces.

## norte

| | M | F |
|---|---|---|
| S | norte | |
| P | | |

Punto cardinal.

El Ártico está al **norte** y la Antártica al sur.

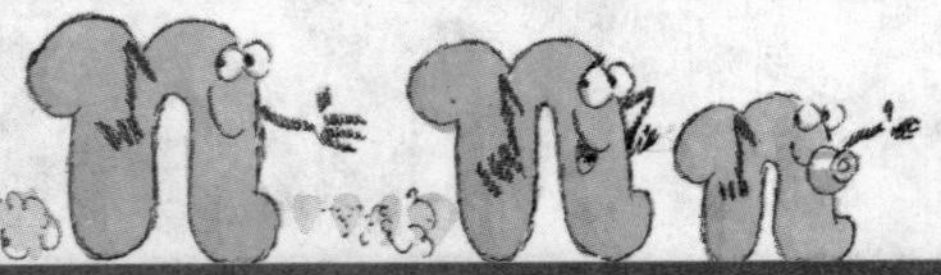

## nosotros

| | M | F |
|---|---|---|
| S | | |
| P | nosotros | nosotras |

Yo y la(s) persona(s) por quien(es) hablo o escribo.

**Nosotros**, los hispanoamericanos, estamos unidos por el idioma, la religión y la cultura.

A veces se convierte en **nos**.

A nosotras **nos** gusta la danza.

## notar

| Pasado | Presente | Futuro |
|---|---|---|
| noté | noto | notaré |

• Observar; darse cuenta de algo.

**He notado** que mi mamá está más contenta.

## noveno

| | M | F |
|---|---|---|
| S | noveno | novena |
| P | novenos | novenas |

Cada una de las 9 partes iguales en que se divide un todo.

Me conformo con una **novena** parte del pastel.

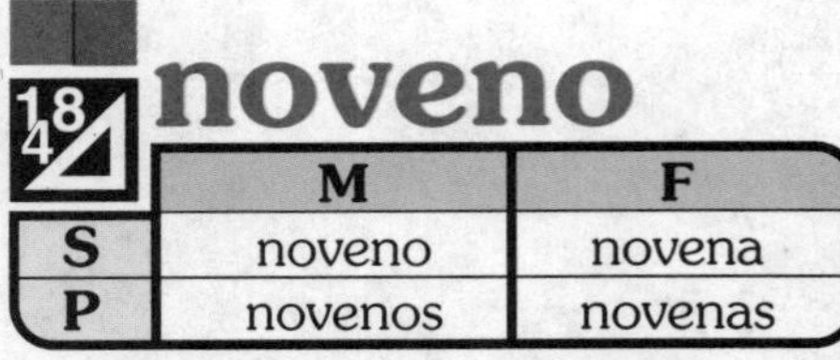

Que está en el lugar Nº 9.

Me dice que ocupa el **noveno** lugar en el curso.

## novillo

| | M | F |
|---|---|---|
| S | novillo | |
| P | novillos | |

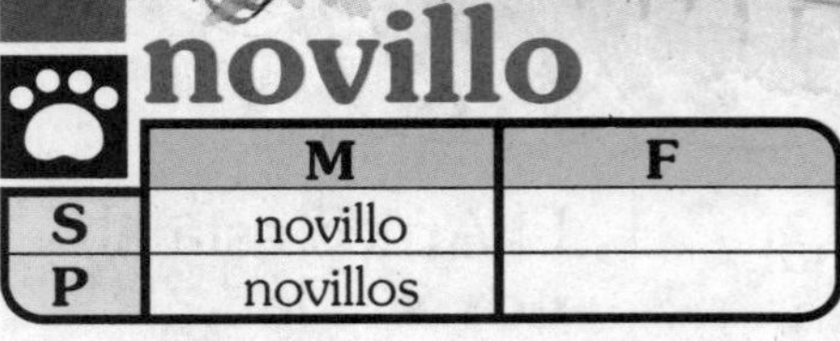

Los **novillos** son crías de las vacas.

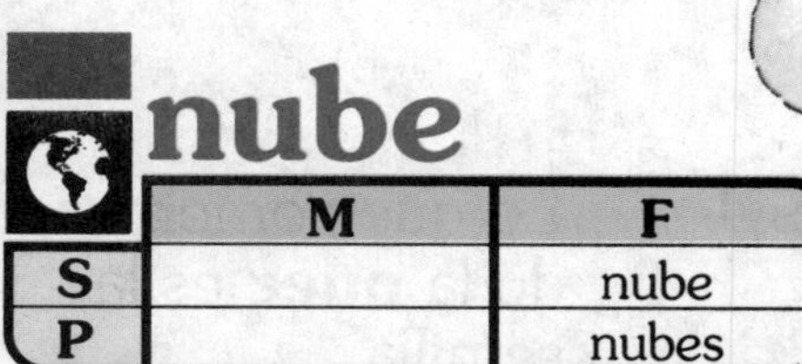

## nube

| | M | F |
|---|---|---|
| S | | nube |
| P | | nubes |

Unas **nubes** oscuras anunciaban lluvia.

## nuestro

| | M | F |
|---|---|---|
| S | nuestro | nuestra |
| P | nuestros | nuestras |

Lo que nos pertenece.

Tu escuela no es como la **nuestra**.

El que es pariente de nosotros.

**Nuestra** abuelita es muy entusiasta para jugar con nosotros.

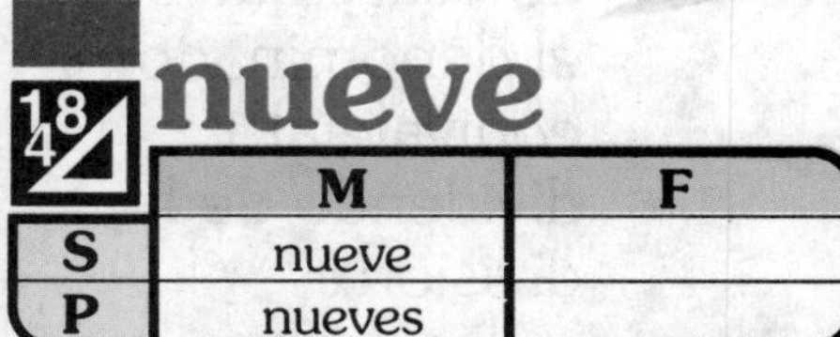

## nueve

| | M | F |
|---|---|---|
| S | nueve | |
| P | nueves | |

Tu número de teléfono termina en dos **nueves**.

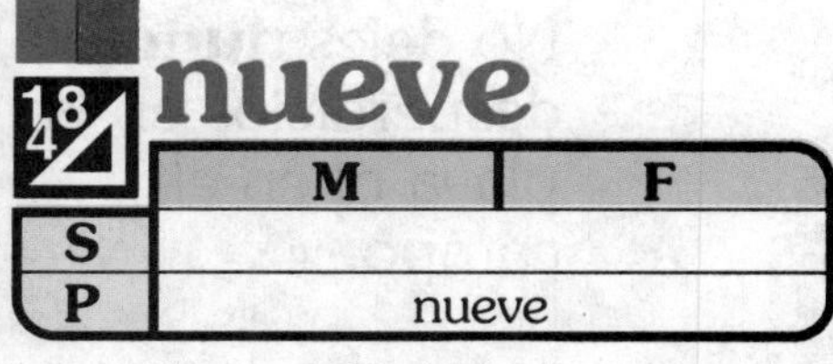

## nueve

| | M | F |
|---|---|---|
| S | | |
| P | nueve | |

Un bebé, antes de nacer, permanece en el vientre de la madre durante **nueve** meses.

Son las **nueve**.

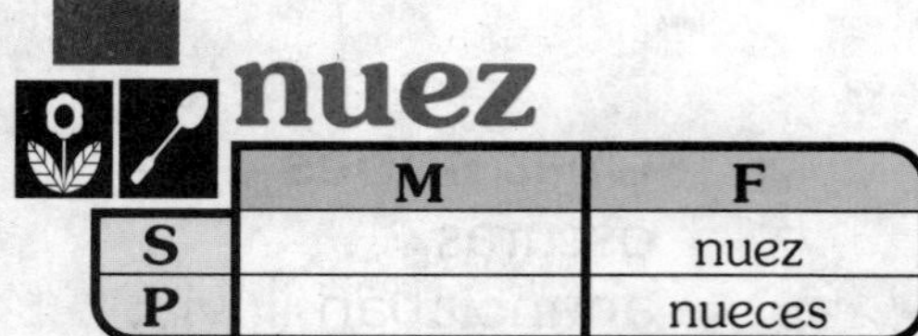

## nuez

| | M | F |
|---|---|---|
| S | | nuez |
| P | | nueces |

Fruto del nogal.

Lo que comemos de la **nuez** es la semilla.

Mi papá se hizo una herida en la **nuez** al afeitarse.

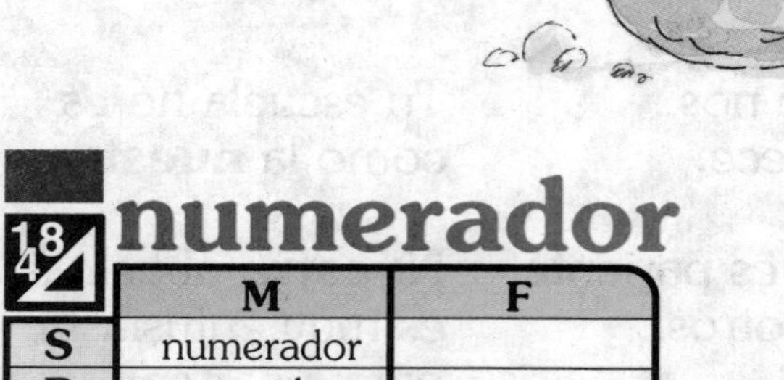

## numerador

| | M | F |
|---|---|---|
| S | numerador | |
| P | numeradores | |

El **numerador** es el número que va sobre la raya de una fracción.

Indica el número de veces que se da el denominador y equivale al dividendo de la división.

adv. **nunca**

• En ningún tiempo.

No dejes **nunca** desperdicios en la playa ni en el campo.

**Nunca** entregaba sus trabajos a tiempo.

| A | B | C | CH | D | E | F | G | H | I |
| --- | --- | --- | --- | --- | --- | --- | --- | --- | --- |
| J | K | L | LL | M | N | Ñ | O | P | Q |
| R | S | T | U | V | W | X | Y | Z | |

## ñandú

| | M | F |
|---|---|---|
| S | ñandú | |
| P | ñandúes | |

Los **ñandúes** son aves parecidas a los avestruces. Viven en las pampas de la Patagonia, en América del Sur.

## ñato

| | M | F |
|---|---|---|
| S | ñato | ñata |
| P | ñatos | ñatas |

De nariz corta y aplastada.

Mi perro **ñato** es mi mejor amigo.

## ñoqui

| | M | F |
|---|---|---|
| S | ñoqui | |
| P | ñoquis | |

Masa hecha de papas, harina y mantequilla.

Nos encanta comer **ñoquis** con salsa de tomates.

A B C CH D E F G H I

J K L LL M N Ñ **O** P Q

R S T U V W X Y Z

## o

| | M | F |
|---|---|---|
| S | | o |
| P | | oes |

Nombre de la letra **o** y del sonido que representa.

La **o** es la cuarta vocal. Hace unas **oes** que parecen aes.

## conj. o

Se usa para:

- expresar que si ocurre algo, no ocurre la otra cosa que se nombra.

Cómprame un kilo de manzanas **o** un kilo de peras.

- A veces se repite.

**O** vienes **o** te marchas.

- Se cambia en **u** cuando la expresión que sigue empieza por el sonido vocálico **o**.

No sé si mi anillo está hecho de oro **u** oropel.

Que venga Juan **u** Horacio.

## obedecer

| Pasado | Presente | Futuro |
|---|---|---|
| obedecí | obedezco | obedeceré |

Hacer lo que alguien ha mandado.

Para saber mandar, hay que saber **obedecer**.

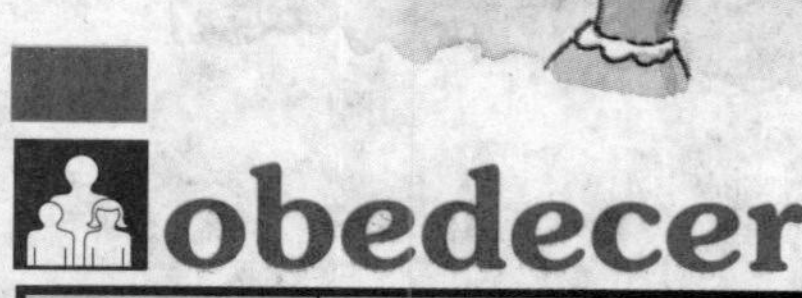

## obligar

| Pasado | Presente | Futuro |
|---|---|---|
| obligué | obligo | obligaré |

Hacer que alguien o un animal haga algo o se comporte de cierta manera.

Hay que **obligar** a comer a este perro.

## observar

| Pasado | Presente | Futuro |
|---|---|---|
| observé | observo | observaré |

Mirar con mucha atención.

Me detuve a **observar** una mariposa.

 • Notar.

Cuando se dio vuelta, **observé** que tenía el pantalón roto.

Advertir o hacer notar algo a los demás.

Un compañero **observó** que faltaba la nota de Castellano.

Hacer uno todo lo que está mandado.

Hay que **observar** el reglamento del colegio.

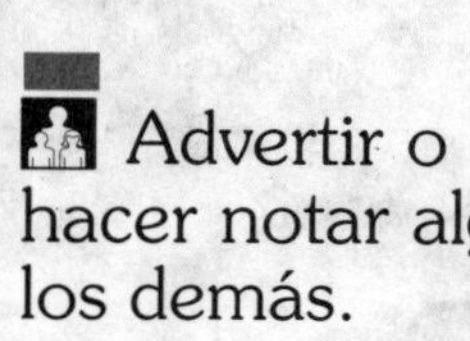

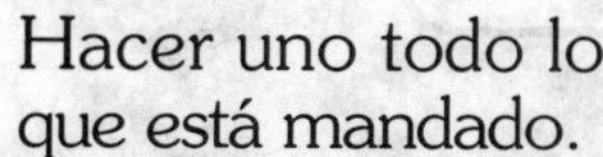

## océano

| | M | F |
|---|---|---|
| S | océano | |
| P | océanos | |

Colón atravesó el **océano** Atlántico para descubrir América.

## octavo

| | M | F |
|---|---|---|
| S | octavo | octava |
| P | octavos | octavas |

Cada una de las 8 partes iguales en que se divide un todo.

El queso lo partieron en 8 trozos iguales. Yo me comí un trozo, o sea, un **octavo** de queso.

Que está en el lugar Nº 8.

Mi club favorito va **octavo** en la competencia.

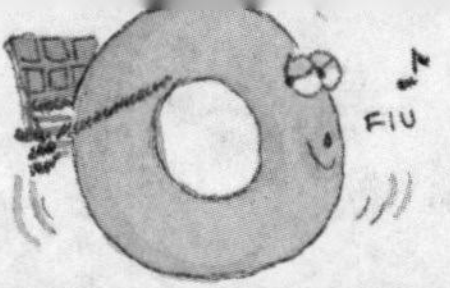

## ocultar

| Pasado | Presente | Futuro |
|---|---|---|
| (me) oculté | (me) oculto | (me) ocultaré |

• Esconder.

**Ocultó** su tesoro para que nadie se lo robara.

El sol se **oculta** en el oeste.

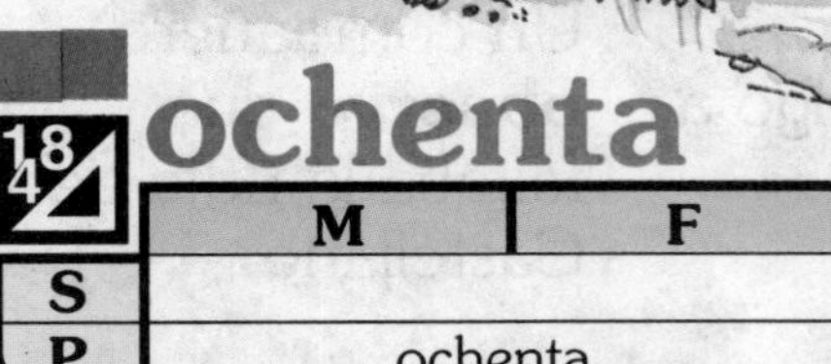

## ochenta

| | M | F |
|---|---|---|
| S | | |
| P | ochenta | |

He logrado pintar como **ochenta** dibujos.

Mi abuelo anda en los **ochenta**.

## ocho

| | M | F |
|---|---|---|
| S | ocho | |
| P | ochos | |

El número 888 tiene tres **ochos**.

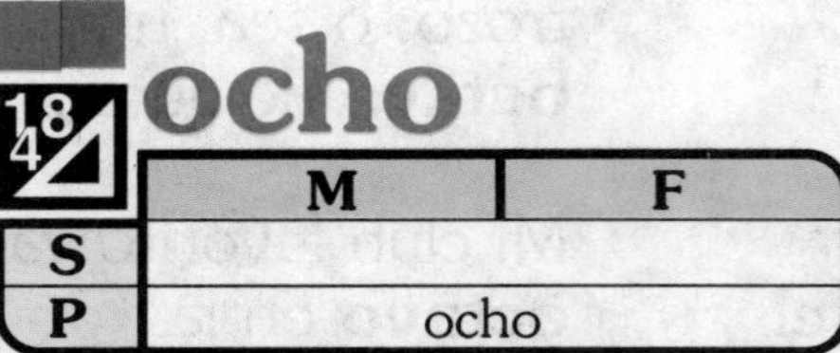

## ocho

| | M | F |
|---|---|---|
| S | | |
| P | ocho | |

La chancha tuvo **ocho** cerditos. Los **ocho** están sanos.

## odiar

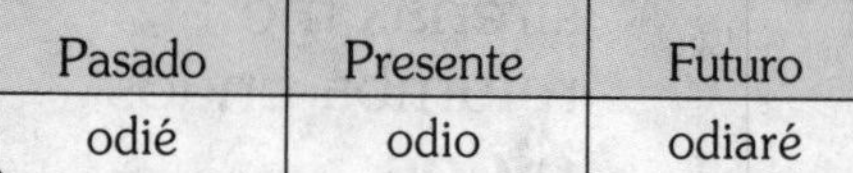

| Pasado | Presente | Futuro |
|---|---|---|
| odié | odio | odiaré |

• Aborrecer.

Nunca **odies** a nadie.

## oeste

| | M | F |
|---|---|---|
| S | oeste | |
| P | | |

El **oeste** es el lado por donde se oculta el sol.

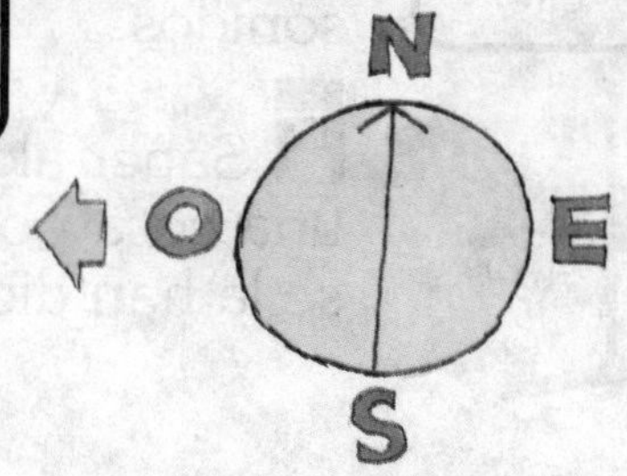


## oficina

| | M | F |
|---|---|---|
| S | | oficina |
| P | | oficinas |

Mi papá trabaja en una **oficina** de propiedades.

## ofrecer

| Pasado | Presente | Futuro |
|---|---|---|
| ofrecí | ofrezco | ofreceré |

Entregar o prometer algo en beneficio de alguien.

Un compañero me **ofreció** su casa en la playa para mis vacaciones.

## oído

| | M | F |
|---|---|---|
| S | oído | |
| P | oídos | |

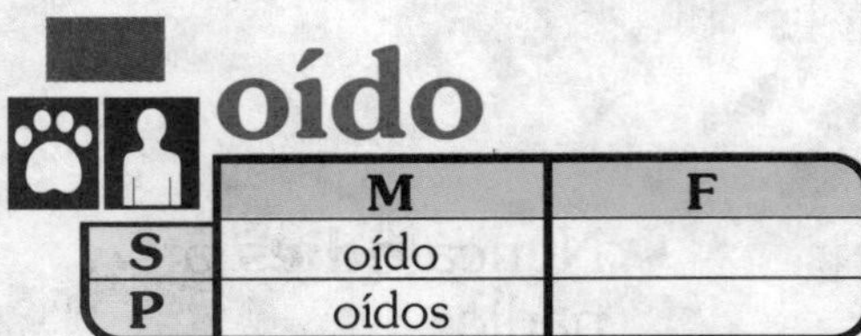

El ruido de las sirenas me retumba en los **oídos**.

## oír

| Pasado | Presente | Futuro |
|---|---|---|
| oí | oigo | oiré |

Darse cuenta de los ruidos y sonidos.

**Oí** el murmullo de las hojas.

Saber alguien una cosa porque se la han dicho.

He **oído** que te va muy bien en la escuela.

interj. **¡ojalá!**

• Se usa para expresar un deseo.

Iremos a pasear al campo. ¡**Ojalá** que no llueva!

## ojo

| | M | F |
|---|---|---|
| S | ojo | |
| P | ojos | |

Los **ojos** del gato brillan en la oscuridad.

Me costó enhebrar el hilo en el **ojo** de la aguja.

La llave debe entrar en el **ojo** de la cerradura.

## ola

| | M | F |
|---|---|---|
| S | | ola |
| P | | olas |

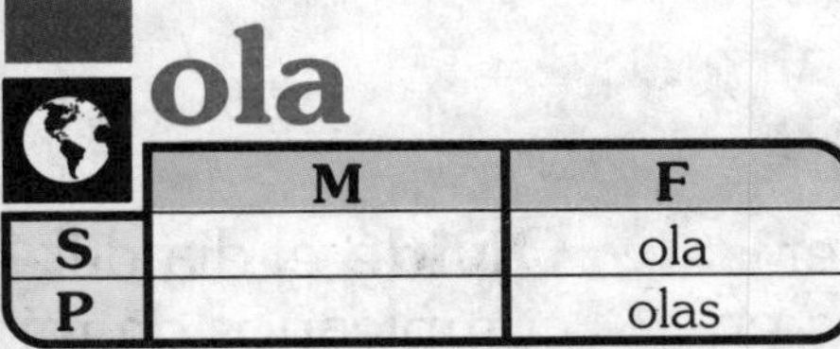

Las **olas** golpeaban sobre las rocas.

## oler

| Pasado | Presente | Futuro |
|---|---|---|
| olí | huelo | oleré |

Darse cuenta de los olores mediante el olfato.

Me gusta mucho **oler** la flor del jazmín.

Qué bien **huele** este bizcocho.

## olfato

| | M | F |
|---|---|---|
| S | olfato | |
| P | olfatos | |

Sentido mediante el cual se perciben los olores.

El perro tiene muy desarrollado el **olfato**.

Capacidad para descubrir o adivinar cosas.

Mi tío tiene buen **olfato** para los negocios.

## olor

| | M | F |
|---|---|---|
| S | olor | |
| P | olores | |

Impresión agradable o desagradable que producen las emanaciones de los cuerpos que nos rodean.

El horno se había apagado y salía un fuerte **olor** a gas...

# olvidar

| Pasado | Presente | Futuro |
|---|---|---|
| (me) olvidé | (me) olvido | (me) olvidaré |

Dejar de tener algo presente en la memoria.

**Olvidé** el día del cumpleaños de mi hermano mayor.

Dejar algo en algún lugar sin darse cuenta.

Siempre **olvido** el paraguas.

Perder la atención, el cuidado o la preocupación por alguien o algo.

No te **olvides** de tus padrinos.

# olla

| | M | F |
|---|---|---|
| S | | olla |
| P | | ollas |

Me gusta ver cómo hierve la sopa en la **olla**.

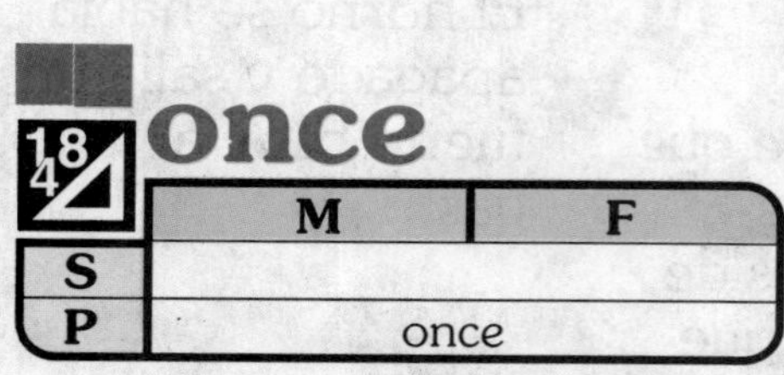

# once

| | M | F |
|---|---|---|
| S | | |
| P | once | |

A las **once** en punto ingresaron los **once** jugadores.

## onda

| | M | F |
|---|---|---|
| S | | onda |
| P | | ondas |

Al lanzar una piedra al agua, se forman **ondas** en forma de círculos.

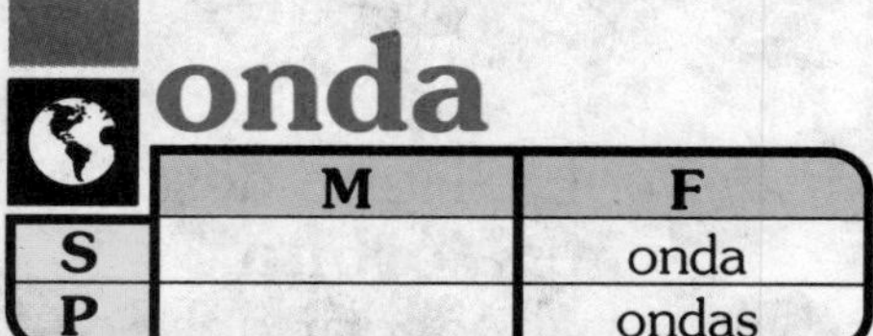

Conocí a una chica con muchas **ondas** en el pelo.

Los temblores se transmiten mediante **ondas** terrestres, y los ruidos, mediante **ondas** acústicas.

## operación

| | M | F |
|---|---|---|
| S | | operación |
| P | | operaciones |

El paciente quedó muy bien después de la **operación**.

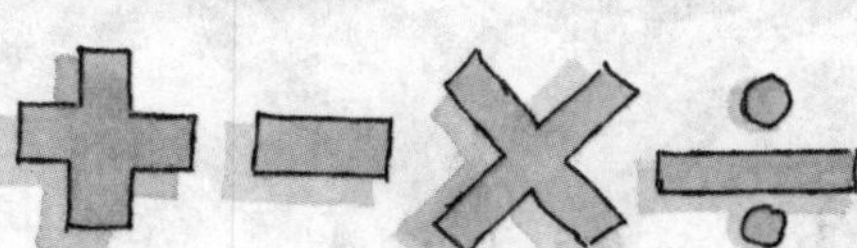

Las cuatro **operaciones** son sumar, restar, multiplicar y dividir.

## oración

| | M | F |
|---|---|---|
| S | | oración |
| P | | oraciones |

• Rezo.

Antes de dormir, rezo mis **oraciones**.

Frase con sentido completo.

El profesor me pidió que inventara una **oración** exclamativa.

# órbita

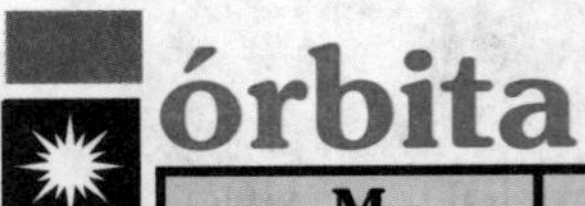

| | M | F |
|---|---|---|
| S | | órbita |
| P | | órbitas |

La Tierra describe una **órbita** alrededor del Sol. Tarda en recorrerla un año justo.

# ordenar

| Pasado | Presente | Futuro |
|---|---|---|
| ordené | ordeno | ordenaré |

• Mandar.

¡Obedece! ¡Te **ordeno** que dejes de molestar!

Poner las cosas en el lugar que les corresponde.

Hoy debo **ordenar** todas mis cosas.

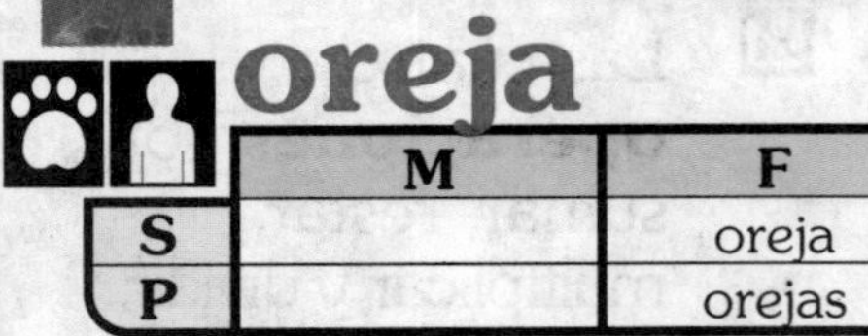

# oreja

| | M | F |
|---|---|---|
| S | | oreja |
| P | | orejas |

Las **orejas** del burro son largas.

Hay una taza con la **oreja** quebrada.

# oriente

| | M | F |
|---|---|---|
| S | oriente | |
| P | | |

• Este. Punto cardinal.

En Chile, la cordillera de los Andes está al **oriente**. ¿Dónde está en Argentina?

## oro

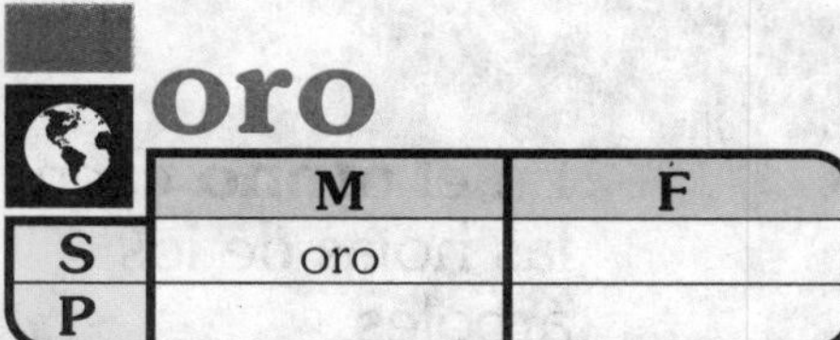

| | M | F |
|---|---|---|
| S | oro | |
| P | | |

El **oro** es un metal muy valioso.

## ortografía

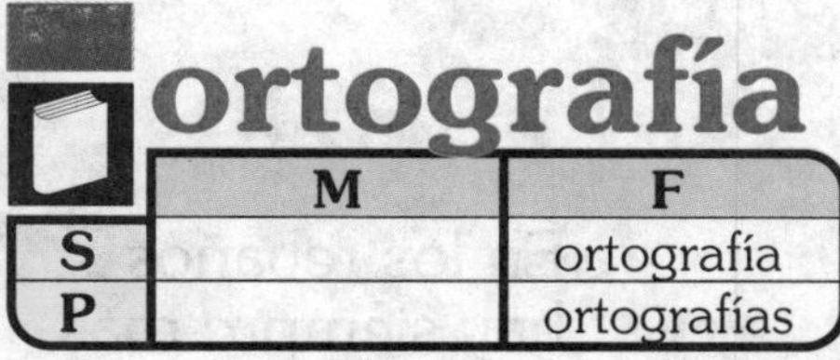

| | M | F |
|---|---|---|
| S | | ortografía |
| P | | ortografías |

Correcta escritura de las palabras.

Para tener buena **ortografía**, hay que leer mucho, pero con calma.

## oscuro

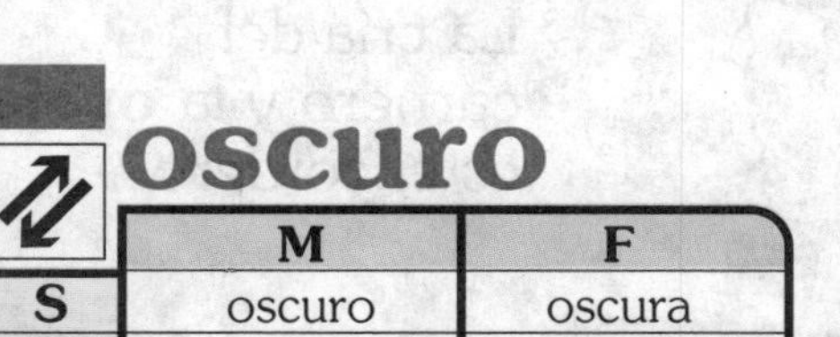

| | M | F |
|---|---|---|
| S | oscuro | oscura |
| P | oscuros | oscuras |

Que tiene muy poca luz o ninguna.

¿Por qué será que la gente les tiene miedo a los cuartos **oscuros**?

Que se entiende muy poco o nada.

Era un sabio, pero su lenguaje era muy **oscuro** para los alumnos.

## oso

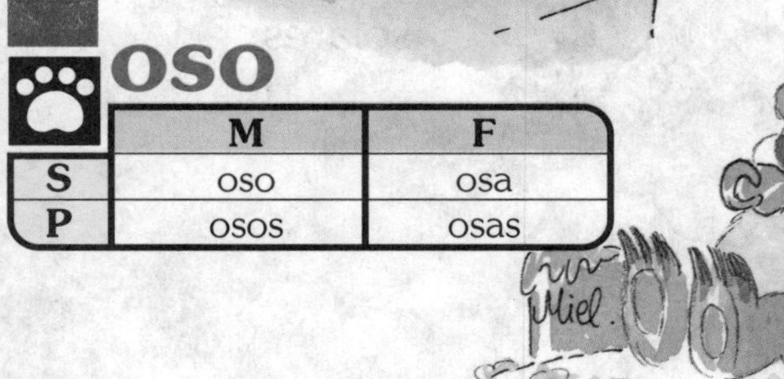

| | M | F |
|---|---|---|
| S | oso | osa |
| P | osos | osas |

Las crías del **oso** y la **osa** son los oseznos.

Para mi cumpleaños quiero un **oso** de peluche.

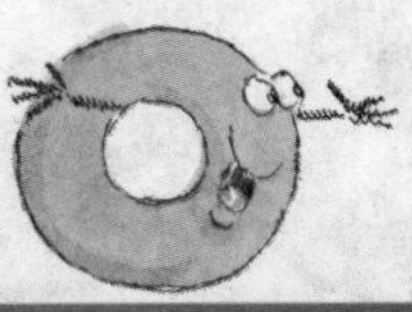

## otoño

| | M | F |
|---|---|---|
| S | otoño | |
| P | otoños | |

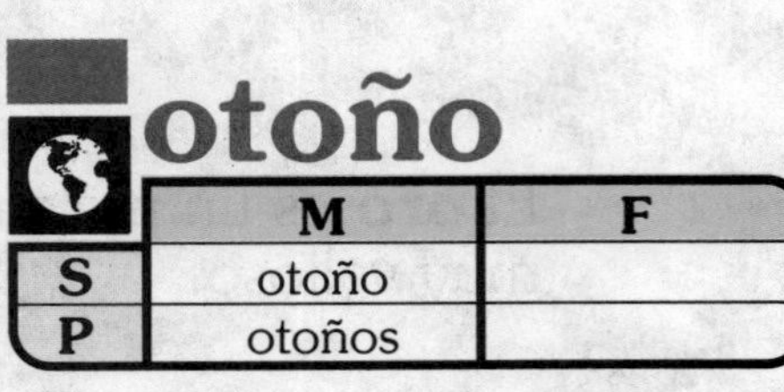

En el **otoño** caen las hojas de los árboles.

## oveja

| | M | F |
|---|---|---|
| S | | oveja |
| P | | ovejas |

En los rebaños hay siempre más **ovejas** que carneros.

La cría del carnero y la **oveja** es el cordero.

## ozono

| | M | F |
|---|---|---|
| S | ozono | |
| P | | |

Oxígeno recargado por la electricidad de la atmósfera.

Hay que evitar la destrucción de la capa de **ozono**, que nos protege de los rayos solares.

| A | B | C | CH | D | E | F | G | H | I |
|---|---|---|---|---|---|---|---|---|---|
| J | K | L | LL | M | N | Ñ | O | P | Q |
| R | S | T | U | V | W | X | Y | Z | |

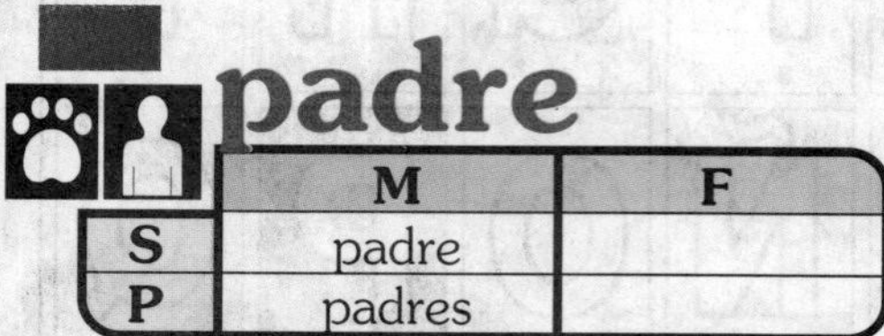

## padre

| | M | F |
|---|---|---|
| S | padre | |
| P | padres | |

Amo mucho a mi **padre**.

¡Ahí va el **padre** que bautizó a mi hermano menor!

## padrino

| | M | F |
|---|---|---|
| S | padrino | |
| P | padrinos | |

El que asiste al que se va a bautizar y promete protegerlo.

Para mí, los **padrinos** son los segundos padres.

## país

| | M | F |
|---|---|---|
| S | país | |
| P | países | |

- Nación.
- Territorio.

Durante el verano el clima del **país** es demasiado caluroso.

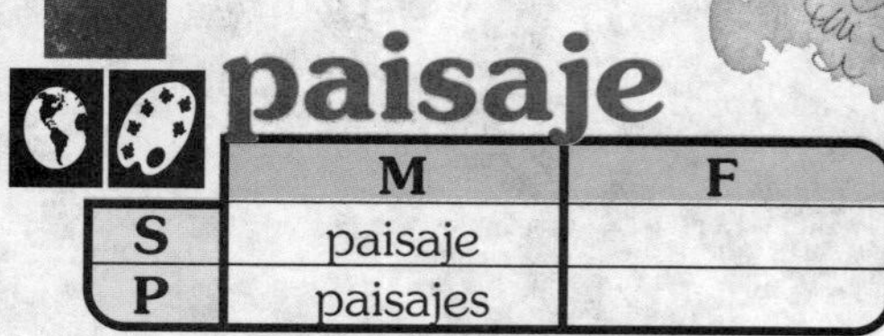

## paisaje

| | M | F |
|---|---|---|
| S | paisaje | |
| P | paisajes | |

Ningún **paisaje** pintado supera la belleza de un **paisaje** real.

## palabra

| | M | F |
|---|---|---|
| S | | palabra |
| P | | palabras |

Conjunto de letras (o sonidos) que quiere decir algo.

La **palabra** Dios tiene cuatro letras y quiere decir Creador del Universo.

## palanca

| | M | F |
|---|---|---|
| S | | palanca |
| P | | palancas |

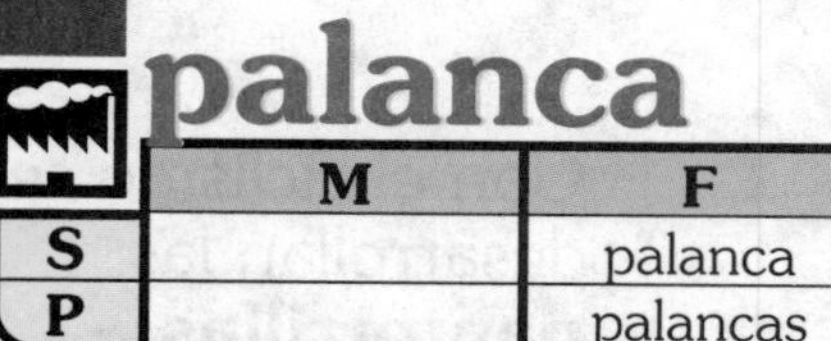

Haciendo **palanca** con un fierro, mi papá pudo levantar la piedra.

## pampa

| | M | F |
|---|---|---|
| S | | pampa |
| P | | pampas |

Llanura muy extensa y sin vegetación arbórea.

En las **pampas** argentinas hay plantaciones de cereales.

## panera

| | M | F |
|---|---|---|
| S | | panera |
| P | | paneras |

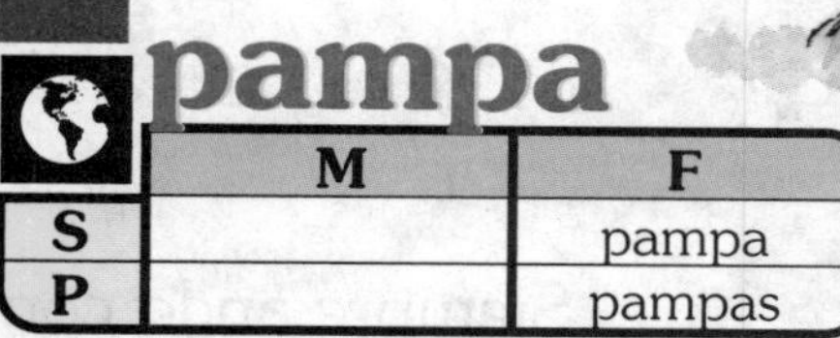

En la **panera** hay pan recién tostado.

## pantalón

| | M | F |
|---|---|---|
| S | pantalón | |
| P | pantalones | |

Los hombres usan siempre **pantalones**.

## pantano

| | M | F |
|---|---|---|
| S | pantano | |
| P | pantanos | |

Lugar de aguas detenidas.

El balón cayó en un **pantano**. Tuve que darlo por perdido.

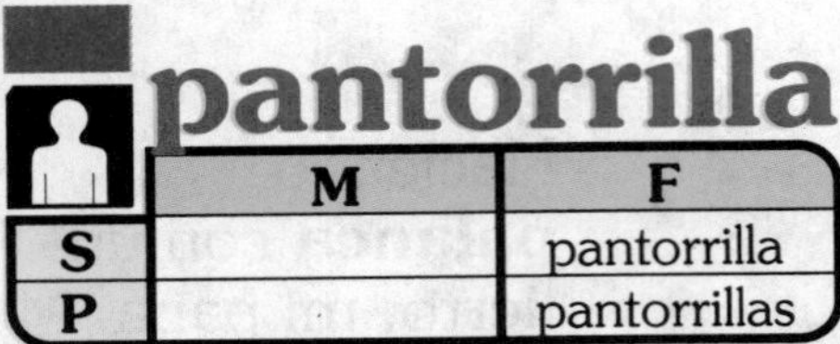

## pantorrilla

|   | M | F |
|---|---|---|
| S |  | pantorrilla |
| P |  | pantorrillas |

Con el ciclismo se desarrollan las **pantorrillas**.

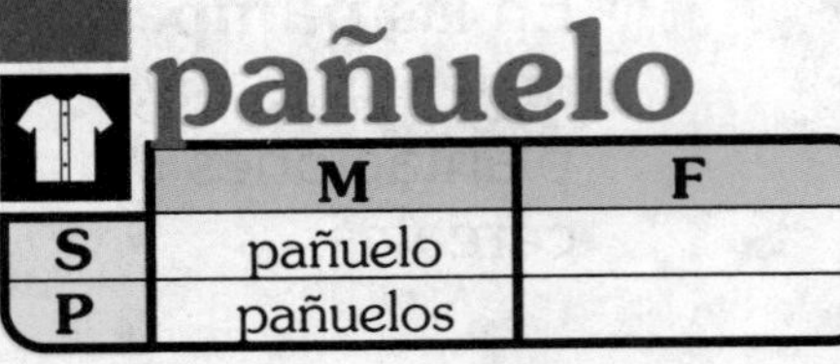

## pañuelo

|   | M | F |
|---|---|---|
| S | pañuelo |  |
| P | pañuelos |  |

Siempre ando con un **pañuelo** en el bolsillo.

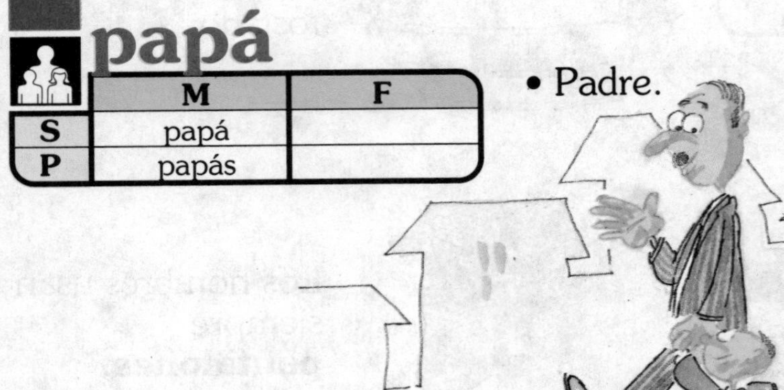

## papá

|   | M | F |
|---|---|---|
| S | papá |  |
| P | papás |  |

• Padre.

Mi **papá** a veces me lleva a la escuela.

## par

|   | M | F |
|---|---|---|
| S | par |  |
| P | pares |  |

Dos personas o cosas.

Necesito un **par** de zapatos.

Los números **pares** se pueden dividir exactamente por 2.

## prep. para

Se usa para indicar:

- Objeto, destino o término de una acción.
  Estudio **para** aprender.
  Voy **para** tu casa.

- Persona o animal a quien se destina algo.
  Esta carta es **para** ti.

- Tiempo posterior o plazo.
  La tarea es **para** el lunes.

- Aptitud, facilidad.
  Sé que eres bueno **para** las matemáticas.

## paraguas

| | M | F |
|---|---|---|
| S | paraguas | |
| P | | |

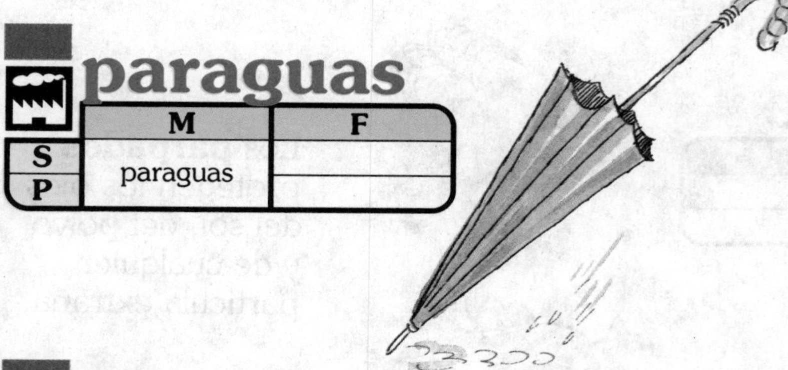

Cuando llueve se ve mucha gente con **paraguas**.

## pared

| | M | F |
|---|---|---|
| S | | pared |
| P | | paredes |

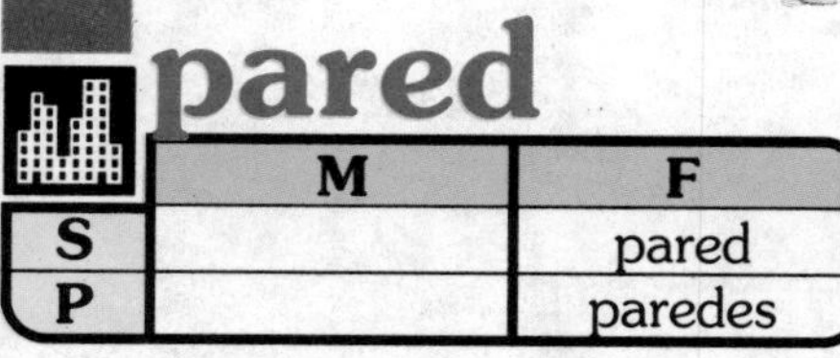

Cada una de las divisiones verticales de un edificio.

En una de las **paredes** de su cuarto tiene un cuadro.

División o envoltura de una cavidad u órgano.

Los alimentos demasiado picantes dañan las **paredes** del estómago.

## pariente

| | M | F |
|---|---|---|
| S | pariente | parienta |
| P | parientes | parientas |

Persona de la misma familia de uno.

En los cumpleaños se reúnen muchos **parientes**.

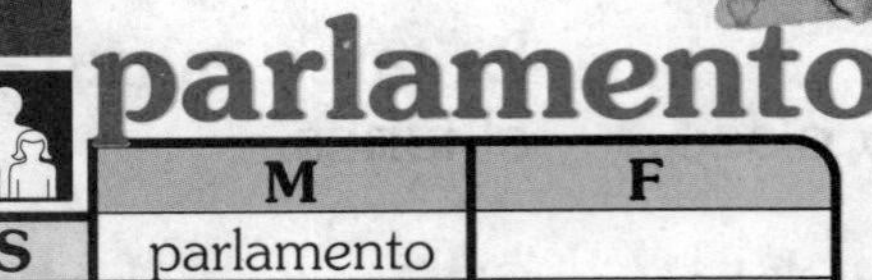

## parlamento

| | M | F |
|---|---|---|
| S | parlamento | |
| P | parlamentos | |

Institución donde se discuten y aprueban las leyes.

El pueblo elige a los miembros del **parlamento**.

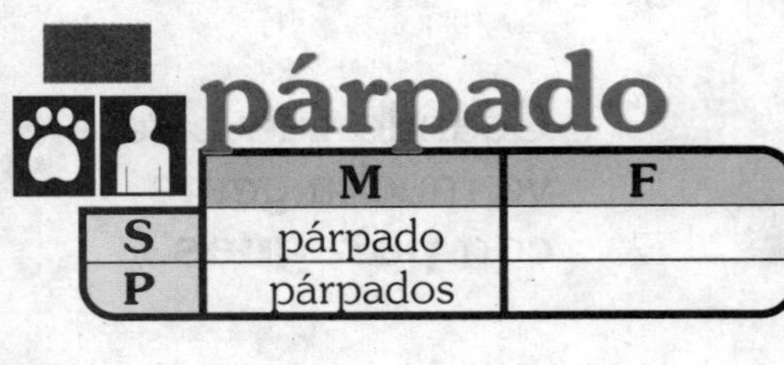

## párpado

| | M | F |
|---|---|---|
| S | párpado | |
| P | párpados | |

Los **párpados** protegen los ojos del sol, del polvo y de cualquier partícula extraña.

## parque

| | M | F |
|---|---|---|
| S | parque | |
| P | parques | |

En el **parque** hay muchos árboles.

## parra

| | M | F |
|---|---|---|
| S | | parra |
| P | | parras |

En la viña las **parras** forman largas hileras paralelas.

## partido

| | M | F |
|---|---|---|
| S | partido | |
| P | partidos | |

El **partido** de fútbol estuvo muy bueno.

En el Congreso están representados los **partidos** políticos.

## pasajero

| | M | F |
|---|---|---|
| S | pasajero | pasajera |
| P | pasajeros | pasajeras |

El taxi llevaba cuatro **pasajeros**.

Los **pasajeros** salieron del hotel muy temprano.

## pastel

| | M | F |
|---|---|---|
| S | pastel | |
| P | pasteles | |

Para el **almuerzo** del domingo, tendremos un rico pastel.

## pastilla

| | M | F |
|---|---|---|
| S | | pastilla |
| P | | pastillas |

Trozo de pasta dura y dulce que se chupa como golosina.

Me gustan mucho las **pastillas** de menta.

Píldora que se toma como medicina.

Hay que darle una **pastilla** para la tos.

## pastor

| | M | F |
|---|---|---|
| S | pastor | pastora |
| P | pastores | pastoras |

Esas **pastoras** cuidan rebaños de ovejas.

El **pastor** está diciendo su sermón.

## pata

| | M | F |
|---|---|---|
| S | | pata |
| P | | patas |

Los insectos tienen seis **patas**.

Esta mesa sólo tiene tres **patas**.

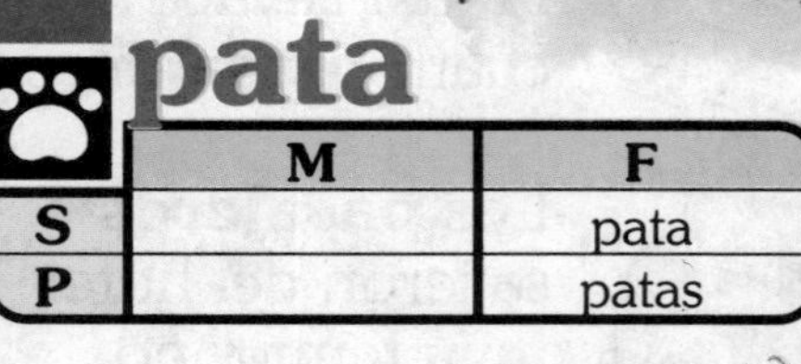

## patio

| | M | F |
|---|---|---|
| S | patio | |
| P | patios | |

Espacio abierto detrás o dentro de una casa o edificio.

En el **patio** cuelgan la ropa recién lavada.

# pato

| | M | F |
|---|---|---|
| S | pato | pata |
| P | patos | patas |

A los **patos** les gusta nadar en la laguna.

# patriota

| | M | F |
|---|---|---|
| S | patriota | |
| P | patriotas | |

Que demuestra gran amor por su patria.

Creo que todos mis amigos son **patriotas**.

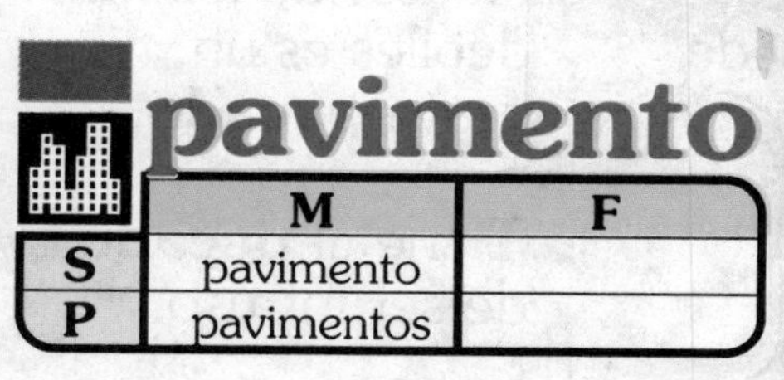

# pavimento

| | M | F |
|---|---|---|
| S | pavimento | |
| P | pavimentos | |

El **pavimento** de la calle está mojado con la lluvia.

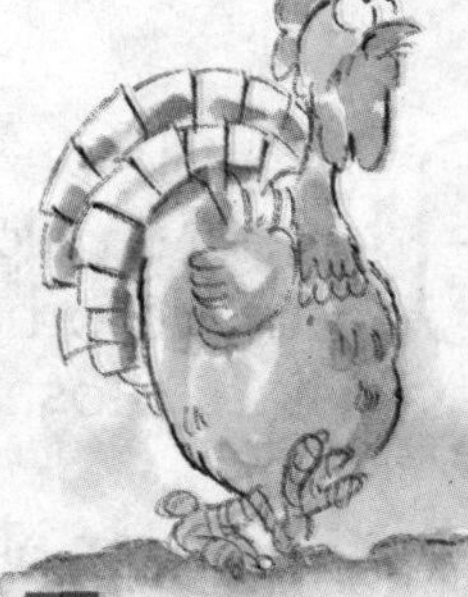

# pavo

| | M | F |
|---|---|---|
| S | pavo | pava |
| P | pavos | pavas |

No comemos **pavo** todos los días.



Persona sin gracia o distraída.

El muy **pavo** llegó tarde a recibir el premio.

## paz

| | M | F |
|---|---|---|
| S | | paz |
| P | | paces |

Armonía entre las personas y pueblos, sin conflictos ni guerras.

No hay nada mejor que vivir en **paz**.

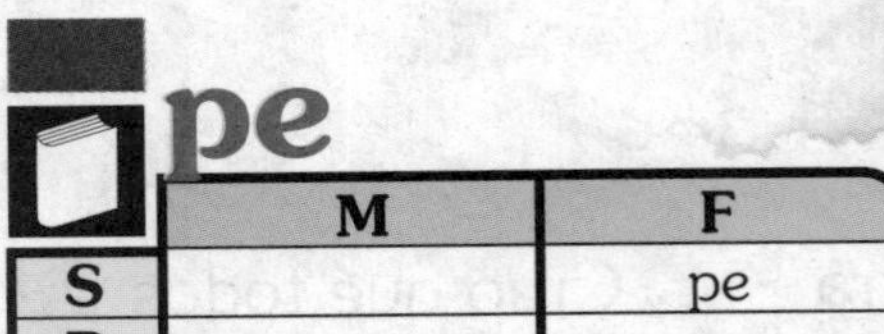

## pe

| | M | F |
|---|---|---|
| S | | pe |
| P | | pes |

Nombre de la letra **p** y del sonido que representa.

Pepe tiene dos **pes**.

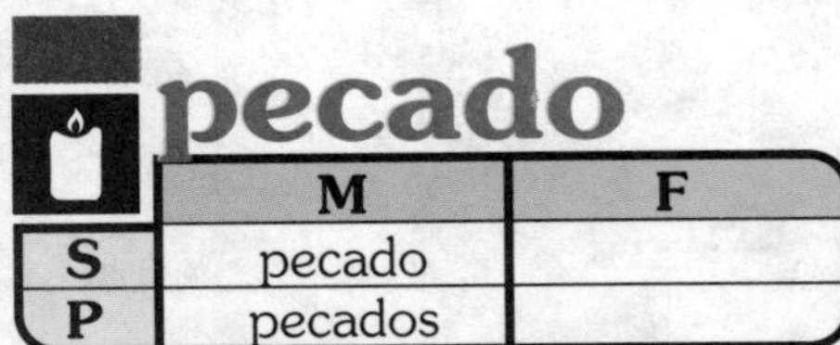

## pecado

| | M | F |
|---|---|---|
| S | pecado | |
| P | pecados | |

Falta cometida contra la ley de Dios.

Abusar de los más débiles es un grave **pecado**.

Defecto personal.

Tiene el **pecado** de ser intruso.

## pedir

| Pasado | Presente | Futuro |
|---|---|---|
| pedí | pido | pediré |

Decirle de algún modo a alguien que dé o haga cierta cosa.

Los niños estaban **pidiendo** golosinas.

Estar algo o alguien en tal estado o situación que parece necesitar algo.

Este vidrio sucio parece **pedir** que lo limpien.

## pegar

| Pasado | Presente | Futuro |
|---|---|---|
| pegué | pego | pegaré |

Hacer que una cosa quede firmemente adherida a otra.

**Pegué** la estampilla en el sobre.

Comunicar o contagiar cierta costumbre o enfermedad.

Me estás **pegando** tu manera de hablar.

No se te vaya a **pegar** la gripe que tengo.

Dar de golpes.

Una rama del árbol **pega** contra la ventana.

Al correr, el niño se **pegó** contra la esquina de la mesa.

## pelar

| Pasado | Presente | Futuro |
|---|---|---|
| pelé | pelo | pelaré |

Cortar o arrancar el pelo o las plumas.

Generalmente, las madres **pelan** a sus bebés.

Hay que **pelar** la gallina antes de cocinarla.

Sacar las cáscaras a las frutas o a las legumbres.

Estoy **pelando** las manzanas para hacer un postre.

## pelear

| Pasado | Presente | Futuro |
|---|---|---|
| peleé | peleo | pelearé |

Usar la fuerza para derrotar o ganarle a otro.

Esos perros **pelean** por un hueso.

Esforzarse por vencer las dificultades y lograr un propósito.

Estoy **peleando** porque termines pronto este trabajo.

## peluquería

| | M | F |
|---|---|---|
| S | | peluquería |
| P | | peluquerías |

En las **peluquerías** cortan y peinan el pelo.

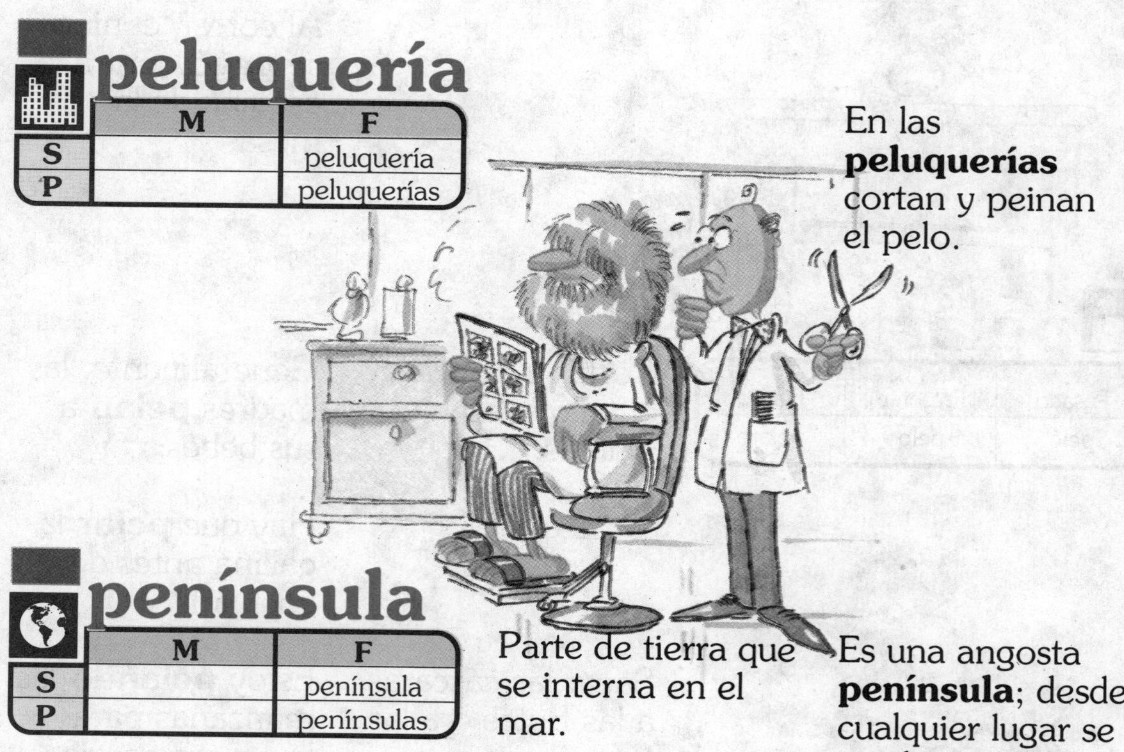

## península

| | M | F |
|---|---|---|
| S | | península |
| P | | penínsulas |

Parte de tierra que se interna en el mar.

Es una angosta **península**; desde cualquier lugar se ve el mar.

## pensamiento

| | M | F |
|---|---|---|
| S | pensamiento | |
| P | pensamientos | |

Facultad de pensar.

El **pensamiento** distingue al hombre de los demás seres.

Lo que se piensa.

No eres capaz de adivinarme el **pensamiento**.

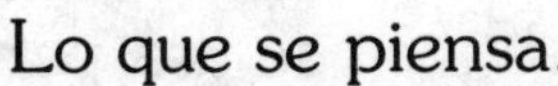

## pensar

| Pasado | Presente | Futuro |
|---|---|---|
| pensé | pienso | pensaré |

Formar ideas y relacionarlas en la mente.

Si **piensas** un poco, estoy seguro de que contestarás esa pregunta.

## peor

| | M | F |
|---|---|---|
| S | peor | |
| P | peores | |

Más malo.

No te aflijas tanto por ese juguete roto; hay cosas **peores**.

## adv. peor

• Más mal.

Es **peor** no decir la verdad.

## perfume

| | M | F |
|---|---|---|
| S | perfume | |
| P | perfumes | |

• Fragancia, aroma; olor muy agradable.

En el jardín puedo sentir el **perfume** de las flores.

Producto que se usa para dar un olor agradable a las personas o a las cosas.

Mi mamá usa un **perfume** que tiene olor a jazmín.

conj. **pero**

Se usa para:
• anunciar un obstáculo o inconveniente de lo que se acaba de decir.

La naturaleza es bella, **pero** no sabemos cuidarla.

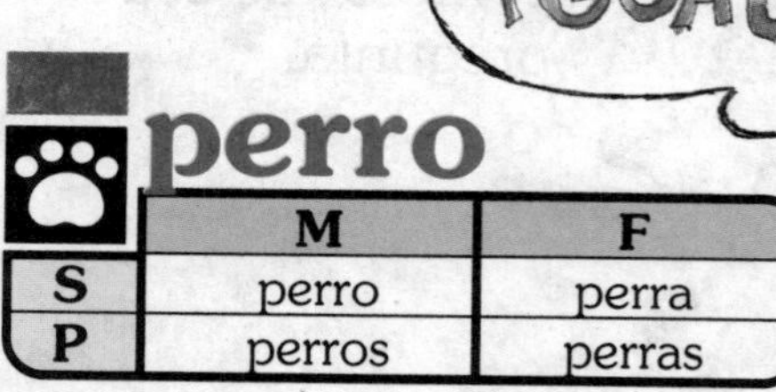


## perro

| | M | F |
|---|---|---|
| S | perro | perra |
| P | perros | perras |

Sé que alguien viene: el **perro** ladra.

## personaje

| | M | F |
|---|---|---|
| S | personaje | |
| P | personajes | |

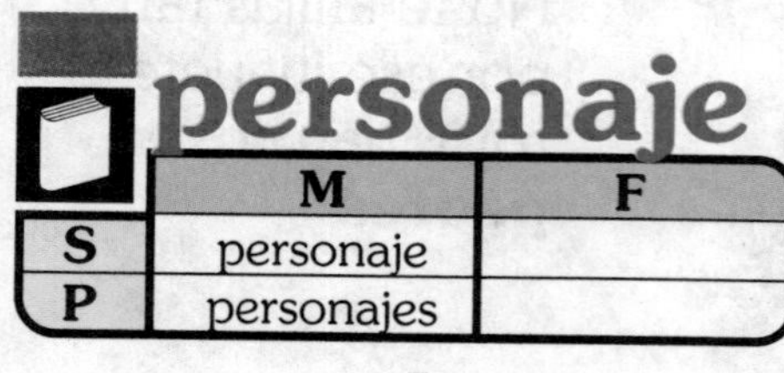

Cada una de las personas que figuran en una obra literaria.

¿Podrías tú enumerar los **personajes** de una obra como la Cenicienta?

Persona muy importante.

Mi profesor es todo un **personaje**.

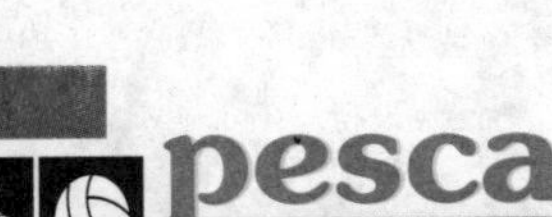

## pesca

| | M | F |
|---|---|---|
| S | | pesca |
| P | | |

En muchos lagos se practica la **pesca** deportiva.

## pescado

| | M | F |
|---|---|---|
| S | pescado | |
| P | pescados | |

Pez que ha sido capturado.

Compramos un **pescado** para la comida.

## peso

| | M | F |
|---|---|---|
| S | peso | |
| P | pesos | |

Fuerza de atracción de la Tierra.

El **peso** de un cuerpo depende de su tamaño y del material con que está hecho.

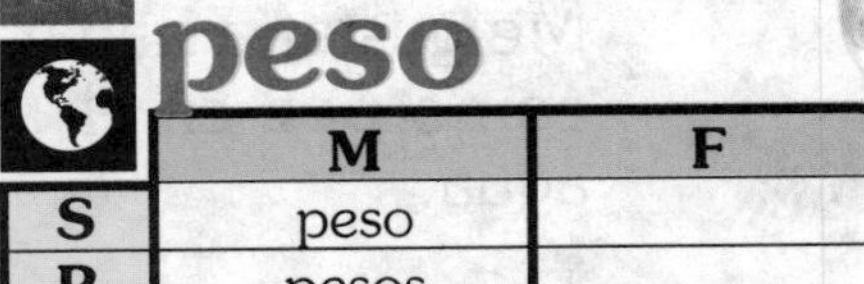

Obligación o responsabilidad.

Estoy llevando todo el **peso** de la tarea.

Unidad monetaria de algunos países.

La entrada al circo cuesta 500 **pesos**.

## pestaña

| | M | F |
|---|---|---|
| S | | pestaña |
| P | | pestañas |

Mi hermana tiene las **pestañas** largas.

## pestillo

| | M | F |
|---|---|---|
| S | pestillo | |
| P | pestillos | |

El **pestillo** sirve para que la puerta no sea abierta por el otro lado.

## pétalo

| | M | F |
|---|---|---|
| S | pétalo | |
| P | pétalos | |

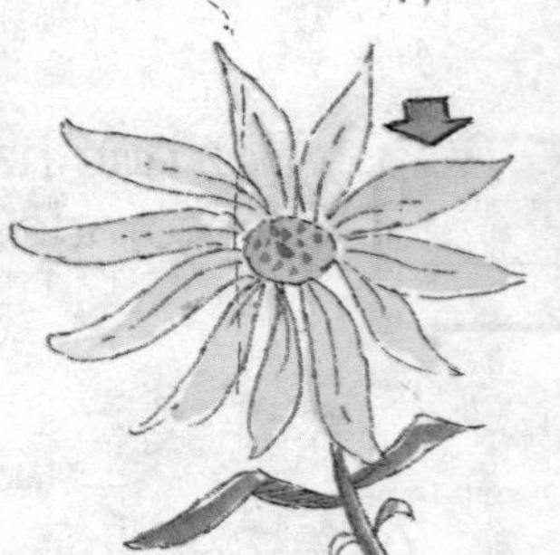

Los **pétalos** son las hojas de color que tienen las flores.

## pez

| | M | F |
|---|---|---|
| S | pez | |
| P | peces | |

Me gustaría nadar como **pez** en el agua.

## piano

| | M | F |
|---|---|---|
| S | piano | |
| P | pianos | |

Claudio Arrau fue un gran maestro del **piano**.

## picadura

| | M | F |
|---|---|---|
| S | | picadura |
| P | | picaduras |

¡Cuidado con la **picadura** de la abeja!

# pie

| | M | F |
|---|---|---|
| S | pie | |
| P | pies | |

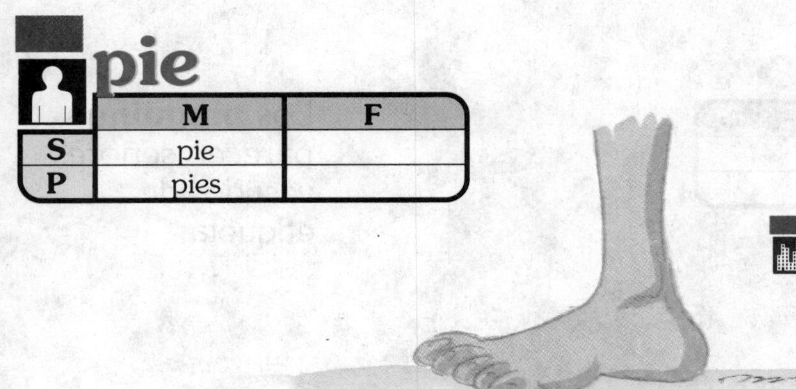

El **pie** desnudo quedó marcado en la arena húmeda.

El acto patriótico se efectuó al **pie** del monumento.

# pierna

| | M | F |
|---|---|---|
| S | | pierna |
| P | | piernas |

Un buen corredor debe tener las **piernas** largas.

Muslo de ciertos animales.

De la **pierna** del cerdo se saca un exquisito jamón.

# pieza

| | M | F |
|---|---|---|
| S | | pieza |
| P | | piezas |

El juego de té se compone de varias **piezas**.

# pila

| | M | F |
|---|---|---|
| S | | pila |
| P | | pilas |

Hice una **pila** de cubos de colores.

La linterna no enciende. Se le agotaron las **pilas**.

## pingüino

|   | M | F |
|---|---|---|
| S | pingüino | |
| P | pingüinos | |

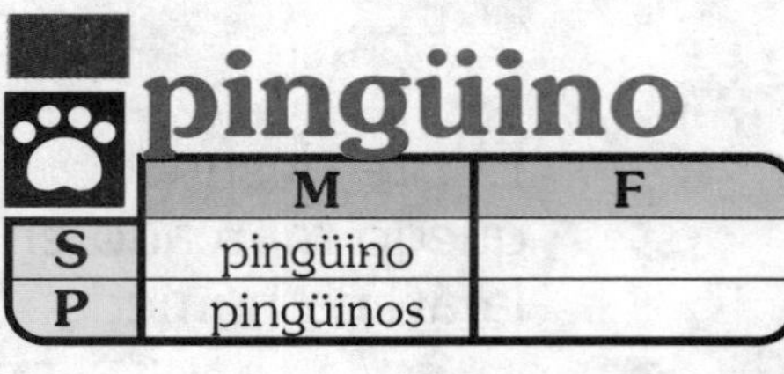

Los **pingüinos** parecen señores vestidos de etiqueta.

## pino

|   | M | F |
|---|---|---|
| S | pino | |
| P | pinos | |

Está prohibido cortar **pinos** para hacer árboles de Navidad.

## pintar

| Pasado | Presente | Futuro |
|---|---|---|
| pinté | pinto | pintaré |

Cubrir con color una superficie.

Vamos a **pintar** la fachada de la casa.

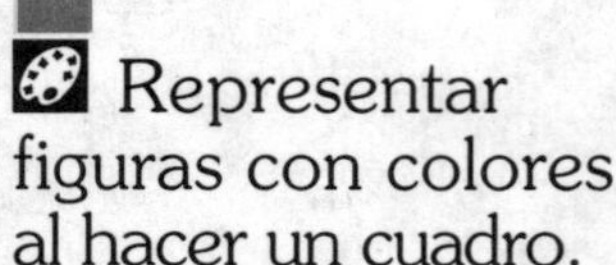

Representar figuras con colores al hacer un cuadro.

Estoy **pintando** un atardecer en el mar.

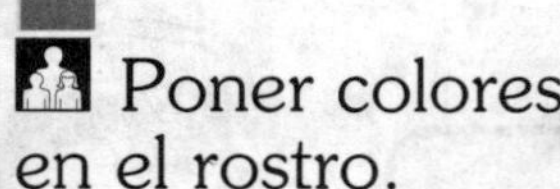

Poner colores en el rostro.

Los payasos se **pintan** antes de salir en escena.

Describir algo con palabras.

Ese poeta **pintó** maravillosamente su aldea natal.

## pintor

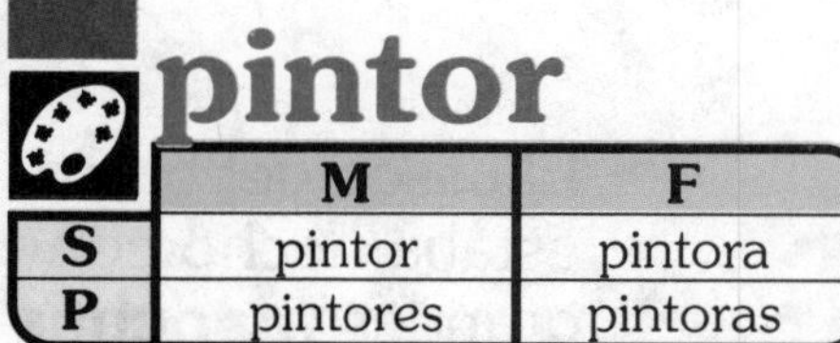

| | M | F |
|---|---|---|
| S | pintor | pintora |
| P | pintores | pintoras |

Persona que pinta por oficio o arte.

Me gustaría llegar a ser **pintor** de paisajes y marinas.

Necesitamos unos **pintores** para la escuela.

## pintura

| | M | F |
|---|---|---|
| S | | pintura |
| P | | pinturas |

Arte de pintar.

La **pintura** exige años de práctica.

Cuadro que se ha pintado.

En el museo hay muchas **pinturas** famosas.

Sustancia para pintar.

Necesitamos tres litros de **pintura** para esta sala.

## pizza

| | M | F |
|---|---|---|
| S | | pizza |
| P | | pizzas |

Torta plana de masa, a la cual se le añade queso, jamón, tomate.

Comimos **pizza** en un restorán italiano.

## plancha

| | M | F |
|---|---|---|
| S | | plancha |
| P | | planchas |

El casco del barco estaba hecho con grandes **planchas** de metal.

Con la **plancha** mi ropa queda sin arrugas.

## plata

| | M | F |
|---|---|---|
| S | | plata |
| P | | platas |

Metal valioso de color claro.

Algunas monedas antiguas eran de **plata**.

Dinero.

No gastes tanta **plata** en caramelos.

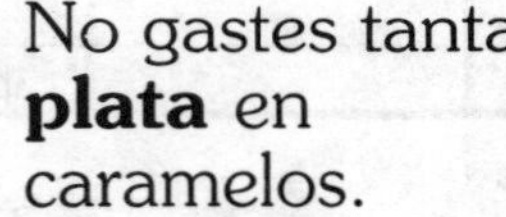

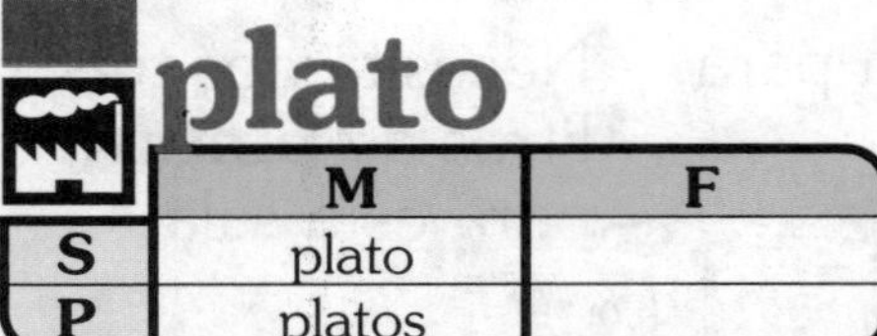

## plato

| | M | F |
|---|---|---|
| S | plato | |
| P | platos | |

A veces le ayudo a mi mamá a lavar los **platos**.

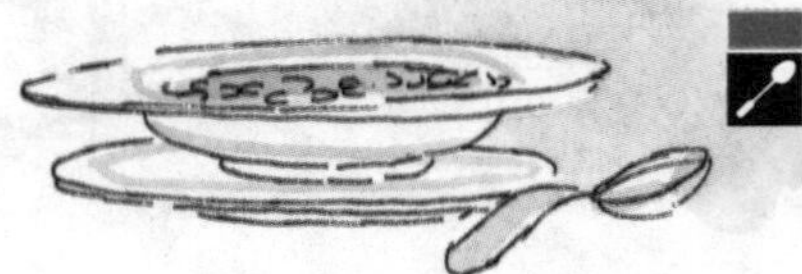

Me comí un **plato** de lentejas con queso.

## plaza

| | M | F |
|---|---|---|
| S | | plaza |
| P | | plazas |

Los músicos tocan en la **plaza**; los niños juegan.

## pluma

| | M | F |
|---|---|---|
| S | | pluma |
| P | | plumas |

Sin las **plumas**, las aves no podrían volar.

Los profesores usaban **pluma** para escribir.

## población

| | M | F |
|---|---|---|
| S | | población |
| P | | poblaciones |

Número de habitantes que viven en cierto lugar.

La **población** de este país es muy numerosa.

Barrio de una ciudad.

Hace falta más iluminación en esta **población**.

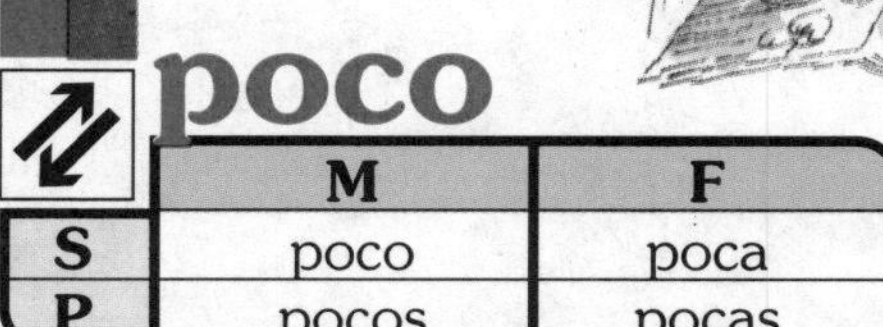

## poco

| | M | F |
|---|---|---|
| S | poco | poca |
| P | pocos | pocas |

Escasa cantidad de.

Tenía **pocos** años cuando entré a la escuela.

Pequeña o baja intensidad de.

Tengo **pocas** ganas de salir.

Escasa cantidad.

Esa tarde vinieron muy **pocas** personas.

## adv. poco

Se usa para indicar:

- escasa o baja cantidad.

Te has ejercitado **poco** en ortografía.

- intensidad o duración de una acción o cualidad.

Falta **poco** para el recreo.

Las mañanas de invierno son **poco** claras.

## poder

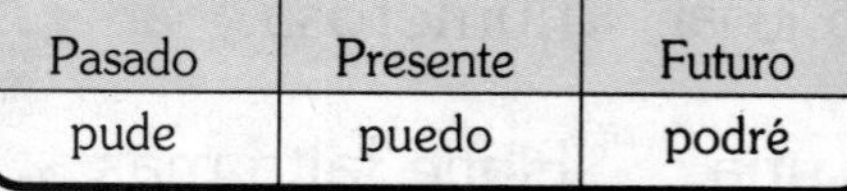

| Pasado | Presente | Futuro |
|---|---|---|
| pude | puedo | podré |

Tener capacidad, energía o el derecho de hacer algo.

Yo sé que **puedo** ser un buen estudiante.

Existir la posibilidad de que suceda algo.

**Puede** que llueva esta misma noche.

## poema

| | M | F |
|---|---|---|
| S | poema | |
| P | poemas | |

Composición poética.

"Piececitos de niño azulosos de frío, ¿cómo os ven y no os cubren?, ¡Dios mío!" es el comienzo de un **poema** de Gabriela Mistral.

## poeta

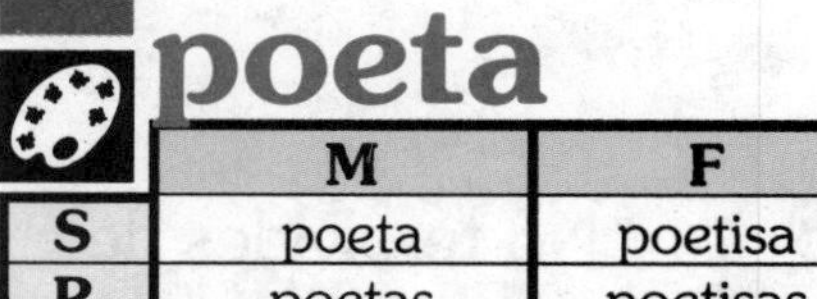

| | M | F |
|---|---|---|
| S | poeta | poetisa |
| P | poetas | poetisas |

Persona que escribe poemas.

Chile ha ganado dos veces el Premio Nobel, con un **poeta** y con una **poetisa**. ¿Sabes tú quiénes son?

## policlínica

| | M | F |
|---|---|---|
| S | | policlínica |
| P | | policlínicas |

Establecimiento público de atención y consultas médicas.

Como tenía dolor de estómago, me llevaron a la **policlínica**.

## pollo

| | M | F |
|---|---|---|
| S | pollo | polla |
| P | pollos | pollas |

Los padres de los **pollos** son el gallo y la gallina.

# poner

| Pasado | Presente | Futuro |
|---|---|---|
| puse | pongo | pondré |

Hacer que algo pase a estar en cierto lugar.

No te olvides de **poner** cada cosa en su sitio.

Darle a alguien o a un animal cierto nombre.

Al perrito le **pondremos** Pucky.

Darle a alguien o a un animal cierta responsabilidad, trabajo o función.

Me **pusieron** de cuidador de niños.

Vestir a alguien o a un animal.

Le están **poniendo** los pañales al bebé.

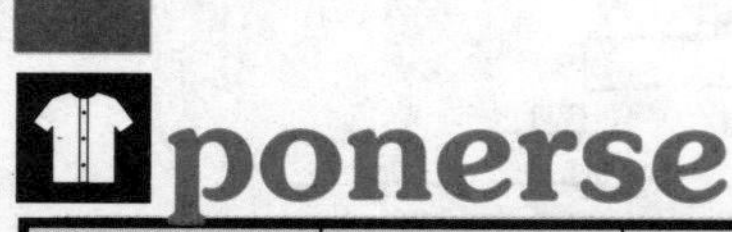

# ponerse

| Pasado | Presente | Futuro |
|---|---|---|
| me puse | me pongo | me pondré |

• Vestirse.

A veces **me pongo** una gorra para salir.

Tomar o llegar a tener cierta posición, estado o característica.

Cuando rezo, **me pongo** de rodillas.

Mi papá dice que las cosas se están **poniendo** cada vez más caras.

Empezar cierta actividad.

**Me puse** a correr para abrazarlo.

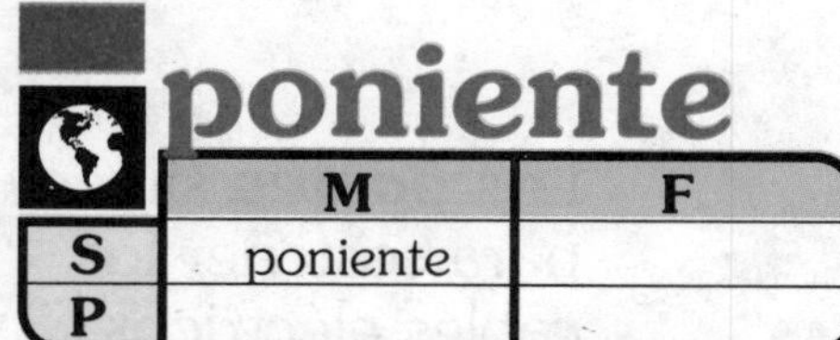

## poniente

| | M | F |
|---|---|---|
| S | poniente | |
| P | | |

• Oeste.

El Océano Pacífico está en el **poniente** de América.

prep. **por**

Se usa para indicar:

• agente o causante de la acción.

Los alumnos son calificados **por** el profesor.

• lugar a través o encima del que se hace algo.

Muchos autos pasan **por** el túnel.

• tiempo más o menos aproximado.

Vendrá a vernos **por** los primeros días de enero.

• precio.

Compraron un libro **por** $1.000.

• repartición de medidas o de algo entre varios.

Las telas se venden **por** metros.
Regalan dos juguetes **por** niño.

conj. **porque**

• A causa de que.

Ahora estás aprendiendo mucho **porque** estudias.

## portón

| | M | F |
|---|---|---|
| S | portón | |
| P | portones | |

Puerta de gran tamaño.

Para sacar el auto, mi padre debe abrir el **portón** del garaje.

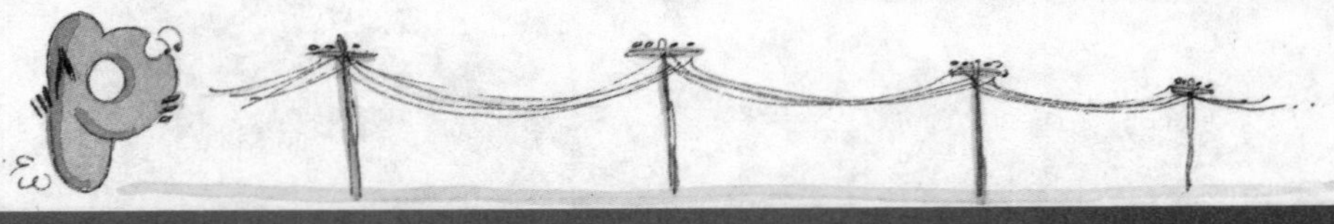

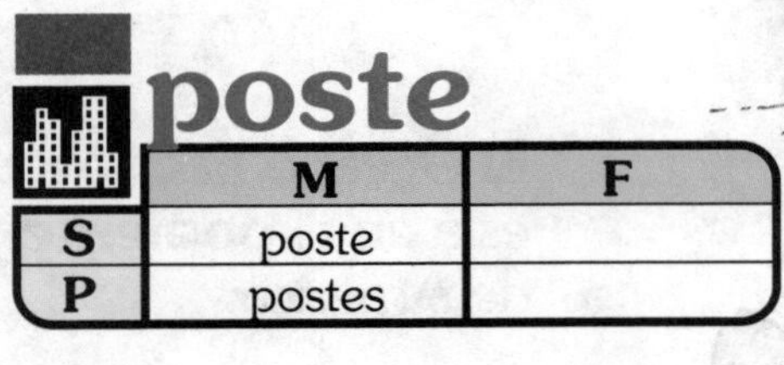

## poste

| | M | F |
|---|---|---|
| S | poste | |
| P | postes | |

Los **postes** sirven para sostener los cables eléctricos.

## postre

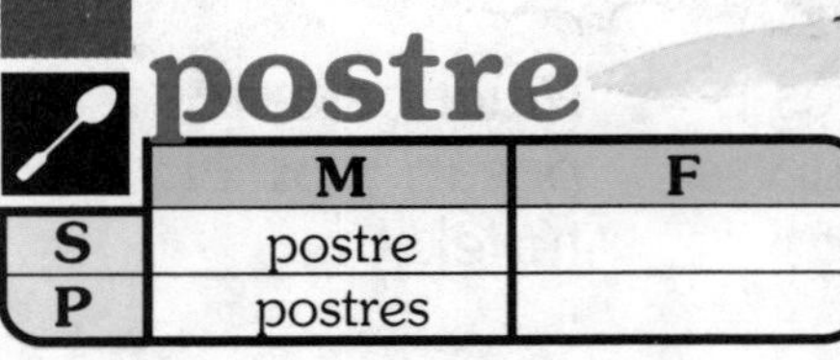

| | M | F |
|---|---|---|
| S | postre | |
| P | postres | |

Al final del almuerzo comimos fruta de **postre**.

## potranca

| | M | F |
|---|---|---|
| S | | potranca |
| P | | potrancas |

Yegua menor de tres años.

Ganó la carrera con una **potranca** de color negro.

## premiar

| Pasado | Presente | Futuro |
|---|---|---|
| premié | premio | premiaré |

Dar algo a alguien o a un animal como recompensa por sus méritos.

Habrá un acto para **premiar** a los mejores alumnos.

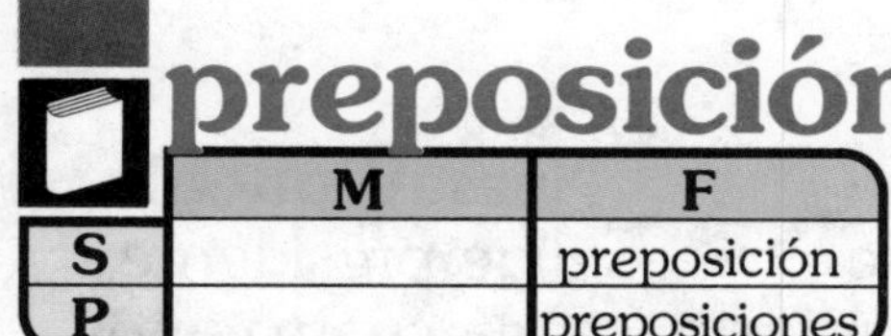

## preposición

| | M | F |
|---|---|---|
| S | | preposición |
| P | | preposiciones |

Palabra que sirve para relacionar.

En "casa de piedra", "de" es una **preposición**, porque relaciona "piedra" con "casa", indicando que la casa está hecha de piedra.

## primavera

| | M | F |
|---|---|---|
| S | | primavera |
| P | | primaveras |

En la **primavera** florecen las plantas.

## primer

| | M | F |
|---|---|---|
| S | primer (o) | primera |
| P | primeros | primeras |

Que está en el lugar Nº 1, es decir, antes de cualquiera otro.

Hay que esforzarse mucho para ser el **primero** en una actividad.

## pronunciar

| Pasado | Presente | Futuro |
|---|---|---|
| pronuncié | pronuncio | pronunciaré |

Producir sonidos con la boca para hablar.

A ver si puedes **pronunciar** esto: "Paco pocas copas pagó".

## pueblo

| | M | F |
|---|---|---|
| S | pueblo | |
| P | pueblos | |

Conjunto de personas que habita un territorio y posee tradiciones y leyes comunes.

Nuestro **pueblo** elige presidente cada cuatro años.

Ciudad pequeña.

Cada vez hay menos **pueblos** chicos.

## puente

| | M | F |
|---|---|---|
| S | puente | |
| P | puentes | |

Hay **puentes** ferroviarios, **puentes** para automóviles y **puentes** para peatones.

## puerto

| | M | F |
|---|---|---|
| S | puerto | |
| P | puertos | |

Fuimos al **puerto** a ver la descarga de los barcos.

conj. **pues**

• Porque, a causa de que.

No puedo ir al paseo, **pues** estoy estudiando.

• Luego, por consiguiente.

Las notas están buenas; ¡te felicito, **pues**!

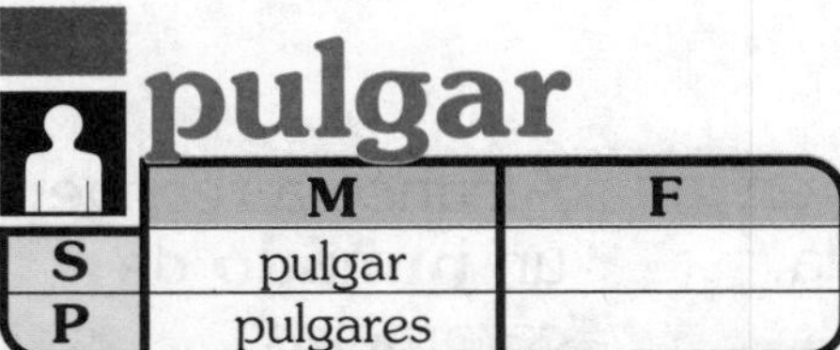

## pulgar

| | M | F |
|---|---|---|
| S | pulgar | |
| P | pulgares | |

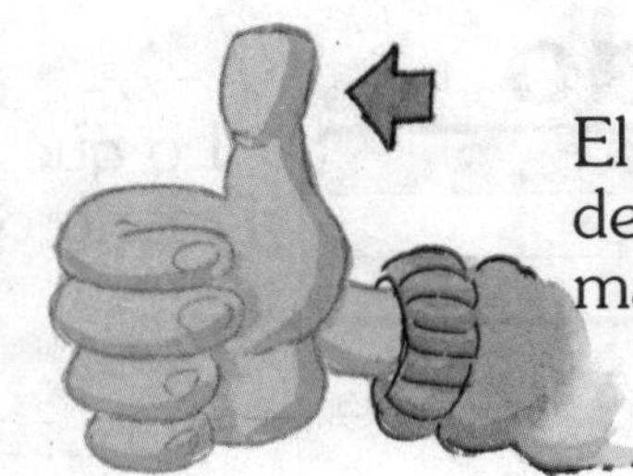

El **pulgar** es el dedo gordo de la mano.

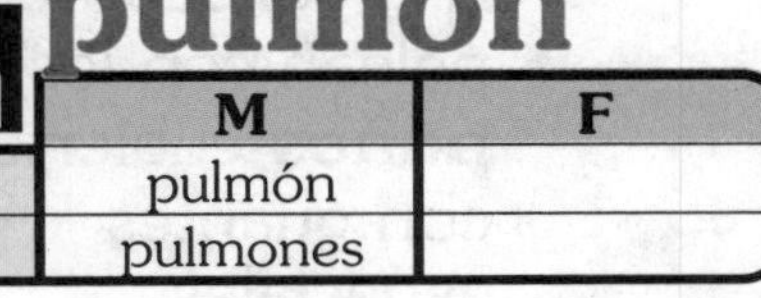

## pulmón

| | M | F |
|---|---|---|
| S | pulmón | |
| P | pulmones | |

Me gusta ir al campo para llenarme los **pulmones** de aire puro.

## pulsera

| | M | F |
|---|---|---|
| S | | pulsera |
| P | | pulseras |

La cantante tenía varias **pulseras** en la muñeca.

## puma

| | M | F |
|---|---|---|
| S | puma | |
| P | pumas | |

Los **pumas** merodeaban por las casas de campo.

## puñado

| | M | F |
|---|---|---|
| S | puñado | |
| P | puñados | |

Lo que cabe en la mano cerrada.

Alcancé a recoger un **puñado** de caramelos.

## puño

| | M | F |
|---|---|---|
| S | puño | |
| P | puños | |

Los boxeadores pelean con los **puños** cubiertos con guantes especiales.

Te quedan largos los **puños** de la camisa.

## pupila

| | M | F |
|---|---|---|
| S | | pupila |
| P | | pupilas |

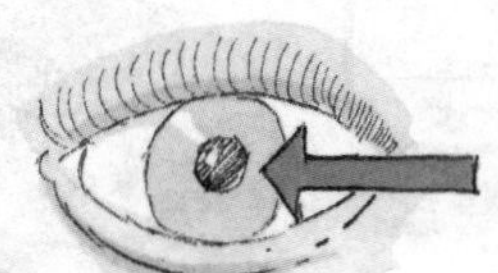

La **pupila** es la abertura que cada ojo tiene en el centro.

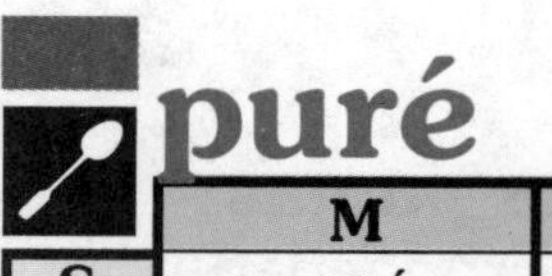

## puré

| | M | F |
|---|---|---|
| S | puré | |
| P | purés | |

Pasta de legumbres o de papas.

Me sirvieron **puré** de papas con pescado frito.

| A | B | C | CH | D | E | F | G | H | I |
|---|---|---|---|---|---|---|---|---|---|
| J | K | L | LL | M | N | Ñ | O | P | **Q** |
| R | S | T | U | V | W | X | Y | Z | |

## ¿qué?

Pregunta por algo. ¿**Qué** cosa me dijiste?

## que

Reproduce, en una frase, algo dicho anteriormente. No te olvides de regar los árboles **que** plantaste ("**que**" reemplaza a los árboles).

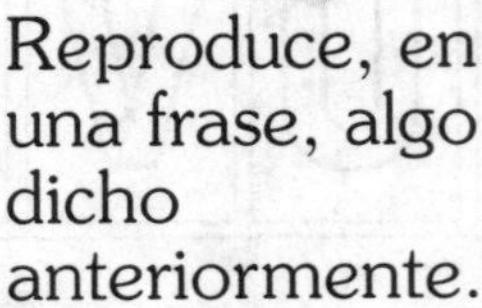

## conj. que

Se usa para anunciar una frase. Te dije **que** vendría.

## quedar

| Pasado | Presente | Futuro |
|---|---|---|
| quedé | quedo | quedaré |

Haber algo todavía después de lo que se ha gastado o se ha hecho. Me **queda** muy poco combustible.

Pasar a cierto estado como consecuencia de algo. **Quedé** casi sordo con tanto ruido.

Ponerse de acuerdo en algo. **Quedamos** en que te portarías bien.

## quejarse

| Pasado | Presente | Futuro |
|---|---|---|
| me quejé | me quejo | me quejaré |

Expresar el dolor, el malestar o la pena que se siente. Se **quejaba** de un fuerte dolor de estómago.

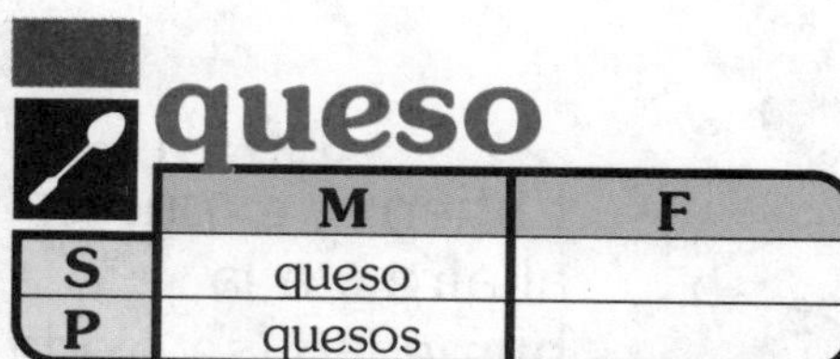

## queso

| | M | F |
|---|---|---|
| S | queso | |
| P | quesos | |

El **queso** es el manjar preferido de los ratones.

## quien

| | M | F |
|---|---|---|
| S | quien | |
| P | quienes | |

La persona o las personas que.

**Quien** hace deporte tiene buen estado físico.

No te rías nunca de **quienes** padecen alguna enfermedad.

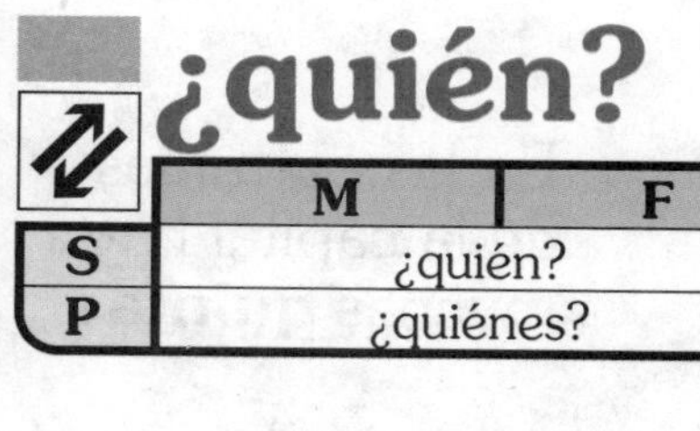

## ¿quién?

| | M | F |
|---|---|---|
| S | ¿quién? | |
| P | ¿quiénes? | |

¿Qué persona?

¿Qué personas?

¿**Quién** se rió?

¿**Quiénes** se rieron?

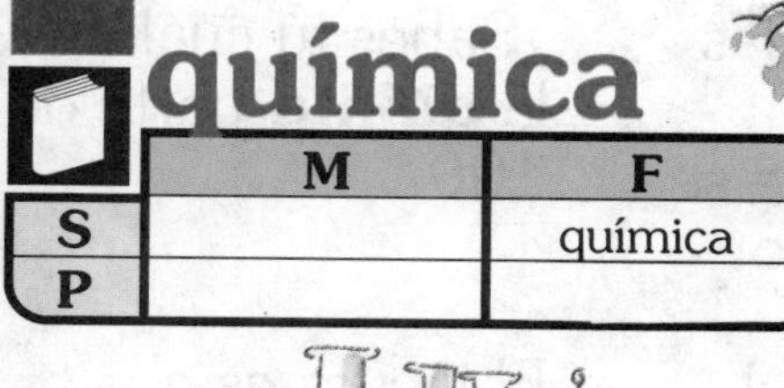

## química

| | M | F |
|---|---|---|
| S | | química |
| P | | |

Ciencia que estudia las propiedades de las sustancias y la acción de unas sobre otras.

Para ser farmacéutico, hay que estudiar **Química**.

## químico

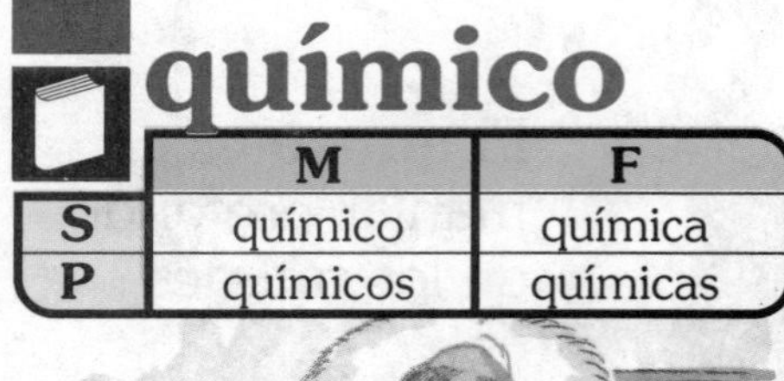

| | M | F |
|---|---|---|
| S | químico | química |
| P | químicos | químicas |

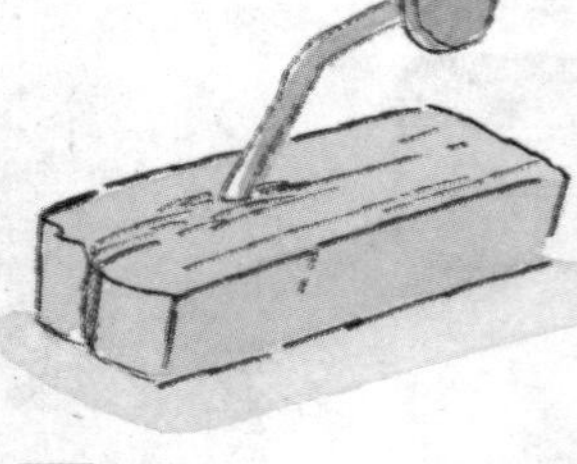

El fierro, expuesto al aire y a la humedad, se oxida a causa de una reacción **química**.

Persona profesional en química.

Los **químicos** tienen muchas oportunidades de trabajo.

## quinientos

| | M | F |
|---|---|---|
| S | | |
| P | quinientos | quinientas |

**Quinientos** años son cinco siglos.

## quinta

| | M | F |
|---|---|---|
| S | | quinta |
| P | | quintas |

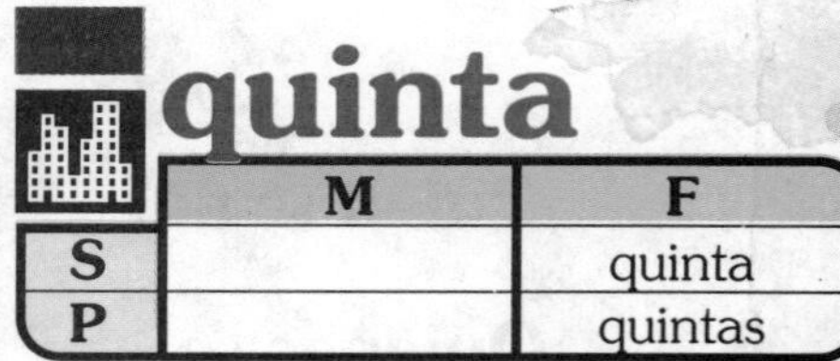

Casa campestre de recreo.

En las cercanías de la capital hay muchas **quintas**.

## quinto

| | M | F |
|---|---|---|
| S | quinto | quinta |
| P | quintos | quintas |

Cada una de las cinco partes iguales en que se divide un todo.

¿Sabes tú cuál es la **quinta** parte de 100?

Que está en el lugar Nº 5.

El jueves es el **quinto** día de la semana.

| A | B | C | CH | D | E | F | G | H | I |
|---|---|---|---|---|---|---|---|---|---|
| J | K | L | LL | M | N | Ñ | O | P | Q |
| R | S | T | U | V | W | X | Y | Z | |

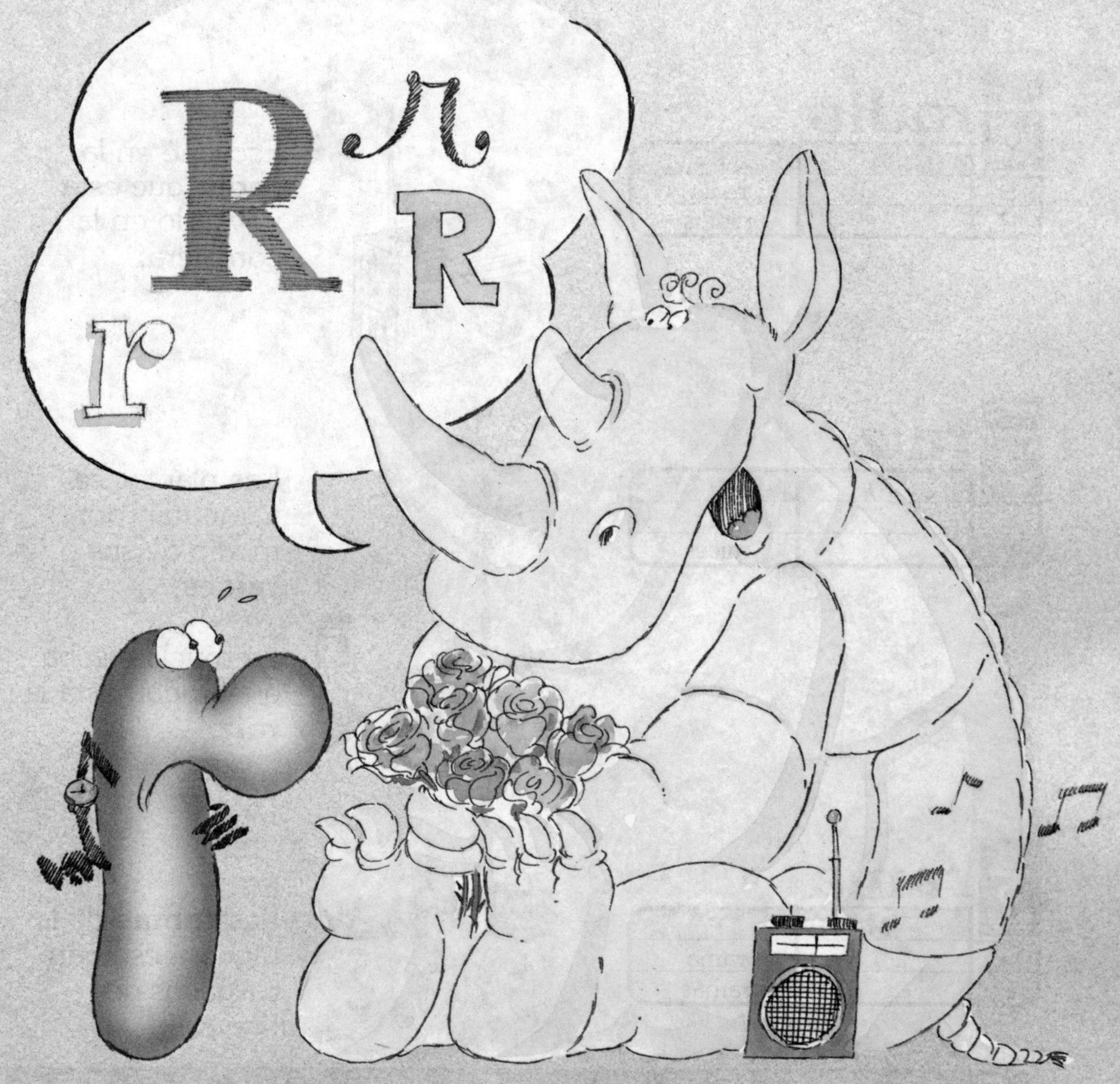

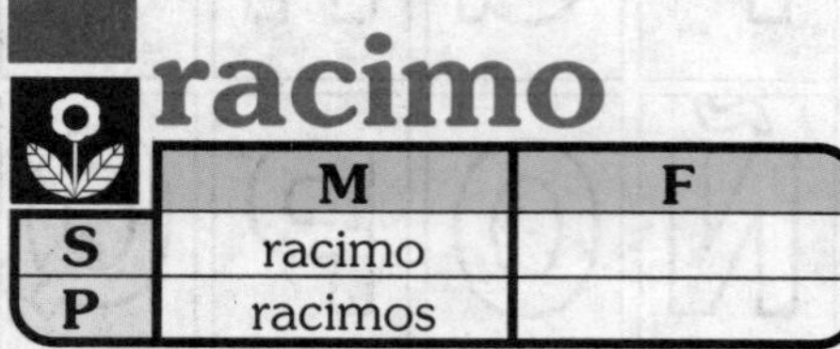

## racimo

| | M | F |
|---|---|---|
| S | racimo | |
| P | racimos | |

Saqué de la parra un **racimo** de uva negra.

La hortensia es una flor que crece en **racimos**.

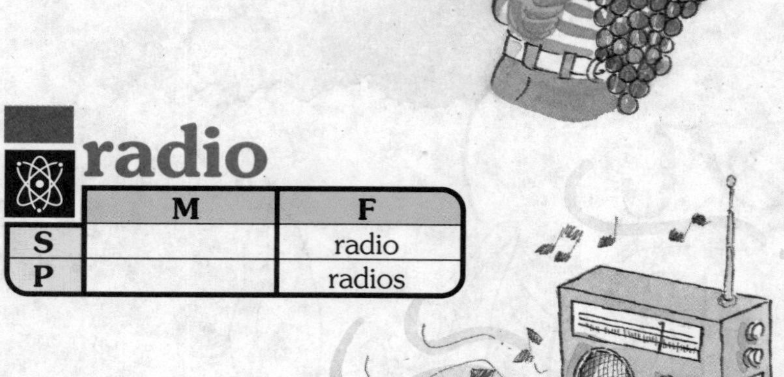

## radio

| | M | F |
|---|---|---|
| S | | radio |
| P | | radios |

Escuché en la **radio** que está nevando en la cordillera.

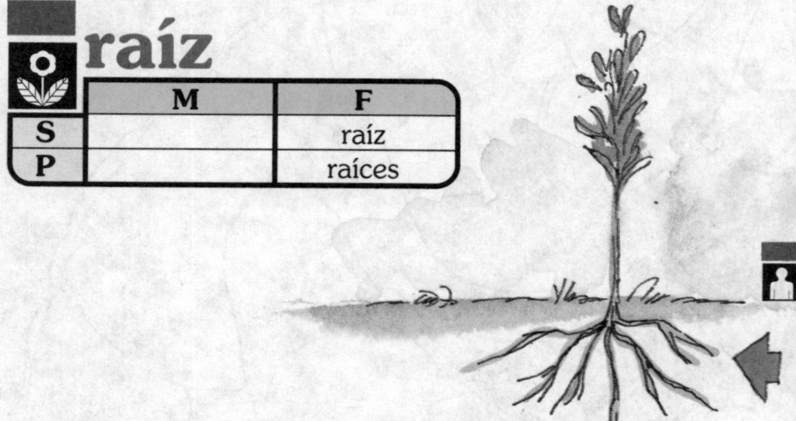

## raíz

| | M | F |
|---|---|---|
| S | | raíz |
| P | | raíces |

Las plantas se alimentan por medio de sus **raíces**.

La muela estaba quebrada hasta la **raíz**.

## rama

| | M | F |
|---|---|---|
| S | | rama |
| P | | ramas |

Las **ramas** de la higuera estaban cargadas de brevas.

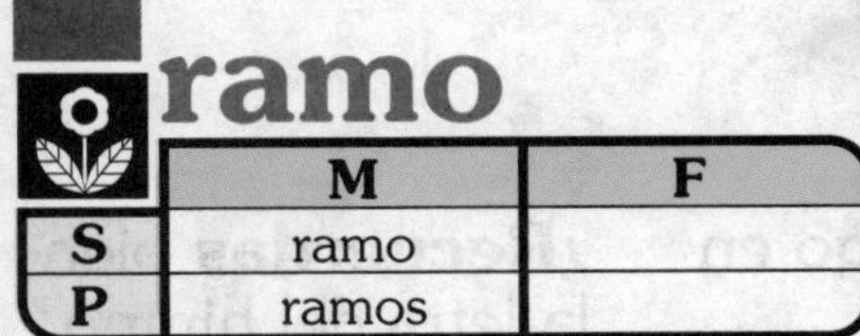

## ramo

| | M | F |
|---|---|---|
| S | ramo | |
| P | ramos | |

Mi papá le trajo un **ramo** de flores a mi mamá.

## ratón

| | M | F |
|---|---|---|
| S | ratón | |
| P | ratones | |

Me gusta el **ratón** Mickey, pero no los **ratones** de verdad.

## recoger

| Pasado | Presente | Futuro |
|---|---|---|
| recogí | recojo | recogeré |

Levantar a alguien o algo que se ha caído o está en el suelo.

Vi que la niña se había caído y corrí a **recogerla**.

Reunir en un solo sitio lo que estaba separado o disperso.

Estoy **recogiendo** todos mis libros para ordenarlos en el estante.

Brindar alojamiento o alimentación a quien lo necesita.

Mi tía ha **recogido** a dos niños desamparados.

## recordar

| Pasado | Presente | Futuro |
|---|---|---|
| recordé | recuerdo | recordaré |

Mantener algo en la memoria.

¿**Recuerdas** bien la letra del himno nacional?

Tener mucho parecido una persona con otra.

Tu papá me **recuerda** mucho al mío.

Hacer que alguien tenga presente algo que pudiera olvidar.

Te **recuerdo** que estás invitado a mi cumpleaños el próximo sábado.

## recta

| | M | F |
|---|---|---|
| S | | recta |
| P | | rectas |

A• ——— •B

La **recta** es la línea más corta entre dos puntos.

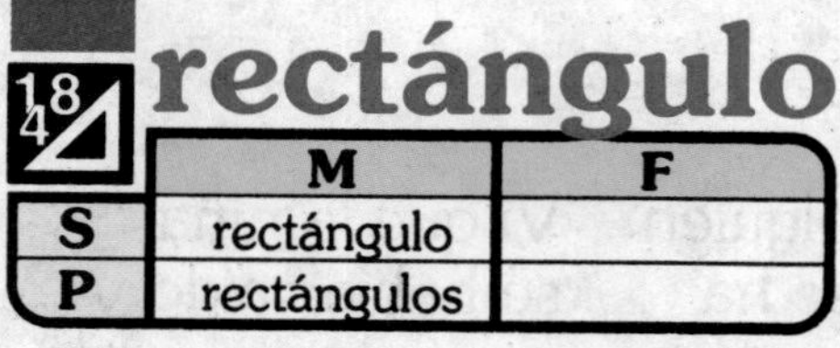

## rectángulo

| | M | F |
|---|---|---|
| S | rectángulo | |
| P | rectángulos | |

El **rectángulo** tiene cuatro ángulos rectos y cuatro lados que son iguales sólo uno por medio.

## recto

| | M | F |
|---|---|---|
| S | recto | recta |
| P | rectos | rectas |

Esa alameda es bien **recta**: no tiene ángulos ni curvas.

Todos aprecian al profesor porque es un hombre muy **recto**.

# red

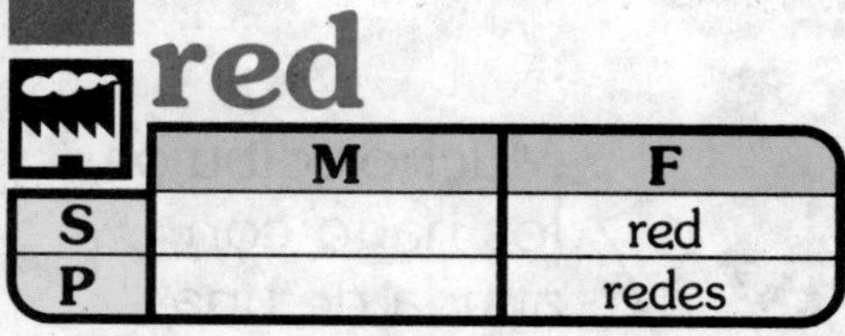

| | M | F |
|---|---|---|
| S | | red |
| P | | redes |

Las sardinas se pescan con **redes**.

La pelota dio en la **red**.

Instalan **redes** de alcantarillado para la población.

# refrigerador

| | M | F |
|---|---|---|
| S | refrigerador | |
| P | refrigeradores | |

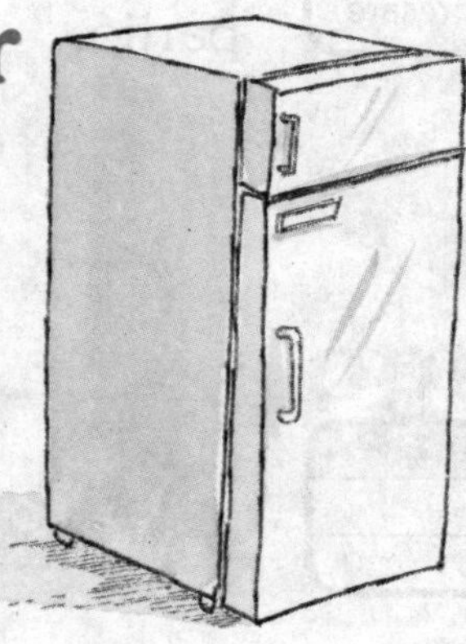

En el **refrigerador** se guardan los alimentos para que no se descompongan.

# regalar

| Pasado | Presente | Futuro |
|---|---|---|
| regalé | regalo | regalaré |

Dar una cosa a una persona como prueba de afecto.

Mi papá me **regaló** un reloj.

# región

| | M | F |
|---|---|---|
| S | | región |
| P | | regiones |

Tengo un amigo que vive en una **región** distante de la capital.

## regla

| | M | F |
|---|---|---|
| S | | regla |
| P | | reglas |

Muchos dibujos los hago con ayuda de una **regla**.

• Norma; lo que se debe hacer.

Hay que cumplir las **reglas** para vivir como gente civilizada.

## regresar

| Pasado | Presente | Futuro |
|---|---|---|
| regresé | regreso | regresaré |

Volver al lugar desde donde se partió.

Mi papá **regresa** como a las siete de la tarde.

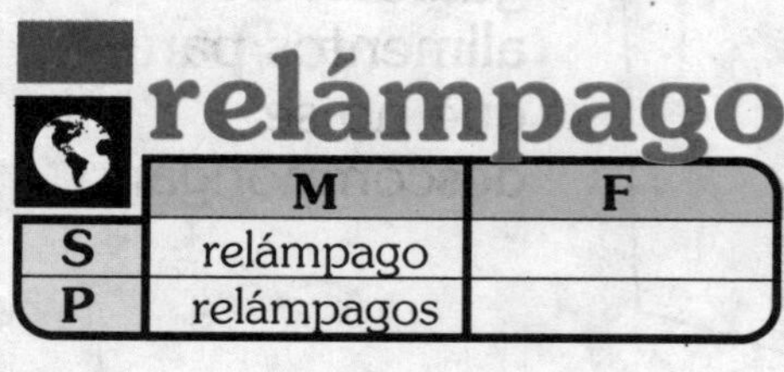

## relámpago

| | M | F |
|---|---|---|
| S | relámpago | |
| P | relámpagos | |

Durante los temporales, se ve brillar el **relámpago** en medio de las nubes.

## religión

| | M | F |
|---|---|---|
| S | | religión |
| P | | religiones |

Creencia en Dios y devoción que se tiene para con Él.

El profesor de **religión** nos enseñó que Dios creó todo lo que existe.

## reloj

| | M | F |
|---|---|---|
| S | reloj | |
| P | relojes | |

Si no fuese por el **reloj** despertador, no llegaría nunca a tiempo a la escuela.

## renglón

| | M | F |
|---|---|---|
| S | renglón | |
| P | renglones | |

Al escribir, hay que respetar los **renglones**.

## reptil

| | M | F |
|---|---|---|
| S | reptil | |
| P | reptiles | |

Las serpientes y los lagartos son **reptiles**.

## resfrío

| | M | F |
|---|---|---|
| S | resfrío | |
| P | resfríos | |

Me mojé mucho con la lluvia y me vino un fuerte **resfrío**.

## respaldo

| | M | F |
|---|---|---|
| S | respaldo | |
| P | respaldos | |

Hay un cojín apoyado en el **respaldo** del sofá.

## resta

| | M | F |
|---|---|---|
| S | | resta |
| P | | restas |

Acción de restar.

¿Quieres saber si tu **resta** está bien hecha? Pues, suma el resultado al número inferior y te va a dar el número mayor. 4-3=1, es decir 1+3=4.

## retar

| Pasado | Presente | Futuro |
|---|---|---|
| reté | reto | retaré |

Desafiar a otro a pelear o competir.

Las muchachas del 4º nos están **retando** a jugar un partido de basquetbol.

Hacerle ver a alguien o a un animal lo mal que se ha portado para que se corrija.

Tuve que **retar** a mi perro por morder mi pelota.

## rezar

| Pasado | Presente | Futuro |
|---|---|---|
| recé | rezo | rezaré |

• Orar.

Fuimos a la iglesia a **rezar**.

## ribera

| | M | F |
|---|---|---|
| S | | ribera |
| P | | riberas |

Las dos **riberas** del río están unidas por un puente.

## riñón

| | M | F |
|---|---|---|
| S | riñón | |
| P | riñones | |

Los **riñones** eliminan las impurezas del cuerpo a través de la orina.

## río

| | M | F |
|---|---|---|
| S | río | |
| P | ríos | |

El **río** Amazonas es el más largo de Sudamérica.

## ritmo

| | M | F |
|---|---|---|
| S | ritmo | |
| P | ritmos | |

Sucesión ordenada y variable de sonidos.

La música de los jóvenes tiene mucho **ritmo**.

## robar

| Pasado | Presente | Futuro |
|---|---|---|
| robé | robo | robaré |

Apoderarse de lo que a uno no le pertenece.

Los malhechores alcanzaron a **robar** antes de que llegáramos.

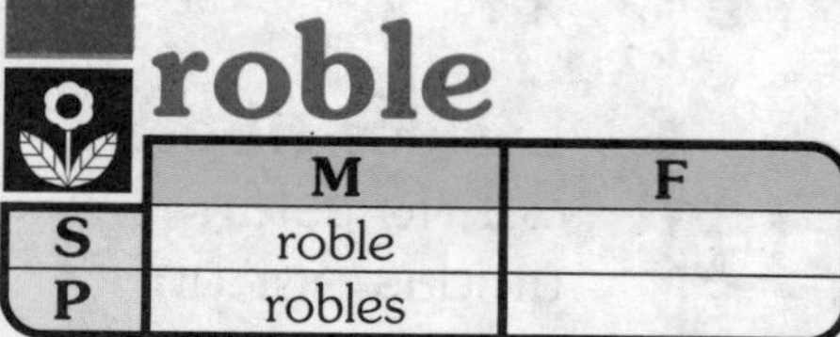

## roble

| | M | F |
|---|---|---|
| S | roble | |
| P | robles | |

El **roble** es un árbol muy alto, de madera firme.

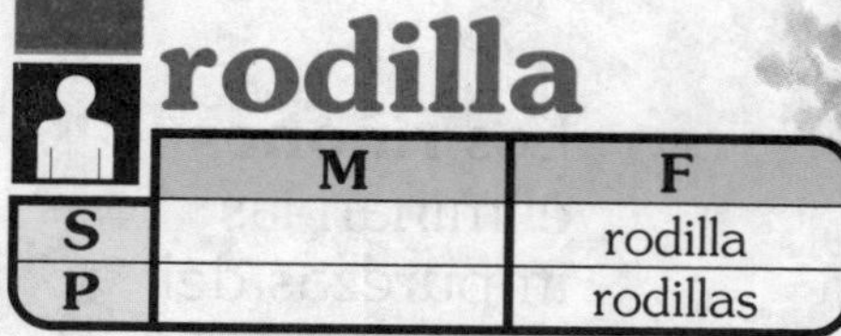

## rodilla

| | M | F |
|---|---|---|
| S | | rodilla |
| P | | rodillas |

Unión del muslo con la pierna.

Trata de no golpearte las **rodillas**.

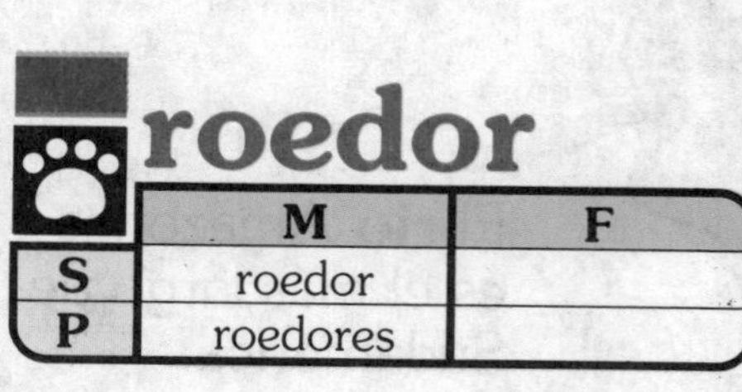

## roedor

| | M | F |
|---|---|---|
| S | roedor | |
| P | roedores | |

Los **roedores**, como el ratón, tienen dientes largos para roer.

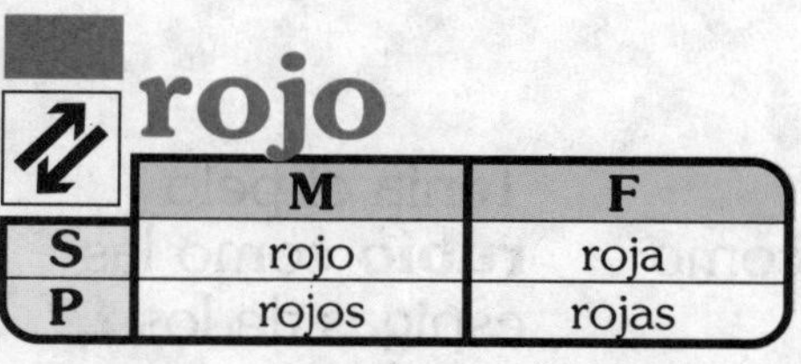

## rojo

| | M | F |
|---|---|---|
| S | rojo | roja |
| P | rojos | rojas |

¿Sabías tú que los glóbulos **rojos** le dan a la sangre su color?

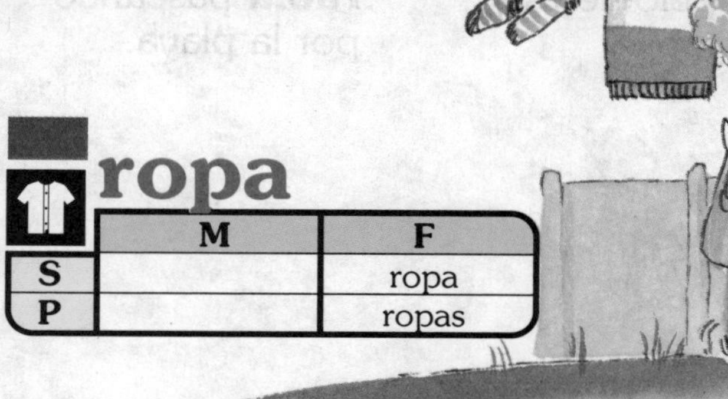

## ropa

| | M | F |
|---|---|---|
| S | | ropa |
| P | | ropas |

El lavado de la **ropa** es necesario para nuestra salud.

## rosado

| | M | F |
|---|---|---|
| S | rosado | rosada |
| P | rosados | rosadas |

Cuando nació mi hermana le prepararon una cuna **rosada**.

## rosal

| | M | F |
|---|---|---|
| S | rosal | |
| P | rosales | |

La reja está cubierta por un **rosal**.

## rubio

|   | M | F |
|---|---|---|
| S | rubio | rubia |
| P | rubios | rubias |

De color bronceado como el del oro. — Tenía el pelo **rubio** como las espigas de los trigales.

Persona que tiene el pelo de ese color. — Vimos a una **rubia** paseando por la playa.

## rugir

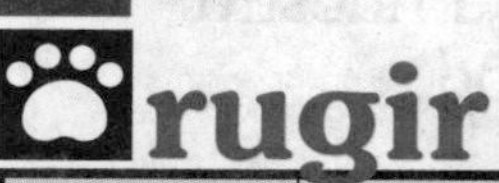

| Pasado | Presente | Futuro |
|---|---|---|
| rugí | rujo | rugiré |

Emitir rugidos el león, el tigre y otras fieras. — Las fieras del circo **rugen** en sus jaulas.

Gritar de furia o de dolor. — Llegaba a **rugir** de enojo.

Sonar muy fuerte el mar o el viento. — Durante el temporal, el ventarrón **rugía** sobre los tejados.

| A | B | C | CH | D | E | F | G | H | I |
|---|---|---|---|---|---|---|---|---|---|
| J | K | L | LL | M | N | Ñ | O | P | Q |
| R | **S** | T | U | V | W | X | Y | Z | |

# sábana

| | M | F |
|---|---|---|
| S | | sábana |
| P | | sábanas |

Mi mamá cuelga las **sábanas** para que se sequen.

# saber

| Pasado | Presente | Futuro |
|---|---|---|
| supe | sé | sabré |

Estar en conocimiento de algo.

Mi profesora **sabe** mucho de todo lo que le pregunten.

Tener capacidad para hacer algo.

¡Ahora sí que **sé** nadar y andar en bicicleta!

Tener algo cierto sabor.

Este helado **sabe** a chocolate.

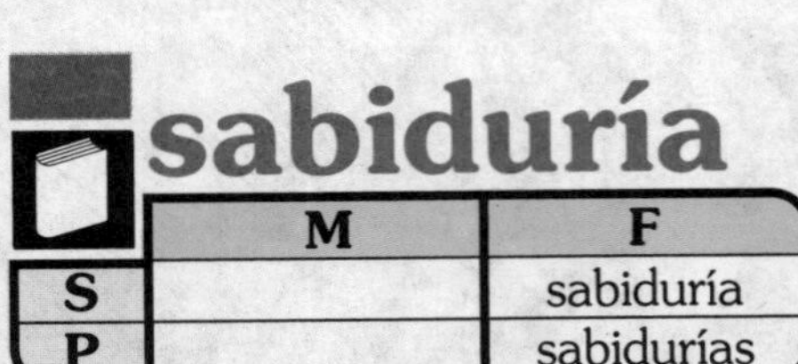

# sabiduría

| | M | F |
|---|---|---|
| S | | sabiduría |
| P | | sabidurías |

Conocimiento profundo de las cosas que da mucha prudencia y experiencia al que lo tiene.

Era famosa la **sabiduría** del rey Salomón.

## sacar

| Pasado | Presente | Futuro |
|---|---|---|
| saqué | saco | sacaré |

Quitar o extraer a alguien o algo del lugar o estado en que se encontraba.

**Saqué** una moneda y se la di al mendigo.

Los domingos nos **sacan** a pasear.

El doctor **sacó** al paciente de su enfermedad.

Obtener algún producto, resultado o beneficio.

**Sacamos** unas lindas fotos del lago.

No **sacas** nada con molestar a una niña pequeña.

## sal

| | M | F |
|---|---|---|
| S | | sal |
| P | | sales |

El agua de mar contiene mucha **sal**.

## sala

| | M | F |
|---|---|---|
| S | | sala |
| P | | salas |

Habitación grande para recibir o para que permanezcan muchas personas.

La **sala** de clases debe mantenerse siempre bien ordenada.

# salero

| | M | F |
|---|---|---|
| S | salero | |
| P | saleros | |

# salir

| Pasado | Presente | Futuro |
|---|---|---|
| salí | salgo | saldré |

Pasar desde adentro hacia afuera.

Hoy **salimos** más temprano de la escuela.

Tener algo su origen en alguna cosa.

¿Sabes de dónde **salen** las nubes?

Resultar algo de cierta manera.

Me esfuerzo y las cosas me **salen** bien.

Aparecer o hacerse ver.

¿El sol **sale** más tarde en invierno?

Dejar de sufrir algún mal o molestia.

**Saldrás** pronto de la gripe, siempre que no te destapes.

# salón

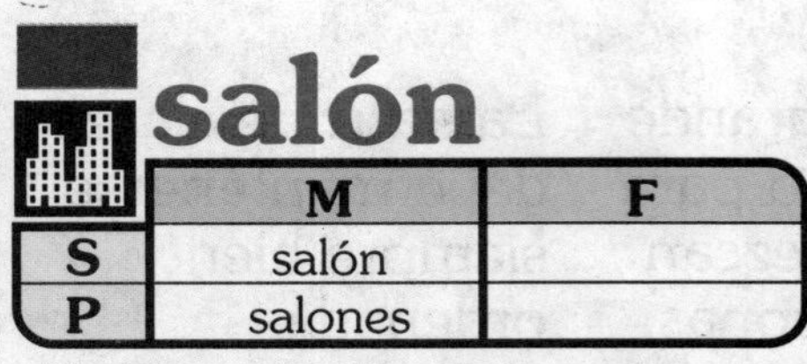

| | M | F |
|---|---|---|
| S | salón | |
| P | salones | |

El **salón** de baile estaba lleno de gente.

# salsa

| | M | F |
|---|---|---|
| S | | salsa |
| P | | salsas |

Composición de varias substancias comestibles que se hace para acompañar ciertos guisos.

Hoy cocinaremos tallarines con **salsa** de tomates.

Cierto baile popular de ritmo muy rápido.

En ese lugar estaban bailando **salsa**.

# saltar

| Pasado | Presente | Futuro |
|---|---|---|
| salté | salto | saltaré |

Elevarse rápido del suelo para caer de nuevo en él.

En el recreo jugamos a **saltar** como canguros.

Pasar por encima de un obstáculo.

No me costó **saltar** la cerca.

Romperse o quebrarse con fuerza una cosa.

El vidrio **saltó** en pedazos con la fuerza del viento.

# saludar

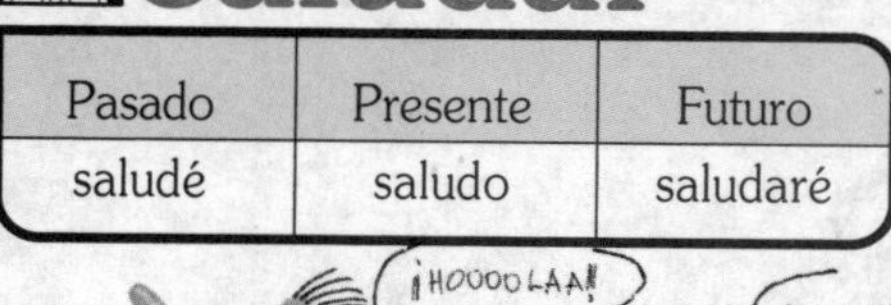

| Pasado | Presente | Futuro |
|---|---|---|
| saludé | saludo | saludaré |

Dirigirse a una persona con afecto o cortesía especialmente al encontrarla o despedirse de ella.

Mi hermano es tan tímido que casi nunca **saluda** a las visitas.

**Saludé** a mi tía por carta para el día de su santo.

adv. **salvo**

• Excepto.

Todos me saludaron, **salvo** mi tía, que está lejos.

**sanar**

| Pasado | Presente | Futuro |
|---|---|---|
| sané | sano | sanaré |

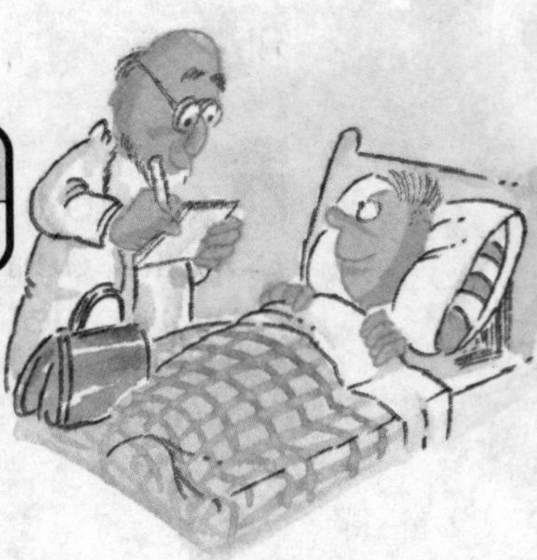

El doctor me **sanó** con un jarabe para la tos.

Yo **sané** con ejercicios al aire libre.

**sandalia**

| | M | F |
|---|---|---|
| S | | sandalia |
| P | | sandalias |

Las **sandalias** son útiles en la playa.

**sandía**

| | M | F |
|---|---|---|
| S | | sandía |
| P | | sandías |

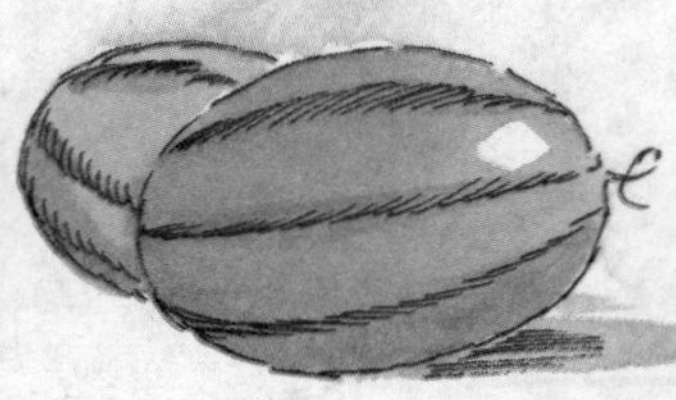

Me gustan las **sandías** maduras y jugosas.

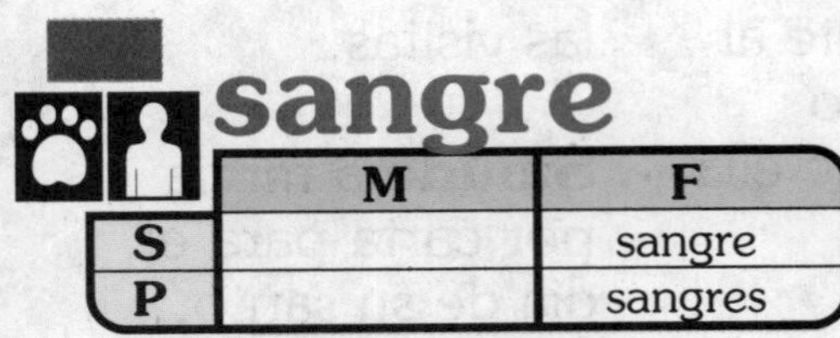

**sangre**

| | M | F |
|---|---|---|
| S | | sangre |
| P | | sangres |

Nuestra **sangre** es roja y caliente.

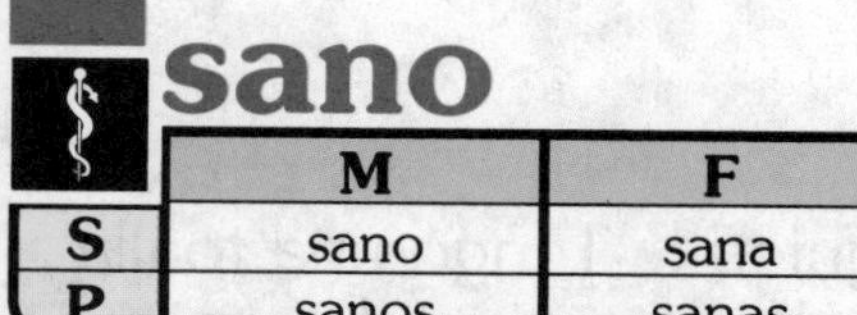

## sano

| | M | F |
|---|---|---|
| S | sano | sana |
| P | sanos | sanas |

Que no tiene ningún mal ni enfermedad.

Mente **sana**, cuerpo **sano**.

## sapo

| | M | F |
|---|---|---|
| S | sapo | |
| P | sapos | |

El **sapo** sale por la noche a cazar insectos.

Hay **sapos** de color verdoso que tienen los ojos saltones.

## sardina

| | M | F |
|---|---|---|
| S | | sardina |
| P | | sardinas |

La **sardina** es un pez pequeñito, pero muy apetitoso.

## sartén

| | M | F |
|---|---|---|
| S | | sartén |
| P | | sartenes |

El pescado se fríe en una **sartén**.

## secar

| Pasado | Presente | Futuro |
|---|---|---|
| sequé | seco | secaré |

Hacer que alguien o algo pierda el agua o la humedad.

Tengo una toalla especial para **secar** al perro cuando lo baño.

## secarse

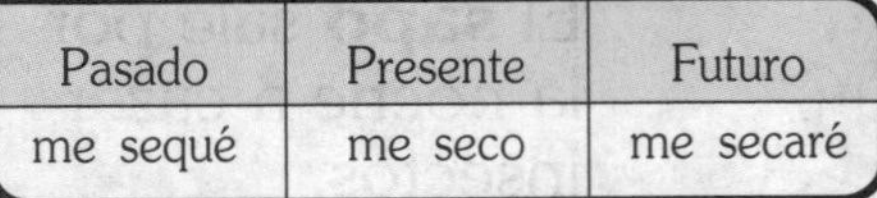

| Pasado | Presente | Futuro |
|---|---|---|
| me sequé | me seco | me secaré |

Perder una cosa toda el agua o la humedad que tiene.

La ropa tendida se **seca** fácilmente con el viento.

Morirse o marchitarse una planta o una flor.

¿Por qué puede **secarse** una planta?

## prep. según

• De acuerdo o en conformidad con alguien o algo.

**Según** mi profesora, el curso estudia bien.

• Al mismo tiempo o a medida que.

Nos íbamos comiendo las golosinas **según** las iban repartiendo.

## segundo

| | M | F |
|---|---|---|
| S | segundo | segunda |
| P | segundos | segundas |

Que está en el lugar Nº 2.

Llegó atrasado por **segunda** vez.

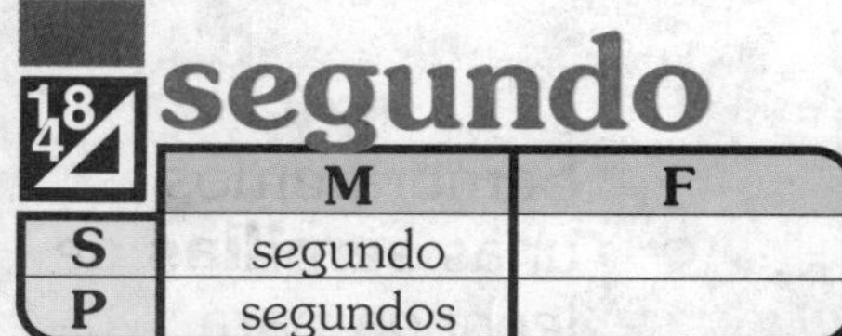

## segundo

| | M | F |
|---|---|---|
| S | segundo | |
| P | segundos | |

Cada uno de los sesenta tiempos iguales en que se divide el minuto.

Cada tictac del reloj es un **segundo**.

Plato de comida que sigue al primero.

Hoy tenemos tallarines de **segundo** plato.

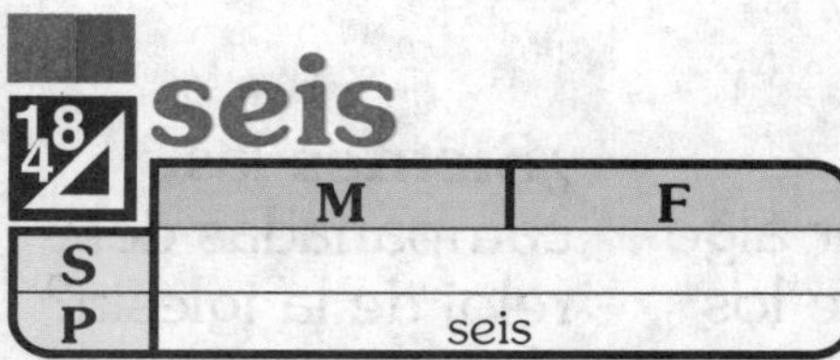

## seis

| | M | F |
|---|---|---|
| S | | |
| P | seis | |

Mi abuelita tuvo **seis** hijos; el mayor es mi papá.

## seiscientos

| | M | F |
|---|---|---|
| S | | |
| P | seiscientos | seiscientas |

Hubo que poner **seiscientas** sillas en el salón de actos.

## selva

| | M | F |
|---|---|---|
| S | | selva |
| P | | selvas |

En la **selva** hay animales salvajes y plantas tropicales.

## semana

| | M | F |
|---|---|---|
| S | | semana |
| P | | semanas |

Los días de la **semana** son: lunes, martes, miércoles, jueves, viernes, sábado y domingo.

## semilla

| | M | F |
|---|---|---|
| S | | semilla |
| P | | semillas |

Sembraremos unas **semillas** de lechuga para preparar una plantación.

## sentir

| Pasado | Presente | Futuro |
|---|---|---|
| sentí | siento | sentiré |

Percibir y experimentar algo por medio de los sentidos.

¿**Sientes** las campanadas del reloj de la iglesia?

Experimentar pena o tristeza por algo malo que ha sucedido.

**Siento** mucho la enfermedad de mi amigo.

Tener cierto modo de pensar o de apreciar las cosas.

Te he dicho lo que **siento**.

## sentirse

| Pasado | Presente | Futuro |
|---|---|---|
| me sentí | me siento | me sentiré |

Tener la sensación de algo.

Me **siento** feliz por tener tres hermanos.

Ofenderse o enojarse con alguien por lo que ha hecho.

Se **sintió** con nosotros porque no lo invitamos al paseo.

## séptimo

| | M | F |
|---|---|---|
| S | séptimo | séptima |
| P | séptimos | séptimas |

Cada una de las siete partes iguales en que se divide un todo. — Si 10 es la **séptima** parte de una suma, ¿cuál es esa suma?

Que está en el lugar Nº 7. — Julio es el **séptimo** mes del año.

## ser

| Pasado | Presente | Futuro |
|---|---|---|
| fui | soy | seré |

Tener cierta cualidad o defecto. — Los caramelos **son** dañinos para los dientes.

Haber o existir alguien o algo. — Mis tíos **eran** seis. Hoy **son** sólo cinco.

Proceder o haber tenido su origen en cierto lugar. — En la escuela hay varios niños que **son** de otros pueblos.

Suceder algo en cierto lugar. — El primer viaje a la Luna **fue** en 1969.

Experimentar o sufrir cierta acción. — Ese jugador **fue** el ganador: corrió más rápido.

Tener algo cierto destino o utilidad. — El termómetro **es** para medir la temperatura.

Pertenecer algo a su dueño. — Este diccionario **es** mío.

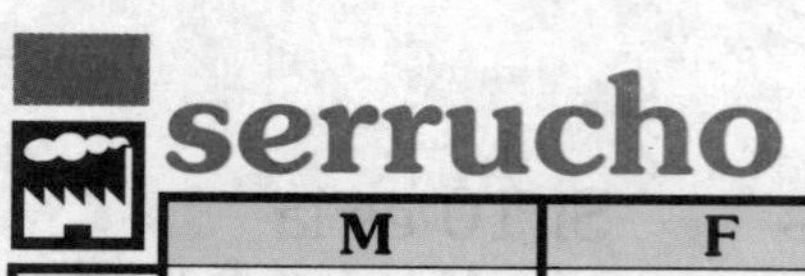

# serrucho

| | M | F |
|---|---|---|
| S | serrucho | |
| P | serruchos | |

Corto tablas con el **serrucho**.

# servicio

| | M | F |
|---|---|---|
| S | servicio | |
| P | servicios | |

Trabajo para ayuda de otros. — Hágame el **servicio** de atender mi llamado.

Institución que hace ese trabajo. — La compañía de gas nos presta **servicios**.

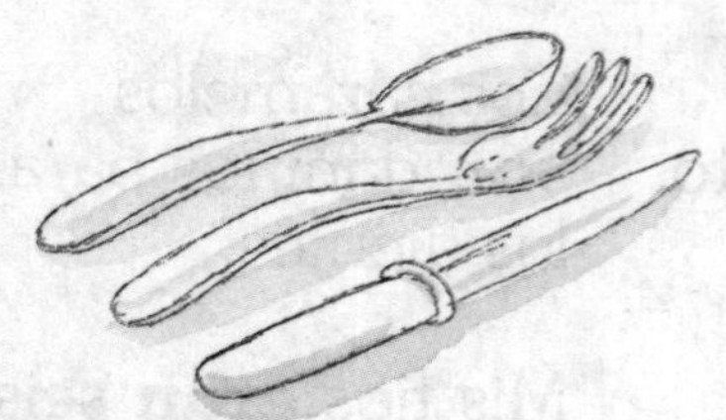

Cubierto de la mesa. — A mi **servicio** le falta el tenedor.

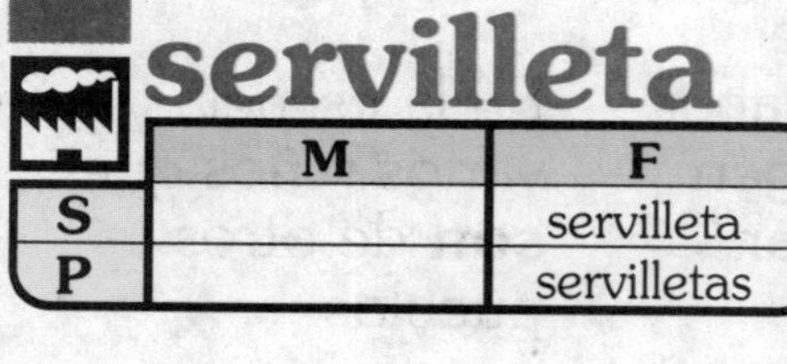

# servilleta

| | M | F |
|---|---|---|
| S | | servilleta |
| P | | servilletas |

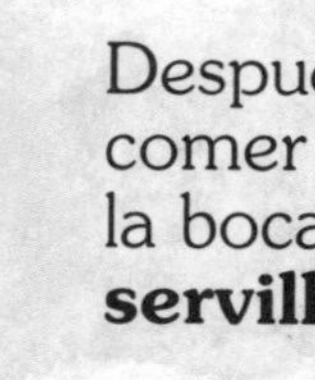

Después de comer me limpio la boca con una **servilleta**.

# servir

| Pasado | Presente | Futuro |
|---|---|---|
| serví | sirvo | serviré |

Ser alguien o algo adecuado o útil para algo. — La mesa nos **servía** de apoyo.

Poner la comida o bebida en la mesa. — Yo **serviré** los platos ahora.

Trabajar para una institución. — **Sirvió** en la aviación durante treinta años.

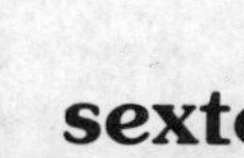

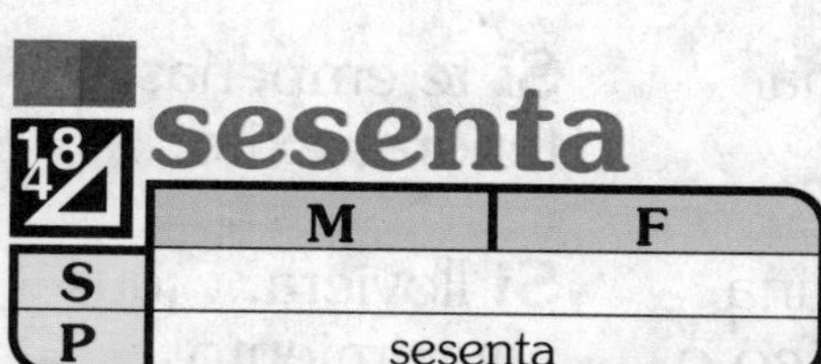

## sesenta

| | M | F |
|---|---|---|
| S | | |
| P | sesenta | |

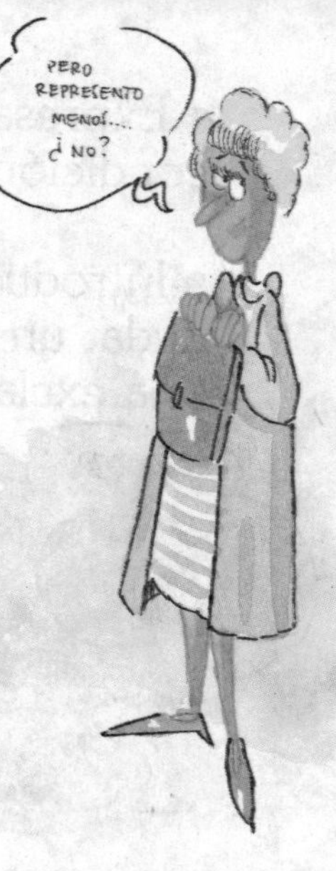


Mi tía tiene **sesenta** años.

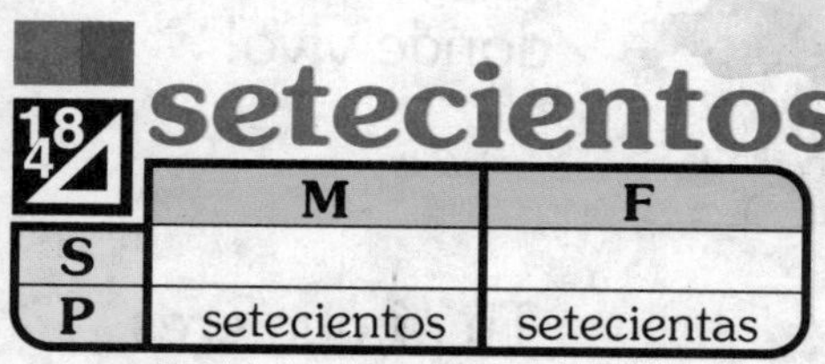

## setecientos

| | M | F |
|---|---|---|
| S | | |
| P | setecientos | setecientas |

El temporal dejó a **setecientas** personas sin hogar.

## setenta

| | M | F |
|---|---|---|
| S | | |
| P | setenta | |

En la quinta hay **setenta** árboles frutales.

## sexto

| | M | F |
|---|---|---|
| S | sexto | sexta |
| P | sextos | sextas |

Cada una de las seis partes iguales en que se divide un todo.

¿Cuál es la **sexta** parte de 6? ¿Y de 66?

Que está en el lugar Nº 6.

¿Cuál es el **sexto** mes del año?

conj. **si**

• Expresa una condición.

**Si** te empeñas, tendrás éxito.

• Introduce una duda, un deseo o una exclamación.

**Si** lloviera... ¡qué aburrimiento!

¡**Si** me ganara el premio!

¡**Si** ya te he dicho donde vivo!

adv. **sí**

• Expresa afirmación.

Tú **sí** que eres una niña estudiosa.

**sí**

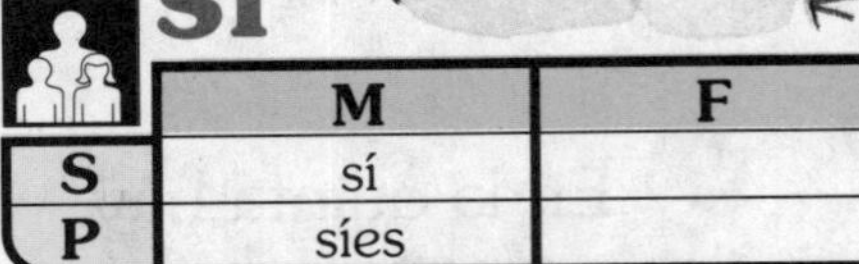

| | M | F |
|---|---|---|
| S | sí | |
| P | síes | |

Permiso o aceptación de algo que se ha pedido.

Al director le costó mucho dar el **sí** para el paseo del curso.

**siete**

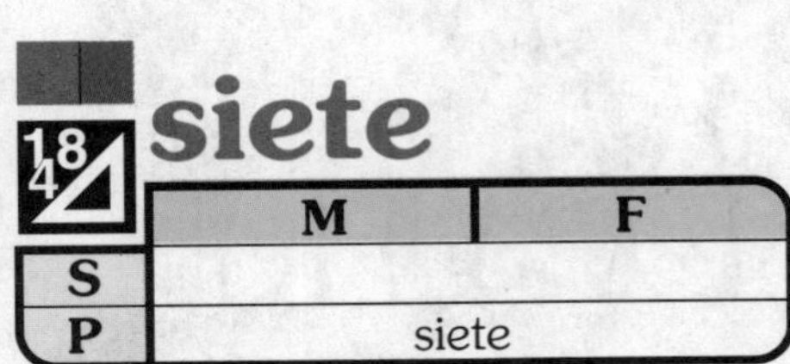

| | M | F |
|---|---|---|
| S | | |
| P | siete | |

La semana tiene **siete** días.

**siglo**

| | M | F |
|---|---|---|
| S | siglo | |
| P | siglos | |

Período de cien años.

El cristianismo nació hace veinte **siglos**, es decir, hace dos mil años.

## sílaba

| | M | F |
|---|---|---|
| S | | sílaba |
| P | | sílabas |

Cada una de las emisiones de voz en que se divide una palabra.

En la palabra "uva", vemos que una **sílaba** se compone sólo de vocal ("u") o de vocal y consonante ("va").

## silencio

| | M | F |
|---|---|---|
| S | silencio | |
| P | silencios | |

Ausencia de ruido y sonidos.

Trabajo mejor cuando en casa reina un **silencio** completo.

Acción de mantenerse sin hablar durante un tiempo.

Cuando me retan, prefiero guardar **silencio**.

## silencioso

| | M | F |
|---|---|---|
| S | silencioso | silenciosa |
| P | silenciosos | silenciosas |

Que no hace ruido o que se mantiene en silencio.

Los motores nuevos son **silenciosos**.

## silla

| | M | F |
|---|---|---|
| S | | silla |
| P | | sillas |

Hay que sentarse derecho en la **silla**.

## sillón

| | M | F |
|---|---|---|
| S | sillón | |
| P | sillones | |

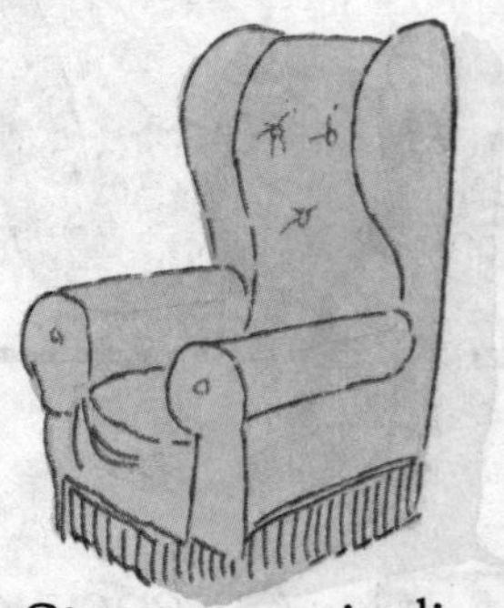

En la sala del director hay dos **sillones**.

## prep. sin

Sirve para indicar:

- falta o carencia de algo.

Después del viento, los árboles se quedaron **sin** hojas.

- negación de una acción.

Llegamos tarde y nos quedamos **sin** comer.

## conj. sino

- Sirve para negar algo dicho, afirmando algo distinto.

Yo diría que la Tierra no es redonda, **sino** semiesférica.

adv.

- Excepto.

Ningún planeta, **sino** la Tierra, es habitable por el hombre.

# sirena

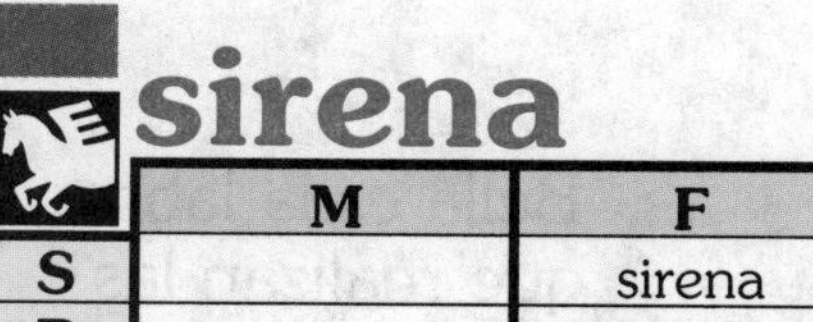

| | M | F |
|---|---|---|
| S | | sirena |
| P | | sirenas |

Los marineros de la antigüedad les tenían miedo a las **sirenas**.

La **sirena** de la ambulancia me despertó.

# sobre

| | M | F |
|---|---|---|
| S | sobre | |
| P | sobres | |

Dentro de ese **sobre** va el certificado de nacimiento.

# prep. sobre

- Encima de.

Pon el florero **sobre** la repisa.

- En lugar más alto que.

Mi balcón está **sobre** el tuyo.

- Acerca de.

La profesora nos habló **sobre** la necesidad de cuidar nuestros árboles.

- Algo más de.

Mi abuelo tiene **sobre** cincuenta años.

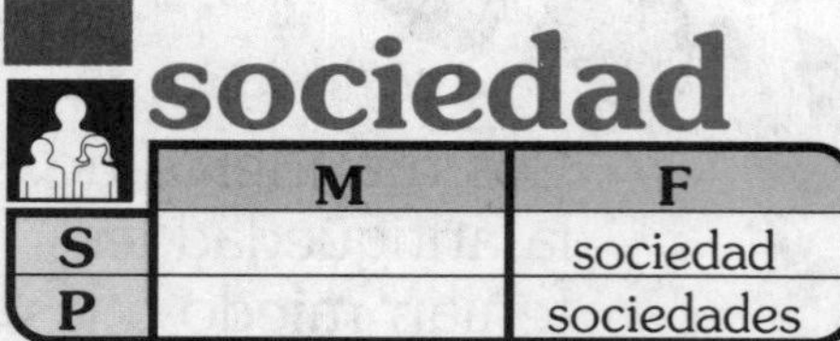

## sociedad

| | M | F |
|---|---|---|
| S | | sociedad |
| P | | sociedades |

Conjunto organizado de personas.

Bella es la labor que realizan las **Sociedades** que protegen a los ancianos.

## sofá

| | M | F |
|---|---|---|
| S | sofá | |
| P | sofás | |

Me voy a recostar un rato en el **sofá**.

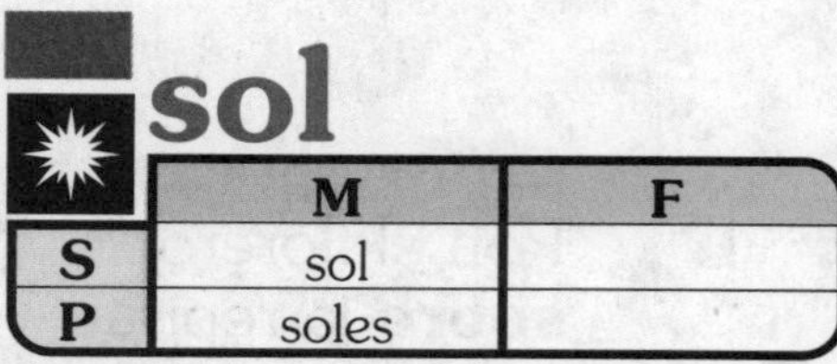

## sol

| | M | F |
|---|---|---|
| S | sol | |
| P | soles | |

La luz del **sol** entra por esa ventana.

En el universo hay muchas estrellas como nuestro **sol**.

## solapa

| | M | F |
|---|---|---|
| S | | solapa |
| P | | solapas |

Mi tía usa un adorno en la **solapa**.

## solar

| | M | F |
|---|---|---|
| S | solar | |
| P | solares | |

Del sol.

Cuídate de no exponerte mucho a los rayos **solares**.

## soldado

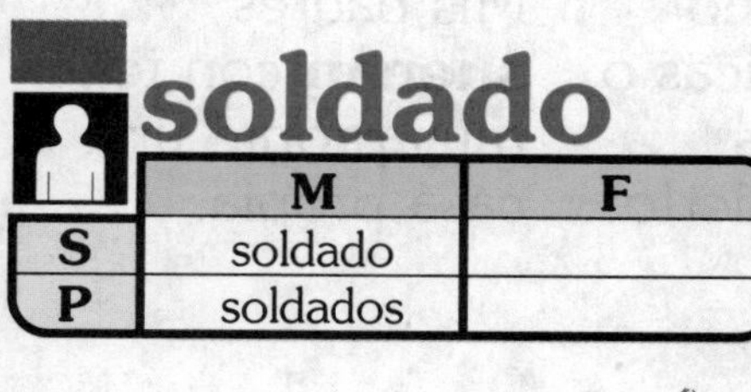

| | M | F |
|---|---|---|
| S | soldado | |
| P | soldados | |

Los **soldados** vigilan las fronteras.

## solo

| | M | F |
|---|---|---|
| S | solo | sola |
| P | solos | solas |

Uno o único; sin otro de su misma clase, o sin compañía.

Comimos un **solo** pedazo de pan.

Salieron todos y se quedó **sola**.

## adv. sólo

• De una única manera, no de otro modo; solamente.

**Sólo** salimos de paseo cuando es domingo o festivo.

## sombrero

| | M | F |
|---|---|---|
| S | sombrero | |
| P | sombreros | |

Hay gente mayor que usa **sombrero**.

## soñar

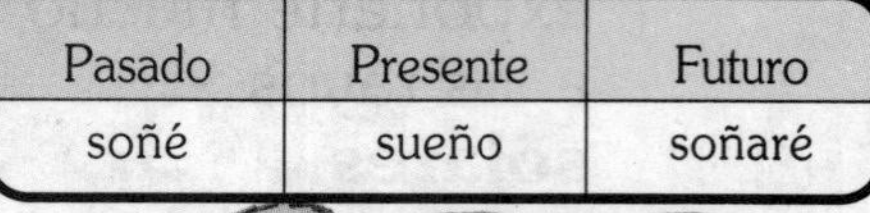

| Pasado | Presente | Futuro |
|---|---|---|
| soñé | sueño | soñaré |

Imaginarse uno cosas mientras duerme.

**Soñé** que partía de viaje en una gran nave del espacio.

Imaginarse uno cosas fantásticas o poco posibles estando despierto.

Mis padres **sueñan** con tener muy pronto una casa propia.

## sopa

| | M | F |
|---|---|---|
| S | | sopa |
| P | | sopas |

En la cena nos sirvieron **sopa** de tomate.

## soplar

| Pasado | Presente | Futuro |
|---|---|---|
| soplé | soplo | soplaré |

Echar con fuerza aire por la boca.

En tres años más, **soplaré** doce velitas...

Decirle disimuladamente a otro algo que ha preguntado y que parece que no sabe.

No es ninguna gracia sacarse buena nota cuando a uno le **soplan**.

# sordo

| | M | F |
|---|---|---|
| S | sordo | sorda |
| P | sordos | sordas |

Que no puede oír.

Algunos **sordos** se comunican por señas.

Los ruidos de los automóviles casi me dejan **sordo**.

# sorprender

| Pasado | Presente | Futuro |
|---|---|---|
| sorprendí | sorprendo | sorprenderé |

Descubrir a uno de repente.

Lo **sorprendí** usando mi camisa nueva.

**Sorprenderé** al gato cuando se eche en el sofá.

Dejar a uno asombrado una cosa inesperada.

Me **sorprendió** ver llover en pleno verano.

# sótano

| | M | F |
|---|---|---|
| S | sótano | |
| P | sótanos | |

Cuarto subterráneo en una casa.

No me gusta ir al **sótano** porque siempre está muy húmedo.

# suave

| | M | F |
|---|---|---|
| S | suave | |
| P | suaves | |

De superficie lisa y agradable al tocarla.

La piel de los bebés es muy suave.

Agradable de sentir.

El dentista pone una música **suave**. ¿Por qué será?

# suavizar

| Pasado | Presente | Futuro |
|---|---|---|
| suavicé | suavizo | suavizaré |

Poner suave o más suave una cosa.

Hay que **suavizar** la puerta con una lija antes de barnizarla.

**Suaviza** un poco tu carácter: vas a tener problemas con todo el mundo.

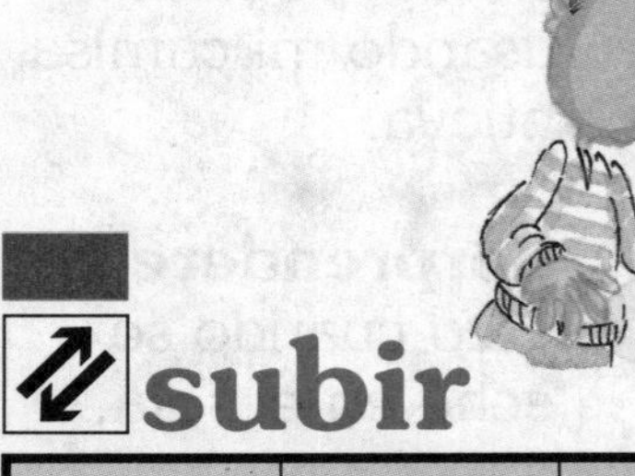

# subir

| Pasado | Presente | Futuro |
|---|---|---|
| subí | subo | subiré |

Pasar de un lugar bajo a uno alto.

**Subimos** hasta la cumbre del cerro.

Llevar a alguien o algo de una parte baja a otra alta.

¡No **subas** el gato a la cama!

Hacer más alta una cosa.

**Sube**, por favor, la antena para oír mejor la radio.

Aumentar la cantidad, calidad o intensidad de algo.

Mi mamá se molesta cuando **sube** el precio de la comida.

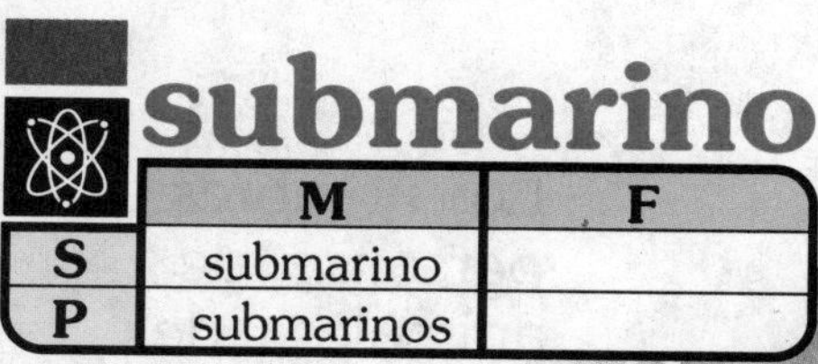

## submarino

| | M | F |
|---|---|---|
| S | submarino | |
| P | submarinos | |

Desde el puerto divisamos un **submarino**.

## suma

| | M | F |
|---|---|---|
| S | | suma |
| P | | sumas |

Acción de sumar. — Hace tiempo que yo aprendí la **suma**.

Resultado de esa operación aritmética. — La **suma** de 2+3 es 5.

Cantidad importante de dinero. — Ahorrando logró tener una gran **suma**.

## sumando

| | M | F |
|---|---|---|
| S | sumando | |
| P | sumandos | |

Cada una de las cantidades que se suman. — En la suma 3+4 =7, los **sumandos** son el 3 y el 4.

## sur

| | M | F |
|---|---|---|
| S | sur | |
| P | | |

Perú limita al **sur** con Chile.

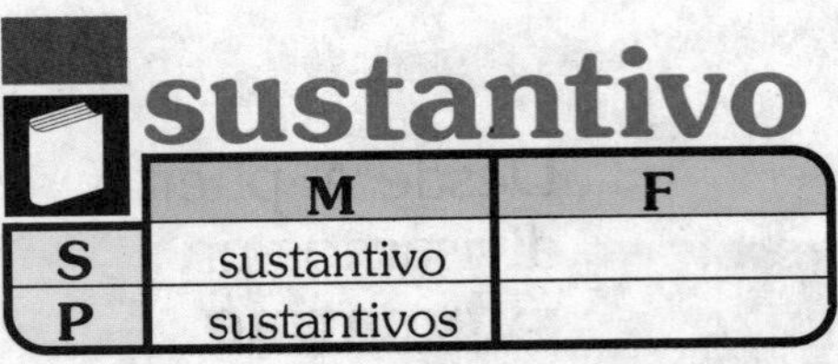

# sustantivo

| | M | F |
|---|---|---|
| S | sustantivo | |
| P | sustantivos | |

Los nombres de personas, de animales y de cosas son **sustantivos**.

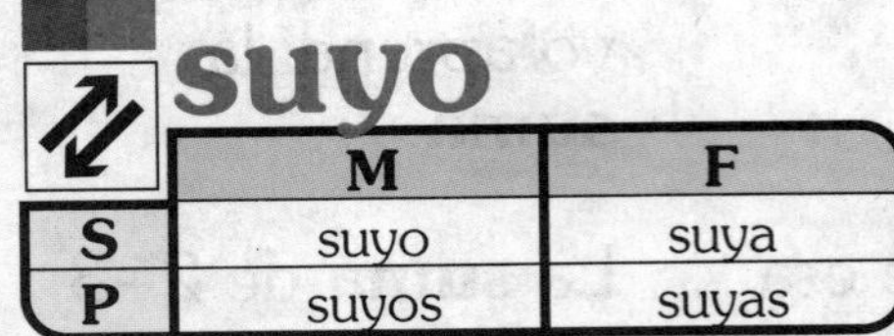

# suyo

| | M | F |
|---|---|---|
| S | suyo | suya |
| P | suyos | suyas |

Lo que pertenece a alguien que no es ni tú ni yo.

Como no tenemos bicicleta, vamos a pedirle la **suya** a un amigo.

Lo que pertenece a usted o a ustedes.

Oiga, señor: ¿este paraguas es **suyo**?

El que es pariente de estas personas.

A su suegra la quiere como si fuese mamá **suya**.

Si se antepone al sustantivo, se convierte en **su**, **sus**.

Tu papá perdió **sus** lentes en el tren.

| A | B | C | CH | D | E | F | G | H | I |
|---|---|---|---|---|---|---|---|---|---|
| J | K | L | LL | M | N | Ñ | O | P | Q |
| R | S | **T** | U | V | W | X | Y | Z | |

## tabla

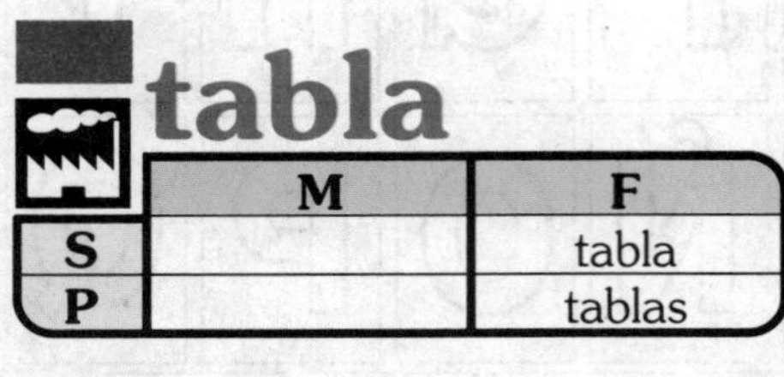

| | M | F |
|---|---|---|
| S | | tabla |
| P | | tablas |

El piso del comedor es de **tablas** de roble.

## tal

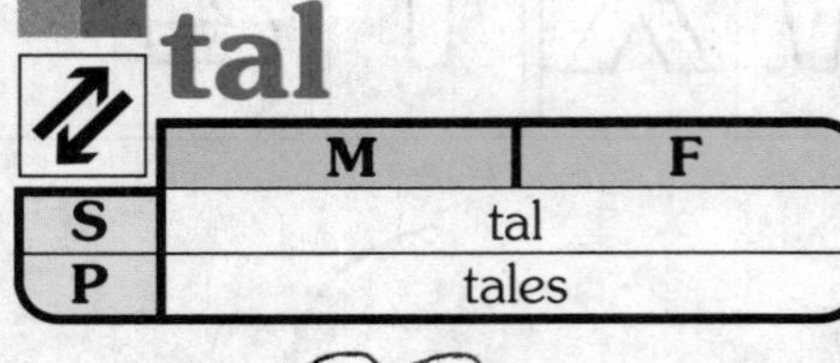

| | M | F |
|---|---|---|
| S | tal | |
| P | tales | |

Igual o muy parecido a algo.

Esta casa es **tal** como yo la soñé.

Alguien o algo no bien identificado o apenas conocido.

Vino a verme un **tal** García.

Dime: "necesito **tales** libros" y te los traeré.

## talón

| | M | F |
|---|---|---|
| S | talón | |
| P | talones | |

Ese vestido está demasiado largo, te llega a los **talones**.

La espuela va ajustada al **talón** del zapato.

Tengo que entregar el **talón** de la rifa.

## tallo

| | M | F |
|---|---|---|
| S | tallo | |
| P | tallos | |

Parte de la planta que sostiene las hojas, las flores y los frutos.

Los **tallos** del apio son comestibles.

adv. **también**

- Sirve para afirmar algo después de que se ha afirmado otra cosa.

Mi papá ayuda a la gente que lo necesita. Yo **también** voy a ser así.

- Además.

Me doy tiempo para estudiar y, **también**, para jugar con mis amigos.

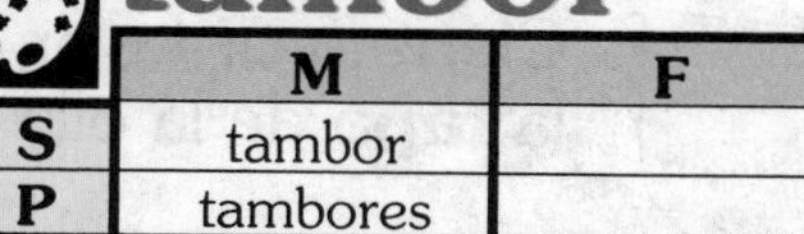

**tambor**

| | M | F |
|---|---|---|
| S | tambor | |
| P | tambores | |

Me gustaría tocar el **tambor** en la banda del colegio.

Chocó un camión cargado con **tambores** de aceite.

adv. **tampoco**

- Sirve para negar algo después que se ha negado otra cosa.

Mi abuelito no fuma. **Tampoco** mi papá.

adv. **tan**

- Se usa en lugar de tanto.

¡Qué libro **tan** interesante!

No llegues **tan** tarde.

## adv. tanto

Que se da con mucha intensidad o cantidad.

¡**Tanto** que los echo de menos!

## tanto

| | M | F |
|---|---|---|
| S | tanto | tanta |
| P | tantos | tantas |

En gran cantidad.

Es muy simpático y divertido; por eso tiene **tantos** amigos.

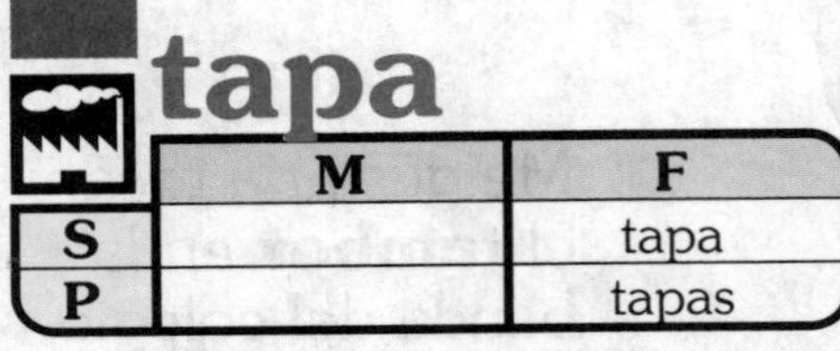

## tapa

| | M | F |
|---|---|---|
| S | | tapa |
| P | | tapas |

Cierra, por favor, la **tapa** de la olla.

## tapar

| Pasado | Presente | Futuro |
|---|---|---|
| tapé | tapo | taparé |

Estar alguien o algo en una posición que no deja ver lo que se desea.

No **tapes** a las visitas cuando converso con ellas.

Colocar algo sobre una abertura o superficie para evitar su comunicación con el exterior.

**Tapa**, por favor, las botellas.

Abrigar con ropa.

Hay que **taparse** cuando hace frío.

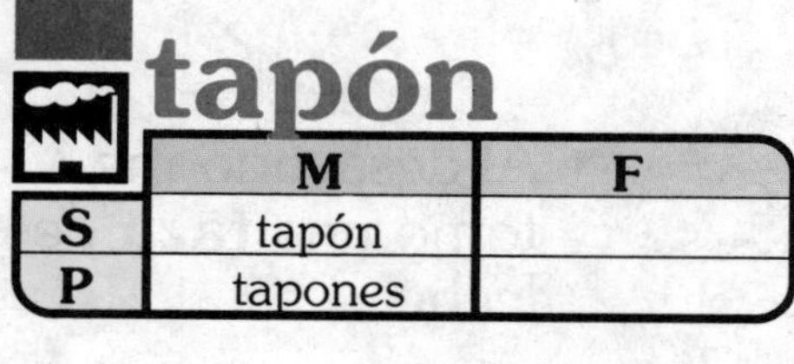

## tapón

| | M | F |
|---|---|---|
| S | tapón | |
| P | tapones | |

Después de bañarte, no te olvides de retirar el **tapón** de la bañera.

En Chile, también se aplica la palabra **tapón** para los fusibles de la electricidad.

## tarde

| | M | F |
|---|---|---|
| S | | tarde |
| P | | tardes |

Tiempo entre el mediodía y el anochecer.

En las **tardes** mi abuela y mi hermana menor duermen siesta.

## adv. tarde

• A una hora muy avanzada del día o de la noche.

El domingo me levanto **tarde**.

• Después de la hora debida, con atraso.

No le gusta que los alumnos lleguen **tarde** a clases.

## taxi

| | M | F |
|---|---|---|
| S | taxi | |
| P | taxis | |

Nos llevaron en **taxi** al cine.

## taza

| | M | F |
|---|---|---|
| S | | taza |
| P | | tazas |

Al desayuno me tomo una **taza** de leche.

## te

| | M | F |
|---|---|---|
| S | | te |
| P | | tes |

Nombre de la letra **t** y del sonido que representa.

No le pusiste el palito a la **te** de toro y se lee loro.

## te

| | M | F |
|---|---|---|
| S | te | |
| P | | |

• Tú, en ciertos casos.

¿Qué **te** van a regalar para Navidad?

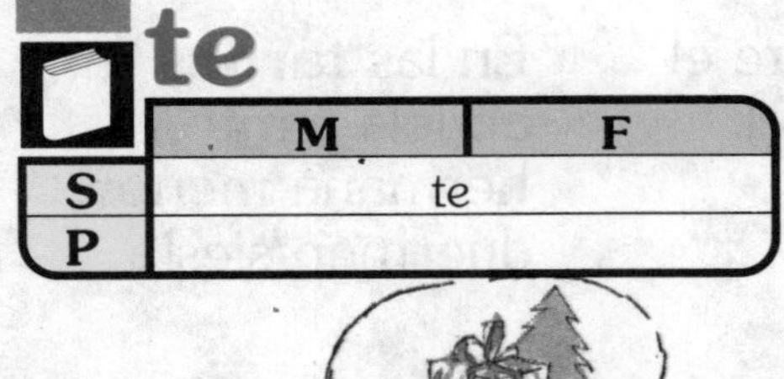

Cuando va después del verbo, se escribe formando con él una sola palabra.

¿Qué van a regalar**te** para Navidad?

## té

| | M | F |
|---|---|---|
| S | té | |
| P | tés | |

No hay como una buena taza de **té** bien caliente.

Con tilde, se distingue **té** sustantivo de **te** pronombre.

## techo

| | M | F |
|---|---|---|
| S | techo | |
| P | techos | |

El **techo** protege de la lluvia.

## teja

| | M | F |
|---|---|---|
| S | | teja |
| P | | tejas |

Las casas de campo tienen **tejas**.

## tejado

| | M | F |
|---|---|---|
| S | tejado | |
| P | tejados | |

Techo de tejas.

Los gatos andan sobre los **tejados**.

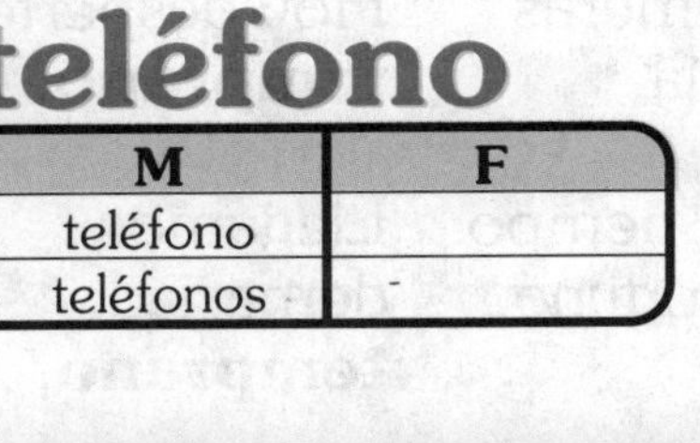

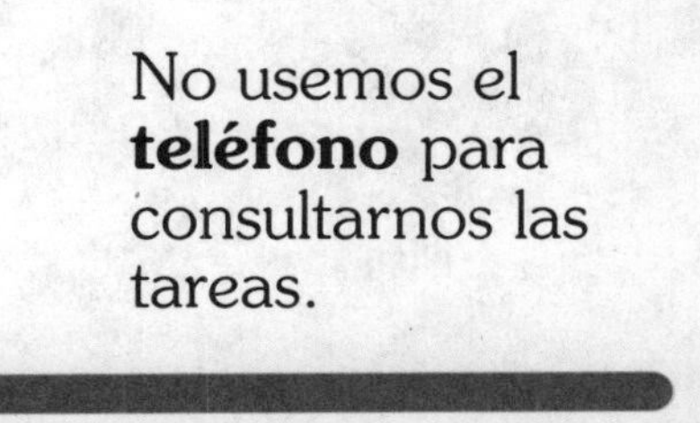

## teléfono

| | M | F |
|---|---|---|
| S | teléfono | |
| P | teléfonos | |

No usemos el **teléfono** para consultarnos las tareas.

## televisión

| | M | F |
|---|---|---|
| S | | televisión |
| P | | televisiones |

Me gusta ver dibujos animados por **televisión**.

## temperatura

| | M | F |
|---|---|---|
| S | | temperatura |
| P | | temperaturas |

Grado de calor en el ambiente o en el cuerpo.

En el verano sube la **temperatura**.

Vamos a tomarte la **temperatura**.

• Fiebre.

El niño tiene un poco de **temperatura**.

## templo

| | M | F |
|---|---|---|
| S | templo | |
| P | templos | |

Lugar destinado al culto de Dios, de los Santos o de alguna divinidad.

Ese **templo** es realmente majestuoso.

adv. **temprano**

• En las primeras horas del día.

Hoy desperté **temprano**.

• Antes del tiempo debido u oportuno.

Llegamos demasiado **temprano**.

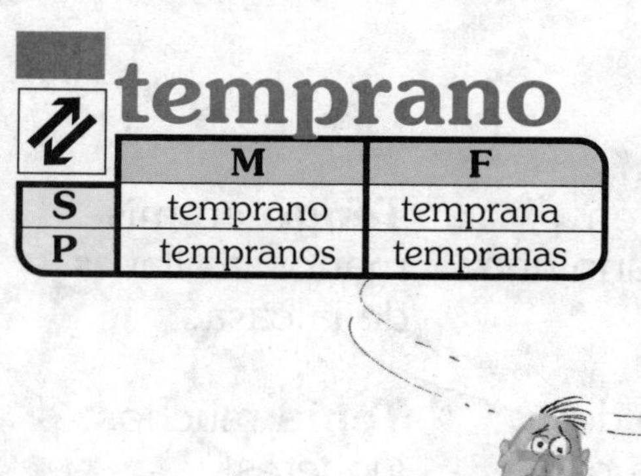

## temprano

| | M | F |
|---|---|---|
| S | temprano | temprana |
| P | tempranos | tempranas |

Que sucede antes de lo esperado o acostumbrado.

Tuvimos una lluvia **temprana**: estábamos en otoño y parecía invierno.

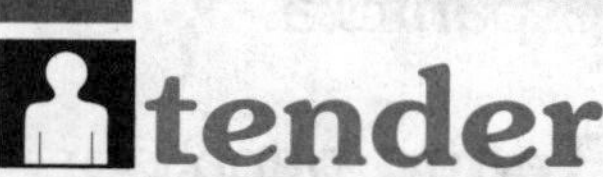

## tender

| Pasado | Presente | Futuro |
|---|---|---|
| tendí | tiendo | tenderé |

Colocar a alguien o algo a lo largo, en posición horizontal.

**Tendieron** al niño en su cama para que durmiera la siesta.

**Tendimos** las toallas en la arena.

Poner la ropa húmeda al aire, para que se seque.

Cuando **tienden** la ropa en verano, se seca rápido.

## tenedor

| | M | F |
|---|---|---|
| S | tenedor | |
| P | tenedores | |

El arroz se come con **tenedor**.

## tener

| Pasado | Presente | Futuro |
|---|---|---|
| tuve | tengo | tendré |

Mantener en poder de uno una cosa. — **Tengo** en mis manos las llaves de la casa.

Ser dueño de cierta cosa o poseer cierta cualidad o aptitud. — **Tenía** muchos juguetes.

**Tienes** unos ojos muy lindos.

Sentir algo en el cuerpo o en el espíritu. — **Tengo** un hambre espantosa.

**Tengo** pena por él.

• Poseer. — El cobre **tiene** la propiedad de conducir muy bien la electricidad.

Estar algo compuesto de varias cosas. — La escuela **tiene** muchas salas de clases.

Estar relacionado con alguien de alguna manera. — **Tendrás** muchos amigos cuando entres al colegio; más de los que **tienes** ahora.

## tenis

| | M | F |
|---|---|---|
| S | tenis | |
| P | | |

El **tenis** exige mucha agilidad.

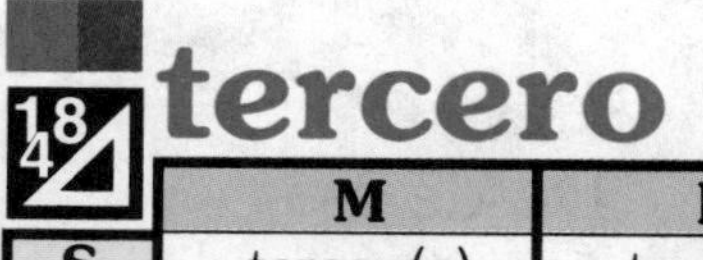

## tercero

| | M | F |
|---|---|---|
| S | tercer (o) | tercera |
| P | terceros | terceras |

Cada una de las tres partes iguales en que se divide un todo.

¿Cuál es la **tercera** parte de una docena?

Que está en el lugar Nº 3.

Casi todos los alumnos de **tercero** pasarán de curso.

## terminal

| | M | F |
|---|---|---|
| S | terminal | |
| P | terminales | |

Fuimos al **terminal** de buses a esperar a mis padrinos.

## terminar

| Pasado | Presente | Futuro |
|---|---|---|
| terminé | termino | terminaré |

• Acabar; poner fin o término a una cosa.

Este niño es tan lento, que no **termina** nunca de comer.

Llegar algo a su fin o término.

Cuando **termina** la lluvia, sale el sol.

## termómetro

| | M | F |
|---|---|---|
| S | termómetro | |
| P | termómetros | |

El **termómetro** sirve para medir la temperatura.

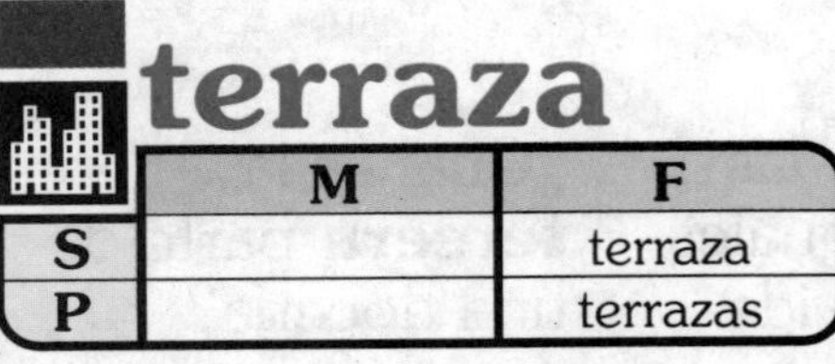

## terraza

| | M | F |
|---|---|---|
| S | | terraza |
| P | | terrazas |

Desde esa **terraza** se divisa la carretera.

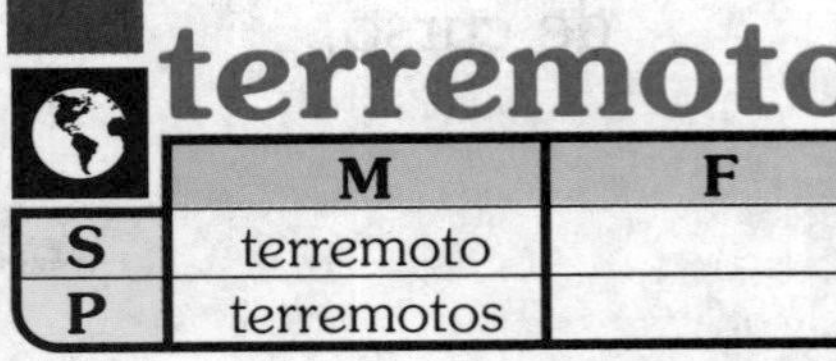

## terremoto

| | M | F |
|---|---|---|
| S | terremoto | |
| P | terremotos | |

Aún no es posible predecir los **terremotos**.

## tetera

| | M | F |
|---|---|---|
| S | | tetera |
| P | | teteras |

Mi mamá llenó de agua la **tetera**.

## ti

| | M | F |
|---|---|---|
| S | ti | |
| P | | |

Tú, cuando va precedido de preposición.

(Si la prep. es con, **ti** se convierte en **tigo** y el resultado es **contigo**.)

Tus padres se sacrifican mucho por **ti**.

Iremos con**tigo** a la excursión.

## tiburón

| | M | F |
|---|---|---|
| S | tiburón | |
| P | tiburones | |

El **tiburón** es un pez grande que tiene varias hileras de dientes.

## tienda

| | M | F |
|---|---|---|
| S | | tienda |
| P | | tiendas |

En esta **tienda** venden ropa deportiva.

## Tierra

| | M | F |
|---|---|---|
| S | | Tierra |
| P | | |

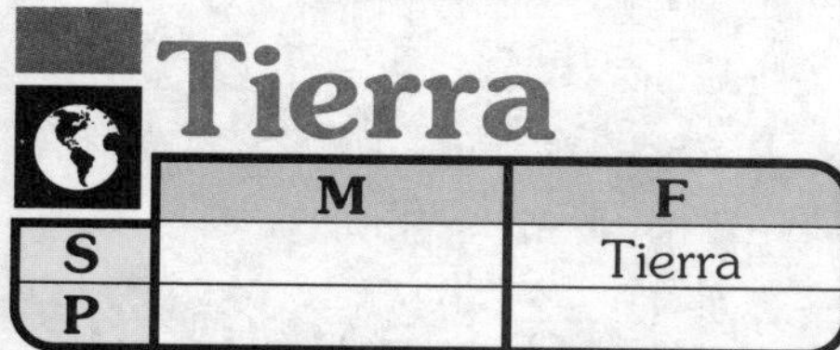

La **Tierra** es el planeta en que vivimos.

## tierra

| | M | F |
|---|---|---|
| S | | tierra |
| P | | tierras |

Material suelto en la superficie de este planeta.

No te ensucies con **tierra**.

Terreno o sitio que puede cultivarse con plantas.

Estas **tierras** son especiales para sembrar trigo.

## tijera

| | M | F |
|---|---|---|
| S | | tijera |
| P | | tijeras |

Voy a recortar figuras de papel con la **tijera**.

## tilde

| | M | F |
|---|---|---|
| S | | tilde |
| P | | tildes |

Trazo oblicuo ( ´ ) que en ciertos casos se escribe sobre la vocal acentuada.

En “canción fácil”, las dos palabras llevan **tilde**.

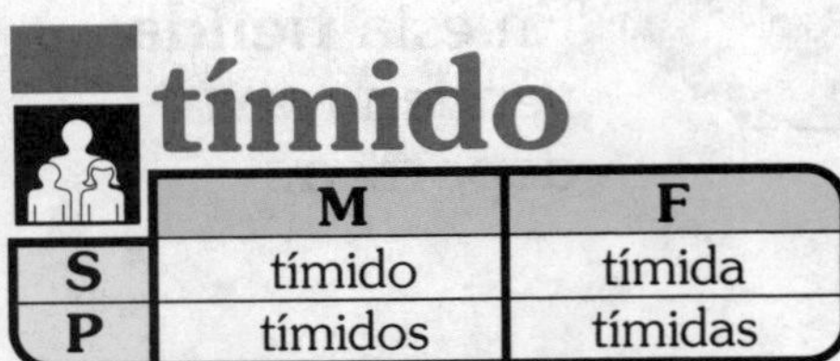

## tímido

| | M | F |
|---|---|---|
| S | tímido | tímida |
| P | tímidos | tímidas |

Que tiene o demuestra miedo en el trato con los demás.

No seas **tímido**: participa en clase; tu opinión es valiosa.

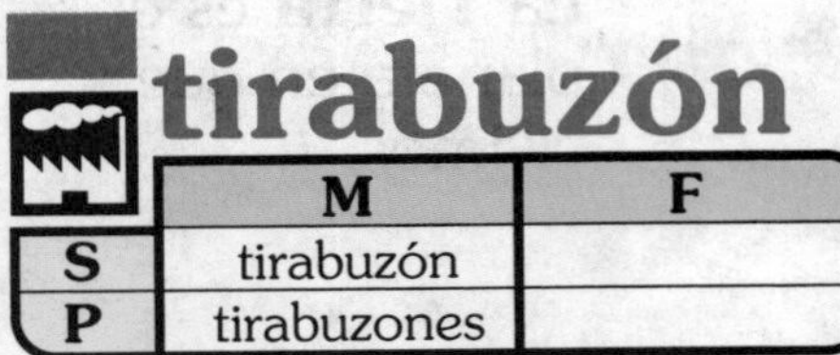

## tirabuzón

| | M | F |
|---|---|---|
| S | tirabuzón | |
| P | tirabuzones | |

• Sacacorchos.

Con el **tirabuzón** se abren las botellas que vienen tapadas con un corcho.

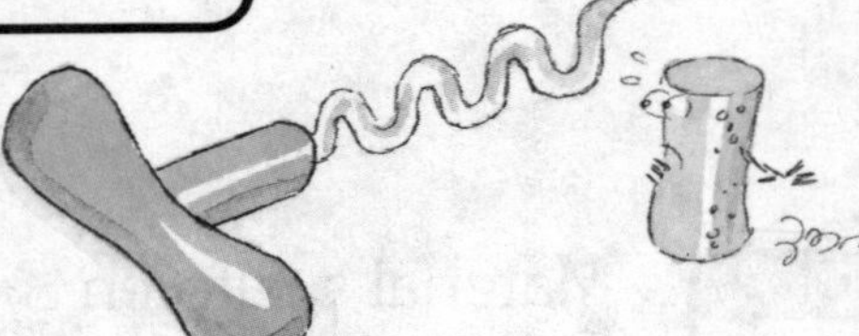

## tirar

| Pasado | Presente | Futuro |
|---|---|---|
| tiré | tiro | tiraré |

Lanzar algo con fuerza en cierta dirección.

**Tiró** la pelota con tanta fuerza que fue a dar al final de la cancha.

Echar algo al suelo o a la basura; deshacerse de ello.

Contamina, por ejemplo, el que anda **tirando** papeles por cualquier parte.

## tobillo

| | M | F |
|---|---|---|
| S | tobillo | |
| P | tobillos | |

Me torcí un **tobillo** jugando a saltar.

## tocar

| Pasado | Presente | Futuro |
|---|---|---|
| toqué | toco | tocaré |

Ejercitar con una o ambas manos el sentido del tacto.

Al **tocar** los pétalos de la rosa, vas a sentir su gran suavidad.

Estar o entrar en contacto una cosa con otra.

El barco **tocó** fondo y varó.

Hacer sonar algo para que sea oído como música o como señal o aviso.

Sólo sabía **tocar** el timbre de la casa.

Abordar o tratar cierto asunto de modo ligero.

Se **tocó** el tema de la contaminación.

## adv. todavía

• Hasta este momento o hasta cierto momento.

Cuidemos nuestro planeta. **Todavía** podemos recuperarlo.

• En mayor cantidad o proporción.

Puedes ser mejor **todavía**.

## adv. todo

- De manera completa, totalmente.

Se cayó al agua y salió **todo** mojado.

## todo

| | M | F |
|---|---|---|
| S | todo | toda |
| P | todos | todas |

- Completo, entero, sin que falte nada.

Se comió **toda** la fruta.

Vinieron **todos** a saludarme en mi cumpleaños.

## tomar

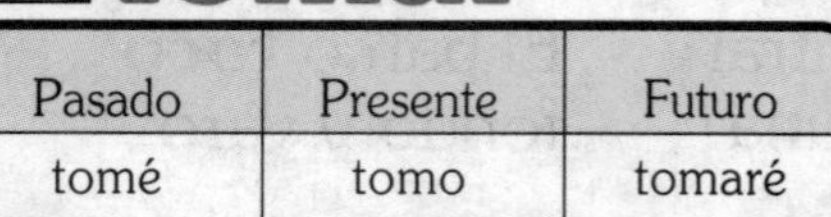

| Pasado | Presente | Futuro |
|---|---|---|
| tomé | tomo | tomaré |

Asir o agarrar algo con ayuda de la mano.

**Tomó** un libro del estante.

Aceptar o recibir algo que a uno se le ofrece.

–**Tomaré** el trabajo –dijo–, porque necesito dinero.

Estamos **tomando** aire en la azotea.

Hacer uso de un vehículo.

**Tomé** un taxi para llegar rápido.

Ingerir algo, particularmente líquidos.

**Tomé** un vaso de leche.

Estoy **tomando** desayuno.

Adoptar cierta actitud o costumbre.

Ha **tomado** el mal hábito de entrar sin saludar a nadie.

# tonelada

| | M | F |
|---|---|---|
| S | | tonelada |
| P | | toneladas |

Mil kilogramos.

Cayó al camino una roca que pesaba diez **toneladas**.

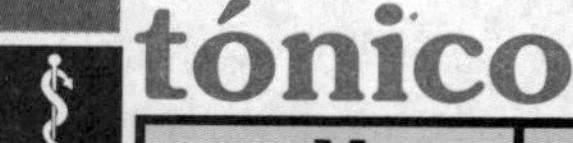

# tónico

| | M | F |
|---|---|---|
| S | tónico | |
| P | tónicos | |

Antes de almuerzo me dan una cucharada de **tónico**.

# tornillo

| | M | F |
|---|---|---|
| S | tornillo | |
| P | tornillos | |

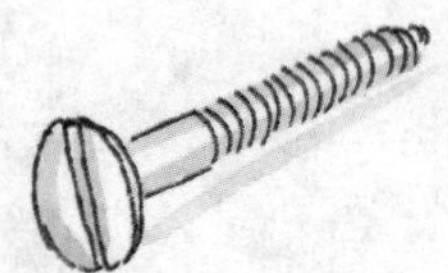

Se soltó un **tornillo** del enchufe.

# toro

| | M | F |
|---|---|---|
| S | toro | vaca |
| P | toros | vacas |

En el potrero había un **toro** y diez **vacas** pastando.

Las crías del **toro** y la **vaca** son los terneros.

# tos

| | M | F |
|---|---|---|
| S | | tos |
| P | | toses |

Cuando te venga la **tos**, tápate la boca.

# traer

| Pasado | Presente | Futuro |
|---|---|---|
| traje | traigo | traeré |

Hacer llegar a alguien o algo desde donde se encuentra hasta donde uno está.

Mi papá me **trajo** en auto a la escuela.

Quiero que para Navidad me **traigan** un juego entretenido.

Llevar uno puesta alguna cosa o algo en su vestimenta.

El conductor del autobús **traía** una chaqueta de cuero.

Causar algo ciertos efectos.

El estar ocioso **trae** malas consecuencias.

# tragar

| Pasado | Presente | Futuro |
|---|---|---|
| (me) tragué | (me) trago | (me) tragaré |

Hacer pasar algo líquido o sólido desde la boca al estómago.

La ola me hizo **tragar** agua salada.

Me **tragué** una semilla de la manzana.

Comerse algo con mucha ansiedad.

Se **tragó** el almuerzo en pocos minutos.

Hundir algo la tierra o las aguas.

El maremoto se **tragó** varios barcos.

Creerse fácilmente todo.

Se **traga** todas las mentiras que le cuentan.

Soportar algo sin decir nada.

Se **traga** todo cuando lo retan.

# transbordador

| | M | F |
|---|---|---|
| S | transbordador | |
| P | transbordadores | |

El **transbordador** nos llevó de una isla a otra.

El **transbordador** espacial aterrizó sin dificultad.

## transportar

| Pasado | Presente | Futuro |
|---|---|---|
| transporté | transporto | transportaré |

Llevar personas, animales o cosas de un lugar a otro.

Los autobuses **transportan** personas.

Los camiones **transportan** carga.

## trapecio

| | M | F |
|---|---|---|
| S | trapecio | |
| P | trapecios | |

El **trapecio** tiene dos lados paralelos y dos lados que no lo son.

Un payaso nos encantaba con sus gracias en el **trapecio**.

## prep. tras

- Después de, a continuación de.

**Tras** la tempestad, viene la calma.

- Detrás de, en la parte de atrás de.

La luna se ocultó **tras** las nubes.

- En busca de, en persecución de.

Iban **tras** los ladrones.

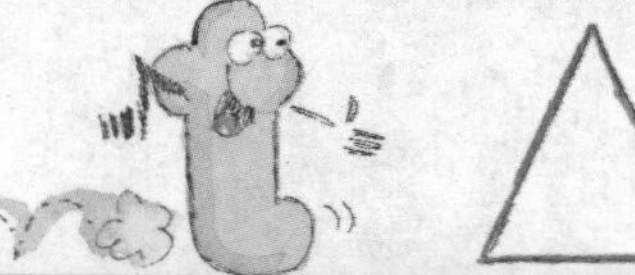

## treinta

| | M | F |
|---|---|---|
| S | | |
| P | treinta | |

En el curso hay **treinta** alumnos.

## tres

| | M | F |
|---|---|---|
| S | tres | |
| P | treses | |

En la carrera de autos ganó el **tres**.

Tiene varios **treses** en algunas materias.

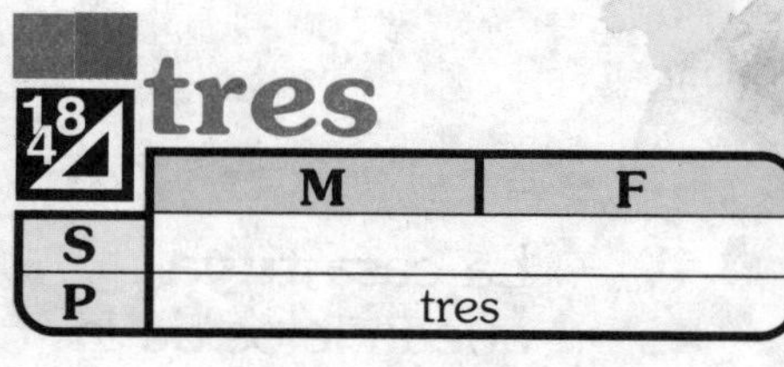

## tres

| | M | F |
|---|---|---|
| S | | |
| P | tres | |

La gallina tiene **tres** dedos adelante y uno atrás. Los **tres** de adelante son más largos.

## trescientos

| | M | F |
|---|---|---|
| S | | |
| P | trescientos | trescientas |

En el techo hay un estanque para **trescientos** litros de agua.

## triángulo

| | M | F |
|---|---|---|
| S | triángulo | |
| P | triángulos | |

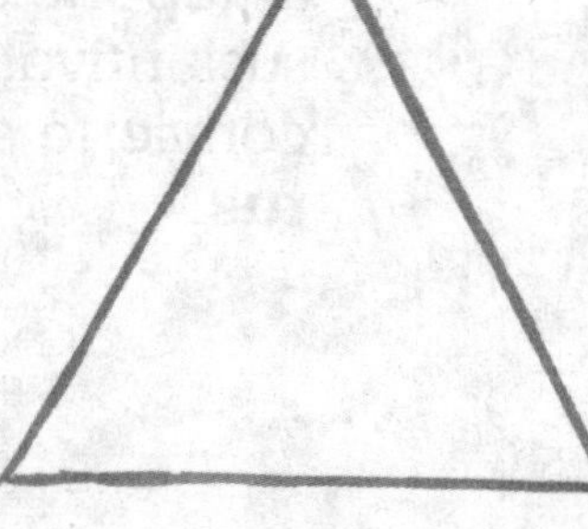

El **triángulo** tiene tres lados y tres ángulos.

## tú

| | M | F |
|---|---|---|
| S | tú | |
| P | | |

La persona con quien se habla o a quien se le escribe.

**Tú**, que eres buen estudiante, dime ¿a qué temperatura hierve el agua?

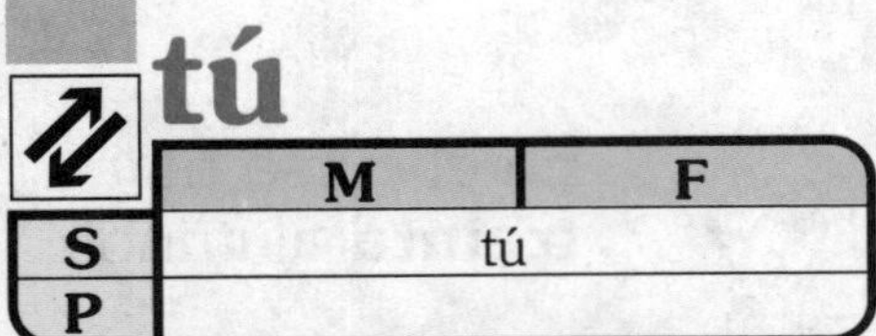

## túnel

| | M | F |
|---|---|---|
| S | túnel | |
| P | túneles | |

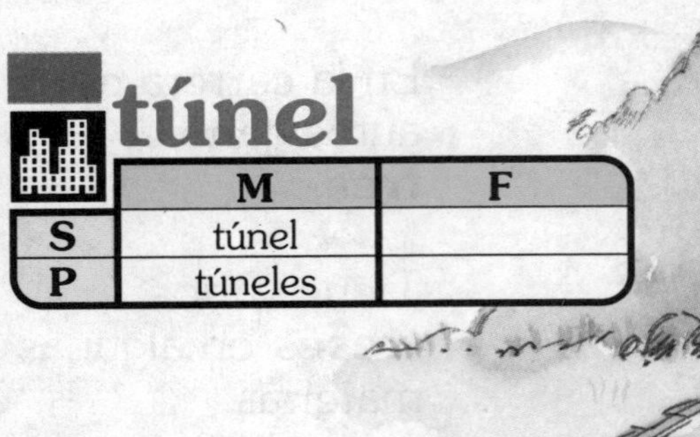

El tren pasa por un **túnel** antes de llegar a la próxima estación.

## tuyo

| | M | F |
|---|---|---|
| S | tuyo | tuya |
| P | tuyos | tuyas |

Lo que te pertenece.

La casa **tuya** queda lejos de la escuela.

El que es pariente de la persona con quien se habla.

Una tía **tuya** es mi mamá... ¡Entonces somos primos hermanos!

Cuando se antepone al sustantivo, se convierte en **tu**, **tus**.

**Tu** felicidad y **tus** problemas interesan mucho a **tus** padres.

| A | B | C | CH | D | E | F | G | H | I |
|---|---|---|---|---|---|---|---|---|---|
| J | K | L | LL | M | N | Ñ | O | P | Q |
| R | S | T | U | V | W | X | Y | Z | |

## u

| | M | F |
|---|---|---|
| S | | u |
| P | | úes |

Nombre de la letra **u** y del sonido que representa.

Pudú tiene dos **úes**: una **u** átona y otra acentuada.

## conj. u

Se usa en vez de **o**.

No sé si hay diez **u** once panes.

## último

| | M | F |
|---|---|---|
| S | último | última |
| P | últimos | últimas |

Que está al final, porque después no hay otro.

Es la primera en llegar y la **última** en salir.

## un

| | M | F |
|---|---|---|
| S | un | una |
| P | unos | unas |

Este es **un** lápiz amarillo.

## undécimo

| | M | F |
|---|---|---|
| S | undécimo | undécima |
| P | undécimos | undécimas |

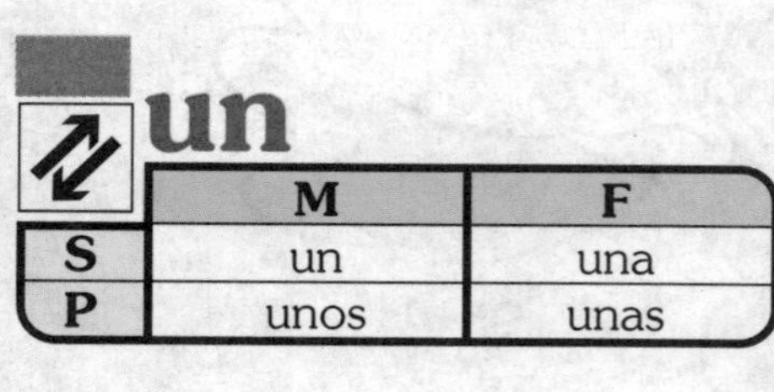


Cada una de las once partes iguales en que se divide un todo.

Tres es la **undécima** parte de treinta y tres.

Que está en el lugar Nº 11.

Noviembre es el **undécimo** mes del año.

## unidad

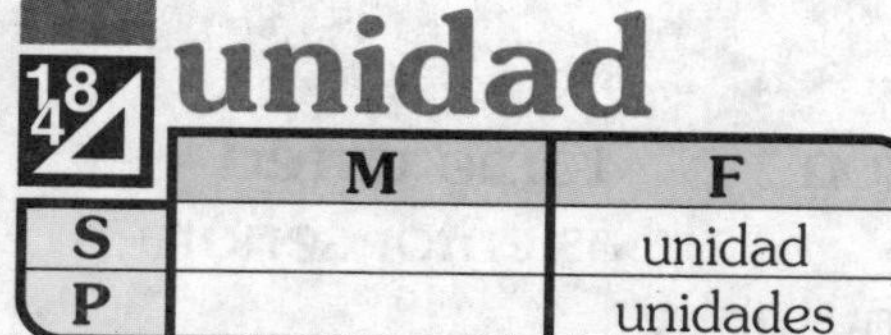

| | M | F |
|---|---|---|
| S | | unidad |
| P | | unidades |

Cada uno de los elementos o medidas que forman parte de un conjunto.

La flota pesquera cuenta con siete **unidades**.

El metro es la **unidad** de longitud.

Armonía, relación óptima de trato entre las personas.

En la familia debe haber siempre mucha **unidad**.

## uno

| | M | F |
|---|---|---|
| S | uno | una |
| P | unos | unas |

Alguien no determinado o no conocido.

Mientras **uno** sube, el otro baja.

**Uno** no sabe qué decir a veces.

ESTE... EEEH.

## usar

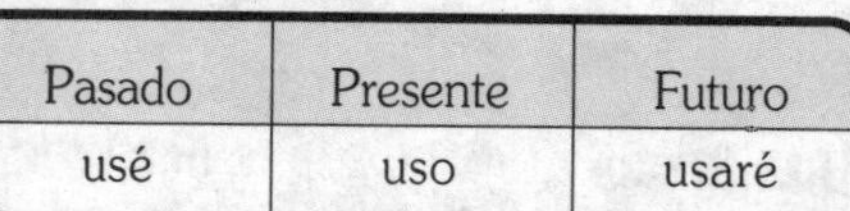

| Pasado | Presente | Futuro |
|---|---|---|
| usé | uso | usaré |

Hacer que una cosa sirva para algo.

Aprendí a **usar** el cepillo de dientes.

Tener la costumbre de llevar cierta cosa.

Ya no **uso** el pelo largo.

## usted

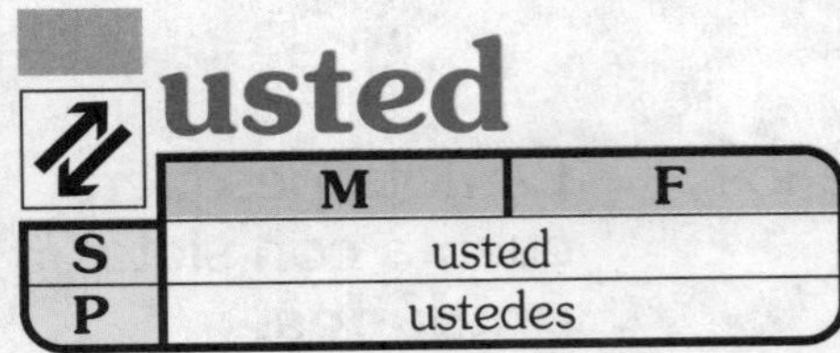

| | M | F |
|---|---|---|
| S | usted | |
| P | ustedes | |

La persona con quien hablo cuando no hay confianza.

Tome **usted** asiento, señora.

Las personas con quienes hablo haya o no haya confianza.

¿Están **ustedes** de acuerdo conmigo?

A veces se convierte en **le**, **les** o en **lo**, **la**, **los**, **las**.

A **ustedes les** escribo porque **los** quiero mucho.

## útil

| | M | F |
|---|---|---|
| S | útil | |
| P | útiles | |

Objeto o instrumento que se usa para ciertas labores.

Tengo siempre bien ordenados mis **útiles** escolares.

## útil

| | M | F |
|---|---|---|
| S | útil | |
| P | útiles | |

Que sirve mucho para ciertos fines.

El libro es un medio **útil** para adquirir cultura.

| A | B | C | CH | D | E | F | G | H | I |
|---|---|---|---|---|---|---|---|---|---|
| J | K | L | LL | M | N | Ñ | O | P | Q |
| R | S | T | U | V | W | X | Y | Z | |

## vacación

| | M | F |
|---|---|---|
| S | | vacación |
| P | | vacaciones |

El día del colegio nos dieron **vacación**.

Las **vacaciones** de verano las pasamos en la playa.

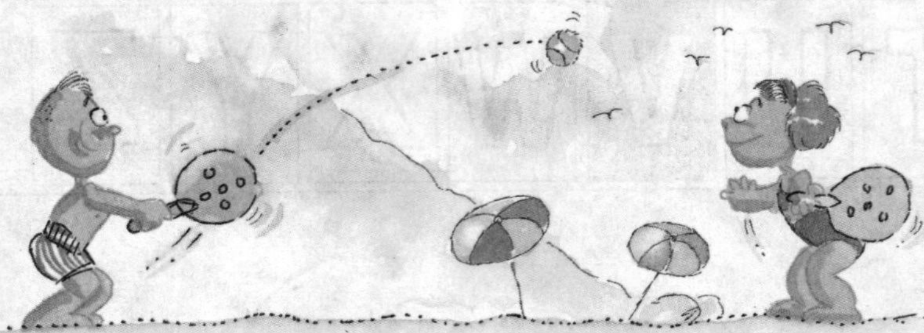

## valentía

| | M | F |
|---|---|---|
| S | | valentía |
| P | | |

• Valor; cualidad de afrontar peligros venciendo el miedo.

Hay que tener mucha **valentía** para ser torero.

## valer

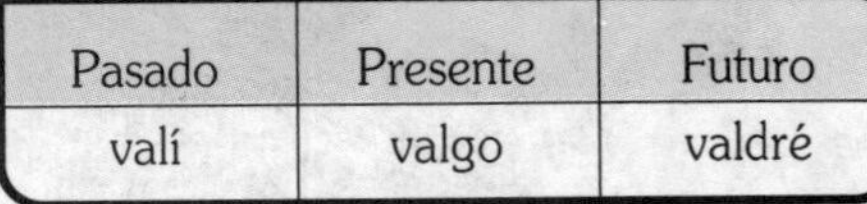

| Pasado | Presente | Futuro |
|---|---|---|
| valí | valgo | valdré |

Tener alguien o algo calidad, mérito o importancia.

Tú eres una persona que **vale**.

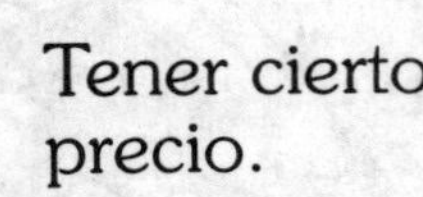

Tener cierto precio.

Un auto nuevo **vale** mucho dinero.

Que cumple con las reglas.

Fue un gol hecho con una falta del atacante. ¡No **vale**!

## valor

| | M | F |
|---|---|---|
| S | valor | |
| P | valores | |

Calidad, mérito o importancia de alguien o algo.

La espada que usó San Martín tiene gran **valor** histórico.

Precio de algo.

Las casas han subido mucho de **valor**.

• Valentía.

Se necesita mucho **valor** para saltar en paracaídas.

## valorar

| Pasado | Presente | Futuro |
|---|---|---|
| valoré | valoro | valoraré |

Apreciar el valor, calidad, mérito o importancia de alguien o algo.

**Valoro** todo lo que has hecho por mí.

Determinar el precio de algo.

Antes de vender una cosa, hay que **valorarla**.

## valla

| | M | F |
|---|---|---|
| S | | valla |
| P | | vallas |

El corral tiene un cerco de **vallas**.

Están corriendo los 110 metros con **vallas**.

## vapor

| | M | F |
|---|---|---|
| S | vapor | |
| P | vapores | |

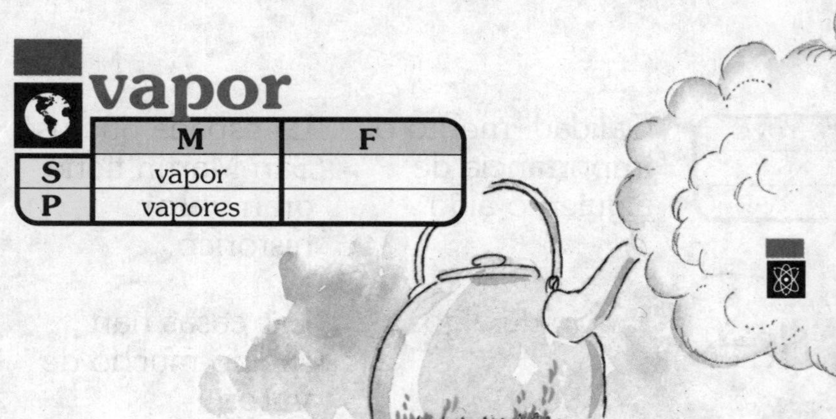

El agua recién hervida desprende **vapor**.

¿Sabes tú por qué ciertos barcos eran llamados **vapores**?

## vaso

| | M | F |
|---|---|---|
| S | vaso | |
| P | vasos | |

Necesito un **vaso** de agua fresca.

La sangre corre por las arterias y las venas, que son los **vasos** sanguíneos del cuerpo.

## veinte

| | M | F |
|---|---|---|
| S | | |
| P | veinte | |

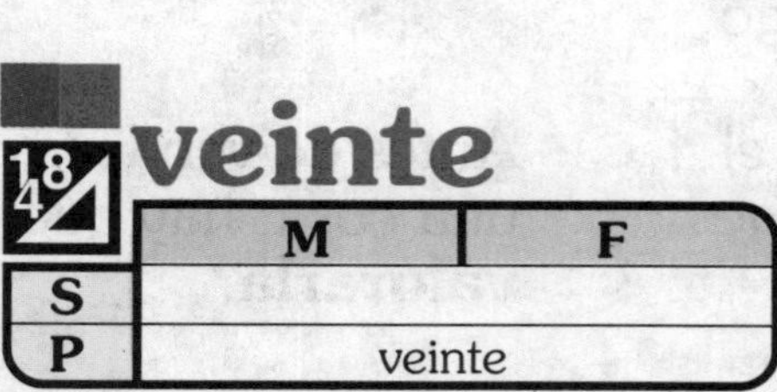

Los dedos de las manos más los dedos de los pies son **veinte**.

## vender

| Pasado | Presente | Futuro |
|---|---|---|
| vendí | vendo | venderé |

Entregar algo a cambio de cierta cantidad de dinero (precio).

Para poder viajar, **vendió** su colección de estampillas.

## veneno

| | M | F |
|---|---|---|
| S | veneno | |
| P | venenos | |

El insecticida es un **veneno**... ¿Qué precauciones hay que tomar con él?

## venir

| Pasado | Presente | Futuro |
|---|---|---|
| vine | vengo | vendré |

Moverse alguien del lugar en que se encuentra hasta donde otra persona está.

**Vine** a verte, porque me dijeron que estabas de cumpleaños.

Tener alguien o algo cierto origen.

Mi perro **viene** de una mezcla de terrier con no sé qué otra raza.

Estar una cosa en armonía con otra.

No te **viene** ese gorro verde.

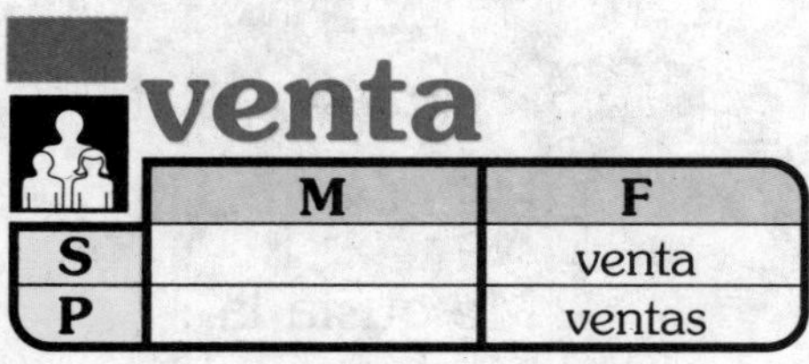

## venta

| | M | F |
|---|---|---|
| S | | venta |
| P | | ventas |

Con la **venta** de unos muebles viejos compramos esta mesa para el comedor.

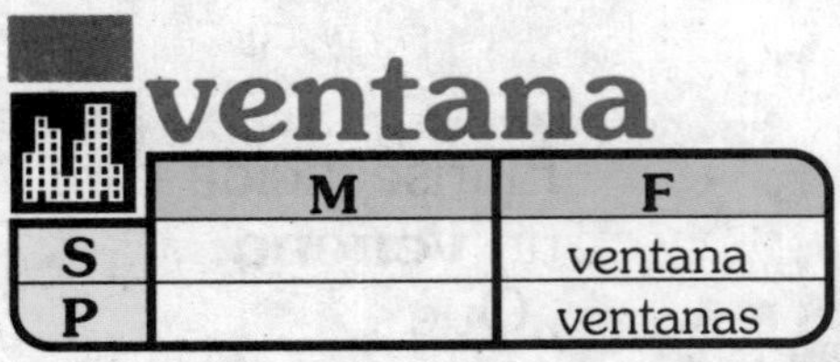

## ventana

| | M | F |
|---|---|---|
| S | | ventana |
| P | | ventanas |

Por esa **ventana** se ve la cordillera.

## ver

| Pasado | Presente | Futuro |
|---|---|---|
| vi | veo | veré |

Percibir algo por la vista.

Me gustó cuando la **vi**.

Darse cuenta de algo.

**Veo** que ya estás aprendiendo.

Visitar a alguien.

Los domingos vamos a **ver** a los abuelos.

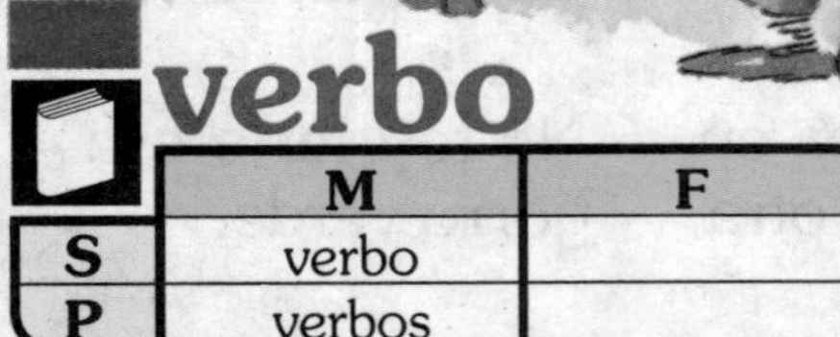

## verbo

| | M | F |
|---|---|---|
| S | verbo | |
| P | verbos | |

Palabra que nombra una acción o estado en el transcurso del tiempo.

Amar es el **verbo** que más me gusta.

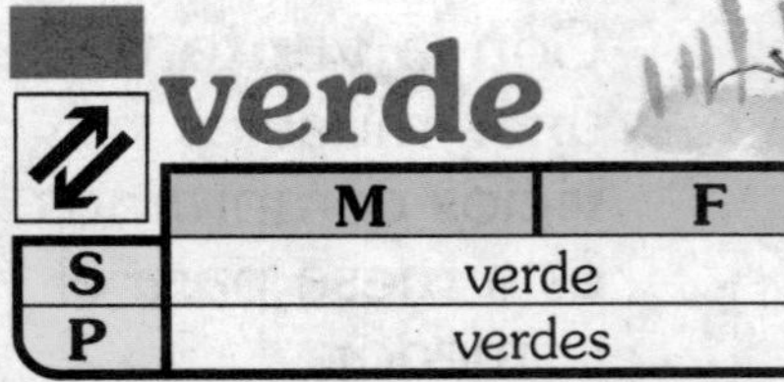

## verde

| | M | F |
|---|---|---|
| S | verde | |
| P | verdes | |

Me gusta la hierba **verde** en primavera.

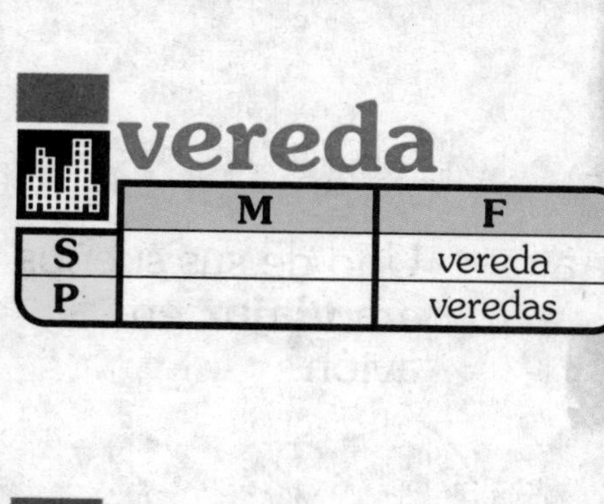

## vereda

| | M | F |
|---|---|---|
| S | | vereda |
| P | | veredas |

• Acera.

No te subas a la **vereda** con esa bicicleta.

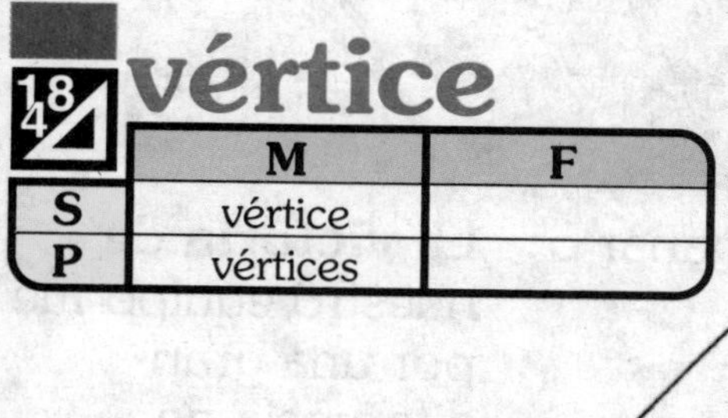

## vértice

| | M | F |
|---|---|---|
| S | vértice | |
| P | vértices | |

El **vértice** es el punto exacto donde se juntan dos líneas.

## vestir

| Pasado | Presente | Futuro |
|---|---|---|
| vestí | visto | vestiré |

Cubrir el cuerpo con ropa.

Le gusta **vestir** a sus muñecas.

Yo me **visto** solo.

Usar alguien cierta clase de ropa.

Mi hermana **vestía** un abrigo rojo que le quedaba muy bien.

Proveer de ropa.

Mis padres me **visten** a mí.

## vestuario

| | M | F |
|---|---|---|
| S | vestuario | |
| P | vestuarios | |

• Ropa.

En las tiendas del centro hay exhibición de **vestuario**.

## viajar

| Pasado | Presente | Futuro |
|---|---|---|
| viajé | viajo | viajaré |

Ir de un lugar a otro distante.

Uno de sus sueños era **viajar** en avión.

## victoria

| | M | F |
|---|---|---|
| S | | victoria |
| P | | victorias |

Acción de ganar o vencer.

La **victoria** de nuestro equipo fue por una gran diferencia de goles.

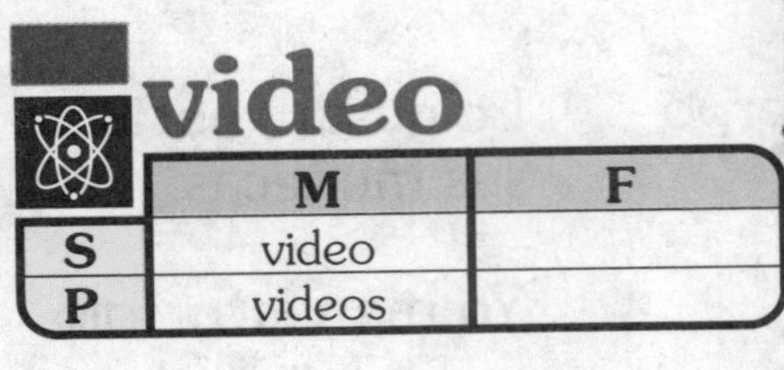

## video

| | M | F |
|---|---|---|
| S | video | |
| P | videos | |

Lo grabamos todo en un **video** de mis amigas.

## vigésimo

| | M | F |
|---|---|---|
| S | vigésimo | vigésima |
| P | vigésimos | vigésimas |

Cada una de las veinte partes iguales en que se divide un todo.

Un **vigésimo** de un metro son cinco centímetros.

Que está en el lugar Nº 20.

Voy a consultar el **vigésimo** volumen de esa enciclopedia.

## violín

| | M | F |
|---|---|---|
| S | violín | |
| P | violines | |

Se llama **violín** no sólo al instrumento de cuerdas, sino también a quien lo toca. Por ejemplo, se dice: el primer **violín** de la orquesta.

## visita

| | M | F |
|---|---|---|
| S | | visita |
| P | | visitas |

Acción de visitar.

Estamos haciendo una **visita** por la costa.

Persona a quien uno recibe en su casa porque viene a saludar y a conversar.

Tengo dos **visitas** en casa.

## visitar

| Pasado | Presente | Futuro |
|---|---|---|
| visité | visito | visitaré |

Ir a ver a alguien para saludarlo y estar un tiempo con él.

El próximo domingo **visitaremos** a unos parientes.

Ir a un lugar para conocerlo.

Estuvimos **visitando** Ciudad de México.

Ir el médico a casa del enfermo para examinarlo.

Hace tiempo que no nos **visita** el doctor.

## vista

| | M | F |
|---|---|---|
| S | | vista |
| P | | vistas |

Organo que permite distinguir las cosas y sus colores.

Los gatos tienen una excelente **vista** en la oscuridad.

Panorama o espacio grande que se ve desde un lugar elevado.

La casa tiene una linda **vista** al mar.

Fotografía que presenta cierto lugar o escena.

En mi álbum tengo buenas **vistas** del paseo a la playa.

## vitamina

| | M | F |
|---|---|---|
| S | | vitamina |
| P | | vitaminas |

Las frutas contienen muchas **vitaminas**.

## viudo

| | M | F |
|---|---|---|
| S | viudo | viuda |
| P | viudos | viudas |

Esa señora es **viuda**. Su marido murió el año pasado.

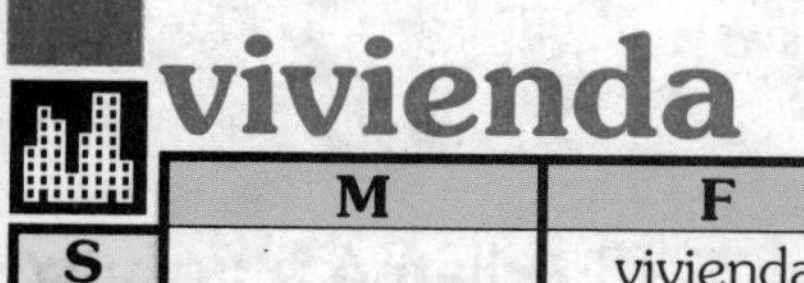

## vivienda

| | M | F |
|---|---|---|
| S | | vivienda |
| P | | viviendas |

Construcción hecha para vivir en ella.

La **vivienda** de los esquimales se llama iglú.

## vivir

| Pasado | Presente | Futuro |
|---|---|---|
| viví | vivo | viviré |

Estar con vida.

Los pajaritos nos enseñan la alegría de **vivir**.

Tener cierto tipo de vida.

Gracias a lo que trabajan mis padres, **vivimos** bien.

Residir o habitar en cierto lugar.

Tengo un compañero argentino que se vino a **vivir** a Chile.

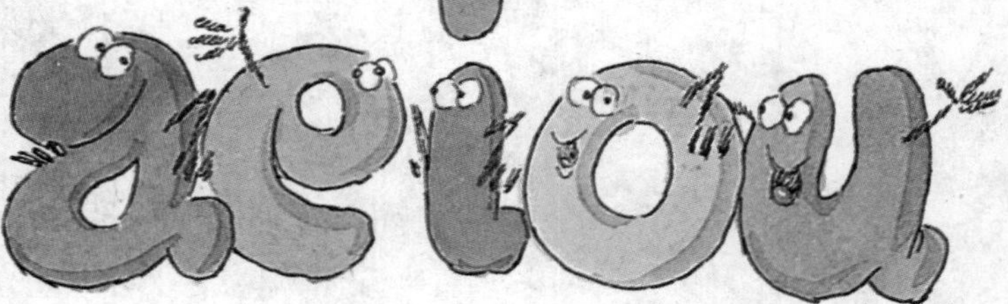


## vocal

| | M | F |
|---|---|---|
| S | | vocal |
| P | | vocales |

Sonido que no puede faltar en una sílaba.

Las **vocales** de nuestro idioma son a, e, i, o, u.

# volver

| Pasado | Presente | Futuro |
|---|---|---|
| volví | vuelvo | volveré |

Cambiar la posición en que está alguien o algo.

Lo llamé y **volvió** la cabeza hacia mí.

Moverse en dirección al lugar desde donde se salió o llegar de nuevo hasta él.

Mi papá **vuelve** muy cansado de su trabajo.

Hacer algo de nuevo, repetirlo.

La desperté temprano, pero **volvió** a dormirse.

A B CH D E F G H I

J K L LL M N Ñ O P Q

R S T U V W X Y Z

## walkie-talkie

| | M | F |
|---|---|---|
| S | walkie-talkie | |
| P | walkie-talkies | |

Con el **walkie-talkie** hablo con mi hermano a cien metros de distancia. (Se pronuncia "uoki-toki").

## week end

| | M | F |
|---|---|---|
| S | week end | |
| P | | |

• Fin de semana, en inglés.

El próximo **week end** iremos a la playa. (Se pronuncia "uik-end").

## windsurf

| | M | F |
|---|---|---|
| S | windsurf | |
| P | | |

Me gustaría hacer **windsurf** cuando sea grande. (Se pronuncia "uinserf").

| A | B | C | CH | D | E | F | G | H | I |
|---|---|---|---|---|---|---|---|---|---|
| J | K | L | LL | M | N | Ñ | O | P | Q |
| R | S | T | U | V | W | X | Y | Z | |

## xilófono

| | M | F |
|---|---|---|
| S | xilófono | |
| P | xilófonos | ---- |

El **xilófono** es un instrumento musical que se toca golpeando unos palillos sobre unas placas de madera o de metal de diversas dimensiones.

## xilografía

| | M | F |
|---|---|---|
| S | | xilografía |
| P | | xilografías |

En la exposición vimos varias **xilografías**; son grabados en madera.

A B CH D E F G H I
J K L LL M N Ñ O P Q
R S T U V W X Y Z

conj. **y**

• Une dos palabras, frases u oraciones, indicando que se suman o agregan.

Mi hermano **y** yo vamos a la misma escuela.

Juguemos a que yo te escribo una carta **y** tú me la contestas.

• La conjunción **y**, se cambia por **e** cuando la palabra que la sigue empieza por sonido **i**.

Necesito aguja **e** hilo.

Hay números pares **e** impares.

adv. **ya**

Se usa para expresar:

• Tiempo pasado.

**Ya** hemos paseado bastante.

• presente.

**Ya** es hora de irnos.

• o futuro.

**Ya** nos iremos, pero no tan pronto

• Luego, inmediatamente.

– ¿Me llamas?
– ¡Sí, hijo!
– ¡**Ya** voy!

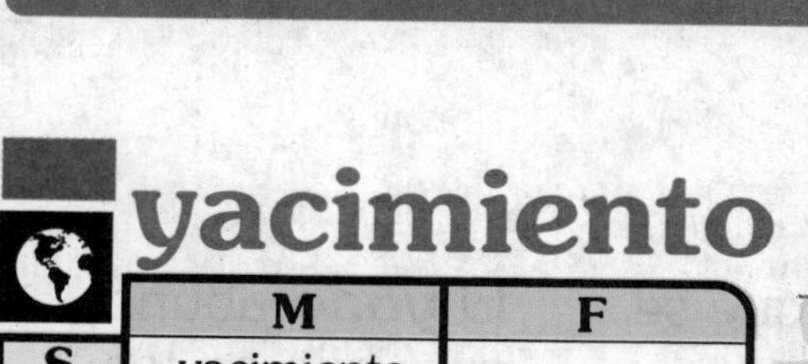

## yacimiento

| | M | F |
|---|---|---|
| S | yacimiento | |
| P | yacimientos | |

En América hay grandes **yacimientos** de minerales.

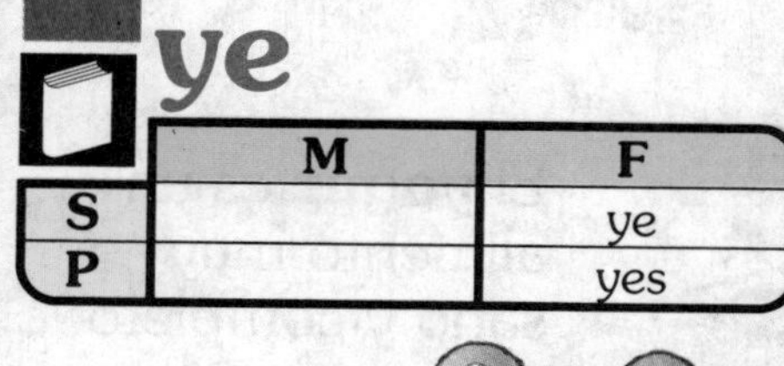

## ye

| | M | F |
|---|---|---|
| S | | ye |
| P | | yes |

Nombre de la letra **y**, y de los sonidos que representa.

"Rey" se escribe con **ye**, pero se pronuncia con i. "Reyes" se escribe y se pronuncia con **ye**.

## yeso

| | M | F |
|---|---|---|
| S | yeso | |
| P | yesos | |

El **yeso,** mezclado con agua, sirve para cubrir las paredes.

## yo

| | M | F |
|---|---|---|
| S | yo | |
| P | | |

El que habla o escribe.

**Yo** estoy leyendo mi "Primer Diccionario"

A veces se convierte en **me**, **mí**.

A **mí me** gusta mucho cultivar plantas.

## yodo

| | M | F |
|---|---|---|
| S | yodo | |
| P | | |

Sustancia que se usa como desinfectante de las heridas.

El **yodo** abunda en Chile en los yacimientos de salitre.

## yogur

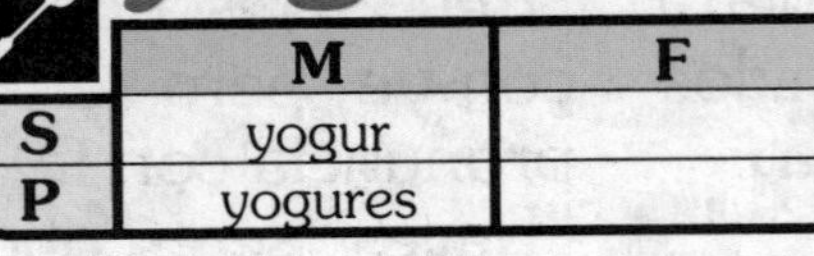

| | M | F |
|---|---|---|
| S | yogur | |
| P | yogures | |

El **yogur** es un alimento muy sano y completo.

| A | B | CH | D | E | F | G | H | I |
|---|---|---|---|---|---|---|---|---|
| J | K | L | LL | M | N | Ñ | O | P | Q |
| R | S | T | U | V | W | X | Y | Z |

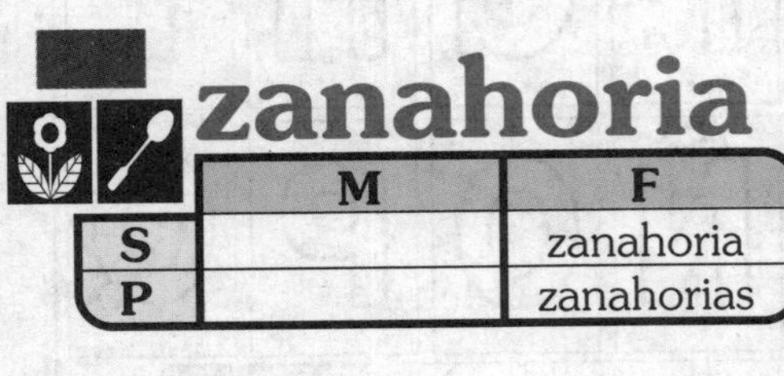

## zanahoria

| | M | F |
|---|---|---|
| S | | zanahoria |
| P | | zanahorias |

A los conejos les encantan las **zanahorias**.

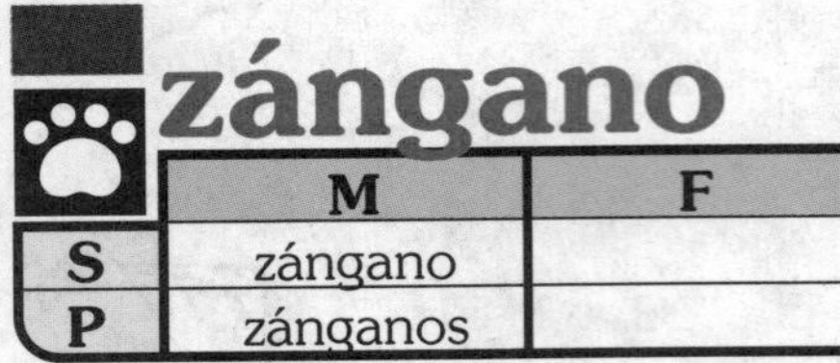

## zángano

| | M | F |
|---|---|---|
| S | zángano | |
| P | zánganos | |

Macho de la abeja reina.

Los **zánganos** carecen de aguijón: no pican como las abejas.

Persona que vive sin trabajar pudiendo y debiendo hacerlo.

No me gustan los **zánganos**.

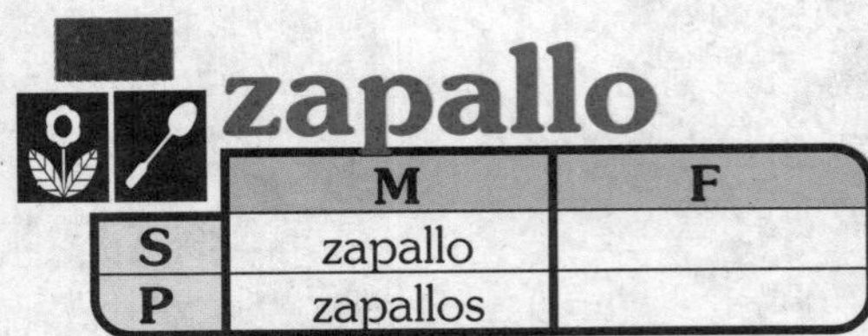

## zapallo

| | M | F |
|---|---|---|
| S | zapallo | |
| P | zapallos | |

Me mandaron a comprar un trozo de **zapallo**.

## zeta

| | M | F |
|---|---|---|
| S | | zeta |
| P | | zetas |

Nombre de la letra **z** y del sonido que representa.

En los comics las **zetas** significan que alguien está dormido.

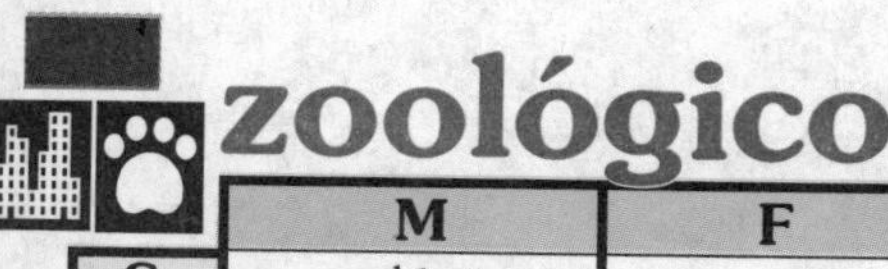

## zoológico

| | M | F |
|---|---|---|
| S | zoológico | |
| P | zoológicos | |

En el **zoológico** puedo ver una gran variedad de animales salvajes.

## zorro

| | M | F |
|---|---|---|
| S | zorro | zorra |
| P | zorros | zorras |

El **zorro** es un animalito muy astuto.